S0-BXH-241

商战小说

饕餮

TAOTIE

韦帕◎著

国际文化出版公司

图书在版编目（CIP）数据

饕餮/韦帕著. -北京：国际文化出版公司，2009.7
ISBN 978-7-80173-869-1

I. 饕… II.韦… III.长篇小说-中国-当代 IV.I247.5

中国版本图书馆CIP数据核字（2009）第050738号

饕餮

作　　者	韦　帕
责任编辑	潘建农
策划编辑	许　挺
美术编辑	张红敏
出版发行	国际文化出版公司
经　　销	北京国文润华图书销售公司
印　　刷	三河市华晨印务有限公司
开　　本	710×1000　16开 26印张　386千字
版　　次	2009年7月第1版 2009年7月第1次印刷
书　　号	ISBN 978-7-80173-869-1
定　　价	32.00元

国际文化出版公司
北京朝阳区东土城路乙9号　邮编：100013
总编室：（010）64270995　传真：（010）64271499
销售热线：（010）64271187　64279032
传真：（010）84257656
E-mail: icpc@95777.sina.net
http://www.sinoread.com

目录

楔　子 /5
第一章　白崇洗与食人鱼 /10
第二章　孙大盛与安山春梦 /48
第三章　老夫子与“南玻碗” /87
第四章　申扬与动感地带 /126
第五章　囊中之物 /144
第六章　饕餮 /181
第七章　狭路相逢 /190
第八章　拐点 /219
第九章　晴晴追踪 /246
第十章　第一城 /277
第十一章　登高 /307
第十二章　红楼梦中人 /330
第十三章　流觞 /356
第十四章　毒酒 /365
尾　声 /414

楔　子

连续六个月了，没下一滴雨。

太阳每日熬红了双眼钉在半空，咝咝散发着绝望的热气。自从六个月前那场无与伦比的沙尘暴过后，肆无忌惮的炙热便成为城市里唯一的景色。

京城大旱。

千年不遇。

鸟儿都飞走了，不知去向，代之的，是遮天蔽日的尘沙。

绿色不见了，北京的建筑本以灰色为基调。此刻，以往的绿色也变成灰色，到处是哑暗一片，分不清哪是建筑，哪是植物。

河流干涸，池塘湖泊变成一个个裸露的大坑，坑底堆满鱼骨和千百年来人类的丢弃物，由南方调来的水未进京便蒸发殆尽，地下水位降低到几乎无法探测到的深度，北京的近两千万人口皮肤也逐渐丧失水分，与建筑、植物一道，日益变成沉寂的晦暗。

绝望的喘息在大厦间的窄巷中艰难回荡。街头人迹罕至，基本没有车辆。

人类蜷缩于汗蒸的房间，像一条条缺水的鱼。这场大旱由西北起始，继而华北，随后东北、华东、中南、华南、西南，人们无处可去。由缺水引起的温度急升，继而引起能源紧缺，两个月前，大多数城市停止了正常供电，晚间短暂的光明，常常引发全城欢呼，欢呼声在没有月亮的夜空低沉地回响，随后，照例是死般的沉默。

人在室内酷热难耐，却绝对不敢开窗。室外的空气已经能将枯木点燃，城市里每天发生不下五十起火灾，全是因高温引起，消防队员无水灭火，从一个个消防水桶里扑向火焰的，是沙子。

有人往地上吐痰，痰下落过程中体积越来越小，落地时，已经变成一个小小黄点飘在地面，所有水分，均已蒸发。

建筑在开裂，常有炸裂的玻璃高空坠落，地面满是粉身碎骨后的钢化玻璃，外墙涂料在高温下形成连绵的蛛网纹，抬头看去，如一张张狰狞在一起的仓皇笑脸。墙砖也成片脱落，最可怕的是，高楼的外挂石材在阳光下砰一声开裂，然后成群结队呼啸而下，据报导，京城因高空坠落的墙体材料而致死的人，已逾上千。

水比油贵，是三个月前的事。

现今，水早已比香水还贵。那些躺在黑暗高温的商场货架上的法国香水连着它们的化妆品姐妹，悄然蒸发枯萎。人们早已不再化妆，没有水洗脸的时候，怎会有水卸妆呢？

风沙愈大，眼睁睁看着北京逐渐变为沙场。半个北京城，已经被一望无际的黄沙覆盖。

然而，一片沙漠正中，却有一波绿洲。

一架直升机由远而近，在漫天沙尘中宛如一只大鸟。

有人在笑。笑，对于此际的人类，绝对是一件奢侈的享乐，只有每天沉浸在快乐与满足中的人，才能焕发出如此阳光的笑容。

直升机是给白崇洗送水而来的。

白崇洗没有和许多人一道离开，他已经熟悉了这里的一切，北京是带给他成功与梦想的地方，再说，困难总会过去，最困难的时候，往往蕴藏着最大的喜悦。更重要的是，白崇洗不缺水。

有先知先觉者在灾难来临前几个月，在海边投巨资建了一个风力发电站和一个海水淡化厂，用自己生产的电力生产淡水。等到灾难真正来临，这里生产出来的每一滴水，每天都在以惊人的速度涨价，普遍预测，他们只用了一个月就收回了全部投资。

白崇洗就是这家企业的投资人之一，所以每天都会有专机来给他送水。纯净的、新鲜的散发着沁香的水。有了水，别墅里一切照旧，每天下午伴着夕阳在泳池里游泳，白崇洗会把自己当做园林假山下池塘中逍遥自在的锦鲤。

此刻的白崇洗，正躺在别墅三层靠窗的按摩浴缸里，叼着一支昂贵的古巴纯手工雪茄，看着脚下属于自己的一池碧波，一片翠绿。

直升机准备降落在院中一个专门的停机坪，突然，人们听到一个声音，一股凄厉的沙尘从飞机侧面掠过，好像是有什么东西被卷进了发动机，直升机在白崇洗的视线中顿了一下，马上以一种怪异的姿势头重脚轻地飘了起来，引擎有黑烟冒出，驾驶员惊恐的双眼最后看了白崇洗一下，飞机越来越快速旋转，尾部被泳池边的一棵棕榈剐了一下，竟直冲白崇洗撞了过来，白崇洗瞪大双眼，直升机在他的瞳孔中急速放大，随即，绿色，变成了一片无止境的黑暗……

“轰……”

白崇洗猛一颤，再睁开眼时，拍卖师正举着两根手指说：“二十一亿四千六百万第二次。”

只是一个梦而已？白崇洗笑了一下，坐起身子。

不远处人群人中有人举起号牌，“二十一亿五千万。”

“好，66号，二十一亿五千万第一次。”拍卖师说。

白崇洗完全清醒过来，心里还在盘旋着梦里的惊悚一刻，助手低头小声说：“白总，现在就只剩咱们和笃寅集团两家了。”

“哦。”白崇洗点下头，“怎么，自己快睡半小时了，价格才涨到二十一亿五千万？”

这块地位于望京，起拍价十四亿。北京房价涨成这样，照目前速度，这块地二十五亿内都能赚钱。白崇洗盯这块地不是一年两年了，真到公开拍卖这天，他却突然没了信心。白崇洗精，其他开发商也不傻，报名截止日那天，共有五十多家开发商前来报名，国内知名企业几乎全部到场，还有些名不见经传的，白崇洗派人去打听，好多都是些在山西挖煤赚了大钱的煤老板们集资组成的竞标联合体，听到他们现身，白崇洗有些头皮发麻，这帮家伙可不管地价是多少，反正就认准了房地产能赚钱，再加上手里的钱每天一车车往家拉，地价最后被拍到多高，他们才不在乎，反正房价也能一个劲不断往上涨！

不过，他们毕竟不懂房地产，真要碰上狠角，也就一下子懵了，再加

上他们各人各怀心思，地价一旦超过预期，拍卖现场便顿时群龙无首，人人没了主意，所以，山西煤老板们在北京土地市场上的竞争，往往是雷声大雨点小，失利的占多。

在山西煤老板眼里，白崇洗当然是个狠角。

不过，在白崇洗眼里，真正的狠角，是笃寅集团。

果然，五十家企业拍了快一小时，白崇洗无聊得都快睡着，临睡前指示助手，别理人家叫多少，反正就按照最低加价幅度一千万往上喊，不到二十五亿，别叫醒自己。

白崇洗被噩梦惊醒时，果然，除去自己和笃寅集团，其他各家，已纷纷偃旗息鼓，超过二十亿时各家山西背景的组团乱了阵脚，胡乱喊了几轮见吓不倒别人，干脆闭上嘴看热闹。剩下十来家跟到二十一亿时也逐渐退却，此刻国土局拍卖大厅里一片安静，笃寅集团不管叫多高，反正白崇洗这边只加一千万。人们明白有这两家在场，自己无论喊多高也全是自娱自乐，索性睁大眼看着最后到底花落谁家。

助手举起号牌。

拍卖师说："好，99 号，二十一亿六千万第一次。"

笃寅集团举起号牌，喊："二十二亿。"

"好，66 号，二十二亿第一次。"

……

"二十二亿第二次。"

助手看了一眼面无表情的白崇洗，面无表情的举起号牌。

"99 号，二十二亿一千万第一次。"

笃寅集团举起号牌，"二十三亿。"

白崇洗打了个哈欠，心里忽然又想起那个梦，想象着直升机冲向自己的那一刻，想象着梦里北京城到处的苍凉与绝望，心里突然被什么东西触动了一下，脸上似笑非笑，喃喃道："何必……"

"什么？"助手忙回身，"白总您说什么？"

白崇洗却没有理会，笑意，却更浓，好像有件足够幸福的事刚刚被自己经历。拍卖师已经喊到第三遍了，助手得不到白崇洗的回应，只好把号牌再次举起。

“99号，二十三亿一千万第一次。”

“二十四亿。”

马上就要到二十五亿的底线了，助手紧张地看着白崇洗，看今天这架势，冲破三十亿也不是不可能。

果然，就在白崇洗助手落拍的刹那，笃寅集团举起号牌，“二十五亿。”

“还叫吗？”

“绿蚁醅新酒，红泥小火炉。晚来天欲雪，能饮一杯无？”白崇洗突然莫名其妙没头没脑吟了一句。

“什么？”助手更加没头没脑。

拍卖师已经喊过第二遍。

“白总！”助手有些着急，手举着号牌在半空，想举，又不敢举。

“二十五亿第三次。”

白崇洗笑了，笑得比梦里望着窗外的一波绿洲时还悠然。

“罢了，洗澡时间该到了……”

“什么？”助手更加不解，却见白崇洗微笑着站起来，自顾自转身出去，拍卖师瞪大眼睛望着白崇洗的背影发呆，手中槌迟迟没有落下。

一片哗然。所有人盯着白崇洗悠然的背影发呆，这么一场惊心动魄的大战就这样轻若无物的结束了吗？

拍卖师手中的槌轻轻落下，犹豫地说：“66号，二十五亿成交。”

身后有人欢呼，有人笑，有人鼓掌。白崇洗却充耳不闻，径直走出喧嚣大厅，大门外，阳光依旧灿烂，绿意萦绕在蓝天白云下，哪有那些阴霾，那些惨绝……

第一章　白崇洗与食人鱼

市委会议室上方烟雾缭绕，好似阴霾密布，没有一丝阳光。

唐书记将手中的笔记本重重砸在面前的会议桌上，迎着满桌目光一脸阴沉。“无论是谁，无论是什么事，都比不上招商引资的重要性！”

卫市长坐在他身边同样阴沉着脸不吭声。

气氛，阴郁得快下雨。

大家的目光集中在坐在卫市长对面一张尤为阴郁的面孔上。卫市长皱皱眉头，对那人说：“陈局长，你说说到底是怎么回事？”

“好。”那个陈局长艰难的咽下口唾沫，头几个字虚渺无力从口中气若游丝般轻吐飘出，以至于大多数人根本没有听见他到底在说些什么。

“声音大些。”卫市长低声说。

唐书记的脸色更为阴沉。窗外，快下雨了。

“这个……昨晚，市局治安支队组织全市统一的扫黄行动，”陈局长悄悄瞥唐书记一眼，接着说：“在安沣大酒店的洗浴中心，民警冲进一个包间时，正好看见一个按摩小姐正赤裸上身给一个嫖客……”陈局长一个急刹车，偷看一眼正使劲瞪着他的唐书记，诺诺道：“一个……客人，我也随后才知道是咱们市里请来的投资商。”

“说说现场情况。”卫市长说。

“白总，就是那个投资商，当时他正四仰八叉躺在床上，浑身赤裸，那个按摩小姐的胸罩就扔在他腿边，明显是刚脱下来的，小姐手边的工具箱里还有一个没开封的避孕套，民警冲进来时，她正要往下脱身上最后也是唯一一件衣服……那个透明的丁字裤……”

堂堂市委常委会议竟然会认真描述这样的荒淫场面实在有些不合时宜，

会场上有人憋不住笑却又不敢笑，只好用大声咳嗽代替，一时间咳嗽声此起彼伏。唐书记耐住性子等到咳嗽平静些，也咳嗽了声，轻轻道："接着说。"

"还好民警进去及时，小姐还没来得及……"陈局长的口气好像是在庆幸警察进得及时，否则北京来的投资商白总的清白之躯一定会蒙受侵犯蹂躏……大家想象着当时的情景，几个人又开始咳嗽。

唐书记打断他，问："我是问你白总当时在做什么？"

"他当时醉得人事不省，民警费了好大劲才把他晃醒，他坐起来第一句话是：'靠！还要喝呀？'"

安泮市的酒风的热辣与民风的豪爽全省闻名，外来客人除非先醉倒或把当地人干倒，否则绝对无法做到清醒走出房间。任你有八两一斤的海量也不在话下。

"你是说，当时白总处于沉醉状态？"卫市长问。

"是。醉得很厉害，说完这句话便又倒在床上。后来……"

"后来怎样？"

"后来，巡逻民警把他叫醒……"

"怎么叫的？"唐书记紧皱眉头。

"水，用水……叫醒。"

"什么水？"唐书记的火气全市有名，陈局长感觉自己的上下牙在咯咯轻响。

"凉……凉水。他们，接了一壶水龙头里的凉水把白总……"

"胡闹！"唐书记和卫市长同时紧皱眉头道。陈局长低头转着手中的圆珠笔，一句话不敢再说。

"接着讲。看公安局还有多少手段？"

陈局长已经不敢正视唐书记的目光，低头道："民警就把白总带回局里了。"

"怎么带的？"

陈局长脸色青一阵白一阵，好长时间才说："把他跟那个小姐铐在一起，带到警车上，然后又带回局里。"他偷眼看一下唐书记，小声说："整个过程没给他戴头套，也……没穿衣服。"

“胡闹！”唐书记再次把笔记本砸桌上，险些将茶杯撞翻。“我跟你们说过多少次了，文明办案文明办案，怎么总是……”

卫市长叹口气，道：“现场看热闹的人用手机拍照你们也没阻止？”

“阻止个屁！我看他们是故意的！”唐书记将笔记本捡起来，又重重一次拍桌子上，这一次茶杯终于翻倒在桌上，全场人盯住那个翻倒的茶杯在一片茶水里转圈，除了唐书记的秘书魏小宝一个健步从后排冲上前抽出纸巾收拾残局，没有一个人喘气。唐书记大声说：“这不照片都上网了！我一早打开电脑，满中国网站贴得到处都是！说什么‘安沣市警方粗暴办案！’，说什么‘北京房地产商安沣涉黄裸体被抓一览无余！’，不光白总的名誉受损，整个安沣市……这下好，一下子出名了！你们公安局真行啊，我真是由衷佩服你们啊，几届政府没有能力做到的事，你们一晚上就成功了！我看，有这么伟大的政绩在，陈局长你完全有资格做下一任书记市长了！卫市长，你说是不是？”

卫市长：“咳咳……”

陈局长委屈的说：“一直是这样……”

“你这是狗改不了吃屎！”唐书记一声大喝，会议室鸦雀无声。

“咳咳。”卫市长清清嗓子，问道：“白总当时没有抗议吗？”

“他……没有，因为虽然站了起来也能走动，但意识好像仍然不太清醒，反正直到拘留所才清醒过来，倒是没什么抗议，只是说要找人。”

“找谁？”

“他吵着要找……贾副市长。”

所有目光转向贾晓阳，他在市里分管招商引资工作，当晚也是由他宴请白总。贾晓阳苦笑，“我请他吃完饭就先走了，余下的活动不是我安排的。”

“这些问题随后再说。”卫市长忙把话头从贾晓阳身上抽回来，问道：“后来呢？”

陈局长接着说：“他说自己是市里请来的投资商，民警将信将疑，马上报告了值班领导，当晚值班的是孔副局长，他忙给贾副市长打电话，但贾副市长始终没有接听。”

贾晓阳不好意思低下头，“我也喝多了，回家就倒头睡觉，手机还开在振动上。”

“孔副局长于是命令民警给白总解开铐子穿好衣服，给他开了个有床的单间，说暂时让他委屈一下，等落实清楚……”

“委屈一下？！你们以为这样给人家在拘留所里开一个单间就是优待就是体现安沣市的待客之道了吗？”唐书记青筋直冒，“人家千里迢迢来市里投资，是贾副市长好不容易请来的财神爷，结果好，下午刚把意向协议签订，晚上就给人家整拘留所里去了，还美其名曰单间？不光是委屈，还有侮辱！”唐书记似乎准备把手里的钢笔捏碎，好容易平静下来接着说：“市里大会小会开过多少回？三令五申说招商引资是全市头等大事，任何领导任何单位都要对招商引资工作打开方便之门，谁破坏招商引资工作，就砸谁的饭碗！”

唐书记掷地有声，陈局长的心猛一哆嗦。

“贾副市长，你说一下后面的情况。”

贾晓阳说：“昨晚散席后，我当时问白总是不是去唱歌洗澡放松什么的，他说喝多了只想回房睡觉，于是我吩咐秘书把他和两个手下送回房。秘书回来说白总已经进房了，后来他为啥又从房间去了洗浴中心，我们也不知道。我今天上午接到电话，忙赶到拘留所把白总请出来，回到宾馆后，他说想洗个澡，让我先回去。我再三向他道歉后约好中午我过来请他去吃正宗的地锅农家菜，他也表示说一场误会，没关系。然后我回办公室把昨晚的情况了解清楚，我了解完情况中午到宾馆时，才知道他已经于一个小时前带着两个部下不辞而别了，白总一行三人手机全都关机，我忙请公安局同志查找他的去向，得知白总的车早就上了高速……”

唐书记叹口气，问道：“白总说过什么吗？”

“上午我们见面时他说，嫖娼完全是子虚乌有，他只记得打开第四瓶酒之前的事情，后来的事完全没有印象，等到清醒过来时，竟然发现自己浑身赤裸和一个半裸女人一起蹲在拘留所冰冷的地面，两人之间还用手铐铐着。”

唐书记又重重叹口气，转而问右眼皮一直狂跳不停的陈局长，“白总是

怎么又去洗澡的？”

“我认真核实过，昨晚白总大概在进房半个小时后，独自出门下楼去了洗浴中心。我亲自问过当时接待他的服务员，服务员回忆说他当时眼神都是直的，满嘴酒气，反应也很迟钝，明显处于醉酒状态，服务员问他去大厅还是包间，他说随便，于是服务员把他领到一个包间，又问他需不需要……按摩，他也说嗯，于是，服务员便通知总台给他找了个小姐，小姐刚进门，警察就到了。”

“‘嗯’？‘嗯’是什么意思？白总当时是醉酒状态，这声含糊不清的‘嗯’就能说明白总是嫖客吗？还有，我问你，这个小姐是哪儿来的？”

“是……原来就有。”

“什么？原来就有？堂堂市政府指定接待宾馆里有这些乌七八糟的东西，你们怎么解释？”

“我……我们一直在检查，三番五次……”

“三番五次？跟你们说过多少次……”

卫市长轻轻碰一下愤怒的唐书记，轻轻说：“还是说白总吧。”

“对。”唐书记反应过来，“你们公安局的事，咱们随后再说。今天把大家从各自工作岗位上召集过来开这个临时办公会，第一，是商议如何处理白总的事，第二，是再一次重申招商引资工作的重要性！”唐书记拿起魏小宝刚才重新倒好的茶水喝了一口，接着说：“同志们，咱们安沣市是个穷市，连续十年全省倒数第一的日子不好过，大家的面子上，也不光彩。安沣市山清水秀资源丰富民风淳朴，可就为什么发展不起来，招商引资工作连年位于全省倒数，我认为，其原因主要有两点，第一，是招商引资的力度不够，是有关领导和基层各级政府部门重视不够，所以说，这不是条件问题，不是资源配套问题，更不是政策问题，而是大家的思想问题，是大家的思维方式还没有从落后狭隘的发展思路上解放出来的问题！第二，是没有把招商引资工作着眼于全局，我和卫市长多次说过，招商引资不是哪一个部门的事，不是市政府招商办公室一家的事，更不是我和卫市长、贾副市长几个人的事，而是每位安沣市政府公务人员和四百万安沣人民的事！说到底，还是一个思想问题！白总昨晚的遭遇，是我们工作不力的一个明证，说明我们工作之粗放，思维之简单，各部门间衔接之混乱！我在这里，也向大家作深刻检讨，也希望在座各位认真审视自己的工作，在思想上形成真正的统一。我的话就到这里，卫市长，关于白总一事的处理，还是由你来阐述意见吧。”

“好。”卫市长点头，说：“同志们，唐书记来到我们安沣市也快三年了，很多同志私下说怕唐书记，怕他发火，怕他训起人来不留颜面，可大家好好想想，唐书记为啥爱发火，唐书记心脏不好大家都知道，可他这火，为啥总是要发？他是吃饱了没事干拿你们大家熊着玩儿，还是不知道生气对身体不好？大家可以认真回想一下，他哪一次发火不是为了安沣市的发展和安定，他的火，是为了安沣市的发展富强，是为了看安沣市的幸福未来，是为了四百万善良淳朴的安沣市人民！”说到动情处，卫市长停顿了一下，接着说：“同志们，三年前，省委派唐书记来，就是为了帮助安沣市早日摘掉落后的帽子，早日让安沣市赶上全省的发展步伐，大家在他的带领下提出了以招商引资为龙头，以政策配套和资源配置为两翼，以重视思想解放为动力的发展战略，新战略实行三年来，安沣市的进步是有目共睹的，城市农村面貌均获得大幅提升，去年的经济增长率第一次超越了全省平均水平，这成绩的取得，就是来源于新发展战略的正确！正因为这三年的超越式发展，使安沣市人民看到了希望，看到了未来的幸福！但是，昨晚白总事件，对，我们应该把这件事定义为‘事件’，再一次暴露出我们工作中的不足！刚才唐书记作出了自责，作为市长，我更应该作出深刻的自我批评！为了弥补这件事带来的影响，我认为有几件事，需要有关同志立即安排下去。第一，请宣传口的同志辨证看待白总事件对安沣市带来的负面影响，负面的宣传，有时也是一种宣传，请有关部门迅速拿出危机公关方案，一方面努力修补白总事件带来的不利影响，另一方面，充分利用此次安沣市的知名度大力宣传安沣市的优势面，争取把坏事变成好事！第二，请贾副市长派人不断联系白总，代表唐书记和我向白总深表歉意，一定要把白总请回来，必要时，请贾副市长亲赴北京当面道歉，如果需要，我也可以亲自去！第三，落实责任，责令陈局长深刻检讨，对当事人和责任人提出处理意见，要求全市范围内再不得出现类似的不文明办案现象！第四，在

全市范围内加强对招商引资工作的宣传力度，在近期安排一次全市各主要部门和领导参加的招商引资大会，进一步推动招商引资工作的力度。第五，对全市范围内所有公共娱乐场所的色情活动和从业人员进行清理，对有问题的经营场所进行整顿限期整改。第六，以市政府名义出台外地投资客商保护办法，对外来投资客商各级招商部门应登记造册，专门发放证件、车牌，对正常前来投资的外地客商，不得对他们的住地进行随意检查，不得对他们的车辆进行随意拦截检查，对于他们的合理要求一定要积极解决，对于个别的特殊要求，应尽快上报上级部门领导进行特事特批，为广大投资客商，创造一个和谐轻松的投资环境。”

“好，我同意卫市长的意见。小魏，你把今天的会议以纪要形式明天下发到各单位，作为大家统一思想的一次预热。另外，贾副市长，接下来你的任务最重，谈谈你的想法。”

“好，说实话，作为主管招商引资的副市长，出了这样的事我很惭愧。通过几年来的不懈努力，安沣市的工业基础和城市面貌有了一定提升，对于白总这样的国内著名房地产开发商，我们也是费尽心力才把人家请到我们这样一个落后地区来的，说实话，白总这样的私营老板特别实在，他们的目的很简单，你让他有钱赚他就来，他头一次来时就对安沣市的良好自然环境有好感，说这样一个美丽的小城到处是样式陈旧配套落伍阴晦破败的建筑，怎么能激起外来客商的投资热情呢？我们也是希望引进这样的无论从开发实力还是开发理念都处于国内先进水平的开发企业，尽快将安沣市的城市面貌焕然一新，在昨天签署的合作意向中，他一共意向开发四块地，初步议定的土地出让金就有五个多亿。更重要的是，我希望白总能够在安沣市长期扎根，这四块地只是他的试探性项目，接下来，对中心城区的成片商业改造，老火车站的综合改造等项目，他也非常有兴趣。所以，我的当务之急，是一定要把他请回来。我准备，如果今晚还打不通电话的话，我明早动身直接去找他，拉，也要把白总拉回来！”

安沣市的青山秀水在通向北京的高速公路两边飞快的退去，望着东方第一抹红霞，贾晓阳陷入沉思。安沣市距离北京不过六百公里，有高速公路直接连通，与省内各大城市也全部有高速公路连接，交通非常便利。但是，自从二十世纪九十年代升格为地级市后，安沣市却一直像一个长不大的羸弱幼童，经济始终徘徊在全省末流，尤其是近些年，全省GDP跨入全国前五强，各兄弟城市也纷纷跨入地级市前一百强之列，只有安沣市仍步履艰难的跋涉在全国地级城市二百名开外，严重的拉了全省后腿。三年前，时任省经委主任的唐卿调任安沣市委书记，省委就是想借助唐卿多年来厚实的经济管理功底和经济界的人脉关系，来为安沣市的腾飞添一份力量。果不出其然，唐卿担任书记的近三年时间里，安沣市有了质的飞跃。唐卿在安沣市埋头调研三个月后，在全市第一次全体干部会议上鲜明提出了以招商引资为龙头，以政策配套和资源配置为两翼，以重视思想解放为动力的城市发展战略，通过三到五年的拼搏，达到人均GDP和人均纯收入翻一番的目标！他利用自身多年积累起来的关系，对内挖掘招商项目对外吸引投资，随着一批工业项目的陆续投产，安沣市逐渐走上稳步发展的快车道，以20%以上的经济增长率成为省内各城市发展的亮点。去年，全省经济工作会议破天荒在安沣市召开，会上，省委省政府提出以全省之力举安沣市发展，兄弟城市协力共赢，促进安沣市和谐快速发展的新基调。在这样一个大背景下，加大招商引资力度，争取在短时间内彻底改变落后面貌，成为此届政府最后两年工作的重中之重。为此，市里特意在去年年底去北京举办了一次高调的安沣市国际投资洽谈会，招商的重点项目主要有旅游开发、工业项目和房地产项目三个板块。但是，这样的地方招商性的展会在北京已经是三天两头便有一场，安沣市偶一亮相，便被淹没在众多的项目中，这个飞速发展的时代，缺的不是项目，更不是资金，而是本事！而本事，寄居于那些拥有翻云覆雨巨大能量的“能人”身上。

唐卿就是安沣市最大的能人，但这几年他的能力早已用足，达到了饱和，再用，只怕要透支了。放眼望去，安沣市再无他这样能量级的人物，于是市政府特地出台一项政策，鼓励各级政府工作人员参与到招商引资的大潮当中，针对有些地方将招商引资任务层层下达到人头的做法，唐卿明确表示那是一种容易引起人们反感的错误做法。安沣市采取的是鼓励，积极的正面的鼓励，不但对政府各级工作人员有效，对于他们的家属、亲友、同

学同样有效。政策规定，凡能够为安沣市找来投资者，不分男女老幼，不分职务高低，不分党员群众，一律给予实际投资额1%的重奖，也就是说，你拉来了一个投资一千万的项目，就发你奖金十万元！并且在投资额落地后十日内兑现！并且规定，如果项目投资额超过一个亿，不但可以得到一百万元的奖金，还可以奖励一部奥迪A6轿车！

招商引资的热情被层层激励起来，城市的发展与自身利益达到最大契合，人们纷纷想方设法发动自己的智慧和社会关系为城市的明天引来凤凰。

身为主管招商引资工作的副市长，贾晓阳身上当然比别人有更多压力，当然，他的目的不在于奖金和奥迪，而在于实实在在的政绩。安沣市几年的变化贾晓阳功不可没，但他一直憋足了劲儿，想用自己的力量亲自为安沣市的发展做些贡献。早在国际投资洽谈会筹办的前两个月，他就把消息广泛散发了出去。贾晓阳是北京经济管理大学的毕业生，他的许多同学现在已经是各级政府部门或经济界的中坚力量。这不，梁解放，他大学时最要好的朋友，现在已经做到北京某政府部门的副主任，两人现在又正是不到四十的年龄，风华正茂时节便身处高位，比大学时更加无话不谈，关系非常亲密。

梁解放说："老同学，自打你前几年跟我唠叨招商引资的事儿，我真没少给你留意。可我这口接触的，大多数不是建筑企业就是房地产公司。这些年北京房地产市场火，一个京城养活了不下万家房地产公司，大公司手头的项目已经排到五年以后，小公司随便折腾一块地盖个一两万平方米，干一年也能赚个知足常乐，谁会去你那个叫什么什么连兔子都不拉屎的城市去投资，门儿都没有！"

贾晓阳反驳道："这你就不懂了，北京虽然市场好，房价也天天涨，可土地总有拿完的时候，房价也总有到头儿的一天，到时候这一万家公司，能不能剩下五十家都不好说。咱们都是学经济的，这个大势，用脚趾头想也能想到，怎么算，他们也最多还有三五年的好光景，可三五年以后呢？还不如这时候拿些小钱去安沣市这样的四线市场弄块地玩儿个项目，一个亿在京城只是个到处受人欺凌的孩子，到了安沣市，可就是个警车开道的主儿，那感觉，又是京城比不了的。再说，这投资收益率嘛，也不会比京城少。反而避开了皇城脚下挤破头互相往头顶拍砖的恶性拍地，再加上安沣市那么山清水美的地方，呼吸进肺里的百分百是纯净空气而不是京城的30%的空气30%的尾气30%的粉尘加10%说不清道不明的混合杂质，何乐而不为乎？”

贾晓阳这一乎，然后趁着梁解放休息把他一家人接到安沣市沣水河发源地海拔两千多米的安山里待了两夜，再下得山来，梁解放果然再也不提什么兔子不拉屎的地方，往后只要提及安沣市，一律只是跷起大拇哥三个字：“好！好！好！”

从此后梁解放甘心成为安沣市的义务宣传员，逢人便夸安沣市，这些年也给贾晓阳介绍了不下一打的京城房地产大小老板，搞得贾晓阳没少往京城跑，但那些大小老板酒桌上哼哼哈哈称兄道弟一阵，便再没有回音。贾晓阳让梁解放去问，人家嘴上说得客气，但意思很清楚：要不是看在梁主任的面子，这顿饭哪里有时间吃？倒不如回家关上门数钱去！这京城房价天天涨，一天不数，后一天恐怕就数不过来了！

久而久之，梁解放也对这事懈怠起来，两人平常的联系，自然少了些。

国际投资洽谈会举办了两天，来的人很多，也签了些工业项目的意向书，有很多客户对当地的旅游开发很感兴趣，约定了时间去参观考察，但对于房地产项目，感兴趣者却寥寥无几。这天晚上没事，梁解放请贾晓阳吃饭，叫了一家建筑企业的老板埋单，酒过三巡，贾晓阳又谈起招商的事，梁解放忙笑嘻嘻自己喝了杯酒，笑着说：“老同学莫谈莫谈，谈什么都行，就是别再提帮你招商的事，你不知道吗，现在京城房地产市场都快沸了，我跟人说起你这事，人人众口一词：有病！谁吃饱了撑的放着京城满地钱不捡，去六百公里外投资。就安沣市，均价才不到两千，连北京的成本都达不到，去做什么？”

“是啊。”贾晓阳叹口气，“也是，北京连地价糅房价里去总成本也就五千，房价卖到一万五，买十平方米房子等于卖安沣市一套房，鬼才傻到去哪儿投资呢！”

“就是！”梁解放又喝了口酒，道：“在京城，只要能拿到地，你就是个从娘肚子里早产七个月的脑瘫，也能开发房地产赚大钱！在这里开发房

地产是不用数学知识的，你只要随便认得几个字给楼盘起个名字就能把楼卖光！”

“我听说一笑话，”贾晓阳喝得有些高了，笑着说：“有三个人同时盖房子，第一个最懒，边干活便骂骂咧咧干一会儿躲阴凉地儿迷瞪会儿，盖起来的房子也七歪八扭见不得人，问他为啥盖房子，他说：‘俺想赚钱娶媳妇儿。’轮到第二个人，干起活儿来特仔细，整天撅个屁股不吭声，倒是任劳任怨埋头苦干，房子盖得也不错，整齐漂亮，问他为啥盖房子，他说：‘俺想把盖房子当成一个事业以后开公司。’第三个人，又聪明又能干还特有智慧，还会自己设计，又会干活又会动脑子，把整座房子建得又实用又漂亮，问他为啥盖房子，他说：‘俺是把盖房子当成俺的伟大目标与人生理想，盖房子，就是我的生命。’突然，地震了，三座房子顿时全塌了，地震时，第三个人正在里面幸福的铺装最后一块地板，房子倒下来正好压死了他；第二个好一点，刚从房子里跑出来一半便被垮塌的房子压断一条腿；第一个人呢，地震时他正在睡觉，等所有房子都垮塌了，他却醒了，见周围夷为平地，傻呵呵咧嘴一笑，捡起些砖头随便垒了些房子，正好这时活着的人没了房子，纷纷高价抢购他这些胡乱拼凑的危房，就这样，傻子成为当地首富，听说，他的房地产公司越做越大，都去美国上市了呢！”

“哈哈，敢情你绕了一大圈是骂京城的房地产商都是傻子呢，你这人，忒损！”梁解放不亦乐乎。

“嘿嘿……”一直闷不做声的建筑老板突然抬头笑了起来，似乎刚整明白，梁解放和贾晓阳对视一下，一个喷出酒来一个捂着肚子，建筑老板接着乐，乐了半天，问：“俩哥，你们笑啥嘞……”

“笑……”梁解放看着他继续笑，“没事，只是想笑而已，对了，兄弟，有啥合适的投资商给贾市长介绍一下。”

“好……对了，我现成就有一个。”建筑老板一拍脑袋，问梁解放，“梁主任，我现在那个业主——白总你不认识吗？”

“白崇洗？”

“对呀。以前他老是拖工程款，但这俩月到期就给，巨爽快，我奇怪，于是悄悄打听，结果才知道他前些日子拍地，没拍上，加上另一个楼盘刚卖完，现在手里只有一个新盘在做，结果手里剩了一堆钱没地方花都在银行里搁着，正想找出处呢……”

“一堆钱是多少？”

“少说也有上十个亿吧，上月工程款五千多万，我找他批他连眼都没眨一下就批给我了。还有，那天，他办公室里有一副总，好像正跟他说什么去外地拿地的事儿呢。”

“哟——这可是个重要信息，”梁解放说：“以前我跟白总说过，他手里俩项目正做，又准备拿地，对外地没兴趣，现在倒是个机会了。”

“这个白总是……”

“说起白总可是京城地产界一个响当当的人物，他从前也是政府官员，但早就在十来年前下海去香港做贸易，后来回来投资房地产，没几年工夫就成为京城房地产界一重量级人物，手里资产，至少有三十亿以上。”说完，梁解放抓起手机就给白总打电话，结果，白总正好在不远处一个酒楼吃饭，两下约好饭后见面。饭后，白总约梁解放和贾晓阳去洗澡，几个人都喝了不少酒，于是选择了在洗浴中心的大澡塘里赤诚相见。听贾晓阳介绍起安沣市的投资环境和房地产的发展潜力，白崇洗顿时来了兴趣，一锤定音：“好，过几天我去看看。”

第二天，贾晓阳将带来的一些项目资料送给白崇洗看，白崇洗对其中几块地产生了浓厚兴趣，贾晓阳趁机对整个旧城区的综合改造项目和安山的旅游开发项目前景进行详细介绍，贾晓阳说，以白总实力，如果在安沣市能投入十个亿资金，完全可以在房地产业和其他多种产业起到定海神针的效果，能够带动不下五十亿的经济滚动效应，形成一条完整的产业链条，到那时，贾晓阳说，白总你可就能左右整个安沣市的经济命脉了，等到安沣市房价上涨一倍经济总量翻一番之日，白总您的回报会有多少，恐怕很难计量！白崇洗点头说言之有理，对于安沣市这样的地方，的确需要第一个吃螃蟹的人！放下资料，白崇洗便跟着贾晓阳去洽谈会现场参观了一圈，当下决定等洽谈会结束后随贾晓阳一同去往安沣市实地考察。

三天后，白崇洗带着手下十来个人浩浩荡荡一行来到安沣市考察，唐书记和卫市长亲自为白崇洗接风洗尘，电视台对欢迎晚宴进行了专题报道，

第二天，在两辆警车开道下，白崇洗一行对安沣市进行了全面考察，晚上宿于安山。

考察的结果，是白崇洗对于安沣市的投资环境和市场前景充满了好感，当下命令策划部员工留下对市场进行深入调研，白崇洗保证，等到调研结果出来，他一定会再来安沣市。

调研小组在安沣市工作了两周，回去向白崇洗复命。贾晓阳托梁解放侧面打听的结果，是白崇洗责成有关部门对调研结果进行二次审核，同时，指示另一套调研班子在保密情况下二入安沣市，对市场情况进行第二轮调研。两轮调研的结果必须吻合，白崇洗才能最终予以决策。贾晓阳不由得佩服白崇洗到底是大公司老板，决策过程如此缜密细致，但这又从侧面说明白崇洗的确是诚心实意的想来安沣市投资，对于习惯了投资者晃一枪就消失的安沣市来说，这，无疑是最好的消息。这样等待了又有一月多，已时值年底。唐书记和卫市长三天两头催问贾晓阳进展，其实，贾晓阳是最急的一个人，要真拉来这么一个声名显赫的财神爷，对于安沣市形象的提升，该多么有帮助啊。春节前，贾晓阳专门去给白崇洗送了一车安沣安山里纯野生的特产，白崇洗大为高兴，请贾晓阳又捎回来一车他从法国专门发回来的干红，最重要的是，贾晓阳得到了他的承诺：春节一过，他会过来签订合作意向书。

白崇洗果然是信人，正月还没过完，他果然带着两个人来到安沣市。前天，由唐书记主持，卫市长与白崇洗在合作意向书上签字，基本确认对四块地的一揽子合作开发，白崇洗本来计划于第二天返回，随即便会委派专门管理班子进驻安沣市正式展开项目运作。晚上由于唐书记和卫市长有事，才由贾晓阳单独陪他。谁知，天有不测风云，一顿酒，竟闹出这么大情况，白崇洗的手机到现在还没有开，临近北京时，望着车窗外越来越阴郁的乌云，好像又要下雪了。白崇洗的心情，会不会跟这黑云一样，低沉而阴郁。早上出门还是朝霞满天，中午已是浓云密布，正如这两天贾晓阳的心情，他在心里叹口气，问司机，“快进北京了吧？”

“最多半小时，不过，这点正是北京下午堵车的点儿，咱们进城至少还要一个小时。”

贾晓阳计算着时间，按时间，赶到白崇洗公司时也至少中午一点了，能不能找到他还是个问题，即使找到他，能不能见面还是个问题。但这一趟贾晓阳必须来，亲自来，是代表着安泮市四百万人民的歉意和诚意。

贾晓阳打电话，突然心里一阵欣喜，白崇洗，已经开机了！

“哦贾市长啊，你好你好。”白崇洗并非有意关机，前晚稀里糊涂被抓拘留所里待了一夜，第二天上午回到宾馆后洗了个澡收拾完行李便带着手下出发，手机，实际是耗干电源自动关了机。回到北京后白崇洗心情极为郁闷，到家便倒头睡觉，一觉睡到第二天上午十点才起身，在家里吃过午饭到了公司，才猛然发现手机早已没电。刚插上充电器，贾晓阳的电话便追了进来。看见这电话白崇洗便想起前天的窝囊，气不打一处来，但人家毕竟也是一市之长，也不好太过冷淡。

贾晓阳心中一喜，听白崇洗的语气好像已经不太生气，忙说：“白总，我已经快进京了，我可是带着唐书记卫市长和安泮市四百万人民的重托专程给你赔礼道歉来的啊。”

白崇洗心想：“这下好，我要是不接受道歉倒整得我跟四百万人民成心作对似的。”一百个不想理贾晓阳，嘴里却不得不说：“好好好，那个什么……其实道歉大可不必，一场误会一场误会，哈哈……”

“白总您在办公室吗？我马上过去。”

“哦，恐怕我暂时不行，我在……廊坊呢，昨天一回来就赶了来，谈一个项目，忙得连手机都忘了充电，哈哈，这样吧贾市长，我也没想到您亲自又赶来一趟，但我一时半会儿也回不去，要不您先回去，投资的事，咱们过几天再说……”

贾晓阳心想我既然来了可不能轻易回去，于是说：“您要忙就不打扰您了，反正我已经到了，要不见到您亲自给您赔礼道歉，恐怕回去也得挨两位老板的板子，要不这样，白总，您忙您的，我反正左右没事去找梁主任叙叙旧，您啥时回来，我啥时去登门谢罪！”

白崇洗皱了下眉头，看来躲是躲不了的了，但心里那口恶气，怎么能一时半会儿散去，想了想说：“那就只好得罪了，我尽快回去好了。您一行几人？我先让秘书给您安排住处……”

“不了白总，我照例是住省政府驻京办，不麻烦您不麻烦您，哈哈……”

两人假意寒暄几句挂断电话。贾晓阳已经能够看到前方停滞不前的车龙，稍微松了口气，在后座上闭上眼睛。

下午，白崇洗在自己办公室召集几位副总开会，对下期拿地作出了部署。刚坐回那张从意大利根据自己体型量身定做的大班椅中，手机响了，一个声音笑着说：“老大，刚听说你从山沟里爬回来，晚上给你洗尘如何？”

“爬？”白崇洗大笑，“你才爬呢！两天不见你小子敢骂我了，还想不想要你钱了？”

“想，当然想啊，要不是为了钱，我能想得起问候您吗？”

白崇洗大笑，这小子，明明知道他请自己是为了找自己要钱，可偏偏还是心里被这小子弄得美滋滋的，跟送钱来似的。白崇洗就特别佩服顾忱这一点。

“去哪儿？”

“京西新开了一个洗澡的去处，我前天专程代您考察过，软硬件都挺棒，怎么样？晚上七点我去接您，还是吃饭洗澡唱歌泡妞一条龙？”

“泡你个大头！”白崇洗撂下手机，心情顿时感觉好了许多，两天的不愉快，飞到九霄云外去。

下午五点半，顾忱出现在白崇洗办公室，笑嘻嘻拿着张一百万的结算单递到白崇洗跟前，“老板，给签个字吧。”上面已经有财务部经理和主管副总的签字，白崇洗横了一眼顾忱，骂道：“小子，你有种，我还没发话呢他俩都已经签上字了，眼里还有没有我这个老板？你啥时把我底下人都一起搞定了？明天我就让他们走人！”

“别价！”顾忱依旧是玩世不恭的德性，“白石集团上下谁不知道大老板跟我最亲，您拖欠谁的钱，也舍不得拖欠我的钱呀！”

“放屁！混小子……”白崇洗被他气乐了，“我拖欠谁了都？我现在钱多得都没地儿搁，你小子快想法给我整个项目，钱搁银行里贬值，倒不如便宜了你们这帮王八蛋！”

“有，还真有个项目……”顾忱神秘地把脸凑到白崇洗跟前，说：“我的公司快上市了，49% 的股份只要您二十个亿，怎么样？”

白崇洗笑着给他一巴掌，说你做梦去吧，就你那点破烂和几个尿人，只怕连二百万都不值！说完笑着拿起笔在顾忱的单子上签上字，顾忱去接，白崇洗却想起一件事，又把手收了回来，笑着问道：“你说的那个洗澡的地儿，是真的？”

“老大！别逗兄弟了，我来就是为给你洗尘，签字嘛，不过只是顺手的事儿。”顾忱笑着一把抢过单子，仔细地折了下放自己手包里，说：“走，今儿我给您当司机。”

顾忱开着他那辆牧马人挤在去往京西的拥挤道路上，白崇洗不说话，闭着眼欣赏顾忱刚买来的一碟藏乐，汽车音响改装过，十二个顶级音箱环绕在车里，无论懂不懂音乐，听起来都绝对是一种享受。

忽然，白崇洗的手机响了，掏出手机一看，“梁解放？”“哎呀不好！”白崇洗叫道，把贾晓阳给忘了，他一定是让梁解放打给自己试探军情呢！

白崇洗无奈只好接起电话，“梁主任找小的有啥吩咐？”

“哈哈……”梁解放大笑，“听说白总近日在距京城六百公里之处发生艳遇，有人一路追过来要给你赔不是呢，你不见他，这人只好托我说情。”

“哎呀呀看贾市长这人怎么这么小肚鸡肠？谁不见他了，我是有事……”

“白总……”梁解放阴险的笑，“他下午给我打电话求援，我便立即打听你的动态，廊坊嘛，你果然去了，不过那是春节前的事儿，下午还有人看见你老人家在办公室里张牙舞爪呢……哈哈……这事儿我可跟贾市长没说，省得人家多心，不过嘛，我可以说您老人家为了他临时赶了回来，这样做，对大家都好吧。”

“这个……”白崇洗皱了下眉头，说：“梁主任，贾市长啊……我还真不打算这么快见他，你想，我刚出了这么一档子糗事，这么快就见他，是不是也忒没架子了，以后我再去安沣市，还怎么混啊？是不是？你说呢？”

“这个……也有道理，不过人家跑了一整天路专程给你赔不是来着，你好歹也得见一见啊！贾市长不见，我总行吧，人家是我老同学，那我去代他给您赔个不是总成吧，白总？”

梁解放把白崇洗挤兑到地沟里去了，看来不见都不行，但要这么快见

他们，白崇洗心里总不是味儿，忽然，白崇洗有了主意，“那好，梁主任你就算给我和贾市长一人一个台阶下，大家都退一步，明天晚上我做东请他，至于道歉嘛就免了，大家毕竟已经这么熟了，不过今晚我真有事，现在我已在去京西的路上，不过，我委托个朋友接待他怎么样，京西新开了家洗澡的地儿，挺不错，你让他过来，晚上我要有时间就赶过来见他，这样好不好？”

白崇洗都这样说了，梁解放只好同意，说：“那好，我今晚正好也有应酬，我就让他们自己过去，不过你可要……”

“放心，放心，接待他的是我最好的兄弟，跟我亲自接待没啥区别。地方我直接告诉他好了。”

放下电话，白崇洗又叹口气，嘟囔着真他妈的啰嗦，又拨打贾晓阳手机，“贾市长啊，你好，我白……”

“白总啊，你好你好，您啥时能回来，要不我去廊坊找您？”

“嘿嘿，贾市长啊，实在不好意思，我今天晚上本来想赶回来请您，可实在是有事走不脱，这样吧，我有一好朋友，顾总，我让他代我做东请您……不不不，贾市长您别客气，我都安排好了，待会儿让他直接给您打电话……梁主任今晚有事就别叫他了，好，就这样。”

扔下电话，白崇洗问：“听明白了？”

顾忱咧嘴笑，“快听傻了，您是不想见这个什么贾市长，所以让我给您挡着？”

“聪明。待会儿咱们先洗着，他到了后我躲包间里，你去陪他，人家好歹也是一市长……”

“一把手？”

白崇洗瞪顾忱一眼，“怎么着？不是一把手还不想接待了是不是？他是主管招商的副市长，你好好伺候着，我正好累了，睡个好觉，等他们走了再叫醒我。”

“您为什么躲着不见他，是为了……一件糗事？”顾忱一脸坏笑，“啥糗事，说来听听？”

白崇洗轻轻叹口气，骂声倒霉，然后把在安沣市的洗澡醉酒惊魂事件叙述了一遍，顾忱哈哈大笑，说明天我就上网去把照片荡下来好好欣赏，看来我真得好好给您洗尘压惊了。

白崇洗苦笑，笑得很无奈，很狰狞，眼前浮动着前日蹲在自己身边的那个又黑又胖的半裸体女人……

“京西大森林洗浴俱乐部”果然大得不同凡响。有五层高，进门一个金碧辉煌的大厅，服务生引导着两人穿过迷宫般的更衣区，两人脱下衣服后乘电梯上二层洗澡，简单的冲了一个澡，两人又径直乘电梯去五层，五层是一个足有五千平方米的餐厅，客人可以穿着浴袍在里面吃自助或点餐。白崇洗随便吃了些自助餐，顾忱没吃，只是陪着聊天，白崇洗说贾市长酒量一般，待会儿帮我给他灌趴下。顾忱说放心，一定给您报仇雪耻，灌倒他，然后给他开个单间，然后找个小姐，再然后我打电话报警……说得白崇洗忍不住咯咯笑。正说着，白崇洗手机响，贾晓阳一行到了。白崇洗说我去三楼开个包间睡觉，打发完他们叫我。顾忱忙叫住他，说要是他们住这儿咋办？白崇洗想了想，说那就让我一觉睡到天亮更好。

贾晓阳带着两个部下进入更衣区，迎面迎过来一个高大的年轻人，宽松的浴袍掩盖不住他的健硕，笑容好像有种神奇的魔力让人一眼看到他就会喜欢上他，两人视线相撞的瞬间，年轻人的微笑突然绽放，上前一把拉住贾晓阳的手，“贾市长你好，我姓顾，白总的好朋友。”

贾晓阳忙笑着握手，连连说我以为白总的朋友也跟我差不多年龄呢，哪儿想到顾总这么年轻。

顾忱笑道：“哪里年轻，也老大不小快三十的人了，贾市长我看您年龄好像也不大，让我猜猜……最多也就四十一二？”

贾晓阳连连夸赞好眼力好眼力。其实，顾忱早从白崇洗嘴里知道了他的实际年龄。顾忱忙说您才四十出头就已经是副市长了，真是年轻有为。贾晓阳说哪里比得上你们这些成功人士，四十岁当副市长虽是比较年轻，可我们那儿是落后地区，副市长干一年下来，还没有在北京地产公司一个部门经理挣得多，顾总你公司缺人不，别的本事没有，起草些文件跑跑腿还是可以的。顾忱哈哈大笑说您这是谦虚还是讽刺我呢……

两人有说有笑更衣后上到洗浴大厅泡在水池里坦诚相见，脱去浴袍后，

顾忧露出一身健美的肌肉，整个洗浴大厅都能听见他那爽朗的笑声，贾晓阳一下对这个年轻人产生了极大好感。

洗过澡，四人去五层吃饭，贾晓阳被这间餐厅震了一下，说从没见过洗浴中心里这么大的餐厅。顾忧说我也才是第二次见，这家洗浴刚在春节后开门。贾晓阳说咱们简单吃些自助得了。顾忧说那可不行，白总要知道我请您吃自助，还不打烂我的屁股，说着进到一个包房，贾晓阳说顾总你跟白总什么关系，他好像特别信任你。

“什么关系？”顾忧笑了一下，说：“朋友关系……也是合作关系，白崇洗这人脾气大架子大跟谁都爱玩儿横的，可就是我不搭理他那一套，我越不把他当回事，他就越喜欢我，久而久之就成朋友了。”

“是吗？我一看顾总你就非一般人，商场上朋友可不好交啊，能跟白总称兄道弟的人，绝对更非凡人。”

“贾市长您太抬举老弟了，不过话说回来，一个圈子里的朋友不好交，因为大家在一个生态圈里，本来就是一种你死我活你上我下的竞争关系，朋友都是假的，其实背地里恨不得朋友赶紧都死绝了。但跨界的朋友就可以交了，比如政界的人就喜欢交商场的朋友，反过来也一样，您说是不是？贾市长，拿酒来……”最后一句话是对服务员说的，“四瓶青花瓷二锅头。”

贾晓阳吓了一跳，忙拦住说：“四瓶太多了。”

顾忧摆手笑道：“来到北京当然请各位喝二锅头，咱们一人一瓶不够再来，白总专门说过，前两天你把他灌醉了让他险些失身，今天就是让我给他复仇呢，您要不喝，我可没法交代啊。”

贾晓阳一怔，没想到白崇洗已经将他险些失身的事也告诉了顾忧，更说明两人关系不一般，今天请我喝酒一定是白崇洗想报复我，只好硬着头皮拼得一醉了。顾忧轻轻拍他肩膀，微笑着说：“没关系，咱们今晚就住在这儿，反正不用开车。”说完将自己的酒杯端在手中一口倒进肚里，“各位，我今天代表白总和我自己为贾市长一行接风洗尘，第一杯酒，先干为敬。”

一杯酒下肚，气氛顿时活跃起来，两瓶酒喝完，一人平均半斤酒，脸开始上了颜色，顾忧已经拉着贾晓阳的胳膊大叫大哥，贾晓阳也跟这个风趣潇洒的年轻人一见如故，不觉中，渐渐有些发飘，却一点没有以往应酬的感觉，心想：“酒，这样喝，才叫痛快。”

吃过饭，顾忱又带着三人下到二层，贾晓阳奇怪，问道：“小顾，咱们不是洗过澡了吗？为啥又来？”

“哥哥，请你来，自有我的道理。”顾忱亲昵地搂着贾晓阳肩膀，好像两人早就是二十几年前光屁股玩到大的朋友般自然，贾晓阳在官场上行走多年，政界商界也交往过不少朋友，但从没有过跟顾忱在一起时随意亲切，顾忱待人的热情，一点都没有客气或虚伪的成分，难怪白总这样不苟言笑的横人都会跟他称兄道弟，贾晓阳对他的好感愈发浓郁，拉着顾忱的手问道：“小顾你告诉哥哥你是怎样做的，怎么这么年轻就有这么大成就？”

顾忱一怔，道：“我的成就？哈哈……比起白总来……”

“谦虚，跟哥哥还谦虚。白总那样的人，他的朋友也一定非同寻常，我猜……小顾你没有十亿八亿也得有五六个亿吧？”

顾忱眼睛笑得眯成一条缝，刚想说什么，眼珠却轻转，拉着贾晓阳手指向前方，“贾哥，咱们到了。”

这是洗浴大厅里一角，同其他部分的豪华装修风格不太一样，走进这里，顿感闲情逸致，地板和墙壁都是白色的大理石铺就，入口处种着一圈茂密的竹林，林中有鸟鸣清脆，仔细一看，竟是真鸟。进入竹林，仿如走进原始森林，到处是绿荫幽静，除去白色，便是绿色，左首一排小型浴缸，只能容纳一个人躺下，再仔细看，这些浴缸也不太一样。贾晓阳正想发问，顾忱笑着说：“这里是醒酒区。”

“醒酒区？”

“很多客人喝完酒后想泡个澡放松一下，但大池子容易出危险，以前，北京曾发生过一个醉酒的人滑进池子里淹死的事，所以这家老板吸取教训，专门设计了一个醒酒区，贾市长你看，这些浴缸正好够一个人舒舒服服躺进去，一点危险都没有，而且，这些按摩浴缸全是从奥地利进口的顶级品牌，至于效果嘛，你们躺上去就知道了。”

浴缸里没水，怎么洗澡？顾忱说先进去再说。

贾晓阳的秘书小方好奇地先跨进去，刚躺下，猛然后背一凉，不禁吓了一跳，回头看，原来是一股细细的水流，人刚起身，水便又自动停止。

“人躺下后水流自动出来，并且是冷热交替，你刚开始感觉冷时，热水便会出来，热水出不了几十秒，又会换作冷水，这样冷热交替，不但对身体好，更有助于醒酒。”

“是啊。”贾晓阳已经躺在浴缸里快忍不住舒服的哼出来了，身下的十几个按摩器同时开始工作，伴着一股股交替的冷热水，周身说不出的舒服。

“这个醒酒区有一个特点，就是头部在浴缸外面。”

“对呀。”贾晓阳正奇怪为什么浴缸头部有个缺口，颈部虽然能很舒服的靠在浴缸的软垫上，头部却露在浴缸外。

顾忱微笑着招呼服务员过来，几名男服务员过来，蹲在浴缸头部的大理石圆凳上，同时给客人做起头部按摩。

浴缸里的水已经漫过身体，从十几个出口喷射出来的水流却还是在身体上纵横交错，水流喷射到人体的位置好像都是些穴位，加上机器和人工按摩的作用，酒意竟真的很快退却，极大的舒适感渐渐涌上来，几个人都闭上了眼睛不说话，身体，陶醉在最舒服的状态中。

等到贾晓阳睁开眼睛，顾忱也刚醒，另外两个贾晓阳的部下还在酣睡。贾晓阳忍不住从这么舒服的浴缸里出来，笑着说：“实在是太舒服了，洗了一辈子澡，今天才知道洗澡也有这么多学问。刚才这一觉恐怕睡了半小时吧。”

顾忱笑，“咱们睡了足足两个小时。”

“不会吧？怎么没感觉。”

“醒酒区的水也是单独循环的，里面添加了醒酒的中药成分，更使人睡眠更舒适，醒酒更彻底，现在头一点不晕了吧？”

贾晓阳点点头，刚喝完酒时轻飘飘的感觉现在一点都找不到了。

顾忱小声问：“快十二点了，要不咱们一会儿去吃些宵夜，就在这里开个房间睡觉好了。”

贾晓阳点头说好。

顾忱小声问：“那我给大家各开一个包间，安排个按摩……”

贾晓阳忙正色道：“不必，就把我们三人安排在一起就行。”

顾忱还想说什么，贾晓阳拦住他，道："我知道洗浴中心的按摩是怎么回事，白总就是因为不小心差点出了问题，我身为国家公务人员，怎么能做这样的事？"

贾晓阳说得很严肃，顾忱也跟着严肃起来，说："贾市长您这样的领导我由衷敬佩。"

"我们安沣市虽然是个穷地方，但人心淳朴，我们这些当领导的，最大心愿就是赶紧把家乡的经济搞上去，也只有这样做，才对得起四百万安沣市人民啊。我这趟出门就是专门向白总赔罪来着，无论如何不能因为我们工作上的一点失误影响到白总投资的大事，这件事要没办完，我还能有脸回去见安沣父老吗？更没有心情享受。"

贾晓阳说的极为诚恳，顾忱问道："白总投资的事，您跟我具体说说？"

"好啊。"提起招商引资贾晓阳就来了精神，"我早就想跟你说，只是一直没机会，白总的市场调研都做完两轮了，证明我们那地方的确是个能赚钱的好地方，顾总，您要有兴趣，我代表安沣市人民欢迎你去考察……"

当下，贾晓阳将安沣市的经济状况和发展机遇，及白崇洗的项目一五一十的跟顾忱叙说了一遍，顾忱听的极为认真，不时插嘴问当地房地产市场的情况，两人谈兴渐浓，不禁又说了快两个小时。顾忱说，下次等白总去的时候，我一定也去看看。

贾晓阳喜不自胜，又说："明天请你一定约好白总时间，争取明天一定要见到他。"

"放心，贾哥，我一定会认真转述您的意思，有您这样的诚意，没有人能够拒绝安沣市人民的热情。"

贾晓阳叫起两个部下，四个人一起开了间包房睡下。

上午，顾忱和贾晓阳等人一起出门，分别上了自己的车。车上了四环，顾忱却在最近一口出口处出来，在桥下盘旋了一圈，回到了"大森林"。

进入包间，白崇洗还在四仰八叉的呼呼大睡。顾忱叫醒他，笑着说就您这睡觉的刻苦程度，再有小姐进来把您强奸了您都不知道。

白崇洗伸了个懒腰，问几点了。

"都快中午了。"顾忱答道，又问："吃什么？"

"哈哈，人要能每天睡了吃吃了睡多好，再也不用整天操心赚钱应酬。"白崇洗伸了一个张牙舞爪的大懒腰，突然回过神来，瞪大眼睛问："你说快中午了？快走，去我公司吃鱼去。"

白崇洗平生有三个爱好，你如果问他的爱好是什么，他一定这样回答：

第一，洗澡；

第二，吃鱼；

第三，洗澡时吃鱼，或吃鱼时洗澡。

白崇洗长得又白又胖，白，可能是因为洗澡，胖，可能是因为吃鱼。再加上他的名字的意思就是崇尚洗澡，所以，洗澡，是白崇洗最主要的生活方式，如果一天不洗澡，连续两天不吃鱼，一定会要了他的命。

所以，在白崇洗两百平方米豪华办公室的里间，他专门为自己设了一个浴缸，说是浴缸，其实是个小游泳池，完全可以在里面伸长手臂划拉四五下自由泳，白崇洗在水中的模样，像极了一条白色的肥鱼。

白崇洗将这处设置在办公室里的私人浴室，称为他的第一办公地点。所以，浴缸的旁边放着张精致的小办公桌，还摆着个防水型笔记本电脑，秘书常常会把需要签字的文件放桌上，然后坐在旁边一张椅子上汇报工作，等待白崇洗的批示。白崇洗就常常在水中漂浮着闭着眼睛靠在按摩器里喷出的水流里布置工作。但白崇洗有个好处，不色。除去自己的太太，基本不近女色。所以，他的秘书也是男的。

此外，浴室里还有一个大型按摩淋浴房和一个桑拿蒸房。从蒸房出来，踏着一条用清一色纯白鹅卵石铺成的小道走到落地窗户旁边，有一张用整块阿尔卑斯黑山石做成的六人餐桌，据说这张专程从瑞士空运过来的餐桌的价钱，就足够包养一个三流明星一辈子。当然，没人会去包养她们一辈子。

坐在这张餐桌上边吃鱼边俯瞰北京城，是白崇洗的一大享受。每当这个时候，北京城的高楼大厦和川流不息的车流人海们不知道，有一个又高又大又白又胖的房地产老板，正一丝不挂的俯看着他们发出心满意足的叹息，他的嘴里，一定有鱼。

说到鱼，白崇洗也极有品味。比如，今天他吃的，是一条足足有七八斤的汉江肥鱼，这种汉江肥鱼只能在葛洲坝附近的一条汉江支流中捕到，在当地也要买到一百多一斤，自从白崇洗有一次在当地的一个悬崖峭壁上望着脚下深不见底的绿色江水和对面仅有十米之隔的岩壁吃到那一次正宗的肥鱼后，立即迷恋上它，于是几乎每个月总要在自己的办公室品尝几次，为此，他还专门从湖北聘请回一个做肥鱼的高手，于是这个厨师每月只需要做几天鱼就行。但是，平时，厨师也不会闲着，因为他需要飞来飞去，从北京飞到湖北亲自挑选最上等的肥鱼，然后会亲自押着肥鱼飞回来，以确保肥鱼在运输途中的鲜活。

今天，正好赶上白崇洗吃肥鱼的日子，所以他才急匆匆带着顾忱一起赶回公司。工作浴室只有白崇洗最要好或重要的客人才得入内，顾忱当然是常客。两人一走进公司大厅，四个前台小姐一起站起来微笑着说：“白总好。”

“好。”白崇洗随意摆了下手，顾忱也笑了下，几个小丫头都特喜欢顾忱，刚才说话问候白崇洗时，其实眼神都盯在顾忱身上。

刚进办公室，秘书小刚进来，给两人泡好一壶龙井，然后轻声说：“鱼已经快做好了，今天就顾总一位客人吗？”

“嗯。”白崇洗点头，随手接过小刚递过来的两份文件扫了一眼，又扔回茶几上，“这些下午再看。”

“下午三点，有个会，是关于96号地的……”

“哦……”白崇洗想了想，“改在四点。里面茶泡好没？”

“好了……”秘书还没说完，白崇洗已经带着顾忱走进浴室，边走边说：“吃汉江肥鱼啊，非得配着菊花茶一起，菊花可以解腻，这肥鱼虽然是肥而不腻，但吃得多了，还是有些腻味，所以总要喝菊花茶才能中和那种腻味之感，这个搭配，也是我经过多种尝试后才发现的。另外，菊花茶必须在一个小时前用沸水泡开，等鱼上来后，水正好自然凉透，味道醇厚馨香，配着热滚的鱼肉吃，哈哈……真是神仙才有的口福……”白崇洗忍不住咽下一口口水，又说：“今天正好厨师从湖北带回来些土法家酿的黄酒，喝完了泡个澡蒸一下再打个盹，然后你小子走人，我开会。”

顾忱说：“别忘了，今晚你可是答应好贾市长了。”

白崇洗一愣，脸色顿时又有些阴沉，摆手说："算了，吃完鱼再说他的事，想起那晚的丢人事儿心里就不舒服，本来那天早上出来人家已经很郑重的道歉，公安局长都快哭了，我想，嗨——也不容易，底下两个小民警工作不力，也犯不着给人家领导下不来台呀，想想也就算了。"

"那你为啥急着走？"

"为啥？"白崇洗骂了一句，"靠，我送走贾市长他们后想洗个澡，谁知我俩手下哭丧着脸跟我说，大事不好了。我一看电脑，差点气炸了，不知是哪个龟孙王八蛋竟然把我没穿衣服的照片给贴网上了！还有一个标题，说什么北京地产商专程奔赴六百公里嫖娼！靠，我险些晕过去，想想说什么也不能在安沣市待了，干脆三十六计走为上，开车就走，真不想再提那件屄事儿，我就特奇怪，拍照那人怎么知道我是北京的地产商？"

"这还不容易，你在安沣市肯定是个名人，那小姐跟你这样的名人亲密接触这么一回，身价肯定跟北京的房价似的，一个劲儿蹭蹭往上窜。"

"唉——不提那个小姐还成，想起她心里更不舒服，就她那长得……跟汉江肥鱼被炸焦后一个模样，想想就恶心……"

"算了，咱不提了，吃鱼。"顾忱见厨师推着小车把做好的鱼推进来，忙打断白崇洗的郁闷。见到鱼，白崇洗心情由阴转晴，今天肥鱼有三种做法，第一是一个玻璃碗中用产自湖北鄂西山区的野生白辣椒和贵州的顶天麻椒做成的水煮鱼，第二是用猪油配上芋头茭白红烧的鱼块，第三是石烹鱼，需要现场做，由厨师在餐桌边一个黑色的石台上摆好鱼，然后用木炭加热黑石，不断往鱼身上浇湖北米酒和配好的调料，最后，将鱼肉摆在加热好的鹅卵石上呈上来。

两人先开始吃水煮鱼和红烧鱼，厨师在一旁制作石烹鱼，鱼肉滋滋中特有的诱人香味弥漫在浴室里，再加上黄酒的醇香，白崇洗立即忘却了烦恼，陶醉在美食中。

吃过饭，两人躺在浴池里，顾忱问："白总，安沣市那项目，你是不是不想做了？"

白崇洗睁开眼睛，斜看着顾忱，笑着问："你小子真够精的。"

"到底为啥？不会就为这点小事儿吧，放着钱不赚，可不是咱商人的本色呀。”顾忱笑嘻嘻问。

“你又说对了。”白崇洗阴险的笑，“其实，我不想见贾市长他们并不是我还生气，大男人为这点误会蹬鼻子上脸，也不是咱的做派，说出去，还怕人笑话。其实呀……我不想见他，是有点不好意思，人家好歹也是一市长，中间又有梁主任隔着，我要突然不做了，也为难。”

“可合作意向都签了啊。”

“傻孩子，不就是意向书吗？我签字那天心里都还在琢磨，其实这项目我一直心里七上八下的，不想做，但人家热情再加上梁主任的煽风点火使我骑虎难下，做，可我也的确有点想放弃。所以，想着先签份意向书再回来好好盘算，给自己留点时间差。”

“奸商！”顾忱哈哈大笑。

“废话，咱玩房地产的不奸行吗，要不奸，房价能这样涨吗？奸，是顺应市场，是明哲保身……”

“可您要突然停止这个项目，依我看贾市长他们的期望，你白总可有点不人物啊？”

“就是啊。”白崇洗拍了下大腿，溅起一片水花，“我发愁的不就是这点事吗？都快上花轿了却把人家新郎给蹬了，传出去，也算我老白一桩糗事。”

“那说到底，您为啥中途停止了？”

“我本来是想做，尤其两次调研的结果都非常不错，现在去安沣市这样还没有启动的房地产市场，收益真的挺不错。尤其是上次我拍丢了那块地，对北京的土地市场还真有了几分畏缩，你想啊，北京房价总有一天落下的时候，可土地价格却一个劲儿飞涨，更重要的是，拿地就得去拍，那竞争太残酷了，一百家房地产公司围着打一块地，最后吃到手的也是元气大伤。”

“于是您就想换个战场？找点新机会？”

“对呀。不是我，只怕北京房地产商都有这想法。但我想啊，安沣市这样的一个弹丸之地，投下十个亿就能把它给撑死，再说初期投资最多也就几个亿的事，剩下的钱，我还得找地方去。几个亿的小项目我还要来回奔

波操心，费这么大精力，仔细想想，的确是有些不值……”

“不光是这样吧？”顾忱狡猾的笑，“你白总可不会为这点原因放弃这么好一项目，几个亿不多，可也值得一干啊！”

“你他妈的臭小子老子真算服你了，精得跟泥鳅似的，跟你说实话吧，我放弃这个项目，就是因为我下午要开的那个会。”

“96号地块？”

“对呀，这块地我做了好几年工作，春节前终于确定上市，光土地快三十个亿，拿到它，至少又是十几个亿的利润，相比在安沣市那样的穷山沟里刨上几年才赚一个亿，我当然得犹豫了。我先拖着贾市长他们，就是为着等这块地拍下来看看情况。”

“你的意思，如果这块地拍下来，安沣市那边就放弃了？”

“其实，我现在的思路很清晰，守着北京这么好市场，外地，尤其是三四线小城，还是不能去的，至于在安沣签的合作意向，只是占据先机捂住地盘的战略部署，是北京市场的后备与补充，开与不开，动与不动，要视北京情况而定。更说了，几个亿的小项目也会牵制我一半精力，倒不如老老实实守在天子脚下，为首都的人民添砖加瓦吧。”

“白总，到底还是你精，涮了人家一把，竟然还给自己找出这么高尚的理由，赶明儿你的项目全叫‘雷锋城’得了。”

两人哈哈大笑，笑声在浴室里回荡。

顾忱又问：“那……您感觉安沣市场肯定没问题，是吗？”

白崇洗笑着说：“别以为你小子那点想法我看不出来，老实说，你是不是对那儿感兴趣？”

顾忱老实回答：“是。”

顾忱在京城房地产界闯荡多年，从一个二流房地产公司的销售部经理成长为一个知名的独立策划人，也算是成绩优异。但想要在北京这样水深坑多的地方从销售代理向房地产开发来个华丽大转身，却还是势单力薄，因此，占据房地产利益链上游的唯一机会，不在北京，而在外地中小城市，这样的念头，在顾忱心头已经沉积了很久。昨晚贾晓阳的一番叙述，使他对安沣市动了心，再加上前期有白崇洗的铺垫，市场风险可谓很小。今天听到白崇洗的真实想法后，顾忱感觉，机会来了！

“要不这样？”顾忱顿了顿，说：“您要看不上这项目，我上，也算你对安沣市四百万勤劳淳朴善良的人民有了交代。”

“好。”白崇洗正乐得有人接盘，但转念一想，问道：“不过你小子口袋里才有几个钢镚儿？那好歹也是上亿的项目。”

“嘿嘿……我在您这儿不还有一千多万吗？”

“一千多万？”白崇洗被顾忱气乐了，“是有，我承认，可项目才开盘，你那一千万佣金好歹也得明年才能拿齐吧？臭小子，算计起我来了。”

“不是，”顾忱笑嘻嘻接着说：“我帮了您这么大一忙，您先给我结算点不就行了，我自己手头还有个两千万……”

“好，就算我同意，你小子也才三千多万，够个屁，还以为是以前空手套白狼的时代啊？”

“要不……”顾忱看着白崇洗笑，笑得白崇洗毛骨悚然，不知这小子又打自己什么主意，果然，顾忱说：“要不您给入个股，控股都行，我负责运作，其实还是给您打工……”

“呸——想得倒美！”白崇洗伸手给了顾忱一下子，“你小子转着心思骗我钱，到头来还是我掏钱，还说帮我？没门！”

“那就算了，算我没提……”顾忱叹了口气。

白崇洗看着他笑，“你小子又假装可怜是不是？去年也是你装可怜，骗去我好几百万跑去炒股票，结果都赔进去是不是？”

“是。”顾忱哭丧着脸，“一共六百多万，现在还有不到二百万。”

“笨！”白崇洗横他一眼，心里，却在打转：有人接手当然是好事，去了安沣市好几趟，一是为人情，而也是为了自己的信誉，更关键的是，北京迟早有做到头的一天，凭顾忱这小子实力，去了，也扑腾不了多大水花，倒不如让他先去，拿他当个试验去试试安沣市的深浅，等到自己有了力气再返身杀回，安沣的市场，不还是自己的？想到此，白崇洗有了主意，说：“帮你可以，不过你小子知道96号地光保证金都得十个亿，现在是淡季，这边项目近期卖得也不够好，我自己手里的资金并不宽裕，但你小子真要横了心想去安沣市做回开发商玩玩儿，我要不帮你一把，也不够朋友，这样

吧，我尽量拿些钱给你入股，但肯定不会太多，顶多也就一两千万，其余的你自己想办法去，但财务总监由我派，怎么样？”

白崇洗这样表态，等于已经同意了顾忱的提议，顾忱兴奋得上前亲了一口白崇洗的胖脸，大声笑道：“一言为定。”

“什么一言为定？我问你，这几个项目我测算过，四个项目光土地款就差不多四五个亿，即使先开一个项目，土地款也得一个亿，就算安沣市同意你缓交土地款，但总得交30%吧，这就是三千多万，再加上前期费用和前期工程款，你没有个七八千万启动资金，恐怕说不过去，再说了，安沣市人可把咱当大老板，你要是帐户里就几千万，人家也不傻，当下就怀疑你了。你先说，你自己能拿多少钱？”

“这个……”顾忱沉吟道：“也就不到两千万吧……”

“小子，别蒙我，你自己干公司才没两年，除去我也没接什么正儿八经的销售代理项目，就凭你那几十个策划业绩能挣到两千万，哄谁呢！”

顾忱脸一红，尴尬的笑，“还是老哥辣，兄弟在你面前不敢再装，我也就有一千三四百万撑到头，这还得把那点股票割肉。”

白崇洗点点头，“这就对了，你一千万就敢玩上亿的项目，想过没有，里面风险有多少？安沣市市场毕竟不同北京，里面的水深水浅尚不可知，你别一跟头扎下去再也浮不起来了，我即使给你投资，那也是按股份说话，咱们朋友归朋友，生意归生意，你要玩不转安沣，我更不会继续进入，这样的话，所有后果只有你一个人背着，我大不了赔进去一两千万，只当交你这个朋友，但也别想让我再为你擦屁股，所以，里面的风险你要自己想好，我不管你去找谁挪钱，但没有个七八千万，劝你还是别理这个项目，否则小命玩儿进去，别怪我老哥事先没提醒你！”

“是。”顾忱认真的点头，“手里没钱我也不敢接，我的思路是，第一，我接过您的班先跟贾市长他们扯着，尽量争取优惠条件；第二，我现在就去找钱，大不了再拉上一股，明天我就去联系。”

白崇洗眼珠子一转，问：“你想找谁？”

顾忱想了想，认真回答：“孙大盛。”

“孙大盛？”白崇洗笑了，“和这人合作可千万小心，一个原则，别让他控股，别让他参与管理。”

顾忱也笑，“正是，对付这小子，必须严加约束。”

“好，这件事就这么定，我答应你，总盘子就按八千万计算，你手里啥时候有了六千万，我啥时候给你两千万。但你必须快，贾市长他们可等着我回话呢。”

“没问题。”

“现在说说你的打算。”

“是，那今天晚上我请客，咱们去野松山去洗温泉吃小鱼儿，您就把我正式介绍给贾市长，说安沣市的项目我和您一起做？怎么样？”

白崇洗考虑了一下，说：“现在我还不能这么说，你小子要是找不来钱，到时候拍屁股走人，我就成孙子了。这样，我先拖着他们，你自己跟上，但不准说是跟我合作，你要是找到钱，我敲锣打鼓把你送到安沣都行，但现在你可别想跟我扯上关系。”

“行嘞，还是哥精明。”

“还有，贾市长他们肯定要参观你的公司，考察你的实力，你要好好准备一下。就你那牧马人，我坐里头光硌骨头，这车小地方人不认，以为你开了个什么五万块钱的破北京吉普呢！明天去给我换辆车去。”

“行，那把您那辆宾利借我使使如何？”

“滚蛋。”白崇洗笑道，“你干脆让我滚蛋，就说我这公司是你的不得了？”

“嘿嘿，那我说白石集团也有我的股份总行了吧，至于股份多少，我不说，你也甭说，随他们猜去，怎么样？”

白崇洗再一次被气得笑了起来，说：“你小子反正总想利用我占点便宜，我迟早一天被你拖泥坑里去，行，除去这一点我答应你，其他的，可别乱讲。三点多了，我要开会，你自己准备去，晚上过来接我……”白崇洗想了想，又摆手道：“算了，还是我让司机开车，你准时来我这儿会合吧。”

从白崇洗公司出来，顾忱整个身上好像轻松了五十斤，走路都发飘，兴奋得路都走不好，安沣市，会是成就自己梦想的起点吗？

跳上车，顾忱先安抚了一下自己澎湃的心灵，然后掏出手机打了一个电话，电话接通后对方第一句话就是：“妈的，刚才是不是你又想我了，准

没好事儿！”

顾忱嘿嘿笑，说哥，真有好事。

“说。”

“见个面呗？”

“见个屁！我正在工地被这帮王八蛋加窝囊废气着呢！没时间见面，说，到底啥事？”

“见面说。”顾忱依然不紧不慢坚持。

“见你个头，那明天吧，今天我要先削平了这帮杂种，明天上午你来。”

对方挂断了电话，顾忱闭上眼考虑了一下，开车往自己公司去。

白崇冼的公司位于北京CBD最核心的位置，站在他办公室的落地窗前，恰好可以看到大半个北京城。

顾忱的公司位于海淀区一个最不核心的位置，站在他办公室的落地窗前，恰好可以看到天边白崇冼那幢48层的大厦。

不过，顾忱公司也非常漂亮，对，是漂亮，与白崇冼的豪华不太一样，从本质上而言，漂亮，其实是对达不到豪华标准时的一种弥补，也就是说，豪华的一定漂亮，因为豪华是用钱衬出来的，而漂亮之所以漂亮，是因为无法豪华，又换句话说，是因为没钱。

顾忱是个善于精打细算的人，每一处都设计得恰到好处又用不了多少成本，再加上这里的租金便宜，每年只要几十万，加上装修花了几十万，前年顾忱创业时，才花了不到一百万就搬了进来。但他的公司面积足够大，大得足够让人肃然起敬，大得让人马上能忘掉这座写字楼已经有二十年历史连中央空调都没有。

“固宸国际投资集团（北京）有限公司”。一走进顾忱公司，人们第一眼会看到迎面背景墙上的这一排大字，底下还有几行小字：“北京固宸文化传播有限公司”，“北京固宸房地产顾问有限公司”，“北京固宸广告有限公司”，“北京大盛房地产开发有限公司”，“北京大盛建筑工程有限公司”。

见顾忱回来，前台小姐忙笑着迎上来跟随他进了办公室，然后倒水，顾忱坐定，问：“公司没事吧？”

“没事，丁总上午开了个会，把上月销售情况总结了一下，又给下月各项目部分派了销售指标，下午市场部拿回来个标，是龙宇集团新开项目的销售代理权，王经理他们这会儿正做标书呢，要不要通知他们您回来了？”

“不用。你通知办公室把地毯清洗一下，明天，可能有拨客人要来参观……”

布置好公司的工作，顾忱看表，已经下午五点多了，看看楼下已经排成长龙的西北四环，顾忱叹口气，骂道：“这该死的堵车。”

顾忱赶到白崇洗公司时，已经六点半。路上给贾晓阳打了个电话，说已经和白总约好了晚上由白总做东，白总可是专门赶回来接待他们几位的。贾晓阳连连说感激。顾忱又说路上太堵了，要不请贾晓阳一行开车去西五环出口，双方在那里会合。贾晓阳说北京的路况谁都清楚，大家都这么熟了也不用太客气，那我们现在就出发了。顾忱问梁主任也一同去吗？贾晓阳说是，我马上也通知他去往五环会合。

顾忱和白崇洗坐上他那辆尾数四个6的宾利，融入北京的堵车大军，在这样的路上，再好的车也跟驴车一样哼哼叽叽挤一下停一下，终于冲出重围，也看到等候在出口的两辆车。三辆车一起出来，顾忱下车将梁解放和贾晓阳两人请到白崇洗的宾利上，自己坐上了贾晓阳的车在前头带路。

三辆车沿着一直向西的高速公路疾驰，半个小时后，随着夜幕的降临，山影，越发清晰的呈现在眼前。

车越走越高，逐渐进入山区。又过了半小时，进入一处群山环抱的建筑群，车在位于一片竹林的停车场前停下来，白崇洗下车大叫：“好，顾忱你小子聪明，来这里洗食人鱼澡，贾市长和梁主任一定满意。”

“食人鱼？”贾晓阳一愣，“食人鱼怎么洗澡？”

白崇洗神秘的笑，请贾晓阳和梁解放走在前头。看来在车上白崇洗已经接受了贾晓阳的道歉，两人很亲密的挽着手，梁解放在一旁乐呵呵跟着。

进入大厅，值班经理迎上前问道：“白总，顾总，今天是先吃饭还是直接上山。”

顾忱答道：“上山吧，饭给送上去。”

“好的，几位跟我来。”

几个人跟着值班经理穿过大厅，又穿过一个布置得乡野十足的餐厅，

踏上一条青石铺成的小道，两边是山林，每隔十来米有盏路灯照亮上山的路。

“洗澡还要先爬山？”贾晓阳笑着问：“天子脚下就是不一般，连洗澡的地方都这么霸气十足。”

几个人同时乐了，梁解放说：“这地方我也没来过，老白你这么好的地方可从来没告诉过我，太瞧不起人了。”

“冤枉冤枉。”白崇洗笑道：“我也刚来过一次，这种想象不到的地方只有顾忱才有本事找到。”

值班经理回过头说：“再上几步台阶就到，请几位别着急，来我们这里的都是贵客，哪敢让您爬山啊，走几步，只是为多几分乐趣，再说，我们这里是山泉，享受的就是这份原滋原味，引到山下澡堂子里，反倒失去了品味。”

“哦。顾总，来这儿洗回澡多少钱啊？”贾晓阳秘书问。

顾忱尚未答话，值班经理说：“今天顾总定的是半山温泉的食人鱼池和食人鱼宴，按人头收费，每位两千八。”

贾晓阳吓了一条，“这么贵？”

“我们这里的食人鱼全是从冰岛进口的，每斤成本就要一千多。”

说着话，来到半山腰一处隐藏在绿树里的灰色建筑前，几位客人正一脸轻松的说笑着出门，门童迎上前，值班经理说：“琴涧。”门童答应着带着一行人又往里走，贾晓阳本来以为里面是洗浴中心，但没想到穿过一道透明的玻璃通道，眼前，竟又是山。所不同的是，从这里便有几条小道掩在竹林中分别通往不同方向，夜色中灯光清幽，隐约有笑语传来。几个人沿着一条道走了没几步，眼前又是几条道路的岔口，梁解放笑道：“这里要是没人引路，保准会迷路。”

出现一面石壁，上面刻着两个隶书大字：“琴涧” 。

“到了，几位请。”门童躬身退出，迎面却又一个服务员迎了上来，“几位跟我来。”

穿过石壁，眼前顿时一亮，里面是露天的一整块平地，视线正前方被一块顶端被夜色隐去不知高度的崖壁挡住，崖壁下方，有一池水，水面上雾气冉冉。

服务员说："几位预订的琴涧池，没有女客的话，几位可以不用穿着衣服，鱼已经备好，请问几时能上？"

顾忱说："一小时后上鱼。"

"是。"服务员垂手站立一旁，水池边有一排长凳，端放着几份浴巾和一次性拖鞋。长凳后有一排矮柜，是放置衣服之用。

此时还是冬季，虽然因有这一池温泉的缘故并不觉得很冷，但要在山间脱去衣服赤身裸体，贾晓阳还是心生寒意。顾忱笑道："来这儿泡温泉就是讲个纯天然，脱去衣服刹那有点冷，但进入水里马上就是一番天地。"

说完，顾忱先行踏入水中，暖意顿时涌了上来，白崇洗也拉着梁解放大步跨了进去，大说一声："舒服。"便闭着眼靠在池边头枕上享受起来。

贾晓阳迅速脱光衣服，浑身顿时打了个寒战，也跳进水中，果然，水温正好，入水马上再无寒意。另外几个人也踏了进来，被这一池温暖拥着，谁都不想再说话，顿时安静了片刻。

忽然，梁解放大着嗓门喊："哟——啥东西咬我一下，哟——好痒……"白崇洗见他赤条条从水中蹦出来，睁开眼放声大笑。贾晓阳不明就里，突然，也感觉肋下有个微小而尖利的牙齿轻轻咬了自己一下，还没反应过来，忽然又是一下，那种感觉怪怪的，又酥又麻又痒，说不出的怪异。

"老白别玩花样，到底水里有啥东西？"梁解放大叫，再也不敢坐进去。

白崇洗笑得更欢，笑声在山壁间回响。

顾忱也笑，说："梁主任没事，您坐下，是这里的特色，食人鱼。"

"食人鱼？"梁解放和贾晓阳不约而同色变，贾晓阳这时已经感觉浑身上下都有小牙在啃着自己的皮肤，又想笑又恐惧，却强忍着不让自己跳出水面。梁解放仍泡在水里的腿上密布着无数恐怖的噬咬，抬腿就想跳出去，却被白崇洗一把拉住，笑呵呵说："稍安勿躁。服务员，给客人介绍一下。"

"是。"服务员微笑上前，说："本来我们这里的规矩是先跟客人介绍，但今天顾总特意交代，不让我介绍，说是先要让客人自己体验一下。我们这池子里，养的是些从冰岛进口的食人鱼。"

"啊，真是食人鱼？"贾晓阳脸色一变。

“不过没关系，池子里的是小鱼，它们见到有人进来后，会用嘴去咬您的皮肤，但由于它们还是幼鱼，所以绝对不会对您造成伤害，相反，它们的小嘴能够清除人体皮肤上的皮屑和杂质，泡一个小时澡下来，您会感觉神清气爽，皮肤特别光滑。我们这里自去年开业后生意一直特别好，尤其受到女士的欢迎。来这里的女士，占到一半以上。”

“哦。”梁解放恍然大悟，重新坐回水里，“也是，它们咬得一点也不疼，就是感觉……怪怪的。”

“这一个池子里大约有一千条食人鱼，它们原产自冰岛的火山温泉湖中，长到一指长时便具有危险性，当地的鱼类甚至鸟类经常会受到它们攻击。我们做过试验，放入一只鸡在有五十条成鱼的水中，不到十分钟鸡就只剩下骨架。它们在冰岛半年就能够长到一指长，但来到这里后，大概两年以上才能长到一指长，等到那时，我们自然会做清理。”

“另外，我们这里的温泉绝对是纯天然含有对人体有益的微量元素，您几位所处的这个池子也是在原有泉眼上就地开凿，并且是活水，再加上这些食人鱼苗，来这里洗过澡的客人，都会念念不忘。不过由于我们总共只有二十几眼温泉，每个池子每天只接待一拨客人，所以到这里洗澡是需要提前预订的。”

“对了，那等会儿吃的鱼也是食人鱼吗？”

“是，就是这种鱼，不过是成鱼，等您几位洗过澡后，围着那边的石桌品尝美味的食人鱼宴，绝对是一种享受。”

几个人都已经不想说话，因为被无数鱼苗一齐在身体上啃噬的感觉，实在是太过于享受了，山间一轮弯月映照在寂静的林间，还有什么能比如此的安逸更让人陶醉。贾晓阳心里大呼舒服，真佩服这帮有钱人怎么能想到发明这样离奇的享受。

泡了一小时，身上果然感觉很光滑，水面上热气萦绕，根本看不清水里的小鱼。白崇洗伸了个懒腰，大声说：“上吃的，饿死了。”

几人迈出池子擦干身体穿好浴袍，贾晓阳这才看到另一面还有个小房子，问白崇洗里面是什么，白崇洗说那是淋浴间卫生间和休息室，等下吃完饭，冲个淋浴后可以去休息室里美美睡上一觉。

几名服务员端着保温托盘进来，几人围坐在石桌上，除去些可口的青菜素食外，盘子里全是鱼，全是相同的一指长的灰色食人鱼，有鱼汤，有清蒸，有辣烧，有煎烧，最可口的，是现场烤制。一名服务员在一旁用木炭烤鱼，然后送到客人手中，今晚喝的是日本清酒，伴着味道鲜美至极的食人鱼，渐至半酣。

贾晓阳说："其实啊，我们安沣市也有温泉，水质也是一流的，近年来安山的旅游资源被越来越多人所认识，其实除去做房地产，开发安山的旅游资源，绝对大有可为。白总，等您下次过去，我带您去个偏僻的地方泡安山的温泉，不过论豪华程度嘛，当然没法和这里相提并论。"

"其实，豪华与否并不重要，休闲，最重要的是心境，我想，安山那样人烟稀少之处，恐怕那份空山林语的幽静，又是这里无法相提并论的吧。"顾忱道。

贾晓阳大为高兴，说："顾总你可是答应老哥下次随白总一起去的啊！"

顾忱看白崇洗一眼，笑着说："就算白总不去，我也会去。"

"是啊是啊，"白崇洗忙接口道："小顾要不下礼拜你辛苦一趟，把贾市长送回安沣，再顺便考察下当地市场。"

"不敢不敢，哪儿能敢劳驾顾总送我，不过顾总要是能跟我一起去看看，我们一定给予最热情的接待。"

"哈哈，不过千万别再请我们顾总洗澡啊。"白崇洗大笑，贾晓阳脸色顿时有些难堪，嘿嘿干笑两声。

白崇洗意识到自己说错了话，忙又说："顾总是我生意上的好伙伴，也是集团……股东之一，我近期可能要忙北京的一个项目，安沣市投资的事，我看就顾总你拍板好了，你只要最终点头，咱们就干，你要摇头……"

贾晓阳忙拦住白崇洗的话头，笑道："可不能摇头，咱们可是签过意向书的呀。"

"这个……"顾忱心里暗骂白崇洗老狐狸，竟然一句话把安沣的项目推到自己头上，他反而金蝉脱壳想溜之大吉，不过这样一来，也正好把自己推到了前台，于是道："意向书是签过，但是对一些具体的细节我们还需要把握一下，集团对安沣项目非常重视，尤其是第一次进入一个完全陌生的

市场，更应该慎之又慎，集团董事会会召集全体股东做最后的考量，我想……白总，董事会召开前，我还是先随贾市长去实地考察一下吧。”

白崇洗暗骂一声：“小狐狸，这小子说到哪儿都不忘拽着我。”

贾晓阳忙说：“那是，那是，顾总当然也要去看一下的，不过不知你们这边还有什么细节需要把握呢？”

“这个……意向书嘛，只是笼统的表达了双方的合作目的，但是……比如，是用集团名义投资，还是用集团的下属公司，或者是在当地注册新公司，哪种方式更有利于公司的管理运作，更符合规范的财务管理，更有利于利用安沣市的有关优惠政策，等等，都是需要我们认真加以研究的细节问题，您说，是不是？”顾忱堂而皇之说了一大通大道理。白崇洗一听就明白，这是顾忱为以他自己公司介入打下伏笔呢，这小子的狡猾，绝对不在自己之下。

贾晓阳哪里懂得其中奥妙，只是连连点头，“顾总说的是，不过我可等不到下礼拜，白总接受了我们的歉意，我的任务也就算完成了，明天一早我就动身回去，要不顾总你跟我一道？”

“这个……要不您再多待一天？我手头还有些事需要处理。”

“也是，老贾，既然来了，就跟白总多聊聊，也用不着急这一两天啊。”梁解放大声说。

“是啊，明天我准备啥事都不做，一起去找个地方散散心呢。”白崇洗也笑着说。

“感谢盛情，但我真的没办法，第一，我的任务完成了，要赶紧回去跟唐书记卫市长报告；第二，这些天来考察的投资商特别多，我无论如何也得抓紧回去才是。”贾晓阳的真实想法是：我亲自跑来道歉，算是已经给了白崇洗极大面子，这趟的任务已经完成，白崇洗的安沣之辱，算是扯清，这件事结束后，我也再不用低三下四祈求白崇洗什么，政府的架子，也不能放得太低。第二点，其实是说给白崇洗听的，我们安沣市不缺投资商，你要不快去，我们也不缺你这一根葱，你们商人看中安沣市是自己想赚钱，用不着我们一直求着你！

白崇洗和顾忱再三挽留，贾晓阳执意要走。其实每个人都明白贾晓阳必须走的道理，只是一个盛情挽留，一个再三要走，是千百年来咱们国人的待客之道，三番五次之后，白崇洗拉着顾忱举起酒杯，说：“贾市长你执意走，我也不便强留，那好，我们哥俩今儿晚就给您送行，还有您，梁主任，感谢您对我们的关心。”

几个人一起站起来，饮下满杯酒，白崇洗拍着顾忱肩膀大声笑道：“去安沣市千万小心，贾市长会派人灌你酒，安沣人民的好客，我是领教了。”

几人哈哈大笑，食人鱼宴，尽兴而散。

第二章　孙大盛与安山春梦

盛的意思，有强盛，盛大，旺盛。

对于孙大盛来说，大盛，就是盛气凌人。

孙大盛很少用眼睛看人，除非是看甲方的时候。对于手下，一般是用他的鼻孔瞪着你，你越是吓得跟孙子似的口吐白沫四肢抽搐，他越满足。

昨天顾忱在工作浴室跟白崇洗一起泡澡提起孙大盛的时候，孙大盛正在工地盛气凌人的指着一个工头鼻子说要砸扁它，正在这时，他的鼻子突然痒了一下，然后打了个喷嚏，当时孙大盛想，他妈的，谁又想我了？

没半小时，孙大盛接到顾忱的电话，第一句话就是："妈的，刚才是不是你又想我了，准没好事儿！"

几人夜宿山上，白崇洗和梁解放躺在石床上鼾声大起时，顾忱却和贾晓阳又下到温泉池子里彻夜畅谈直到东方发白，顾忱对安沣项目更多了几分信心，两人说定顾忱两天内出发到达安沣市。一大早，几人下山，白崇洗和顾忱把贾晓阳送到高速路口，顾忱去白崇洗公司取了自己的车，过来找孙大盛。

孙大盛的公司在北京西四环小瓦窑一处平房里，周围已是高楼林立只有这一旮旯还是平房，这还是他二十一年前带着十几号同乡刚来北京给建筑工地抹灰时租的房子。现在孙大盛的身价早已上亿，但却还对此处情有独钟，进入一扇即将寿终正寝的斑驳铁门，可以见到一处一百多平方米的空院子，院子里横七竖八停着几辆车，其中一辆白色的跑了三十万公里的上一代雅阁，就是孙大盛的座驾。车里很脏，一个民工模样的人正将一块沾满烟头卫生纸屑的胶垫拖出来放在阳光下用水龙头使劲冲。

顾忱熟门熟路又拐了个弯，一头扎进孙大盛的办公室。当时孙大盛的第八十几任女秘书正坐在孙大盛大腿上给他修剪鼻毛，猛听得门咣当一声被撞开，吓得花容失色，手里的剪刀差点让孙大盛从此有三个鼻孔，孙大盛忍住疼一巴掌将女秘书拍自己脚下，冲来人黑着脸骂："操你妈的，啥时候能学会进老子办公室敲门？"

顾忱悠然自得的笑着，看着女秘书从地上爬起来，顺便递给自己一媚眼。"我明明给你准备有办公室，你非要整天躲这危房里，哪天地震了我还得来挖你。"

"挖你个球！"孙大盛捂着鼻孔大声骂，"看个屁，还不去给顾总倒水！"

女秘书惊慌失措跑出去，顺便又色迷迷递了一秋波。顾忱看着秘书的翘臀从嘎吱作响的房门后消失，笑问，"怎么，又换了？"

"不换不行，素质，素质太低呀。"

"废话，你好歹找一上过大专的秘书好不好？"顾忱笑呵呵坐在孙大盛对面那张破皮革沙发上，屁股在沙发面上来回挪动，找了个不会被弹簧扎疼屁股的位置。孙大盛瞪着他，问："找我啥事？"

"来请你去我那儿办公啊，顺便再给你配个大专毕业的秘书。"顾忱语重心长的说："听老弟一声劝，秘书，一定要找有素质的。"言下之意，分明是鄙视孙大盛的八十几任女秘书不是从酒桌上搜罗回来的服务员，就是歌厅里那些只收一百块钱小费的低档小姐。

"你娃娃懂个屁！"孙大盛不屑的看着他，"那些读过书的女孩子太精，到时候想甩都甩不掉。你那办公室太高雅，地毯上吐口痰也不好弄掉，算球，还是我这老房子待的舒服。快说，到底啥事儿？"

顾忱还是不紧不慢，见女秘书去而复回，将一杯热茶端到顾忱面前，第三次深情地凝视着顾忱。待她出去，顾忱笑了，"手头有个好项目，想不想参与？"

顾忱和孙大盛成为朋友，还是从大前年开始。那时，顾忱是一家房地产公司营销经理，孙大盛的大盛建筑公司承建公司的楼盘，没事儿时爱去顾忱办公室听顾忱忽悠房地产故事。久而久之，对顾忱特佩服，加上顾忱不像其他人那样老是盯着孙大盛吐痰的样子撇嘴，反而总是笑呵呵说想吐就吐吧，孙哥我觉得你吐痰的样子绝对潇洒，看你吐痰都快变

成我的爱好了。

孙大盛一愣，呆呆抬头看着顾忱。顾忱哈哈大笑，伏在桌上直不起身，大笑道："讽刺你呢。"孙大盛低头，也嘿嘿嘿尴尬的笑，从此再也没在顾忱面前吐过痰，但一点没有烦顾忱。

本来顾忱论身份应该是孙大盛甲方，但从来没有给过孙大盛甲方的脸子看，孙大盛于是觉得这人可交，于是常常找顾忱喝酒，顾忱也不推托，有酒就喝，喝完酒孙大盛拉着他去唱一晚上小姐小费只要一百块钱的歌厅，顾忱也毫不含糊。孙大盛知道顾忱常出没的是那种一晚上能花好几万的地方，竟然跟自己一起享受民工级娱乐也照样乐呵呵欣然接受，从心眼里喜欢顾忱的为人。久而久之，两人成为朋友。

有一次，孙大盛挺神秘地找到顾忱，说："我有一朋友，手里有个好项目，兄弟帮我判断判断。"

"啥项目？"

"房地产。"

顾忱一愣，笑着问："孙哥啥时对房地产感兴趣了？"

"还不是你讲的？听了你的故事觉得再给房地产商卖苦力简直就是欺负自己，我有一哥们是一局长的秘书，他的局长被抓了。"

"哦？"

"局长是因为一个项目被抓的，被抓后，这项目自然停了下来，这一停就是四年。"

"停！"顾忱忙拦住他，问道："你这项目是四年前的？那你这哥们是啥时候跟你说的？"

"当然是刚刚啊，他受牵连，也在里面蹲了四年，这不刚刚出来，跟你实话实说，那个项目就是我施工的，结果楼盖到刚出地面就停了，现在还有我一千万没给我。"

"这四年你没要账吗？再说这种项目应该拍卖才对呀。"

"里面具体情况我也弄不明白，反正这哥们说能做，说他们局里正想着处理掉这个项目，正找下家呢……"

就这样，顾忱开始帮助孙大盛对项目进行摸底，没想到，摸底的结果，这项目还真能做！这时的孙大盛手里一共也就有三千来万，是他来北京在工地上摸爬滚打二十年挣来的血汗钱，孙大盛说兄弟你可给哥瞅准了，这项目要赔里头，你哥我可要去跳楼了。

这时顾忱已经帮他摸清底细，蛮有信心的回答道："放心，能做。我帮你操作，你只要把销售权给我就行。"

"行！"孙大盛极信赖顾忱。

其实，那时顾忱测算这个项目能给孙大盛赚三四千万，自己靠销售佣金也就挣个温饱，但至少可以有点启动资金让自己单飞了。

但随后的变化，远远超出了顾忱的想象……

那是一座规划为六万平方米的大厦，二十八层。位置嘛，不好不差，当地均价也就是卖到六千一平方米。大厦是这个局下属一个三产单位的，为了盖它，当时专门成立了一家项目公司。几年前项目立项时拿到的土地价格极为便宜，大厦建到这个程度，建筑成本加土地成本，总共往里投了七千多万，继续投下去的话，至少还要投入两个亿的建筑成本。

局长出事后，大厦的开发陷入停顿。项目公司的领导也跟着局长进去，这幢大厦成为单位的负担，时隔四年后，这家三产单位面临改制，新任领导不敢再碰这块烫手的山芋，于是想尽快处理掉。开出的条件很简单：拿七千万来，公司和项目一并转让。

顾忱给孙大盛分析：这种转让方式比较简单，以前单位是国企，局长出事后项目公司经过层层反复审计，资产很干净，里面也没什么猫腻和经济纠纷，再加上孙大盛本来就在里面，他拿下这个项目，应该是这家单位最能接受的优先人选。随后的建筑由孙大盛自己干，成本会少些，也就不到两个亿拿下，项目转让的七千万，其中因为有他自己一千万在里面，等于转让款是六千万，两亿六就是孙大盛的总成本。按目前销售额计算，大厦能卖到三亿六，加上开发过程中的其他各项费用的资金成本，最后净利润差不多能达到四千万。比孙大盛干建筑利润到高很多。

顾忱说："干吧，风险不大，我帮你做销售，只要销售额1%的佣金，做下来你赚四千万，我赚三百六十万。"

孙大盛当时哭丧着脸道："兄弟，我手头砸锅卖铁总共也就三千万，去

哪里找这两亿六去？算球，还干个屁？”

顾忱拉着他笑道：“你不能这样算，第一，他们急于转让，条件还能谈，价格一定还能压；第二，即使价格谈不下来，你可以在付款方式上做文章，人家又没让你一次性付清；第三，你可以把接过来的土地拿去贷款，工程的启动资金不就有了吗？”

“贷款？”孙大盛眼前豁然开朗，思维一下从建筑模式跳入了房地产开发模式，兴奋的问顾忱，“能成吗？”

“能。”顾忱拍着胸脯说：“我帮你操作。”

孙大盛立即与顾忱签了份合作协议，将项目的谈判权全权委托给顾忱，并承诺事成之后销售代理权给顾忱。顾忱当时打工每年也就挣三四十万的工资加奖金，虽然仗着业内小有名气帮人做些策划什么的，不过也是鸡毛蒜皮的挣些小钱，从没有自己做过销售代理和全案。第一次机会，顾忱准备全力捕捉。

首先，顾忱去找这家国企谈条件，关于价格，对方锁得很死，说我们是国企，价格是经过局里班子研究确定的，少一分都不成，少了，我可能就得跟上一任领导一样进去。但是，关于付款方式，顾忱却说动了他，几轮谈判下来，付款方式从一次性变成分三步走，按照刨去孙大盛一千万后的六千万计算：第一步，付百分之三十，也就是一千八百万；第二步，付百分之三十，在工程封顶后付清；最后一次付款是在封顶后六个月内，付清余下的百分之四十。

转让条件谈好了，顾忱立马拉着孙大盛去找银行里的朋友，那两年房地产项目贷款相对容易，银行也答应可以办土地质押贷款。

万事俱备，孙大盛却临阵退缩，哆哆嗦嗦跟顾忱说：“行吗到底？协议签完，俺可就成穷光蛋一个了！”气得顾忱大笑，“穷光蛋，你怎么不想想你只用一千多万就能换回来七千万的资产了？我要有钱早自己干了，还用跟着你？”

“那兄弟，咱先说好，事要不成了，我跳楼也得拉上你？”

“行！”顾忱答应得特痛快。其实，心里也有点忐忑，毕竟是头一次独立操作这么个大项目，自己不过是一给人卖命的打工仔，孙大盛更是对房地产一窍不通的大老粗，要真赔了，孙大盛真敢跟自己玩命！但机会就在眼前，房地产本来就是勇敢者的游戏，想来想去，干！

签约前一晚，孙大盛破天荒请顾忱去一家顶级餐厅吃饭，只要最贵的菜和酒，两人一晚上造了两万多，孙大盛说："奶奶的，反正两千万都花出去了，也不在乎这点钱。"吃完饭两人又去唱歌，孙大盛找了两个据说身价在北京城属于顶级之列的小姐，可心里光顾紧张和顾忱玩命喝酒，一晚上连小姐脸都没看清就醉倒在沙发上。一觉醒来，见房间里无人，俩顶级小姐早不知去向，顾忱脑袋枕在自己脚脖子上，睡得比自己还沉。孙大盛看看手机，才九点多，不对呀，两人进门时不就九点了吗？难道是……孙大盛想想不对，冲到房间外，见走廊上一个人没有，静悄悄的，哪儿像营业的模样？孙大盛暗叫一声"不好！"肯定是第二天上午九点了，而约定的签约时间，是十点！

孙大盛惊出一身冷汗，回屋推醒顾忱，两人跳起来就往外跑。大堂有人拦住他们，"您二位的场费和小费还没结呢？"

孙大盛说你快去开车我结账。

前台报出总共三万，孙大盛气得大叫你们宰猪呢？

收银员微笑着说您二位昨晚光路易十三就吹了三瓶，这还多呀？

孙大盛顾不上啰嗦，往台子上扔下三沓现金冲出门去，顾忱开着自己以前那辆帕萨特一路狂奔，其实，狂奔只是形容驾驶的冲动，九点的北京，车是绝对狂奔不起来的，帕萨特挤在车堆里爬啊爬，比蜗牛快不了多少。

孙大盛忽然阴惨惨笑起来，顾忱顿时头皮发麻，"嘿嘿，说不定是老天爷有意让我放弃这个项目……"

顾忱不理他，抓起电话打给甲方老总，解释自己还是车龙里挤着。那边有些不悦，说我们整个领导班子都准备好了。顾忱连忙解释着顾不上违章从紧急车道冲下立交桥，赶到单位时，正好十点半。

领导们脸色很难看，预先准备的讲话也取消，大家在转让协议上签上字，领导说："以后，这公司就是你们的了，好自为之。"

拿着一纸协议和项目公司的营业执照，孙大盛猛然发现，"靠！公司今年还没年检呢！"

接过公司，才知道里面原来还有那么多事。当天打给甲方一千八百万，孙大盛账上还有不到二百万现金，顾忱问你不是说还有三千万吗？孙大盛哭丧着脸道：“不还有一千万工程款还没要回来吗？”

就这样，孙大盛和顾忱开始了房地产市场上的惊险之旅。

项目公司就是现在的“北京大盛房地产开发有限公司”的前身。公司股权转让，更名，折腾完一圈，公司总算正式归孙大盛所有。两人绕着停工了四年的烂尾楼转了一圈，顾忱说：“老孙你好歹得弄个办公室售楼处什么的吧？”

孙大盛有些沮丧，道：“还售楼处呢，为这个烂项目，老子俩标都没敢去投了，那一千万工程款现在还没着落，这大楼我想开工，也没钱啊。你说的银行贷款呢？”

顾忱苦笑，“人家银行好歹也得看你公司的实力和形象吧，我本来打算你那一千万在现场盖个漂亮售楼处再把财务状况好好包装一下，你倒好，就这破烂尾楼，人家银行看一眼就得被你活活气死，还贷款呢！”

“那咋办？”孙大盛也愁了。

“能咋办？硬上呗。你不还有二百万吗？”

“干嘛？”

“总得盖个售楼处连带办公室吧，劳务建材先赊着，等银行钱一下来，什么都有了。”

孙大盛大叫头疼，说老子那点钱还等着给工地救急呢，不成不成。

顾忱也火了，说你要不硬着头皮往前走，这项目越拖越不好启动，到时候银行那头儿工作前功尽弃，你没了信誉，任何银行都不会贷给你钱，到时候项目可就真正烂在这儿了！

“娘呀天啊！”孙大盛抱头蹲地上，“早知道做房地产比干工程还烦，老子才不上这趟贼船呢！”

牢骚归牢骚，孙大盛心里也很清楚项目不能及时启动的后果，一边横下心来开始建售楼处，一边指挥工地的工人围住甲方办公室要工程款，这边顾忱帮着他找到设计院开始对原先的设计方案进行重新修改，项目毕竟的四年前的设计，大厦的外形早过时了。当然，设计费，也是顾忱凭着脸面先不用给的。

两个月后，售楼处终于有模有样的伫立在现场，孙大盛的工程款终于要了回来，设计费也给了设计院，新方案果然比老方案强了些，看着办公室里那漂亮的二十八层充满现代风格的大厦，瘦了一圈的孙大盛终于第一次露出了笑脸。

大厦原本是办公楼，但顾忱经过市场分析，认为改作公寓更有市场，但规划变更可不是件容易的事，一层层找人拉关系，一晚晚大把钱花出去，孙大盛和顾忱一晚上能洗六回澡唱七场歌，最后硬是把大厦调整成公寓。

这时施工图也出来了，万事俱备，只等开工。孙大盛却又发愁，说这么大体量的建筑，我要自己干真的没钱了，你这销售要快开始才行。

顾忱解释道销售必须要等到施工开始后才好进行，无论如何要先开工再说。孙大盛有一次被逼到惊险一跳的悬崖前，最后一合计，算了，孙大盛自己的公司根本没建这种大楼的实力和资质，还是找别家施工单位垫资吧。孙大盛找来一家垫资单位开了工，说好垫到六层。

孙大盛拉着顾忱让他举手发誓大楼在六层之前必须通过销售回钱，要不两人就一起从六楼跳下去。这时，顾忱心里也开始犯憷，毕竟是自己第一次操盘，事到如今，也只好硬着头皮上了。为了这项目，顾忱从原先公司辞职，专心启动这边的销售工作。销售前期的资金，也只好由顾忱自己先垫上，几年的积蓄不到一个月就花得精光，没了钱，所有广告都没法再做，顾忱只得印了十万份宣传单页派人满世界去发，结果客户没招来，倒把城管招来了！望着罚款单顾忱犯了愁，只好又到处找人通融。最后罚款倒是象征性交了些，可算下来，请客的花销也比原先的罚款少不了多少！反而贴上了自己的精力。

银行的考察进行了三轮，贷款申请资料报了一遍又一遍，可贷款还是没下来，而这时顾忱的积蓄已经开始枯竭，孙大盛已经开始跪在媳妇儿跟前要家里的存折。

项目开始哼哼叽叽的销售，刚收了点定金，可更厉害的部门来了，项目没办预售许可证，属于违规销售，不但定金必须退还，另有高额罚款！

两人终于崩溃了。孙大盛这天拉着顾忱来到已经施工到五层的大楼上，

阴惨惨道："看吧，美丽的北京城，下个星期，我们也许就会消失在这美丽的余晖里……"

下星期，银行贷款还没批下来，销售彻底停了，公司账上的流动资金终于归零，孙大盛另外俩工地因为材料款和人工费拖欠，孙大盛再也不敢过去，而这边工地更惨——六楼的施工已经完工，该付工程款了，项目经理拿着一张两千多万的工程结算单找到孙大盛，笑嘻嘻请他签字。孙大盛毫不犹豫签上字，打发走他后拉着顾忱上了六楼顶，"美丽的堵车的北京城，永别了！"

顾忱拉着他，"哥，再挣扎几天，贷款，快下来了。"

其实，他们不知道的是，贷款已经不可能下来了。公司的财务状况摆在这里，银行并不是傻子。银行的钱是贷给那些不太需要钱的人，像他们这样为了钱能急尿裤子的主儿，银行的门是关闭的！

如果不是顾忱死命拉着，也许孙大盛在那天黄昏真的已经从这个世界上消失了。孙大盛没有骂顾忱，只是用一种奇怪的眼神盯着他，当时孙大盛在想，到底是自己先跳下去，还是先把顾忱给扔下去？

命运有时候真的很奇怪，当你完全没有希望的时候，希望，却回到你身边。

就在他们没有跳下去的那个晚上，顾忱突然在电视上看到一则新闻：北京的房价突然涨了10%。

一夜间，大街上涌出来好些不知从那个角落钻出来的购房者，后来人们才反应过来，中国第二次房地产高潮来临了！

北京的房地产市场在压抑了几年后，突然雄起了。

售楼处里忽然挤满了看房人，顾忱孤注一掷，不管它什么预售证，放开了收定金。按照六千块钱一平方米的价格，按房价10%收取定金，第一天，竟然一下子收了一千多万！当天这钱就转到施工单位账上，孙大盛和顾忱带着重生的喜悦不敢相信自己的大脑。顾忱跑去看别家楼盘，马上发现自己亏了，隔壁的楼盘已经卖到七千！

顾忱预感到一个时代的来临，他和孙大盛商量，暂时封盘，不能卖了。

"不行！"孙大盛说："不卖楼钱从哪儿来？"

钱，在这时突然不再成为问题。银行第二天找上门来，给孙大盛和顾忱一人带了一尊银行刚发行的纯金小金人，祈求道：“孙总，顾总，贷款嘛，还是来我家吧！”

五千万贷款在一周内进到公司账户，靠着这笔钱，项目一直做到封顶都没有再卖出一套房。曾经要罚款的单位又一次上门来，严肃的说：“你们不许积压囤房，必须马上销售！”

顾忱笑嘻嘻说：“我们预售证还没办下来呢。”

“明天，明天就办。”

然后，所有房子在一个月内卖光了，均价一万六，比当初的房价整整高出一万！六万平方米，就是六个亿！最后核算下来，孙大盛赚了五个亿净利润，比项目预期利润高出十几倍！从此一跃成为亿元俱乐部的会员。

顾忱也不差，挣了一千万佣金，拿这笔钱成立了自己的公司，开始独立闯荡地产江湖。

但两个人马上后悔得肠子都青了：又过了五个月，这座大厦二手房都买到了两万五！孙大盛错过了进入十亿元俱乐部的良机。

孙大盛有钱后，立即做出了一件没钱人突然有钱后一般都会做的事：甩掉了跟着自己二十年的农村黄脸婆。剩下的钱存进银行，因为这点钱已经不足在北京的地产市场上生存。除去更换女人，孙大盛本色未变，仍然一如既往住在那个破烂小院里，继续开自己那辆跑了三十万公里的上一代雅阁，继续找些没有大专学历的女秘书给自己修剪鼻毛。

唯一的变化，是孙大盛的脾气更横了，发怒时，他鼻孔圆张，鼻毛呼扇，鼻筋暴张，鼻息喷火，给人以极大的震慑。

他和顾忱的关系也没变，提起往事，两人会唏嘘一番，互相说要没你，我哪有今天？两个人经常在一起喝酒，每次都是孙大盛请客，孙大盛说顾忱我欠你一个情，要不是你那天玩命的拽住我，我早在天堂看着下面一帮发了财的地产商只剩下痛哭流涕了。

为这份情，顾忱今天来找孙大盛。

顾忱将安沣项目详细的说给孙大盛听，但是没有提及白崇洗。孙大盛犹豫道：“项目倒是不错，可我……”

“我不是让你投资，是让你给我入个股，帮兄弟一把。”

“行！”孙大盛特干脆，“谁让我欠你？但钱可能不会太多，我刚买了股票……”

“股票？”顾忱吓一跳。

“有个人说现在股票市场正好，这么多钱足够坐庄了，拿住一只股票，绝对稳赚不赔！所以，我把钱全投给他了，约好使用一年保30%利润，再多出部分，跟他对半分。”

“全投了……”顾忱有些吃惊，这么大事情，从来没听孙大盛提起，“风险是不是太……”

“没事。我去他们公司考察过了，去年帮一个人赚了十个亿！比房地产来钱快。所以，我手头儿也没啥钱了……”

“有多少？”顾忱忙问。

“大概也就四千万吧。”

顾忱心里略微盘算一下，心想应该也差不多。顾忱的想法很明确，去了安沣，一定要设法复制当年孙大盛空手套白狼的模式，几千万的启动资金，应该足够了。

“但是，我有个条件……”孙大盛说。

“什么？”

“工程得给我做。”

顾忱笑了，“这算什么事儿，工程当然给你。另外你这四千万算你的股份，只是我的股份稍微大些……”

“你的意思是我投资多股份少，你投资少股份多？没问题，谁让我欠你，我这就把钱给你打过去……”

顾忱忙拦住孙大盛，说：“不忙。我必须这两天去安沣市一趟，先等我把事情定下来再说。”

“好。”

“那好，那我先走，还得去买辆车去。”

“买车？什么车？你那车不去年刚买的吗？”

“是啊。可这么大一项目，我开着这辆越野跑安沣这样的小山沟里去，那儿人不识货，还以为我开着辆十万块的切诺基呢。”

孙大盛大笑道：“以为是切诺基就不错了，你刚开回来时我还以为是北京212呢，是该换了，对了，我跟你一起去。”

顾忱乐道：“你老人家终于想通换车了？”

“这个嘛……嘿嘿，我虽然不像你在乎形象，但近来这车老出毛病，不换也不行了，干脆买辆新的。”

两人一起去汽车交易市场看车。路上顾忱将项目的具体情况又说与孙大盛，孙大盛来了兴趣，说也想去安沣看看，两人约定后天出发。

到了4S店扎堆的交易市场，顾忱径直奔宝马奔驰而去，孙大盛说原来你早想好了买啥车，顾忱说废话，现在除了这几个车谁还认别的？孙大盛说其实车这东西二十万的跟一百万的没啥区别，开得舒服就行，我就还想买辆雅阁，那车皮实。顾忱连忙给他上课，说你现在已经是房地产商了，再开那车别人会笑话，也该升级了，倒不如咱俩一起买。孙大盛点头同意，行，你让我买啥就买啥。顾忱笑着说还是有钱好，买车跟买白菜似的。

两人停好车步行进店，孙大盛挂着脖子上那根戴了九年的油光闪亮的红领带，一件双排扣西服里套了件红色的前任老婆的手织毛衣，极为吸引眼球。只是他手里捏着个鼓鼓囊囊的手包极为引人遐想，别人却不知，里面其实只是一卷卫生纸，这是在顾忱持之以恒的教育宣传下的成果：用来接痰。

两人走进宝马展厅，销售人员迎上前，微笑的问顾忱，“先生来看车？”

“废话，不看车来看你呀？”孙大盛粗声粗气道。

“是。不知您来看什么车？”销售员还是只微笑着问顾忱。

顾忱指着辆宝马7展车，“有现车吗？”

“有，但只有黑色的。您看好哪个型号？”

“730有吗？”

“有，正好还有一辆顶配。”

“那不行，我们要俩。”孙大盛又大着嗓门来一句，销售员吃了一惊，呆看着顾忱，顾忱微笑，“那还有其他型号吗？”

“还有一辆760，也是顶配。”

“哦，”顾忱还没搭话，孙大盛又是一嗓子，“760就760好了，也行。”

销售员轻轻瞟了他一眼，低声说：“这俩车办下来快差一百万了……”

“一百万怎么的了？”孙大盛大声说，用鼻孔恶狠狠瞪销售员一眼，“不就一百万吗？没一百万的车老子还看不上呢！”说完拉开手包想拿出钱包……顾忱知道这人臭脾气又犯了，一定又是想把钱包拍桌上，说：“里面卡多的是，随便抽出张去刷！”

手包拉开，“吧嗒”却滚落出多半卷卫生纸，还是超市里一般打折后最便宜的那种，顾忱想笑，销售员也忍俊不禁，孙大盛有些尴尬，弯腰捡起卫生纸塞回包中，顾忱上去摁住他的手，笑道：“孙哥，其实以你身价，也该买辆760，不如这样，你要一辆760，我要一辆730。”

“行。”

销售员顿时瞪大眼睛盯着孙大盛，孙大盛鼻孔朝她一翻，再也不理她。销售员立马满面春风对孙大盛笑道：“这位先生，我看760也更适合您……”

“废话少说，老子穷过，最知道你们这帮狗眼看人低的势利眼，去，开票。”

“等等。”顾忱忙拦住他，问销售员道：“车能明天上好牌吗？”

“明天？”销售员面有难色，“进口车可能时间太紧……”

“我知道，但我急着用，你去问一下经理，要是明天上不了牌，我就不要了。”

“要不您自己提车去上牌……”

“废话，要自己能上早上了，还用找你？”

销售员跑去问经理，回来仍面有难色，说三天应该没问题，但两天实在有些紧张。

后天就是星期六，明天要上不了，就要等到下周一才行。顾忱想了想，掏出手机打给白崇洗。

白崇洗第一句话就是：“小子你找着钱没？”

有孙大盛在场顾忱不好多说，只说应该没问题，我正买车呢。

白崇洗笑，“这就对了，还是买辆正经商务车开着吧，你那车忒不像样。宝马还是奔驰？”

“宝马，我后天想走，但今天提车，明天却不一定能上牌……”

“所以你小子又要麻烦我了？”

“嘿嘿，是。”

白崇洗想了想，说：“好，你那边提车吧，我找人。”

放下电话顾忱说提车，销售员瞪大了眼睛，说您找的是何方神圣，我们专门做这行都没这本事。

下来交钱验车提车，顾忱绕车转了一圈，忽然发现一个不妥处，问销售员：“车尾部那个730能去掉吗？”

“能。”销售员迅速答道：“买730的客人一般都提这个要求。”

“为啥？”孙大盛不解地问顾忱。

顾忱有些不好意思，说：“这都不知道？730是入门版，人一看就知道是没钱又想充大头的主，哪像你，挂个760反而是一种显摆。”

孙大盛哈哈大笑，说那我把760弄掉贴你屁股后好了，反正我也不在乎！

孙大盛够意思，说话算话。

两个小时后，俩车一起被清理得瓦亮瓦亮一起停在出口，顾忱又绕车一周，一辆屁股上什么也没有，是货真价实的760，另一辆挂着760，却是顾忱的730。

顾忱中午请客，让孙大盛一定帮他保守这个秘密。

孙大盛哈哈大笑道老子从来就没你心眼多，现在想想有些不对，等于我给你一百万！放心，我才不在乎，反正我跟人说这车是760人也信，你说你的车是760人也信，等于咱俩少花了一百万！

白崇洗果然神通广大，第二天派他司机开着顾忱的车，又带着孙大盛的司机开着车去办手续，下午，两车都已经挂上了牌，司机回来笑着说：“一辆198，一辆168，一共花了不到十万块钱，白总说从您佣金里扣了。”

顾忱连连点头感谢，十万块钱在北京弄俩好牌，已经算是很便宜。

送走白崇洗司机，顾忱开着自己车拉着孙大盛去燕莎，说是为表示感谢想送孙大盛两套衣服，孙大盛大笑道：“你以为我不知道你小子怕我穿成这样给你丢人，他妈的你给我买啥穿啥。”

换上顾忱为自己挑的一套西服和外加一件今年新款风衣，孙大盛顿时感觉自己年轻时尚不少，恍然间明白“人靠衣装马靠鞍”这句话的真谛，顾忱说：“你看那些明星，也都是靠化浓妆和穿着打扮包装起来的漂亮，真要让她们卸了装，跟平常人没啥差别。”孙大盛点头称是，“所以我说一百块钱的小姐跟一千块钱的小姐也没啥区别。”顾忱从来没有听见孙大盛说这样富于寓意的话，憋了一口气，然后才笑。两人把孙大盛原来那套穿了十一年的双排扣西服和红领带直接扔燕莎的垃圾桶里，手里拎着西服风衣领带衬衣和一双皮鞋穿着件咖啡色的套头毛衫和一件新款夹克脚踏一双板鞋出门，孙大盛对自己的新形象非常满意，说你送我去工地，给那帮王八蛋看看。顾忱把他送到工地，一下车，保安迎上前问：“您找谁？”

“他妈的王八蛋龟孙子连老子都不认识了？”孙大盛破口大骂，顿时上来一群人，战战兢兢却一脸迷茫看着孙大盛的新装。

“娘的果真不认识了？”孙大盛继续怒道。

有人赶紧说：“不是……不认识，孙总，而是吓了一大跳。”

“好不好看？”

“好。”一片叫好声。

“嘿嘿。”孙大盛得意的笑，“明天我出门两天，你们给我看好了工地，出了问题回来砸断你们狗腿。”

第二天下午四点多，两辆宝马一前一后开进安洋市的收费站。前一辆是顾忱的山寨760，后一辆是孙大盛的原版760，孙大盛找的俩司机分别开着车，前车坐着顾忱的副总丁铭和两个部下，后车坐着顾忱和孙大盛。孙大盛昨晚新做的头发和护理，脸色红润精神十足，一点不像从前那个土包子。路上，顾忱又将项目的具体情况仔细说与孙大盛，也简要说了白崇洗先期的工作和顾忱的想法，孙大盛恍然大悟，说原来是你小子从白崇洗手里倒腾回来的项目，早知道我就不炒股票直接把项目全吃下来得了。

“你股票咋样了？”

“靠，听说套进去了，他们说没关系，现在是抄底，按照他们的计划，价格还会往下走些，反正还有两个多亿没动呢。我说资金能不能动，这帮小子说，双方是签过委托协议的，协议期不到资金不能动，靠，等于这资金我是不能动的了。”

顾忱点点头，说没关系，目前自己做一个项目应该差不多。对了，到了安沣，咱俩就说都是白崇洗公司的股东就行，这次考察回去开董事会最后决策呢，要问起股份，就说公司是白崇洗控股。

“这个我懂。对了，你这项目到底能挣多少钱？”

“这个要再进行具体考察再说，咱们开始先拿他一个项目，总投资大几千万，收益嘛肯定不如北京，但100%的利润率还是有的。”

“好，反正到那儿后我不乱讲话，一切由你安排就是。”

警灯闪烁，警车旁还有一辆黑色的奥迪，车下来一人，却是贾晓阳。顾忱赶紧拉着孙大盛下车，连连说不敢，怎么敢劳驾贾市长亲自来接？

贾晓阳满面春风，说已经是兄弟了还客气什么，这位是……

“哦，这是孙总，公司的另一个股东。”

“孙大盛。”孙大盛自我介绍。

贾晓阳一愣，马上笑了。

顾忱也笑，“不是孙大圣的圣，而是强盛的盛。”

贾晓阳跟顾忱他们坐上一辆车，前头警车带路，孙大盛问：“怎么还麻烦警车开道？”贾晓阳笑，“市里招商引资的新政策，今后凡是重要的投资客商，经市政府特批可派警车开道保护。”

车直接进入安沣大酒店。顾忱问：“这就是上回白总住的酒店吗？”

“是，”贾晓阳有些不好意思的说：“这家酒店以前是市政府办的，前两年改制变成了私企，可能在经营管理上会出现问题，不过上回白总走后就进行了整顿，以后小姐应该没了。”

“有歌厅吗？”孙大盛插一句。

“歌厅是有的。”贾晓阳说：“酒店是按照四星级标准建的。”

“没小姐咋唱歌啊？”

贾晓阳顿时有些尴尬，有些迷惑的望着顾忱，顾忱忙说：“孙总就爱开玩笑。”

下车，贾晓阳将客人安排好房间，顾忱和孙大盛分别安排了两个套间，贾晓阳陪顾忱走入房间，说：“要不你们先休息一下，五点半时我来接大家

一起吃饭，今晚唐书记去省里开会，由卫市长主持欢迎宴会。”

“什么宴会啊，实在不敢麻烦领导……”顾忱忙客气，弯腰从旅行箱里拿出一个小盒双手递给贾晓阳，说：“这是兄弟的一点心意，还请贾市长收下。”

“这个不行，市里有规定不得收取投资客商的任何形式的礼品。”

“只是一支水笔而已，我给几位领导每人备了一支，贾市长要是不收，那贾哥总能收下吧，贾哥？”

贾晓阳抵制不住顾忱的热情，只好收下。

这支水笔是顾忱花六千多买的，一共买了十支，他早已想好，来到安沣市后见到重要人物就送一支，送一支水笔作为礼品谁也说不出什么，可谁也知道它的不菲价值，大家心照不宣而已。为了安沣市的土地，顾忱已经做好不惜一切代价的决心。

晚宴在酒店宴会厅举行，卫市长、贾晓阳、两位秘书长和市政府接待处长参加，公安局的陈局长专门被卫市长叫来一起参加，酒宴开始前，卫市长指着陈局长说：“顾总，孙总，这位是市公安局局长陈江，请他来，一是请陈局长向客人们表个态，市公安局一定会认真做好投资客商的安全工作，一定会为大家在安沣市的工作和生活保驾护航；二来，上回白总走后的当天，唐书记就专门组织召开了关于保护和鼓励外地投资客商正常活动的专题会议，会上还对陈局长作出了批评，今天请陈局长来，就是让陈局长向白总赔罪……”

“白总今天没来，只好请二位代替他接受我的道歉了。先干为敬。”陈江仰头先喝下一大杯酒，顾忱没拦住，只好也举起酒杯一饮而尽，说这杯酒我就代白总喝了……一句话没说完，顾忱嗓子里顿觉一股呛人的味道冲上来，憋了好半天才压下去，“不好，是茅台。”顾忱心里一惊，他最怕喝茅台这种酱香型的白酒，每一口下肚都如同受罪。贾晓阳见他脸色不对，忙问：“顾总怎么了？”

“这酒……没关系，我喝不惯茅台，习惯一下就好。”

卫市长关切地说：“要不换成五粮液？”

顾忱摇摇头，说：“没关系，茅台照样能把贾市长打倒。”

一桌人哈哈大笑，酒宴正式开始。其实顾忱是不好意思让人家换酒，只好硬着头皮往肚里灌。

每人喝下三杯酒，卫市长说这是安沣市规矩，叫“各扫门前雪”，喝过这三杯才能开始介绍赴宴人员。然后贾晓阳介绍安沣人员，顾忱介绍北京来人。孙大盛举起酒杯想给卫市长敬酒，被贾晓阳拉住，说来到安沣要执行当地的规矩。“什么规矩？”孙大盛问。贾晓阳微笑不说话，指示接待处长第一个上，接待处长端着一杯酒走到顾忱面前，说按照当地规矩，要先敬贵客三杯酒，顾忱吓一跳，说三杯下去就是一两，但所有人均说这三杯酒必须喝下去。顾忱无奈，只好又接过酒杯倒进肚里，接待处长立马又倒满一杯，顾忱只得又喝，三杯过后，接待处长又走到孙大盛面前。孙大盛大叫不公平，哪有只让客人喝你自己不喝的道理？卫市长说这就是安沣市的规矩，我们这里穷，好酒都是让客人多喝，自己家尽量少喝，正说明了安沣市人民的淳朴。孙大盛无奈地看顾忱一眼，也只好喝下三杯。

满桌子人没有一个人动菜，顾忱也只好忍住不适，眼睁睁看着接待处长又走到丁铭面前，丁铭说自己不会喝酒，贾晓阳大笑道：“来我们这儿不喝酒就是看不起我们安沣市人民。”接待处长只微笑就站着不走，丁铭也只好喝下去，三杯酒下肚整张脸已经变得跟猪肝颜色差不多。

接待处长过完一圈，贾晓阳说：“好，大家可以吃菜了。”

顾忱暗地大呼终于解放，也顾不上客气，先往自己嘴里塞了一筷子菜。耳边却听得贾晓阳又说：“秘书长，该你了。”

顾忱和孙大盛面面相觑，心想要这样每个人上来喂自己喝三杯酒，菜还不怎么吃，六两酒就先下肚了。但既然人家话已事先说在前头，更有几位主人的热情相劝，酒，是如何能少？

就这样，几位主人每人绕场一周劝下每位客人三杯酒，到最后卫市长端着酒杯上前，已经喝晕了的孙大盛忽然大笑着说：“我算是想明白了，你们这是先把客人灌醉，这样客人就吃不成饭了，到底还是省钱。”

桌上一起大笑。喝下卫市长这一杯，桌上的菜竟然还没怎么动，丁铭已经瘫倒在椅子上睡着了，贾晓阳给大家介绍当地的美食，客人们却除了拼命往嘴里填菜，哪里顾得上听他介绍。

下来又是自由战斗，主人们端着酒杯满桌乱跑，客人们各自为战疲于

应付，三个小时后，客人们基本被解决，只有顾忱尚清醒。卫市长宣布结束战斗，又问顾忱还想有什么活动，或是洗澡，或是唱歌？顾忱苦笑，只想睡觉。

于是大家互相搀扶着出门，卫市长把客人送到电梯口，贾晓阳和接待处长送他们来到房间，顾忱又搀着孙大盛把他扔床上去，跟贾晓阳道别后独自回房睡觉。洗过澡刚睡下，手机突然响了，竟是白崇洗，白崇洗问怎么样，是不是喝高了？顾忱说我现在终于明白你当时为什么会差点失身了。白崇洗哈哈大笑，说办完事赶紧回来，要不在安沣市喝出个胃出血什么的就完蛋了，当地酒风过于凶悍并毫无道理可言，其实我不想去投资还有一点顾虑，就是为这酒……

放下手机，顾忱刚想躺下，门又被大声敲响，竟是满脸通红的孙大盛歪靠在门边看着自己傻笑。

“你不是喝多睡觉了吗？”

“才没呢。”孙大盛咧嘴笑道：“要不装醉老子今天非死在酒桌上，骗他们的。”

顾忱有些意外，问道：“我见你的确喝了不少啊，早就超过了你的量。”

孙大盛哈哈大笑，酒店走廊里全是他的笑声，顾忱忙将他拉进房间关上门。“老子那也是装的，趁他们不注意，全吐茶杯里了。”

顾忱更好笑，认识这么久，才第一次知道孙大盛还会来这招儿，于是说：“我可没装，实实在在喝了一斤半多，想睡觉了。”

“不行。”孙大盛笑道：“我听人说安沣市虽然穷乡僻壤，但山清水秀的地方一般出美女，你没见酒店里的服务员长得都不错……”

“干嘛，酒后思淫欲吗？贾市长不是说酒店里已经没小姐了吗？”

孙大盛神秘的笑道：“洗浴中心里是没有了，可还有歌厅啊！我派人打听过了，白崇洗的事儿发生后，洗浴中心的按摩小姐都被清理了，可歌厅还有……”

顾忱坚决摇头，说：“不行，我真想睡觉，你让司机陪你去吧，再说，我在北京陪你成天去唱歌，那些小姐我可从来没碰过，也没兴趣。”

“不行。”孙大盛伸手从床上拉起顾忱，“你要不陪哥哥投资的事儿就算作废，帮你这么大忙，这点事儿都不愿意帮我，再说，我已经让司机去开房了。”

顾忱苦笑，只好重新穿好衣服，跟着孙大盛往歌厅去。

歌厅就在酒店副楼二层，里面装修得富丽堂皇，一进大厅迎面一面落地的黑色玻璃，玻璃上面流水潺潺，水池里锦鲤游动，假山翠竹有悠扬的丝竹相伴。孙大盛的司机已在门口等候多时，旁边还站着一个经理模样的西装男人。

见两人进来，西装男人笑迎上前，孙大盛大模大样用鼻孔扫他一眼没说话，司机在前带路，西装男人跟着孙大盛和顾忱身边轻声说：“老板，刚才这位已经都让我们安排妥当了，今晚包您玩得尽兴。”

孙大盛鼻子里“吭”了一声继续走。顾忱只好独自微笑着冲那人微笑点头，走进一个包房，沙发上几人站起来，顾忱吃了一惊，立即给了孙大盛一下，“你怎么把我员工也骚扰过来了？”除了丁铭醉得厉害，孙大盛竟然把顾忱公司两个员工也喊了过来，顾忱有些生气，这些场合他从来不让普通员工参与，当老板的，总得让员工跟自己保持些距离，一起去歌厅找小姐算什么事儿？

孙大盛挨了顾忱一拳却嘿嘿笑道：“别生气，大家今晚喝酒喝得太辛苦，放松一下嘛。”

顾忱不好再说什么，只好和孙大盛居中坐下，又让部下坐下，孙大盛两个司机早习惯了孙大盛的休闲方式，大模大样的坐在一边。

每个人身边，都有一个妖艳的小姐。居中孙大盛和顾忱的位置，也坐着两个女孩。顾忱刚坐下怀里就冲进一股低档香水的气味，顾忱忍不住差点被熏得酒气上翻，忙一让，那女孩扑了个空，愣了一下，见顾忱沉着脸拿起水杯喝水，便缩在一边不敢吭声。孙大盛知道顾忱真生气了，忙大声笑道：“顾总今晚喝多了，大家自己唱歌放松一下。”又凑脸过来对顾忱道：“别板着你那张臭脸，弄得你俩手下浑身不自在，当老板的，也要给手下留点面子呀！”

顾忱抬头，果然俩部下也正一脸尴尬的发呆，于是笑着对他们说：“你们随便高兴，反正今晚有孙总请客，最好给他喝穷。”

房间气氛活跃起来，孙大盛那女孩长相算是最出众的，也是最机灵，不过半分钟，已经把头埋在孙大盛怀里惹得孙大盛大叫心肝宝贝……

顾忱不想来唱歌，还有一个原因：他不想让人认为北京来的两个投资商是些只会泡妞的人物，偏偏孙大盛这家伙狗肉上不得正席，满脑子都是小姐。顾忱心里还是有些郁闷，对身边女孩爱搭不理，自顾自喝酒，孙大盛忽然过来拍一下顾忱，喜不自胜的轻声说："晴晴还是一大专生呢，学文秘的。"

那女孩正从他怀里钻出一张献媚的笑脸，顾忱苦笑道："你不会又想要一新秘书吧？"

"没错，我看她挺合适的，又聪明又漂亮，比我现在那个强多了，我……"

"我看行！"顾忱忙打断他，"你不会也告诉她咱们来干嘛吧？"

"说了，当然说了，我说咱们是北京的房地产商，专门来这儿投资的。"

"靠！"顾忱心里暗骂，把头靠沙发上再也不说话。

一晚上顾忱装醉，孙大盛跟那女孩一见钟情如胶似漆恩爱得很，好容易等到两点多欢唱结束散场，孙大盛把那女孩带回自己房间，他手下俩司机也一人带一个女孩回房，顾忱暗暗后悔不该让孙大盛来这一趟，但又无可奈何，只好叹口气独自回房睡觉。

更糟的是第二天，贾晓阳一早按照约定来陪顾忱吃早餐，孙大盛竟然大模大样带着新女秘书一起出现在餐厅，顾忱恨不得把头钻桌子底下去，怎么也没想到女秘书能这么快上岗。

贾晓阳也愣了，孙大盛大大咧咧介绍说这是我女秘书，晴晴，刘晴。

女秘书一张嘴就是安沣底下的县城口音，"您好，我叫刘晴。"

"好好好，刘秘书你好。"贾晓阳热情的伸手与刘晴相握，顾忱脸色红一阵白一阵，要是贾晓阳知道自己以市长身份刚跟安沣一歌厅里的小姐握手，不知做何感想？刘晴亲昵的挽着孙大盛去拿食品，贾晓阳奇怪地问顾忱，"这位刘秘书是……"

"是……当地的一位……导游，孙总对旅游感兴趣……"

"哦，有意思，有意思，哈哈，这个孙总有意思……"贾晓阳打哈哈，饶有兴趣的看着孙大盛在刘晴屁股上拍一下。

吃过早餐顾忱就把孙大盛叫到一旁，恶狠狠说今天白天千万别让这个什么晴晴再出现，影响太不好，你看她穿这身衣服。

孙大盛看着晴晴那身妖艳的紫色长裙，有些明白过来，嘿嘿笑道："好像是有些不太合适……"孙大盛招手把晴晴叫过来，随手塞她一沓钞票，说我今天有事你自己去整两套职业装，咱们下午再联系。

当着顾忱的面晴晴娇笑着在孙大盛脸上狠狠亲一下，说我就在房间里等你回来宝贝儿……

还是警车开道，贾晓阳拿着白崇洗选定的几块地的资料带着顾忱他们在市里转，同时查看安沣市的市容市貌，几块地看完，顾忱在心里不由得佩服白崇洗的眼光，他选的四块地都在新区，也就是按照规划已经开始开工建设的新城区，未来的市政府及各部门及主要住宅区都将在这一片，还有一块地在市中心，目前还是市政府的一个建于五十年代的家属院，白崇洗相中这块地，看中的是它的地理位置，初步议定的土地出让金很低，即使算上现有住户的返迁安置成本，也绝对不会低于百分之六七十的利润。白崇洗的思路，是协议打包开发这四块地，先把这一块做完，然后新区的市场正好成熟，四块地整体开发完成差不多有二十多个亿，但实际启动资金不过也就一个来亿。

但是，即使这一个亿，对于顾忱也是一个很难逾越的山峰。

在北京时白崇洗跟自己计算的启动资金七八千万能把项目运转起来，但却没有考虑到返迁安置等其他各式各样的费用，白崇洗没来得及考虑这么细，是因为他根本没把这项目放在眼里，几千万对于白崇洗也就是打个电话的事，但对于顾忱而言，一千万也是一个大问题，没有一个亿很难把这么大的盘子运行起来，没有第一个，就没有后三个，自己的美梦就会全然落空，安沣这样一个千载难逢的机会，转瞬就会抛离自己而去。就这一个亿，还是考虑到土地出让金分期交付等有利于自己的方式，还根本没跟贾晓阳沟通过，按照白崇洗跟贾晓阳的设想，怎么也得一次性投个三四个亿才行。可目前这一个亿都成了大问题，但钱在哪里？偏偏孙大盛手里又没有现金，顾忱心里不免有些灰心，心里飞快的计算着，思考着有没有其

他可能的合作方法。连车里贾晓阳和孙大盛的交谈都没有听进耳中，等听清他们说什么时，顾忱心里又是一阵恼火，孙大盛正向贾晓阳询问市政府新楼的施工能不能给他，作为投资的交换条件？贾晓阳对这个提议有些意料不到，只是原则性的说我们当然欢迎北京像您这样有实力的建筑商进入安沣市……顾忱心里大骂：这该死的孙大盛再说下去，就把俩人的家底全抖搂出来了。贾晓阳看孙大盛的目光已经开始有点疑惑。顾忱忙打断孙大盛的话，笑着说："老孙，你现在已经是房地产商了，就别再惦记那点工程好不好？"又对贾晓阳说："孙总以前是做建筑起家的，不过他做那会儿建筑业利润高，一个亿的项目也能赚个三四千万，后来才开始投资房地产，不过手下也还有家建筑公司。"

"哦，哈哈，我看着孙总也……像……"贾晓阳微笑。顾忱趁机狠狠瞪孙大盛一眼，孙大盛也明白自己说多了，忙闭住了嘴。

车在一个十字路口停下，贾晓阳指着窗外说："顾总，孙总，你们看，咱们现在在一个桥上，底下的河水很漂亮，水面宽达两百米，水清见底，这条河，就是有名的沣水河，安沣市的名称，就由这条河而来。沣水河发源于安山，流经市中心，将整个城区一分为二……"

顾忱探头望去，河水果然清澈见底，岸边的绿化带已经在这乍暖还寒时分萌发出嫩绿来，河水在桥下蜿蜒流过，宛如美丽的一条玉带。

"你们看，过了桥头的十字路口，左边是市体育馆，右边是安沣市最大的沣水公园，再向前走，就到了你们住的安沣大酒店，这一片，是安沣市最美的地方，也是未来的商业中心。"

车动了，顾忱无意间往后看一眼，突然心中一动，正好车驶过十字路口，顾忱扭头盯着刚才看到的那个地方，问："贾市长，刚才桥边的一块空地，是做什么之用？"

贾晓阳也回头看，微笑着说："顾总好眼力，这块地上回白总来时也留意过，是我们这里一家企业早年拿到的地。"

顾忱盯着那块地，圈地的围墙上原先的字迹已经斑驳残缺看不出写的什么，"这块地，拿了已经很久了吧？"

"是呀，恐怕已经有三四年了，但因为企业改制出了点问题，就搁这儿了。”

“改制？”

“是呀，这块地其实也是市里一块心病，在市中心最好的位置突兀这么块空地，也有损于城市的形象。但催过老夫子好几次，每次他都假意在围墙里派几个工人装模作样一番便又无动静，久而久之，只好随他去了。”

“老夫子？”

贾晓阳笑，“就是安沣市房地产开发总公司的劳总，我们都称他‘老夫子’”。

顾忱眼前顿时出现一个满头白发身着中式对襟长衫拄个拐棍的老爷子，边笑边说：“能回头去看一下吗？”

贾晓阳让车队掉头，重新回到围墙边。下车后基本依稀分辨出围墙上的几个因风雨而斑驳的红色大字：“戮力同心共创文明富裕的新安沣！”围墙前面路边的绿化带修剪得很整齐，但墙后几株高大的梧桐却努力探出枝头，未经修剪的沧桑颜面试图诉说着自己的无奈。

环顾四周，地块位于地段的东北角，地块为坡状，北高南低，沣水河流经地块，恰恰形成了一个东南弧度的河湾，宛如将整块地怀抱在中央，河南岸是一条绿色沿河景观路，也就是刚才看到的十字路口，过了路口就是前年新建的市体育馆，体育馆东面一处绿色掩映的公园，连成一片茫茫绿波，透亮的蓝天白云把绿色照亮。地块西面马路是安沣市的中心主干道，地块北面的坡地上也是一片绿意盎然，春天提前来到这片绿地，绿色中露出些红顶砖墙，贾晓阳说：“那是沣水区政府区委所在地，那片绿色是一个大花园。”

“好一块风水宝地！”顾忱心里暗中赞叹，河湾怀抱，坐北朝南，眼前明明就是一块房地产商梦想的理想人居宝地。回过头来问贾晓阳，“这块地已经被那个‘老夫子’获得了吗？”

“是啊，四年前我就是沣水区区长，这块地就在我对面，以前是一所技校，当时把这块地拿出来公开拍卖时，还曾在安沣市激起风云，但当地人谁都明白，有‘老夫子’在，这块地不会给别人，因此拍卖也只是走了个形式，‘老夫子’顺利摘牌，以六十万的价格拿走了地。”

“六十万？”顾忱心里一惊，心里盘算白崇洗要的那几块新区土地也快要到七八十万一亩了，现在要硬拍，怎么的也得拍到一百二三十万以上！“有多少亩？”

“一共是二百三十三亩。怎么样，地不错吧？”贾晓阳看着顾忱意味深长的笑，顾忱心里默默计算，土地出让金差不多要一亿四千万，顾忱站到桥头一个高处往围墙里望去，里面全是枯黄的杂草，好像没有人迹。

“这么好的地，不开发就可惜了。”

贾晓阳笑道，“这个‘老夫子’很狡猾，他仗着自己关系先用一点钱把地圈到手，现在要把地卖出去，他至少能赚双倍的钱。”

“我要是有这么好的地，才舍不得卖。”顾忱笑道。

“对了，你们开发商的思路跟我们不一样，‘老夫子’一定也是这样想的，要不他这么困难都舍不得卖掉这块地，但要自己开发，他又没钱，这块地的出让金至今还有70%没交呢……”

“他才交了30%？剩下的钱拖了四年？”顾忱又吃一惊。

“这个嘛……哈哈，人家有人家的门道……”贾晓阳好像对这个“老夫子”讳莫如深，干笑两声，便不再说话。顾忱清楚在安沣市这样的小城市，能用30%的钱拿到这种宝地的绝非等闲人物，仅凭四年的利息就有多少？顾忱不想错过任何机会，在车上继续询问这块地的情况，但贾晓阳顾左右而言他，只是含糊其辞，顾忱于是不再多问，但心里，却决心弄清楚这块地的底细。

中午贾晓阳陪顾忱和孙大盛吃完饭，说下午有个会，只好请两位在酒店休息。孙大盛连连说好，其实心里巴不得贾晓阳有此安排，他的心思全在房间里床上等待他的晴晴身上。顾忱也客气的说上午该看的地方都已看过，下午正好自行考察下市场。贾晓阳让警车留下，顾忱忙推辞掉。于是贾晓阳不再客气，说唐书记已经从省里赶回来，下午开完会后会亲自来为北京客人接风。

下午孙大盛自然赖在晴晴的温柔乡里缠绵，顾忱也乐得清静，让丁铭开着车带着手下几人满城去看。

安沣小城果然景色很美，那种处处流露出来的天然美感是大都市无法比拟的，别有一番情趣。小城坐落在安山的天际线下，分外的恬静安逸。安山正好挡住了北面的寒风，所以安沣市冬天并不寒冷，春天来得也更早些。才刚入阳历三月，但枝头已经纷纷探出嫩绿前来争春。绿色掩映中，随处都是老旧低矮的建筑，新建或再建工程虽然也不少，但大多数是些政府投资的公建项目，新开发的商品住宅，不过寥寥十来个，如此稀少的开发量，与城区八十万人口相比，实在是少了些。白崇洗的两份调研报告对安沣市未来两三年内的房地产市场是极为看好的，顾忱走了这一圈，自己的判断也基本吻合了报告结论。

白崇洗的放弃，无疑是自己的一次良机。当年自己只是从孙大盛手中分得一小把金砂，大块的纯金却被孙大盛拿走。这次却不一样，项目做下来，顾忱等于完成了一次从策划人到开发商的真正跳跃，是质的飞跃。顾忱的决心，好像车窗外的春风，正越来越浓……

还有一个观察，就是在建的十来个项目中，几乎没见到什么外地开发商的身影，其中有两个地理位置极佳的楼盘，其开发商是同一家："安沣市房地产开发总公司"。

挂着"××市房地产开发总公司"牌子的开发商，无一例外是国企，大多是从以前建设局房管局下属企业脱胎而来，其领导人也许几年前还是政府官员，与当地政府的关系远远比普通私营开发商更为密切，其人脉关系其利益链条，都是局外人无可想象的，难怪上午连贾晓阳都讳莫如深。

与上午那块地位于同一条沣水路上，直线距离不过一公里处，有个楼盘："沣水人家"，正是"安沣市房地产开发总公司"两个项目的其中之一，"沣水人家"的建筑面积不过七八万平方米，全是六层的砖混结构住宅，一看就是本地设计院的手笔，也就是北京十年前的设计水准，楼体外装已经结束，正在安装窗户。顾忱带人走进售楼大厅时，里面四个售楼员正围坐在一起打扑克，见有人进来，不过抬头瞟了一眼，便重新进入战斗。

顾忱和丁铭相视一笑，看来安沣房地产市场果然不错，销售员都被买房人惯成如此态度了嘛。

售楼大厅其实很小，只有不到五十平方米，中间一个沙盘就占了五平方米，正在酣战的售楼员们占据了一个角落，顾忱围着沙盘转了一圈，问：

"还有房子吗？"

"还有最后两套，一百四十平方米的。"一个售楼员抬起头有气无力的说，把手里的一张牌重重砸茶几上，"大鬼！"

顾忱抬头去看贴在墙上的户型图，灯光很暗，要趴到近处去看，几个部下偷偷收集销售资料和记录数据，顾忱刚适应昏暗的灯光把墙上的小字看清楚，忽然，眼前的图片猛一清晰，耳朵里一阵手忙脚乱的桌椅拖拉声，还没反应过来，一个女售楼员已经亲切的站在自己面前，"先生，你想看房？"

顾忱一惊，再看另外几个售楼员，纷纷面带微笑站在自己几个部下面前。门外传来一声喇叭，一辆红色的电动车停在门口，进来一个身穿红色毛衣的女孩。顾忱看她时，正好与女孩的目光相对，顾忱一怔，来安沣市这么长时间，这是第一个感觉漂亮的女孩子。那女孩目光流转，好像有些不好意思，径直走到一个售楼员面前，微笑着说："这是公司刚发的文件……"顾忱又有些意外，女孩基本没有什么当地口音，很标准的普通话，声音也很好听。

她是谁？为什么刚才目中无人的售楼员见到她来突然换了一副嘴脸？顾忱满心纳闷，不禁又看她一眼。没想到，那女孩说话时眼睛也正看着他，目光再次相交时，顾忱清楚看到，那女孩的脸，红了一下。

顾忱笑了，认真的看着她。那女孩好像感觉到什么，说完话，竟走到顾忱跟前，微笑着说："先生是看房还是买房？"

顾忱一愣，问："看房和买房有什么区别吗？"

"有些来看房的人，一看就不像是成心买房的，"女孩笑，"比如您几位。"

"哦？"顾忱来了兴趣，"那我们像什么？"

"像……踩盘的！"

顾忱大笑，"为什么？"

"第一，您的车是北京的，北京人不会来我们这里买房，能开得起宝马的人，买也会买安山里的度假别墅，肯定不会对这个不到两千块钱的普通住宅感兴趣；第二，你们几个大男人一看就是一路的，而您一看就是领导；

第三，您的目光总盯在我们楼盘的宣传语等文字上，而真正买房的人很少会留意到这些内容。”

“哦？”顾忱盯着女孩的脸看，她的五官很漂亮，眼睛尤其机灵，“那你的结论……？”

“如果我没有猜错的话，您是一位北京来的开发商。”

顾忱大笑点头，说你很会观察，你的判断仅凭这些吗？

女孩也微笑，“不光这些，近来来安沣市的投资商很多，很多都是做房地产的，挂着北京的车牌的也不少见。”

顾忱不由对这个女孩产生了浓厚兴趣，笑着又问：“那我也猜猜你是什么人好吗？”

“你猜。”女孩笑。

“你是一个……让她们害怕的人！”顾忱压低声音，很小心的冲那几个售楼员努努嘴道。女孩有些意外，问：“为什么？”

“因为刚才她们一直在打牌不理我们，一见你便跳到我们身边接待，差点吓着我们……”

话没说完，女孩已经咯咯笑弯腰，小声说：“怪不得我刚到外面就见到灯突然亮了……不过，你猜得不对，她们不是怕我，而是怕我们劳总……”

“‘老夫子’？”顾忱笑。

女孩一愣，收起了笑意，“你怎么知道？”

“我当然知道。”顾忱眨眨眼，问：“那你是谁？”

“我是总公司办公室的秘书，来给项目部送文件，她们怕我回去告状。”

顾忱恍然大悟，说：“都什么时代了，在网上发不就完了？”

女孩笑道：“我们劳总喜欢纸面文件，因为他可以在上面签字。”

顾忱又笑，一方面有些喜欢这个女孩，另一方面也从这个秘书嘴里多套些信息，但此时女孩却小声说要走了，还有文件要送呢。

顾忱心里忽然若有所失，刚茫然点头说再见，女孩却又小声说：“您贵姓？”

“顾。”

“方不方便把手机号告诉我？”

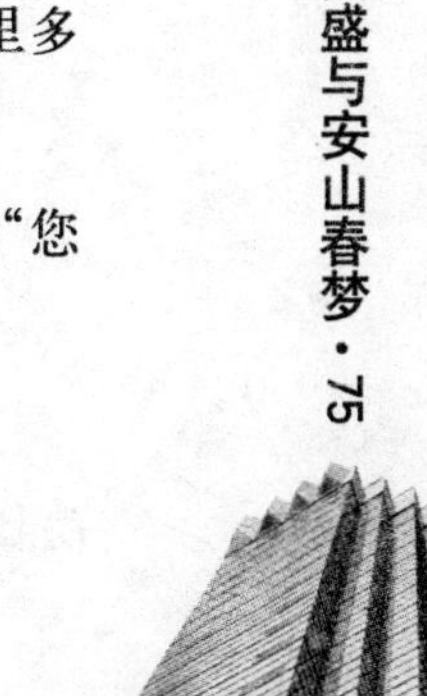

顾忱一喜，忙把自己手机号告诉女孩，女孩笑着转身飘然离去。

顾忱和丁铭他们回到车里，手机响了，却是一个短信："顾总你好，我叫倪枫，这是我的手机号。"

顾忱笑了，女孩的身影还在前方的千万嫩绿中渐行渐远，红色一点，融入渐浓的春意中……

看完所有的房地产项目，顾忱有两种感觉，第一，安沣市房地产市场前景毋庸置疑，正面临城市发展史上最有力的一次跳跃；第二，外来投资商已经纷至沓来，安沣转眼间将会变成投资热土，机会错过，便再无机会！

顾忱知道自己的机会只有一次，但钱呢，钱在哪里？无论怎么算，白崇洗那几块地的启动资金都远远高于自己能够筹集的资金，顾忱知道机会的快车近在咫尺，但哪一处才是自己落脚点，一脚踏不准，不但机会尽失，还可能把自己跌入再也无力爬出的深渊。

回到酒店，顾忱去敲孙大盛房门，敲了老半天，孙大盛披着一件睡衣挂着两个黑眼圈出现在门口，顾忱把他拉到自己房间，说看你老哥这模样，到底是来安沣市玩儿来着，还是让人给玩儿了？

孙大盛嘿嘿干笑，说反正我又不懂房地产，只好在房间里运动运动。

顾忱顾不上理他，直接把自己考察的结果告诉他。孙大盛问："你是说还差几千万？"

"现在也不太好说，反正白崇洗那几块地绝对不止几千万。手里资金充裕，项目操作的把握更大些。"

孙大盛摸着自己脑袋，"可我手里就这么点钱，委托投资的资金要不足一年要回来的话，我是要付违约金的，再说，现在行情不好，你总不能让我赔款又割肉吧？"

顾忱怔怔望着孙大盛，"你手里真的没别的钱了？"

"没了！委托投资四亿五千万，口袋里就剩这么点钱，不全许给你了吗？"

"那工程款呢？有没有办法？"

"呸！工程款我也要用在工地上啊，再说这边项目真成了，我还得想法找钱把工程垫起来是不是？我真的没钱了，要不你去找白崇洗再商量一下？”

白崇洗不比孙大盛，他既然说过给顾忱两千万，一定是经过深思熟虑的，一分不会多，也一分不会少。顾忱叹口气，说那只好走一步看一步了，尽量从合作模式上找突破口。

“那……我回房了？”孙大盛站起来，顾忱心里突然特烦，说：“孙哥你就不能不总想着找女人？”

“什么？”孙大盛骂：“什么时候轮到你小子教训我了？”

顾忱颓然倒在沙发上，说：“是，是我不好，不该教训你老人家，不过晚上是唐书记请客，千万别再把那个什么晴晴带出来现眼了。”

“我知道。”孙大盛气哼哼摔上门出去。

顾忱正呆坐房间里脑子飞快的盘算着项目，电话响起，贾晓阳说会刚开完，待会儿唐书记回到酒店来见顾忱，然后一起去山里吃饭。顾忱忙给孙大盛打电话让他赶紧收拾一下。

十分钟后孙大盛穿戴整齐来到顾忱房间，嘴角边还有一个鲜红的唇印，这一定是晴晴依依惜别时的纪念，顾忱暗笑，抽出纸巾让他去擦，孙大盛嘿嘿笑着，说晴晴这丫头真他妈的不错，老子玩了这么多女人，没想到这回在安沣遇着正点了！正说着，有人敲门，开门，却是微笑着的市委书记唐卿。

顾忱忙把唐卿和贾晓阳一行迎进房间，唐书记握住顾忱和孙大盛的手连连问候，说顾总孙总实在抱歉，我昨晚没能给两位接风洗尘，安沣是个小地方，吃得不好住得不好玩得不好，辛苦辛苦了……

孙大盛大声插嘴道：“就是喝得好！”

唐卿愣了一下，放声大笑，一屋子人都笑了起来。唐卿拉着顾忱手一一介绍随员，说这是江副书记，这是刘副市长，这是三位秘书长，还有市招商办主任和接待处处长，还有我的秘书，这位贾晓阳贾市长我就不用介绍了吧？

唐卿身上有种当地官员所缺乏的大家风度，亲切随意间，却带着无比的权威，他只要开口，房间就会立即安静下来。顾忱问：“听说唐书记一直是从事经济管理的，还是博士呢。”

“不敢，我以前不过是省政府经贸口的一个小小官员而已，比起你们这些年轻有为叱咤风云的房地产大老板，在实践经验上还差得很多，那个博士嘛，哈哈，不过只是书本上的皮毛堆砌而就，哪里敢在二位面前班门弄斧？”

几个人寒暄几句，唐卿说卫市长因为我临时赶回来接待二位，代我去往省里开会去了，所以今晚由我自己做东，晚上，去安山品尝一下当地山野风情如何？

唐卿没让两人开车，而是请所有人分别乘坐三辆面包车去往安山。路上，唐卿介绍说今天去的地方在安山的半山腰，那里临着一个湖，是沣水的发源地在山间汇聚而成的天然湖泊。

贾晓阳插嘴道：“所谓‘安沣’，就是安山和沣水的合称。那个湖里生长着一种高山鱼类，味鲜肉美，极为可口……”

唐卿打断他，笑着说顾总他们从天子脚下来，什么好东西没有吃过，哪里能看上我们这里的山野味道？

唐卿极为健谈，一路上将安沣的历史传承风土人情详细加以介绍，一点都不像个也才到安沣三年的外地人，看得出来，他对安沣是很有感情的。一路欢声笑语，车在暮霭中开始爬山，夜色降临时，大家已来到山间的一处建筑前。

“这里是安山度假村，今晚大家就在这里吃饭休息，明天一早我要赶回去，留下贾市长陪二位爬山欣赏美丽的安山风光。”唐卿带头步入大厅。度假村对面就是那个差不多有三个足球场大的湖泊，贾晓阳说：“这里的温泉也不错，不过比不了顾总你带我去的那个食人鱼温泉。”

“食人鱼？”唐卿回过头来。

贾晓阳将那天洗澡的情景说了一遍，唐卿叹气道：“人家连普通一个温泉澡都能开发出这么独特的项目，看来凡事只需要比别人多一份用心，多一份耕耘，自然收获也会多一些。其实所谓资源开发整合增加附加值，其背后就是人与人努力与智慧的较量。安沣市能请到白总顾总孙总这样的京师大腕，一定能够将安沣市的房地产市场引入一个新的层次，你们能来，说明距离安沣市美好明天已经不远了！”

“不敢不敢。”顾忱忙客气，心想唐卿要是清楚自己不过是一千万级的小老板，来安洋市的目的不过是为空手套白狼，一定会恶心半年。但看到大家对唐卿的尊重，顾忱明白这是一个在当地拥有绝对权威的人物，机会快车的落脚点，说不定就在他身上！在京城房地产市场里摸爬滚打多年的经验告诉顾忱，机会不容错过，多少英雄好汉就是抓住了眼前一晃而过的机会而一夜间成为万民瞩目的人物。面前的唐卿和蔼可亲，手握重权，更重要的是，他把自己当做了与白崇洗平起平坐的京城大腕，否则唐卿不会大动干戈对自己如此器重，成功之路已经走过一半，也许几千万的差距能在弹指一挥间一挥而就。顾忱提醒自己，机会来了！

还有什么机会能比得上与书记的一顿饭和一次推心置腹？

晚宴喝的是农家自酿的谷酒，这种酒极易入口，有种沁人心脾的清香，但人往往会被最温柔的东西麻痹，三两过后，清香的美酒在肚里变成恶魔，丁铭在半个小时后被抬出场送回事先安排好的房间，直到第二天日上三竿后才被顾忱大力摇醒。酒桌上有两位秘书长和接待处处长已经认识，大家随意了很多，唐卿不喝酒，只在一旁乐呵呵看着大家轮流以安洋市的待客之道迎接客人。每到一轮酒毕，唐卿便招呼大家努力吃菜。

今天有两道菜是安山特产，第一是生长于湖中的鱼，由于生长缓慢，长到一斤左右便是难得的大鱼。这鱼肉质极鲜美，不过在白崇洗眼里只能算是二流味道。还有一道菜，是用山里自产的马铃薯削去皮，然后钻一个小眼把里面掏空，再往里填满鱼肉馅，最后放入炉中烤熟，喝一口谷酒，吃一口鱼肉馅烤马铃薯，味道极佳，也很能解酒。

有解酒菜在，于是大家不免放松了警惕，等到收拾战场时，除了不喝酒的唐卿外，能够站立起来并清醒走出门去的战士们已寥寥无几。孙大盛这回是真的醉了，他在倒下前的最后一个动作，是抱着唐卿的肩膀笑着说：“唐书记，我邀请你下回去北京，绝对给你找个最漂亮的妞，而且是大专毕业。”唐卿有些意外，只嘿嘿笑着拍孙大盛肩膀，顾忱忙说孙总喝高了开玩笑的。贾晓阳在一旁哈哈大笑，说不可能，喝高了还能开玩笑，我不信！话没说完，孙大盛挺配合的扑通一声横躺在地上。贾晓阳去拉他，腿一软，也趴他身上睡着了。

唐卿笑了笑，说顾总你好酒量，我幸亏天生不能喝酒，要不早在安沣的酒场上以身殉职了。

吃过饭，唐卿和顾忱带着剩余几个基本还能走路的人去泡温泉。泡在温泉里，唐卿看着水面，缓缓说："顾总，每个人都洗过澡，怎么就从来没有想起来过在水里放些能美容的小食人鱼？第一个吃螃蟹的人，不是幸运，而是有超人的智慧与眼界。"

"唐书记，您这个眼界用得好。光有智慧没有眼界，想是想不出来食人鱼的。"

"是啊，安沣市就是缺少有眼界的人，所以，招商引资的一个重要目的，就是开阔安沣市人民的视野，使他们能从外地客商身上学会自己所不具备的经验和知识，招来的是项目与资金，留下的，除了财富，更重要的，是人的心智。"

"您说得极是，今天我去看了些当地的楼盘，无论从整体规划水准、外形设计还是户型设计，都远远落后于北京等大都市，这样的建筑，居民入住那天，也就是它的落伍之时。"

"是！"唐卿重重点头，"不说北京上海，比起省城来，也还差得远。就比如沣水路是安沣市的景观大道，可就在这条路上近年来建了不少建筑，但大多是本地设计单位的'成绩'，搞得景观大道乌烟瘴气，狼狈不堪。"

"这不光在安沣市，就连北京的许多建筑也丑陋得不堪入目，前些年开发商急功近利，大量照抄复制，制造了众多建筑垃圾，不但破坏了首都的整体风貌，更为北京留下了几十年不可消失的笑柄。随着竞争作用，现在许多有实力的开发商，觉醒与自身的社会良知，重视规划和居住功能开发，使得开发项目也越来越具有美感与良好的品质。"

"是，安沣市就是因为缺少你们这样富有社会责任感和先进开发理念的外地开发商，才使得本地企业不思进取因循守旧，而政府部门眼界不宽水平不高，本应成为城市新景观的建筑反而成为城市的视觉垃圾，败坏了城市形象！"

两人越说越投机，唐卿拉住顾忱的手，诚恳地说："顾总，听你一席话，胜读十年书。这些道理我总想讲，可专业水平有限，就是讲不出来，要不这样，明天我安排一次讲座，请全市所有领导尤其是与城市建设有关的部门领导全部到场，顾总你为大家上一堂城市规划的专题讲座。”

“城市规划？”顾忱笑，“这个题目太大，我只能从开发商角度讲一下目前流行的开发理念，简单介绍一下目前在建筑设计、住区规划、功能安排、建筑施工、环境保护等领域的研究动态，并在此基础上简要阐述和谐住宅的概念。”

“好！”唐卿大为高兴。

“唐书记，”顾忱说：“我还有个小小要求，我们集团就要进驻安沣市了，以后还需要各个领导和部门多支持我们的工作，明天能不能允许我做一下自我介绍，和大家认识一下……”

“好，哈哈，顾总很精明，不放过任何机会推销自己，好，我就欣赏你这样善于捕捉商机的人。”唐卿一口答应。

第二天清早，唐卿下山。贾晓阳陪着孙大盛爬山。在山上时顾忱收到一条来自倪枫的短信，问顾忱有没有时间，想请他吃饭。顾忱略微思索了一下，轻轻一笑，心里，生出一个主意。

下午三点整，唐卿陪着顾忱和孙大盛走进市委大会议室，主席台上方挂着一副横幅：“热烈欢迎北京白石地产集团顾总、孙总莅临”。一百多人的会议室里座无虚席，见一行人走进来立即齐声鼓掌，孙大盛从来没登过这种台面，脚下一个趔趄，险些主席台上来个狗吃屎。主席台上卫市长已经就座，微笑着起身和客人握手。唐卿、卫彬、贾晓阳、顾忱、孙大盛五人在主席台上就座。主席台上方的投影仪已经开启，顾忱将笔记本接投影仪上，调试完成后点头。唐卿清清嗓子，说：“请大家安静，今天，我荣幸的请到北京白石集团的顾总和孙总。如果一切顺利的话，白石集团将于近期进驻我市，这也是我市今年招商引资工作的第一个硕果。白石集团，是全国知名的房地产开发企业，大家对白石集团想必也有耳闻，白石集团的实力，举个直观的例子，去年白石集团一年的销售收入，正好等于安沣市全年的GDP！正好是安沣市所有房地产公司去年营业额总和的五十倍！”

台下顿时一片嗡嗡声。

“顾总和孙总在白石集团都是股东，顾总还兼任着副总经理一职，论职

位，差不多相当于咱们的副书记或副市长，但论身价，哈哈，我这个书记都不敢往顾总跟前凑……”

台下一片大笑。

“为什么？是因为白石集团拥有我们所缺乏的经营理念和商业智慧！”唐卿话锋一转，说道：“白石集团从一个只有十来个人的小企业发展到今天，才用了不到十年！为什么？答案还是一个：思想！大家都明白一个道理，城市的发展和企业的发展有其互通之处，就是必须抓住机遇，善于审时度势，紧紧把握发展良机。而安沣市，已经到了历史赋予我们的机会面前！昨天我和顾总交流，顾总直言不讳的指出我们在城市建设中还存在的问题，作为市委书记，我有愧啊。今天上午我和卫市长再次交流，决定请顾总为大家上一堂精彩的课，讲一讲咱们和北京之间的差距，安沣市的城市建设为什么落后于北京二十年甚至更多的原因，讲一讲为什么我们今天正在盖的房子，从建成的第一天起就沦为建筑垃圾！会后请大家对照顾总的精彩演讲反思一下我们的城市建设，反思一下自己头脑中还存在的落后思想观念和陈旧的知识，真正从顾总的讲话里找出值得借鉴的智慧。好了，我的发言到此结束，再讲下去，恐怕我的话和顾总待会儿的发言相比，同志们会把我的话当成垃圾。”

又是哄堂大笑，很多人鼓掌。

“现在请卫市长主持。”唐卿将话筒递给卫彬，卫彬说：“刚才唐书记作了精彩的开场白，我就简单介绍一下我们与白石集团的合作项目……”当下卫彬简要将白崇洗前期考察情况与合作意向签订的情况介绍给大家，指出招商引资的工作重要性，希望大家回去继续加大招商引资工作的力度，争取为安沣市引来更多像白石集团一样的金凤凰。

“现在请顾总为大家作精彩演讲，欢迎。”

掌声雷动中，顾忱站起来，说：“安沣是个美丽的城市，对于白石集团而言，更是个值得留下的城市，能够站在这里，已经是我的荣幸，承蒙几位领导的抬爱，现在，我就自身工作中学到或总结出来的些许皮毛，与大家共同分享，讲得好，请大家用手心鼓掌，讲得不好，请大家用手背鼓掌。”

掌声一片。

顾忱从北京市城市建设发展的历史讲起，结合自己的实际案例重点讲述目前先进的城市建设理论和住区开发理念，当电脑里的一幅幅照片投射到幕布上时，台下鸦雀无声，安沣市干部的视野被瞬间打开，虽然以前也派出许多干部外出考察学习，但请到具有丰富实际操作经验的企业人士到安沣为大家讲述城市和人居之美，还是安沣破天荒头一遭，人们受到了极大震撼。

顾忱讲完后，台下掌声雷动，极为真挚的掌声。

很多官员围拢上来与顾忱攀谈，贾晓阳在旁一一给顾忱介绍，里面有主管城建的副市长刘连，有建设局、国土局、规划局、房管局等部门的局长，顾忱将临出发前赶印的名片——名片上的头衔是白石集团董事副总经理——一一发到各位官员手中，“我有幸来安沣投资，还望各位多多支持多多照顾……”“没问题没问题，顾总是安沣贵客，有什么服务之处尽管吩咐……”一片和颜悦色。这几年政府大力推行服务意识，官员们已习惯将服务两个字挂在口上，此刻，每位官员的话和他们的笑脸，在顾忱心里无疑就是一杯醇香的美酒。顾忱心里清楚，这一场讲座，至少顶得上二十桌宴席，项目未动，已经开辟了良好的人际氛围。

“要不去我办公室坐坐？”唐卿过来乐呵呵问道，显然今天的效果比他预想的还要好。顾忱巴不得有这样机会，忙点头答应，正好卫市长还有事先走，顾忱告别众官员，拉上孙大盛去唐卿办公室。

“品尝一下安山自产的毛峰。”唐卿拿出两盒茶叶，“这是极品的安山毛峰，是专门留给贵客的，待会儿请两位带走。”

唐卿道：“今天讲座效果非常好，下回顾总再来，再给大家讲一次如何？”

顾忱说不敢，“如果需要，我可以从北京找在城建领域的专家来讲座，所有费用由我负担，这样做，也是为了今后各个部门对项目的支持……”

唐卿笑道：“顾总是我们不远千里请来的贵客，你的项目，就是我们的项目，没有任何部门会不支持。”

顾忱道：“我一定把国内乃至世界上最先进的开发理念引入安沣市，为安沣市的城市建设上升到新的层面添砖加瓦。不过……”顾忱话锋一转，道：

“对于我们这样的投资项目，不知安沣有什么优惠政策没有？”

唐卿沉吟了一下，道：“安沣对于招商引资项目有成套的优惠政策，但涉及房地产项目，好像并没有什么具体的优惠……”

贾晓阳插嘴道：“房地产项目可以参照外资投资优惠政策。”

“嗯。”唐卿说：“好像也只有这样，但白石集团并非外资。”

“您的意思是说，如果我们的投资主体是外资，就能享受外资待遇？”

“是。”

“那……如果我用一家外资企业作为投资主体，能享受什么样的优惠政策呢？”

“这个嘛……比如税收减免方面，办事流程方面……省里每年也对各个城市下达有外资任务，如果顾总你能以外资进入，也算给我们一个大大的帮助啊。”

顾忱马上明白过来，如果能以外资进入，不光是自己能得到些优惠政策，更重要的是，能够帮助安沣市完成外资任务。顾忱计上心头，问道：“今年市里的外资任务是多少？”

“一亿美元。”

“哦，这不这样，我试着用外资投入，也算为咱们市做些贡献。”

“好啊。顾总你如果真能做到，真算帮了我们一个大忙。”唐卿高兴得站起来，嘱咐秘书去拿过来安沣市招商引资优惠政策汇编文件。秘书小声说：“省发改委的……”

“我知道。”唐卿摆手，抱歉道：“今天省里来个客人，我和卫市长必须陪同，晚上只好还是请贾市长他们陪您和孙总了。”

“不客气，那我们明天一早就回去，回去后召开集团董事会，尽快把投资的事定下来。”

“好，我等你们的好消息，代向白总问好。”唐卿紧握着顾忱双手，真挚而热烈。

第二天清早，贾晓阳陪着顾忱吃过早餐，就此别过。

上车时晃过一个人影去了另一辆车，顾忱鼻子差点没气歪，也顾不着当着孙大盛司机的面，生气的说：“你还真把这个女人带回去了？”

“是呀。她当我秘书蛮合适的。”孙大盛咧嘴笑，好像早知道顾忱会生气。

顾忱叹口气，道：“她家就是安沣人，回到北京看见你老人家那下雨怕漏的破平房回来一宣传，整个安沣人都知道原来白石集团的股东不过是一包工头了！”

孙大盛眼珠一转，笑道：“我早想好了，你不是一直让我去你公司办公吗？我去好了，以后晴晴就在那儿当我秘书。”

“在我那儿？”顾忱气得鼻子更歪，冷笑道：“你把我公司当成幽会的地方了，要不要给你支张双人床再弄个鸳鸯浴什么的？”

“那敢情好！”孙大盛大笑，“放心，我回北京给她租套房子，我要去你公司的时候才会带她，绝对不会让她察觉咱们的底细。”

顾忱不好再说什么，透过挡风玻璃，看见前车上晴晴的脸正凑在丁铭的耳边亲昵的调笑，叹口气，闭上眼，索性眼不见为净。

“喂，”孙大盛坏笑着捅了捅顾忱，“你小子是不是嫉妒哥哥呢？也不赶紧找个女朋友？”

顾忱苦笑，不理他。三年前，顾忱的女友跟着一个房地产商跑了，从此顾忱对爱情失去了信任，面对女孩的青睐和传情全然不再动心，反正身边女孩如飞蛾扑火般总是络绎不绝，顾忱只把她们当做来来去去的花蝴蝶，来来去去，全不放在心上。日子就这样一天天孤单的过，倒也别有味道。

“好，说正经的，你昨天的讲座真他妈的棒，那帮人都听傻了，其实，连我也听傻了，认识这么久，真没想到你还有这本事。”

顾忱笑了一下，不理会孙大盛的奉承。

“喂，太不够意思，要不是为了怕你生气，我本来是想让晴晴跟我坐一车的，你要再不理我，我叫她过来陪我说话了。”孙大盛竟威胁起顾忱来，顾忱又好气又好笑，说：“要不你把她打发回去，我负责给你找个漂亮又乖巧绝对不惹事生非的小情人，保证外头比她漂亮，床上比她风骚，怎么样？”

“嘿嘿，那敢情好。不过那些小白领小明星什么的，俺老孙有点吃不消，倒不如这样小姐出身的女孩，贱归贱，但人家不做作，不虚伪，不会假装

清纯处女，正所谓什么样的骑手骑什么样的马……”

“好好好，随你便。”顾忱说：“说正事儿，你这趟来感觉怎么样？”

“感觉好极了。有你老弟在，我有啥不放心。我把钱给你准备好，你啥时要，我啥时给你。对了，你昨天跟唐书记说的那外资，是啥意思？”

“是这样，我昨天看了一下招商引资文件汇编，其实以外资投入对咱们房地产企业也没有太大好处，倒给咱们添了不少麻烦……”

“那为啥你还主动要以外资投入？”

“你没注意他态度吗？咱们要以外资投入，等于给他们帮了个大忙，我以前问过贾晓阳，安沣市每年的外资引进任务都完不成，年年挨批，今年的任务是一个亿美金，可现在连一美分都没影呢。咱们这项目注册资金至少也得大几千万，换算成美金，也得有一千多万，随后的实际投资额更多。我了解这些小城市领导的无奈，真要帮他们这大忙，他们不知心里怎么感激呢？”

“可对咱有啥好处？”

“笨！跟政府官员打交道，你得有让他们感觉欠你的东西，咱们不是钱不够吗？得想法逼他们从合作方式上给咱们找缺口，外资，是个交换条件，更是诱惑。”

孙大盛恍然大悟，说，“你真狡猾，可你也没有外资企业啊！”

顾忱胸有成竹地笑，“我自有办法。”

车窗外春意渐浓，山山水水在公路两旁一闪而过，昨晚又喝了不少酒，顾忱研究文件到后半夜，孙大盛更是一如既往的和晴晴折腾到深夜，两人好几天没好好休息了，困意上来，不觉都靠在座椅上打起盹来。

直到京城，春梦，仍不觉晓。

第三章　老夫子与“南玻碗”

北京第一场春雨叮咚敲打着玻璃。昨天回到北京后顾忱与孙大盛分手，回公司开了个小会，要求丁铭他们将安沣市的调研结果尽快拿给自己，白崇洗那两份报告没有给他们，顾忱是个做事极为细致的人，虽然安沣市场已经是笃定的没有风险，但第三份报告的结论，仍然是顾忱考量的重要依据。

开完会回家，顾忱倒头便睡，再睁眼时北京已沐浴在春雨蒙蒙中。这一觉把几天的困乏与酒气一并驱走，打开窗户，顿时感觉神清气爽。

顾忱去白崇洗办公室，白崇洗正在洗澡。

“好啊，你小子有口福，今天有几条南美洲刚运过来的青花石斑，肉生吃最为鲜美，蘸汁里淋上些阿根廷辣椒，味道好极了。”白崇洗悠然泡在浴缸里望着窗外细雨绵绵，微笑，“怎么样？考察还好吧？” 顾忱将三天考察的前前后后详细叙说一遍，连孙大盛找秘书的事也没遗漏。白崇洗皱了下眉头，说：“孙大盛这个人以后就不要让他再去丢人显眼了，还有，白石集团的招牌，以后也不要再用。”

“明白。我想在当地注册个项目公司，跟白石集团没有瓜葛。”

白崇洗笑，“还是你小子聪明，虽然没有瓜葛，但是人人以为就是白石集团，白石集团多年的无形资产被你小子呼风唤雨玩弄于股掌之间，我真佩服。你来找我，一定是为了外资一事。”

“正是。”顾忱笑嘻嘻道：“还是老大智慧。”

“你一说外资的事儿我就知道你小子又打什么鬼主意。那都是我刚创业那阵玩弄的伎俩，我还不明白？安沣市那帮大小官员这回一定会被你玩死，不过话说在前头，我出资两千万，是我作为朋友帮你，项目做不好，事关

我的名誉，出格的事，不要去做。”

“我明白。这个……能不能多投些……”

“打住。顾忱，中国的地产圈里，我只把你当朋友，但朋友归朋友，生意归生意，两千万对我是个小钱，是我作为朋友助你一臂之力，这两千万里有你在我这儿还有的一千万佣金，如果这两千万赔进去，算我拿一千万交了朋友。这是我做人做事的原则，你是知道的，没有任何可以商议的余地。”

顾忱早知道这个结果，白崇洗是不会多拿一分钱的，也正因为白崇洗这样的做事态度，他才能够做到今天地步。顾忱点头，说：“我知道。”

“还有，从今天起，你的佣金停止结算，我的一千万投资算你的股份。”

“我明白。”

“外资的事，我知道你小子又在利用我，也好，反正我那个澳大利亚的商贸公司也没什么用了，我帮你去把股东换成你，再帮你换成外汇，外资企业，用这家公司就行。”

“好。”顾忱喜笑颜开，他早知道白崇洗早年在澳大利亚曾注册过这么一家公司，说白了，是转移利润用的。白崇洗事业做大后这家公司便闲置无用，正好用作自己的投资主体。

白崇洗将秘书叫进来，吩咐道：“去把‘悉尼大堡礁商贸公司’的股东换作顾总的名下，另外外汇的事，你根据顾总的要求去办即可。”

大人物一句话，便解决了普通人半年也办不成的大事，顾忱由衷感激白崇洗，拿起酒杯给他敬酒。

“还有，我想了想，我的投资也算你头上吧，只是我们之间签订个出资协议就行，我等于是安沣项目的隐形股东，这个嘛，你不要对外说，你的身份是白石集团股东，以你个人名义出资，也算是说得过去。不过嘛，顾忱你别高兴得太早，”白崇洗抬眼看着顾忱，“你说孙大盛手头只有四千万，加上我的两千万和你自己的一千多万，也才七千多万，还是不够啊！你手里没有地，银行现在也不会理你……”

“我砸锅卖铁再去想想办法。”

“砸锅卖铁？”白崇洗嘿嘿笑，“这可不行，你要把自己那点家当全变成土地，要万一项目没做好，可就倾家荡产了，这后果，想过没有？”

“想过，但总要搏一把。”

“搏？”白崇洗把一块鱼肉放蘸汁里蘸一下，然后夹出来放在盘中，淋上些辣椒汁，送入口中，被辣得嘴微张开咝咝吸气，咽下鱼肉后，抽出纸巾在额头擦去汗，说：“我不相信你小子会拼力一搏，说，是不是又有什么新主意？”

顾忱对白崇洗的智慧敬佩得五体投地，也学着他的样子往嘴里送了一块鱼肉，那种生鲜猛辣的刺激，实在不是一般人能享用的，鱼肉入口时，眼前顿时涌出一团泪雾，食管里好像有把刀竖着直切下去，一直割裂到胃，但刺激过后，却是一身轻松，唯一的感觉，就是想再享受一次快感。白崇洗大笑，“这种辣椒是地球上最辣的辣椒之一，普通人要吃下一整个，会死人的。”

顾忱擦去额头上的汗，点头道：“白总我在你面前感觉是个三岁孩子，刚才我还真有隐瞒，是这样，沣水桥头有块地……”

“不错。”白崇洗笑，“你也看到那块地了？”

“是。”

白崇洗眼珠一转，笑道：“我明白了，你是想跟那块地的地主谈合作，他出地，你出钱，这样你的土地款就完全省下来了，是不是？”

“是。”

“嗯……这未尝不是好办法，对于你这样没钱的主，的确是个以小搏大的好办法。那块地我留意过，的确相当不错。一百二十万以下，我会毫不犹豫去拿。但是，这种合作方式最重要的是合作者，我听贾晓阳说地主是当地的国企官商模式，关系复杂，跟他们合作无异于与虎谋皮，与狼共舞，千万慎重。”

“是。我也初步了解到他们的背景，也正想请教您。”

“那块地闲置四年，其原因不得而知，我想，你应该尽快把土地背后的情况摸清楚，这次匆匆回来，是不是有些操之过急？”白崇洗又送一块鱼肉入口。

“有市政府一帮人天天陪着，我也不好去碰那块地。其实我想，明天我单独再去一趟，摸清底数再说。”

“对。就该如此。你去吧，抓紧时间，我约莫着这两天贾晓阳会托梁解放问我投资的事，我就说你正在准备材料，但具体的合作细节，因为你是集团派出具体的项目负责人，还得根据你的意见来定。一来，为你留出时间，二来，促使他们日后以你为中心，我渐渐隐身退却。”

白崇洗咽下最后一块鱼肉，脱掉浴袍迈入水中，像一条优雅的白色肥鱼，如果把白崇洗比作鱼的话，他也是条鱼精，不是精，哪会有这样的智慧？

顾忱点头称是，说我明天就动身。

顾忱早就想二进安沣，白崇洗这边加大投资额没有希望，等于他看上的那几块地很难操作，沣水桥头的那块地，也许才是真正的机会。

思考良久，顾忱给贾晓阳打电话，贾晓阳正在办公室，忙问顾忱有何吩咐？

顾忱笑着说：“我明天想回安沣一趟，你在吗？”

“在……”贾晓阳特别吃惊，问顾忱有什么事？

顾忱说：“也没什么事，我回来和白总商量了一下，感觉还有些问题想搞清楚，所以想再回去一趟当面和哥聊聊，但这次去，我只见您，能不能不要让别人知道？”

“包括唐书记卫市长吗？”

“尤其别让他们知道。”

“这个……好。我明天给你找个清静的宾馆，等你。”贾晓阳心生疑窦，问：“项目不会有什么……变故吧？”

“不会，见面说吧。”顾忱挂断电话，心想此刻贾晓阳一定在办公室发愣，心想顾忱这小子刚去又来，到底是为了什么？顾忱笑，又打一个电话，“倪枫吗？”

电话那头停顿了一下，立即兴奋起来，“顾总吗？前天给您发短信也不理人家。”

“哈哈，我正好有事，今天才想起来，对不起了。”

“你找我……”

“找你想请教个问题，行吗？”

倪枫咯咯笑，说："我可不敢在您面前班门弄斧，您逗我呢！"

"不是不是，想……请你吃饭，怎么样？"

"吃饭？"

"是呀，安沣有什么好玩的好吃的，能不能带我去？"

倪枫很是意外，想了想，说："好啊，您在哪里，我去找您。"

"我今天有事，明天等我电话。"

做好这一切准备，顾忱回到家，推开窗户俯瞰北京城的春色，烟雨蒙蒙中，天地间好像有一幅大幕正在徐徐拉开，大幕背后，机会在向顾忱招手……

第二日春雨依旧。

顾忱开着他那辆军绿色的五门版牧马人行驶在通向安沣的高速公路上，心情好像临战前的战士，有些紧张，有些兴奋，更有些期待。

这一趟除了白崇洗、贾晓阳和倪枫外，连孙大盛都不知道。

顾忱昨晚又全盘考虑了很久，明白七千万做白崇洗看中的那四块地，想都别想，就算是安沣市把条件降到最低，没有一个亿以上资金也不敢去碰，尤其是前天临行时跟贾晓阳已经探过底，贾晓阳说，现在土地是政府的雷区，没有人敢于在土地问题上打擦边球作文章。

顾忱知道如果找到唐卿可能还有回旋余地，不过那样做会有两个后遗症，一是使得安沣市对自己的实力有所怀疑，前期奠定的工作基础将前功尽弃，二是即便唐卿答应下来，可新区的几块地目前没有开发价值，市中心那块地面临拆迁安置问题，七千万根本也无力启动。

所以，顾忱的机会只剩下一个：沣水桥头那块二百三十三亩土地！

但眼前的机会，却连一丝端倪都没有显现出来。顾忱苦笑一下，自己这趟能不能有所收获，可能关系到一生的命运……

雨大了些，前方雾气迷蒙，顾忱打开车灯，向着不可捉摸的机会行进……

贾晓阳在市郊沣水流经的一处度假酒店为顾忱预订了房间。到达安沣是下午三点，顾忱先给倪枫打电话，她正在公司上班，约好十分钟后在楼下见面。

顾忱等候在安沣市房地产开发总公司那栋略显陈旧的五层办公楼前，大门前一幅横幅引起顾忱的兴趣，“预祝安沣市房地产开发总公司职工代表大会圆满成功”。典型的国企作风。大门后闪出一个鲜艳的身影，倪枫穿着件鹅黄色的短款风衣对一个正进门的人微笑招呼，顾忱摁了声喇叭，倪枫看到车里的顾忱，笑容点亮阴浓的雨霾，跑过来钻进车里。

车里顿时充满倪枫的笑声，“我还以为你开那辆宝马呢，到处去找……”

顾忱微笑着看她，倪枫的头发上布着一层细细雨珠，在雨珠映衬下肤色特别白净。“找个地方坐一下好不好？”

“好。沣水路上有个咖啡馆。”

“是欧雅吗？”

“对呀！你怎么知道？”倪枫眼睛瞪得大大的。

顾忱笑了一下，没说话，那个咖啡馆，就在沣水桥头边上，正好斜对着那块地。

两人上到咖啡馆二层靠窗处，坐在这里，正好能够看清地块全景，围墙里草好像又比前几天高了些，春天，正在快速生长着。

顺着顾忱目光看过去，倪枫想说什么，却又咽了下去。顾忱问：“你中途离开工作岗位领导不会找你吗？”

“我们这样的国企……”倪枫笑，“编制有三百多正式员工，但整个大楼里很少超过三十个人。坐在办公桌前也是看小说聊天，领导？领导也一样。”

“为什么会这样？”

“效益不好，公司算上退休人员有六百多人，又面临改制，人心惶惶，谁还有心思上班？”

顾忱道：“退休人员和在职人员一样多，企业能效益好才怪！我看到你们的职代会，就是因为改制而召开的吗？”

倪枫点点头，眼珠一转，笑着说：“顾总，像你这样的大人物找我这样一个小秘书，一定有重要的事。如果我猜得没错，应该是想探听公司的内幕……”

真是一个聪明的女孩。顾忱心里暗叹，却说：“为什么这样猜？”

“很简单，你去公司的项目踩盘，又对改制这么关心，总不能只是为了请我喝咖啡吧？”

顾忱笑，“的确的想找你咨询些事情，方便吗？”

“那……”倪枫笑，“要看什么事情。要看谁咨询。”

顾忱不想再绕圈子，说道：“对面那块地你们是怎么拿到的？”

“你原来是对它感兴趣？不过……好像已经没机会了……”

顾忱大吃一惊，问为什么。

倪枫缓缓说：“因为有个人……比你先到。”

“谁？”

“也是北京的一家地产商，听说实力挺强。不过跟他们接触的是劳总本人，具体情况嘛，我这个小秘书自然不太清楚。”

北京地产商？顾忱着实有些意外，又问：“他们进来多久了？”

“好像是从去年就来过，到现在来过不下十次了，每次都是在劳总办公室，我除了端茶倒水时能听到他们谈到这块地，更多的，连我们主任也不会太清楚。”

“你怎么知道我已经没机会了？”

“因为……他们好像已经谈到签约了，大概就是职代会后。”

“职代会什么时候召开？”

“明天上午……”

顾忱顿时无言，怔怔望着沐浴在细雨中的地块，大脑飞快旋转。倪枫也呆呆看着他，忽然说：“他们最后一次来，是上个星期四。”

“星期四，你记得这么清楚？”

“因为那天正好是我认识你……”倪枫脸突然红了，忙低头喝了口咖啡，顾忱没留意她的神态，只是认真的盯着她等待她继续讲下去。倪枫忽然瞪了顾忱一眼，说：“你这人真讨厌！”

“什么？”顾忱一怔。才发觉对面的倪枫脸已经很红。倪枫羞涩地说：“哪儿有你这样狠狠盯着人家女孩看的？”

顾忱才发觉自己的失礼，忙抱歉一笑。

倪枫轻声问："这块地，对你很重要，是吗？"

顾忱点点头。

"我想帮你，但不知道该怎么做。"倪枫转着手中小匙，目光在顾忱脸上流动。

"职代会商议的是改制的事，改制完成后，劳总就是公司的老板是吗？"

"劳总现在就是老板，绝对说一不二。"

"他以前呢？"

"其实我们公司还有一块牌子，'安沣市城建办公室'，劳总是主任。"

"这个办公室是干什么的？"

"实际上是市政府直属的一个政府部门，专门负责城市的拆迁开发工作，后来才逐渐延伸为房地产开发总公司，以前，公司的员工都是公务员，直到前年才逐渐与政府序列脱钩成为企业员工。从前城建办公室权力很大，就连市房管局都是从城建办分离出去的……"

"哦，这样说来，劳总在政府里拥有很深的关系。"

"那是当然，他本身就是官员嘛，我听人说当时市政府取消城建办的编制时，曾征求过劳总意见，问他是想去政府部门任局长，还是留下当总经理，结果劳总选择留下来，成为公司的董事长兼总经理。"

"明白了。没想到你小小年纪还知道挺多。"

"我在办公室嘛，上下里外的事儿自然听得多一些。你找我，算是找对人了。"

"那你说，我现在还有机会吗？"

倪枫吓一跳，说："这么大的事情问我这个女孩岂不是太抬举我了，这个嘛……我也许能帮你想想办法……不过，我有个条件。"

顾忱笑了，"说。"

"我要能帮上忙，你要请我去北京玩。"

顾忱大笑，心想真是个单纯的小丫头，原来就只有这么点要求。当即点头说好，又说："只要在这个地球上，你去哪里我都请客。"

"真的？"倪枫一把抓住顾忱的手，激动地说："一言为定？"

“一言为定。不过你总要先给我出出主意呀。”顾忱轻轻把手从倪枫手中抽出来，其实脑子早想着赶紧结束这次谈话，去找贾晓阳想办法。倪枫却说：“我……给你介绍个人怎么样？”

“谁？”

“公司的一位副总。”

“有用吗？”

倪枫有些为难的样子，顿了顿，说：“我这样做有点出卖公司的嫌疑，只是为了想帮你，你不能瞧不起我。”

顾忱笑，说一定。

“拉钩？”倪枫伸出一只手指。顾忱没想到这么大一项目竟然会先和一小丫头玩这样孩子的游戏，苦笑一笑，伸出手指。

“这位副总……和劳总关系不好，正在设法调走，去建设局当副局长。”

“哦？”顾忱立即明白其中玄妙，在城建办这样政企一体的单位里，人际关系最为复杂多变，机会，也许就出现在莫测的争斗与纠缠中。“你能找到他吗？”

“能。不过你答应不能出卖我。”倪枫瞪眼看着顾忱，特别可爱的样子。

“放心。”

“那好，等我消息。这位副总姓熊，我大学毕业分配到这里就是找他办的，跟我关系……很铁。”

送倪枫回到办公楼，正好贾晓阳打电话来，说刚开完会，顾忱说我去接你。贾晓阳说不用，他让司机把自己送到一个酒店门口，顾忱过去接他。

顾忱开车过去，几分钟后，贾晓阳从一辆停在大门前的车上下来，等司机走远，上到顾忱的车。

两人亲切的握手，贾晓阳问：“怎么不开宝马了？”

“那车出现过，很多人认识。”

“怎么搞得这么神秘？”贾晓阳满腹狐疑。

顾忱微笑道：“其实也没什么事，只是想回来看看哥，怕别人妒忌。”

贾晓阳哈哈大笑，说怪不得顾忱你年纪轻轻就有这么大成就，跟你在一起，心里就是感觉舒服。

两人说笑着到酒店，顾忱拖着旅行箱进到房间，人还没坐下，却从旅行箱里拿出一个盒子，打开，取出一个崭新的手提公文包，递给贾晓阳，“哥，这是今年的一款限量公文包，我上次看您的包有些旧了，就给您挑了一个，看看喜欢不？”

“这怎么好？”贾晓阳客气的接过，随口问很贵吧。

“一般包怎么能配上哥呢？”顾忱笑，“四万多块钱。”

贾晓阳脸色猛一变，手里的包险些落地，“这么昂贵？”

“再贵，也只是一包而已。只是当老弟的一点心意而已。”

贾晓阳犹豫了一下，笑着说：“那就收下了，不过今后可千万不要送这么贵重的东西，我受之不起。”

“哪里的话？”顾忱笑着说：“干脆就在这里把包换了吧，堂堂一大市长，整体拎着个旧包也不好看呀。”

贾晓阳笑着把自己包里的东西转移到新包里，两个包并肩放在一起，原先的包，顿时不忍再看。贾晓阳叹口气，笑着说：“人啊，由俭入奢易呀。”

其实，顾忱自打买了这包后一直心疼到现在，自己从来都没敢舍得买这么贵的包，但为了那块地，只好拼力一搏。

“你找我，不会只是为了送哥哥我一个包吧？”收下包，两人的关系突然间好像近了许多，贾晓阳笑着问道。

“是，不瞒哥哥，其实我有点发愁的事想找哥商量，是关于项目。”

“怎么？有变化？”贾晓阳脸色一变。

“回去后，集团开了个董事会，但有些股东提出白石集团的发展战略还是应该以北京为中心，一下子开拔到六百公里以外的陌生城市，无论从管理能力上还是从运营成本方面考虑，都有些得不偿失……”

“这些人，谁说安沣是陌生的城市？安沣绝对不会把白总和你当外人。”

“是啊。其实还有最重要的问题，下个月，集团盯了两年的一块地就要动了，资金量要求非常大，白总决心全力一搏，整个资金要求在三十亿以上，加上前期建设资金，光启动资金就要五十多亿。所以，白总也有些迟疑，说如果北京和安沣项目同时进行，集团的资金能力和精力，也是很难兼顾……”

“哎呀，这个白总，那为什么要签协议呢？”贾晓阳皱着眉头猛拍大腿。

“不是，您误会白总的意思了。我们要是决定撤出，也用不着我千里迢迢跑来找哥了。会上，我和白总他们说，咱们的协议都签了，要是突然决定撤出，这么好一项目白白丢失不说，对公司的声誉也有影响啊。白总也很为难，问我怎么办，我说，既然已经进了安沣，又交了贾市长这么多诚心实意的好朋友，我们不能半途而废。”

“对，顾老弟你够意思。”

“白总其实也是这个意思，但毕竟集团是个规范管理的股份制企业，于是他问我，有什么好办法没有，我说，第一，我建议集团继续留在安沣，第二，如果集团暂时无法兼顾，也可以以集团名义，由我顾忱自行投资，继续完成项目。”

“好啊。”

“白总立即同意了我的建议，说这样做，既符合集团利益，也对得起安沣的朋友。于是，事情基本就确定下来，由我独立操盘运作项目，集团给予支持，待集团北京项目进入正常运转后，继续回到安沣，运作新区的几个项目。”

“好啊，这样很好，等于一切都没有改变啊。”

“这个嘛，变化可能还是有一点的……上次，您带我看的那块河边的地，还记得吗？”

“记得啊，莫非你……”

“是。哥，您看这样行不？因为现在我个人资金实力肯定比不上集团，集团虽然有我的股份，但我又不能抽出，只能用自己家里的一点积蓄拿来……”

“积蓄？有多少？”

“也就是一个亿左右。”

贾晓阳又吓一跳，笑着说：“光自家的积蓄就这么多，不少了。”

“可要运作项目，还是有些少啊。”

“没事，我帮你协调当地银行，资金不足可以贷款嘛。”

“这个嘛……我直说了吧，贾哥，作为商人，都是要在最低的成本下获

取最大的利益，做任何项目，首先确保的，是我的资金收益，而确保资金收益的前提，是把风险降低到最小……”

贾晓阳有些听不明白，顾忱继续解释，“协议中市区那块地，资金大是一方面，另一方面，由于涉及拆迁安置，这个嘛……风险自然大了些……”

“所以你的意思……”

“所以我的意思，是想问问哥河边那块地有没有操作的可能性……”

贾晓阳怔了一下，忽然笑了起来，说：“你绕了一大圈，其实就是看中了老夫子那项目，是不是？”

顾忱也大笑，“是。”

“也成。”顾忱没想到贾晓阳答应得如此爽快，心中一喜，听他下文，贾晓阳说：“这块地荒了好几年，就像是一个漂亮姑娘脸上长了一块难看的疤痢，市里也曾经多次要求老夫子尽快开发。顾忱你要真要这块地，也算是招商引资的一大成果，和咱们签的另几块地没什么两样，市里照样会尽力支持你们。”

顾忱喜不自胜，说：“我可以先以合作方式开发这块地，等到项目运转起来熟悉了安沣市场，另外几块地自然也就顺理成章。”

“这当然是没问题，只是……”贾晓阳皱了一下眉，说：“不过你要和老夫子合作，就纯粹变成你们企业间的合作，有些事情，市里也不便插手多说，这个……困难就大了很多。”

“你的意思是……老夫子此人不好对付？”

“嘿嘿，他这人啊，狡猾，牛气，生硬……这些词就是全堆他身上，也形容不了他的十分之一。有些事，你最好自己去感觉了，哈哈……”

不管老夫子是个什么样的人，顾忱眼前已经没有退路，问道：“要不……您给引见一下？”

“这个……”贾晓阳有些尴尬地笑，“老夫子可能都不买我这个副市长的账，这样吧，我给你找人约他，你等我消息。”

顾忱笑了，说他一处级干部竟然连市长都不买账吗？

贾晓阳无奈地笑，“人家现在是企业了，政府各部门又有一堆朋友，安沣市城建口，老夫子才是真正的老大。”

顾忱没想到老夫子竟有这么大本事，跟这种人合作，困难是显而易见的。

贾晓阳又问：“你这趟来如果只是为了老夫子的项目，完全没必要躲躲闪闪，直接跟唐书记卫市长说不更好吗？反正一块地是投资，四块地也是投资。市里重视的是把白石集团这样的先进企业请进来，并非拘泥于具体哪个项目。”

“话是这样说，不过我总要先找到哥探探虚实心里才放心，再说，我已经被安沣市的酒吓破了胆，还是悄悄拉着哥喝酒感觉舒服些。”

贾晓阳哈哈大笑道：“原来你小子偷偷摸摸是因为不敢喝酒？”

顾忱附和着也大笑，心里紧绷的神经，略微放松了些，原先以为市政府会对自己的改弦易辙产生抵触，从贾晓阳的态度看来，不过只是自己的多虑。

贾晓阳说：“我回去想想找谁跟老夫子打招呼合适，你等我消息就是。”

“他们公司明天上午开职代会商议改制的事，还有，公司改制后，他们可能就要出手那块地了。”

“你怎么知道？”

“有一家北京的房地产商已经跟老夫子谈了很久，说是等到开完会就签协议。”

“狡猾。”贾晓阳眯着眼想了想，又睁开眼笑，“老夫子狡猾大大的。我算明白他为什么拖着土地不开发了。”

“为什么？”

“他是在等待改制。你想啊，房地产开发总公司虽然包袱重，成天嚷嚷着发不出工资，但谁都知道他们这两年做的两个项目也没少挣钱，至少养那帮人足够了，老夫子用百分之三十土地款圈下那块地，然后就拖，他的目的，就是等改制后再开发。现在跟北京公司谈，说明他的改制工作已经快要完成了。”

顾忱还是没听懂。

贾晓阳继续解释，“你想啊，改制前公司是国企，土地开发赚的钱是

谁的？”

顾忱恍然大悟，“改制后赚的钱全是他个人的了！？”

“对！他就是这样想的。因为不是我的事儿，所以我对他们也没太关注，只是早听说他们改制方案做了好几稿都被市里驳回，今天听你一说才反应过来老夫子的目的。国企改制工作是卫市长直管，他只要在改制方案上签了字，老夫子也就遂了心愿了。”

“那……”顾忱忽然阴险的笑，“如果我能让卫市长制约他，作为条件交换土地的合作权，岂不是……”贾晓阳愣了一下，大笑道：“老夫子狡猾，你小子更精明，竟然想出这样釜底抽薪的恶招，把我拖下水不说，竟又打卫市长主意。但你怎么能让卫市长制住他呢？”

“这个嘛，”顾忱眼睛滴溜乱转，心里，却有了主意……

交换。无论商场还是别的什么地方，只要存在利益与权力的博弈，就会有交换。想做成一件事，就必须用另外一样东西来交换，这是生意场上的成长法则，更是顾忱熟谙的生存之道。

和白崇洗是三大癖好相似，熟悉老夫子的人，也给他总结了三大爱好。与白崇洗不啻有曲艺同工之妙。

第一、开会。第二、发言。第三、开会时发言，或发言时开会。

顾忱约倪枫在咖啡馆见面时，老夫子正在开会。

当然，也正在发言。

今天老夫子发言的内容是关于明天的职代会，职代会是个形式，职代会的目的，是改制。公司改制已经进行了三年，大大小小的方案做了几次，但公司内部的利益团体实在太多，每个团体间都需要用符合他们的胃口满足他们需要的方式去抚平他们的不满。但这些个团体本身也是处于不稳定状态，比如一个人，他今天可能是这个团体，明天又会跳到另外一个团体，所以团体本身也是利益的工作下不断发生着裂变或巨变。所以几年来老夫子的唯一工作就是不断周旋在各个不断裂变或巨变的团体之间，拿他自己的话说，是一个陀螺。

老夫子内心很着急，因为改制已经拖了很长时间，本来预想三年前就该完成改制，然后呢，老夫子心底有个非常宏大的计划，如果不是因为这该死的改制方案一拖再拖，房地产开发总公司早就乘风破浪趁着安沣市城市发展的东风一枝独秀，甚至已经杀到省城，成为省内的知名开发企业。现在房价一天天在涨，市场机会一点点在少，老夫子如何能不急？

还有一个更重要的原因，这也是公司内部一些人极力想达到的目的：老夫子的年龄在一天天老去，更糟糕的是，明年，老夫子就满六十岁的退休年龄了。公司现在还是国企，按规定老夫子明年将会光荣退休。所以，今年内无论如何老夫子必须力保改制成功，否则，多年的努力，除了最终把自己变成一个在家属院里遛鸟逗狗的糟老头子外，还会将隐藏在企业资不抵债几乎负资产改制外表下面的一大块肥美的财富，留给毫不费力就能得到它们的后来者。在商场上学习雷锋，绝对不是好榜样！

这样的职代会四年来开过七次，职代会的作用是通过改制方案，每一次职代会都能按照老夫子的意愿通过方案，但每一次都在更高一级的地方被打了回来。于是，下一轮方案又需重做，做完后，还要开一次职代会。老夫子明白，明天的职代会很可能是自己最后一次的机会了，如果这次方案还是通不过的话，下一次职代会的主题，一定是欢送自己光荣退休，一个笑到最后的人会踌躇满志的接过自己手中的权力棒……老夫子不会允许这样的事情发生。

现在，那个有可能笑到最后的人，正坐在自己旁边。

熊能，安沣市房地产开发总公司常务副总经理，正坐在小会议室会议桌的左边第一个座位，饶有兴趣的看着从老夫子口中喷出的白色唾液喷洒到桌面，然后又慢慢变成一个很浅的印痕。老夫子发言时，这是熊能唯一打发时间的游戏。

老夫子坐在会议桌顶端的位置。他的左手第一人是熊能，其他与会人员按职位高低向下一路排过去。他的右手是董玫，一个漂亮的不再年轻的女人，公司的党委副书记兼副总经理，也是人们背后戏言的老夫子的红颜知己，其他与会人员按职位高低向下一路排过去。

老夫子知道明天的职代会照例能通过方案。自己的权威在公司这么多年一直是所有人命运的主宰。领导班子里几个跟他长期不和的人，已经在三年的时间里逐渐被消灭，有的辞职下海，成立了自己的私营房地产公司

成为老夫子的对手，有的无奈中调到别的政府部门老老实实成为一个官员，还有的被拥入老夫子的怀抱，成为老夫子许诺中未来公司的董事会成员。

只有一个人，熊能，老夫子有些无可奈何，熊能是几年前的部队专业干部，市里本来安排老夫子调走后熊能接替老夫子的位置，但老夫子坚决不去上任，这样的结果，却苦了熊能，这与他转业到这里的初衷整个相违背。于是熊能唯一的盼头就是盼到老夫子赶紧退休。但老夫子的改制工作却抓得很紧，在公司内部熊能的威信也绝对没法与老夫子比肩，所以，熊能只好另想其辙，于是老夫子的改制方案每每会在最后一刻被PASS掉。

对此，老夫子心知肚明，人人都心知肚明。老夫子甚至知道，临自己光荣退休的日子一天天近了，有些人已经开始思考公司的下一任董事长，还会是老夫子吗？

老夫子明知军心不稳，内心深处不免有些心浮气躁，却又无可奈何，因为，熊能省里有人，听说，卫市长都要买他的账。

老夫子刚才发言起初，熊能便打了个大大的哈欠，老夫子装作没听见，继续发言，过了一会儿，大家突然听到会议桌下面好像有什么东西在奇怪的响，嘎吱嘎吱，嘎吱嘎吱……大家循声望去，熊能，正在剪指甲。

老夫子皱了下眉头，清了一下嗓子。

有人在笑。

熊能可能是感觉到一片安静，抬头看了一下，笑，却低下头接着剪。

老夫子住了口，直到看到熊能伸出自己的十根手指满意地欣赏着自己的杰作，才继续发言。

又过了一会儿，大家突然听到会议桌下面好像有什么东西在更奇怪的响，嘎吱嘎吱，嘎吱嘎吱……大家循声望去，熊能，正在剪脚趾甲。

老夫子狠狠皱了下眉头，喝了口水，接着又吐了口痰。

有人在笑。

熊能感觉到一片安静，抬头看了一下，笑，却低下头接着剪。

老夫子住了口，直到看到熊能把指甲刀放桌上，然后心满意足的穿上袜子，老夫子说："现在散会。"

熊能刚回到自己办公室坐下，门响。

进来的是公司的司花——倪枫。熊能笑，“小姑娘，又想叔叔了？”

“看你老不正经的，还是老总呢！”倪枫笑着坐他对面，熊能色迷迷的目光好像钻进倪枫的高领毛衣深处，倪枫不自觉的摁住毛衣，说：“熊总，给您介绍个朋友怎么样？”

“那要看女的还是男的？”

“男的。”

“免谈，要换了你还能考虑一下。”

倪枫咯咯笑，“熊总，这人您一定感兴趣，他是北京来的地产商。”

“北京？”熊能愣了一下，北京地产商在安沣人的印象里，个个是开劳斯莱斯住泳池别墅的亿万富豪。“房地产商？”

“是，他想认识您。”

“想认识我？他为什么不找劳总？”

“因为，劳总已经有人找过了。”倪枫笑了一下，很有内容。

熊能马上明白过来，心想天助我也，合作沣水桥地块的那家北京公司是老夫子找的，每次来人都在老夫子办公室窃窃私语，只听说只待改制后便签订协议，这次改制方案听说老夫子也做了不少工作，明摆着在退休前最后一搏，熊能明白自己的力度也将用尽，已经做好方案获批后挪屁股的最后打算。但最后的决斗尚未开始，还说不好到底究竟鹿死谁手，这时有北京地产商找来，难道预示着自己的最后胜利？熊能怀疑地看着倪枫，“你怎么认识的？”

“朋友。”

“朋友？你小丫头还有一个北京地产商的朋友？不会是男朋友吧？”

倪枫羞涩的笑。熊能说：“他有实力吗？”

“有没有实力我也不知道，不过他上次来一下开了两辆宝马7。”

“他在哪儿？”

“安沣。”

“带他来见我。”

“办公室吗？”

“嗯，有点不方便。”熊能沉吟道：“你跟他约个地方。”

接到倪枫电话时，顾忱正跟贾晓阳喝酒，两人边喝着淡淡的清酒边在餐厅聊着天，好像一对认识了很久的老朋友。接到电话，顾忱说好，我确定一下时间给你打过去。

贾晓阳问是谁？

顾忱说是安沣房地产总公司的一个副总，姓熊。

贾晓阳笑，“这人不好对付，他是老夫子唯一的对手，老夫子改制受阻，他居功至傲，你找到他探听项目内情，一定错不了。”“那我明天去见他？”

“不好。你应该请他去北京。”

“北京？”

贾晓阳笑，“他是地主，客场作战，对你不利。”

“你的意思是我应该回北京，主场作战？”

“是。”贾晓阳说：“正好我明天帮你找人，老夫子明天方案通过后才会报到市政府，这其中还有熊能作梗，距离获批还会有一段时间，你正好可以请他去北京，一是避人耳目，二是拿出你北京地产商的气势，镇住他，下一步，他便俯首听命了。”

顾忱点头称是。打电话告诉倪枫，说自己回京有事，能不能请熊总去北京。

“让我去北京？妈拉个巴子，到底谁求谁？不去！”熊能骂道。

倪枫笑道：“顾总说，去北京谈起来更方便。”

熊能想了想，“行，你跟他讲，我明天下午出发，晚上到。”

倪枫立即告诉顾忱，又说：“您说好了请我去北京的呀。”

顾忱笑着说没问题，你跟熊总一起去好了，你跟他说，一切由我尽心接待，让他放心。

贾晓阳笑道：“这就对了，我听说熊能对老夫子的位置觊觎已久，老夫子的事，他总想着去破坏，他答应你去北京，一定对你也有企图，去北京后，他就是你的了。”

第二天上午，顾忱独自驾车返回北京。二十四小时间竟在北京与安沣间打了个来回，但此次回京，顾忱心里也踏实了一半，至少市政府这关已过，剩下的企业这关，顾忱相信自己的手段。熊能能够不远千里来京见自己，等于是安沣市房地产开发总公司的大门，顾忱已经踏进了一只脚。

阳光出来了，空气中还夹杂着雨的味道。京城沐浴在嫩绿的春风中。顾忱进入北京的几个小时后，倪枫电话打来，说自己和熊总已经快到北京。顾忱边出门边打电话，说，好，我现在去高速公路出口接你们。

熊能开着车一路和倪枫聊着天进入北京，倪枫指着前方路边停着的一辆宝马，“看，顾总的车。”车边站着个高个年轻人，白色的夹克在阳光下很醒目，墨镜在阳光下闪着光，很阳光的一个大男孩。

熊能没想到印象里那个腰缠万贯的富豪竟如此年轻，转头问：“是这人吗？”

倪枫目光紧紧盯在顾忱身上，说，正是。

熊能从自己那辆别克出来，顾忱已经一把握住了他的手，“熊总，一路辛苦了。”

“嘿嘿，哈哈，顾总你也辛苦了。”熊能哼哼哈嘿一番，原本想摆出一副强势的打算，顷刻间在顾忱的阳光面前土崩瓦解，动作立刻有些僵硬，顾忱一眼就看出此人的外强中干，干脆一不做二不休热情似火的给了熊能一个熊抱，大笑道：“哥哥晚上想吃什么，老弟给你接风洗尘。”

倪枫在一旁笑道：“顾总您太热情，我们熊总一时还不习惯呢。”

顾忱忙松开拥抱，说：“熊总你的公司太严肃，我要去了也不习惯。”

一句话立马说到熊能的心坎上，最后一丝戒备也随之解除，熊能叹口气，道：“顾总你说得很对，我们那样的企业，真是一点活力也没有啊……”

“还有时间，要不先去公司坐一下？”

“好。”

顾忱在前带路，径直往白石集团而去。回到北京的几个小时里，顾忱已经做好了一切准备，会面的地点，就选择在白崇洗的公司。白崇洗正好有事外出，听到顾忱说想借自己一间办公室用，白崇洗大笑道：“你小子哪天非得把我撵出去才算完，我的办公室可不能随便借你。”“不是要你的，随

便一个副总的就行。”

“这个容易，正好有间办公室空着，我让秘书收拾出来，你去就是。”

搞定办公室，顾忱又通知孙大盛去等着。孙大盛丈二和尚摸不着头脑，问道：“你又从安沣请谁来了？”顾忱笑，“我已经又往返安沣一趟了，见面再说。记住，别带你那个晴晴。”

车停在白石大厦的地下停车库，顾忱带熊能上电梯一路到达顶层。一进电梯间熊能就被震了一下，白石集团给人的气势压倒一切，六米高的前台大厅垂下一组直径足有三米的水晶吊灯，五百平方米的大厅被映得富丽堂皇，背景墙后“白石集团”四个黑体大字又让熊能周身一颤，问道：“顾总你原来是白石集团的？”

“是啊，倪枫没告诉您吗？”

“对不起，我忘了。”倪枫忙笑，其实，顾忱根本没告诉过她。

前台文秘迎上前甜甜的对顾忱笑，“顾总您好。”

文秘女孩在顾忱身前带路，进入一间办公室，办公室很大，落地窗户外是京城的明媚春光。孙大盛见来人，站了起来。

顾忱忙介绍：“孙总，这位是我刚从安沣请过来的熊总。熊总，这位是集团的另一位股东，孙总。”

两人握手，秘书倒水后出去。熊能半天没说话，从进入白石集团那一刹那的惊愕中尚未回过神来，脑子里全是安沣市房地产开发总公司那幢陈旧的小楼。

孙大盛也不会说话，只望着熊能嘿嘿嘿傻笑，还不时悄悄往倪枫身上撩一眼。

顾忱顺手从桌上拿了包烟递给熊能，心里对白崇洗的周到细致深感佩服。

熊能点上一支烟，眯眼看着窗外的京城，说：“今晚要罚小倪喝酒，你只说顾总是北京的地产商，却没告诉我他原来这么有实力，竟然就是白石集团的老板……”

顾忱忙打断他，“这个怪我，我是怕熊总可能不愿意赏脸见我，于是叫小倪先别告诉您。另外，我可不是老板，和孙总一样，股东而已。”

“股东当然也是老板，顾总年纪轻轻就能成为白石的股东，我熊能八辈子也没有你这样的本事。”

顾忱忙客气。几人寒暄几句，熊能问：“顾总，孙总，让我来北京，定然是有事找我，咱们就直说了吧。”

“好。我对您手里的一块地感兴趣，想问问熊总有没有机会合作？”

这句话听在熊能耳里，无疑是莫大的讽刺，熊能脸一红，叹了口气，苦笑着说：“我在公司只是个副总，有没有机会，我也说了不算啊。”

“这个嘛……”顾忱神秘的笑，“不瞒您说，我已经在安沣市找过人，有个高人指点我说，想要那块地，找熊总，比找老夫子更好。”

熊能一惊，又一喜，“是何方高人？”

“只是……市里的一位领导。”顾忱说：“他是很推崇您的。”

熊能更高兴，想不到有市领导如此看中自己，“难道是……卫市长？”他犹疑的问。顾忱正好接过，“嘿嘿……前几天我和孙总一起去考察时，和卫市长聊了好多事情……”

“哦。”熊能立即以为果真是卫市长，有卫市长撑腰，又有白石集团这样的有力合作伙伴，自己的胜算无形中加大很多。熊能兴奋得满脸通红，结结巴巴说：“顾总……你怎么来安沣时不找我？”

“那时找您，好像有点不方便，所以我还是邀请您跑一趟北京，小倪，也……不是外人。”顾忱朝倪枫笑了一下，熊能也看着她笑，心想前年把这丫头安插在办公室，果然派上了用场。

“熊总，能不能先告诉我，那块地我们还有希望吗？”

“有。我先说一下地块情况。这块地是公司四年前拍下的，那是挂招牌刚刚开始实行，程序也不尽完善，公司支付了百分之三十土地出让金，此后一直没付清余款，也没有开发。这块地拍的时候，由于其有利位置，无疑是安沣市的一号住宅开发用地，但由于劳总特殊的……运作，六十万一亩就拿了下来，现在恐怕土地的价值早就涨到了一百万以上。”

“劳总迟迟不开发它的原因，恐怕也是将它作为改制的一个伏笔？”

“是啊，改制方案中对这块地的评估一直是按照账面价值进行的，由于劳总的关系到位，即使有人提出异议，也总被压了下去。你想啊，改制后，

这块地的价值立即翻倍，二百多亩，就是一个多亿啊！一个亿对于白石集团这样的大公司不算什么，但在安泮市，可是一个令人垂涎三尺的大数目。”

“这么狡猾？”孙大盛大叫一声，显然他对这种资本运营手段一无所知。顾忱问：“目前正在谈的合作者是怎么回事？”

“说来惭愧，关于合作者的情况，我知道的可能还不如小倪多……”

“没关系，我请熊总来北京，一是为了了解一下项目的情况，二来嘛，是为了交熊哥你这个朋友，如果熊总赏脸的话……”

“哪里哪里，我和顾总一见如故，你放心，我回去就帮你操作这件事。”

“好。”顾忱说，“已经六点了，要不咱们去吃饭？”

几人出门。等电梯时，顾忱忽然将倪枫拉到一旁，小声说：“你在北京有朋友吗？”

倪枫一怔，说没有。

“晚上，我想和熊总谈些事……”

倪枫立即反应过来，小声笑着说：“我明白，不过顾总你又欠我一次，下次一定要单独陪我好好玩玩。”

“一定。”顾忱点头，“我先送你去酒店。”

顾忱又趴熊能耳边说：“要不我先让小倪去酒店……”

熊能嘿嘿笑，说客随主便。

熊能的车留在车库，几人坐顾忱的车，孙大盛的车送倪枫。顾忱拿出一个信封悄悄塞给倪枫，说：“很抱歉晚上不能陪你，这点钱是我请客的，随便买点喜欢的东西。司机待会把你送酒店，晚上我会让他陪着你到处转转……”

孙大盛的司机送倪枫走，倪枫在后座上悄悄打开信封，心中猛一喜，险些“哇”一声叫出来，手里的，是厚厚一沓百元钞票。

顾忱自己开车，孙大盛和熊能坐后座上驶向郊外。一路向北，车流越来越稀少。熊能问吃饭还要跑这么远吗？孙大盛色迷迷笑道：“吃饭嘛，当然没必要。但听说今晚顾总安排了别的节目。俺老孙也没见识过呢。”

熊能道：“这个……恐怕不好吧，我可是国家干部呢！”

顾忱奇怪道："我听说以前的城建办早就撤销编制，所有人员早已从公务员序列脱离了。"

"但我们几个领导目前还是两种身份，仍然是公务员，比如我吧，说不定过俩月就调市房管局去了。"

"房管局现在也就是一清水衙门，倒不如留在企业。"顾忱道。

"话是这样说，不过寄人篱下的感觉，实在难受呦——"熊能望着窗外北京市郊的星明灯稀，使劲叹了口气，一股惆怅，涌上心来。

"什么寄人篱下，我看您出门也有漂亮小妹妹陪着，不挺逍遥自在？"孙大盛不明就里，大声说道。顾忱怕他嘴把不住门又说出这么不妥来，忙接上话茬道："今晚不谈公事正事烦心事，只高兴喝酒吃饭……"

"还有泡妞！"孙大盛大笑道，"喂，小顾，快告诉我们今晚安排什么节目了？"

熊能阴阴的笑，"看来北京地产商的生活总是多姿多彩。"

驶进一个别墅区，来到一个幽暗的角落，一幢三层独栋欧式别墅静静立在夜色里，顾忱摁门铃，门开，出来的是丁铭。四人一起下到地下室，刚走到底下，一股浓浓的香味迎面扑来，现在已是晚上八点，几个人都饿了，禁不住深深吸了口气，孙大盛的肚子里马上咕噜咕噜的兴奋起来。一个女服务员站在楼梯口鞠了一躬，笑着问候："几位晚上好，今晚我是你们的服务员。"

孙大盛吃了一惊，悄悄拉着熊能说："这儿的服务员也这么正点？"

熊能正有此感，两人眼巴巴看着那女孩微笑着转过身去，推开一扇门，里面人影一闪，有人站了起来，没看清人，倒先闻到一股浓郁的香味，是香水，好像有种肉香的感觉，不是菜肴的那种肉香，而是人的肉香，女人的肉香，弥漫在房间里的是一种性感的好像一位浴后的美女站在你面前的肉欲味道。熊能和孙大盛看着面前两张精致的笑脸，顿时呆了。

顾忱笑，"我介绍一下，这两位一位是安沣市来的熊总，一位是孙总。这两位美丽的小姐，一位是……"

"不用介绍，谁不认识？"孙大盛首先醒过神来，大声说："云烟！"

"哎哟——孙总您竟然还认识我，真没想到啊，咯咯咯……"左边一个

穿着黑色真丝低胸吊带围着一个纯白色貂皮披肩的女人一手轻拂胸口，另一只手盈盈握住孙大盛的手，乳沟中间一枚硕大的钻石吊坠比头顶的水晶吊灯还要耀眼十倍，孙大盛忍不住看了一眼，就再也无法转移自己的视线。

熊能也反应过来，心想怪不得刚才看着面熟，原来竟是前几年大名鼎鼎的两栖明星云烟，几年前从人们视线中隐退后，有人说她因为整容失败患了抑郁症每天在家饮泣，有人说她嫁给了一个百亿级的富豪……怎么也没想到会出现在此处。熊能正想着怎么开口，云烟已经一把握住他的手，“这位老板，欢迎光临寒舍。”

顾忱笑道：“云姐坐吧，大家肚子都饿了，再不上菜只好吃你了。”

云烟呸一声过去用粉拳假装狠狠打了顾忱一下，嗔道：“再叫人家姐小心我撕了你的小嘴，快叫妹妹。”

“哈哈，好妹妹，快上菜吧，哥哥们都饿了。”

“这还差不多！”云烟叫服务员上菜，又推了把一直呆站在原地的那个女孩，“哈蜜，怎么也不知道跟客人们打个招呼？”

“大家好，我叫哈蜜。”女孩上前微笑着打招呼。孙大盛和熊能登时又呆了一下，刚才，两人都被云烟身上那股莫名的女人味道给引诱过去，但真要把眼前这两个女人相比，云烟脸上被厚厚脂粉所掩盖的岁月沧桑，哪里能比得了这个女孩的天生丽质和年轻魅力？

顾忱招呼大家就座，上座留给熊能，哈蜜陪在他左手，顾忱陪在他右手，顾忱右边是丁铭，另一边，哈蜜旁边是孙大盛，孙大盛旁边又是云烟坐在最外边，孙大盛左右都是美女，一时间兴奋得得意忘形脸红脖子粗，但又平生首次享受到这种待遇，半是怯生，半是满足，有秀色可餐，顿时忘记了肚中饥饿，心中暗暗骂顾忱明明跟云烟如此熟悉，竟然从没带自己来过这样的人间仙境活色生香的香艳福地，正想着，云烟一只手悄悄从桌下伸过来，孙大盛感觉自己的胸前有个柔若无骨的纤手滑过，云烟把脸凑到孙大盛脸颊前，孙大盛顿时陷入懵懵懂懂如坠云端的迷糊状态，恍惚中，听云烟低声轻笑，“孙总，这是我电话，以后记得常来哟……”

那边熊能也在两分钟后与哈蜜共同到达忘我的云端，哈蜜贴到他脸前耳鬓厮磨气吐如兰，早把熊能的魂勾去了十万八千里，服务员端上来满桌子的精致菜肴，竟全然没有看见。熊能心意荡漾间，心想：北京房地产商果然有水平，连吃饭都能找到这样的明星级美女作陪，活到四十多，竟第一次发现人间还有如此销魂景色，前四十年，真是白活了。

顾忱和丁铭对视一笑，见两人已经色迷心窍，索性自顾自吃起来。

孙大盛却不知，顾忱，也是今天和云烟首次见面。今天回到北京后，顾忱思索晚上安排什么样的活动才能够一次性搞定熊能，丁铭给他出了个主意，说他认识一地产圈里神通广大之人，名叫诸葛亮，京城顶尖的应酬活动，最有经验。于是顾忱联络到诸葛亮，诸葛亮一听就笑了，说想陪好这种客人，云烟很合适。顾忱吃惊问道，她不是退隐了吗？诸葛亮笑，说，退隐，不过是被淘汰的一种美好说辞，云烟用自己辛苦积攒下来的钱在京郊一处开了家私人会所，每天只接待一桌客人，她的常客，倒有一半是房地产圈人。顾忱又问有什么安排。诸葛亮笑道，底层吃饭喝酒，一层聊天喝茶打麻将，二层卡拉OK，三层是卧室，每间卧室都带有双人按摩浴缸，去那儿的客人，一般都是从底层玩到顶层，包你乐不思蜀。更重要的是，每位客人，都可以由云烟亲自安排一位漂亮MM，而且您放心的是，她们绝对不会是小姐，如果价格合适的话，云烟嘛……也可以亲自……嘿嘿。

顾忱问云烟要多少钱？

那人报出一个价，顾忱大吃一惊。

竟如此便宜！？

那人笑，云烟主要靠她的会所赚钱，自己的身体嘛，不会只是招揽生意的一种幌子而已，自然不会太贵。

于是顾忱点了云烟亲自作陪。待孙大盛和熊能从刚开始的迷乱中清醒过来，顾忱叫云烟上酒，超市里卖四百的酒，一般饭店要卖六百，高档饭店卖八百，云烟这里却要两千八。不过，醉翁之意不在酒，在乎的是这里的万种风情。美酒映红美人脸，身畔笑靥娇喘，两瓶酒下肚，孙大盛和熊能都有了几分醉意。酒足饭饱后，大家起身去一层喝茶，其实喝茶仅是一个过门程序，其作用是使客人稍微冷静些，各自喝下一杯苦丁，又到二层卡拉OK，这个时候谁还有心思唱歌，云烟趁机又推销了两瓶一万八一瓶的洋酒。

顾忱心里暗暗计算着自打泮水路项目以来的花销，着实有些肉疼，孙大盛和熊能与两个美女旁若无人的卿卿我我，丁铭在唱着跑调的歌，顾忱却盯着茶几上剩下的最后半瓶洋酒，心，在滴血。

云烟在孙大盛脸上亲了一下站起来出门，给顾忱使了个眼色，顾忱出去，云烟假装头晕娇滴滴靠顾忱身上，说："哥哥，我醉了。"

顾忱笑着扶着这个比自己大着近十岁的昔日明星，心里却有些恶心，这么近距离观察她，精心装扮的女人，脸虽然是几十年如一日的美丽精致，但岁月却早已把她们的脖子严重的侵蚀，浓妆之下，该是一张怎样沧桑疲惫的脸？

"帅哥，今晚让我陪你好不好？你那个什么孙总，身上一股烟油加长时间不洗澡的味道……咯咯……"云烟作呕吐的动作，靠在顾忱身上猛笑。

顾忱心想你嫌孙大盛恶心，我还嫌你恶心呢，笑道："那可不行，他们是我的客人，怎么能夺人之爱呢？"

云烟还在咯咯笑个不停，伸手在顾忱脸上抚摸，说："那，我给你安排一个美女，还上大学呢……"

顾忱又摇头，"我和丁总一房，还有事需要商量。"

云烟无奈，从身上不知哪处摸出张名片插顾忱口袋里，说帅哥你以后再来，全部八折，我嘛，免费。

两人回房，孙大盛大为不满，说："你们干嘛去了，去这么长时间？"

云烟一屁股坐他腿上，用一个香吻堵住了他的恼火。

顾忱轻轻拉过熊能，问："熊总，晚上就住这儿吧？"

"住这儿？"熊能醉眼蒙眬。

"楼上就是卧室，您看，陪您的这个女孩怎么样？"

熊能愣了一下，又惊又喜，却露出一副逆来顺受的模样，说："咳咳……这个嘛……只好客随主便了……嘿嘿。"

顾忱说："好，那我安排好，待会儿咱们上楼。"

熊能一把拉住顾忱，把嘴凑他耳边口齿不清道："顾老弟，好兄弟，哥明白你意思，安泮那块地，好说……"

"今天先别说这些，哥高兴，老弟就算心满意足了。"顾忱笑着把他推到那女孩怀里，又突然想起一事，拍拍孙大盛，低声说："你那个司机怎么样？不会跟倪枫乱说什么吧？""放心，那小子是我从老家带来的，跟我都十年了，绝对守口如瓶。"顾忱还是不放心，正想着让孙大盛给司机打电话叮嘱，孙大盛却已转身钻进云烟的怀中。顾忱示意丁铭停止表演，说："大家上楼休息吧。"

楼上正好三套卧室，孙大盛和熊能急不可耐带着各自的女人进房，顾忱和丁铭也进另一套房，丁铭迅速熟睡，顾忱推开半扇窗，看着夜空里的皎洁明月，品味着春夜里的沁凉空气，很久，毫无睡意。

同样睡不着的，还有倪枫。

倪枫把窗户打开，虽已是晚上十一点多，但房间外面的车声人声却使倪枫兴奋异常。顾忱特意将她的房间安排在靠王府井大街一边，从窗户看出去，王府井大街人流如织，长安街华灯下车流穿梭，构成京城美丽的夜景。虽然只是标间，倪枫已经兴奋得踢掉高跟鞋光脚在厚厚的地毯上连蹦带跳，真没想到，自己竟也能在五星级的北京饭店住一晚，刚刚在中国最有名的商业街上有生以来第一次随心所欲的买到一大堆美丽的衣衫饰品，徜徉在欢乐的人海里，倪枫问自己，这是梦吗？如果这是梦的话，她宁肯永远不必醒来。

但真正令倪枫睡不着的，并不是这些。

顾忱，才是倪枫心潮澎湃的源泉。

心潮澎湃，并不是因为顾忱的帅和十足的男人魅力，更不是因为他外表那层成功的光环，而是因为，倪枫发现了他的一个秘密。

刚才顾忱问孙大盛的司机时，孙大盛的司机正跟倪枫在一起。他开车带着倪枫逛遍了整个北京，他最喜欢看到倪枫夸张的张大眼睛的吃惊表情。倪枫说我从来没到过北京这样的大都市，才几个小时，但我已经永远不想再回安沣那样的穷乡僻壤。倪枫用信封里的一万现金给自己买了好几件新款春装，这些钱让她兴奋了好久，但在商场里逛了一圈后，倪枫才明白，一万块钱在北京这样的都市，实在算不得什么。在一些人流很少的专卖店，一万块钱还买不到两件衬衣，这在安沣市是绝对无法想象的。

也许，梦想与实际的落差，才是构成北京魅力的最本质元素？

倪枫这样想着，便突然又有些失望，原来自己刚才兴奋买到的衣服，也不过只是中档货而已！晚上司机请她吃的北京烤鸭，逛到脚酸后，已将近十点。倪枫说，今天辛苦你了，我请你喝咖啡好吗？

司机巴不得有再向这个小美女献殷勤的机会，走进路边一家咖啡店，卡布基诺的浓香让倪枫陶醉了许久，司机在对面傻傻的吃着一杯冰淇淋。倪枫看着他笑，司机脸有些红，渐渐低下头去。倪枫忽然问："你每天都要送孙总去白石集团上班吗？"

"不是呀，今天才第一次去。"

倪枫大吃一惊，呆了呆，问："孙总不是那儿的股东吗？"

"什么呀！"司机笑，安排他陪倪枫是临时的指派，孙大盛并没有交代什么，但司机隐约感觉到自己言语中有什么不妥，笑了一下后，发现自己说漏了嘴，迟疑着不该说什么好。

倪枫假装生气，说："好呀，你不说算了，我明天自己问孙总去。"

"不是，倪枫，这个……我也说不清，这个……"

"好了好了，我不问了好吧。"倪枫低头喝了一个咖啡，突然又抬头笑着一把抓起司机的手，红着脸轻轻说："明天，你再带我去玩好吗？"

司机的手被她紧握在手里，看着对面的美女笑靥如花深情款款，一颗心剧烈的跳动，紧张地说："明天……要看孙总……安排……"

"不嘛，我是你们孙总请来的客人，要听我安排才行。答应我，明天我们继续去玩好吗，我喜欢跟你在一起。"

喜欢跟你在一起，尤其是一个美女这样对你说时，在很多男人耳朵里的意思就是：我几乎快要以身相许于你了。

司机整天被孙大盛骂五喝六，除了跟着孙大盛泡那些低学历的小姐时能趁机占占她们的便宜，连女朋友都没谈过，几时享受过这种待遇，热血涌上心头，如果这时倪枫递给他两把刀，他一定会毫不犹豫地插进自己肋下。

倪枫轻轻的朝他脸色吹气，说："我们做个游戏好不好？"

"好。"

"我们互相问对方问题，谁也不许说假话。"

“好。”

“那你先问。”

“你……多大了？”

“二十四，你呢？”

“二十五。”

“你有女朋友没？”

“没。”

“傻瓜，你怎么不问了？”

“问……什么？”

“傻瓜，你不会跟着我问。”

“哦，你，你，你……有女朋友吗？”

倪枫顿时笑岔了气，趴在桌上半天没起来。司机也嘿嘿傻笑，意识到自己说错了，忙改口道：“男……男朋友。”

“没有。”

“……”

“你，喜欢我吗？”

“……嘿嘿。”

“说！”

“喜……欢。”

“我也是。”倪枫低下头去，玩弄着手中的小匙，“人家不像你脸皮这么厚，咱们不说这些了，说说工作吧。对了，那你们孙总的公司在哪儿？”

“在小瓦窑。”

“小瓦窑？在什么地方？”

“西边，快到石景山了。”

“也是一栋大厦吗？”

“不是，是平房，从他第一天到北京就在那儿。”

“哦，孙总以前做过房地产吗？”

“做过，不过……都是顾总帮他做的。”

“哦。顾总……我觉得他这人挺不错的，他和孙总一定关系很铁，不过，

他是白石集团的股东吗？”

“这个，我也不太清楚，不过顾总的公司好像在北边……”

“哦，他为什么不在白石集团办公。”

“好像，好……像，他跟那个白总关系挺不错的。”

倪枫心里暗暗吃一惊，又问：“那顾总有自己大厦吗？”

“什么呀，他的钱还是从我们孙总手里挣到的，他才租了一层办公室。”

“哦，我看他们俩车一样，还以为他们俩一样有实力呢。”

“什么呀，别看我们孙总不讲究，但他是真正有钱，顾总实力比孙总可差太远了，还有，”司机在美女的明眸眼波里激动荡漾，一发不可收拾，“他们俩的车是上礼拜才买的，告诉你个秘密，我们孙总的车是760，比顾忱的730多出好几十万，可顾总把730的标牌去掉，换上了孙总的760……”

倪枫眼瞪得很大，笑道：“这种事你怎么知道？”

“上牌那天，是我去的，人家车管所还奇怪呢，问我你这俩车是怎么回事？要不是白总的司机有经验，我还整不明白呢……”

顾忱，原来你没钱！孙大盛也只是个傻有钱的包工头！倪枫伏在窗台上看着下面的灯火辉煌，为自己发现这个秘密而激动不已。那么，他是想借着白石集团的外壳做这个项目，急于拉熊能过来，一定是想弄清土地的底细，但他没有那么大实力，会怎样运作项目呢？所以，他只有拉来孙大盛？……倪枫想，命运给自己安排了一次非常好的机遇……

第二天，孙大盛和熊能脸色苍白却精神矍铄，心满意足却恋恋不舍的告别云烟会所。回来的路上，熊能主动说：“顾总，感谢你的招待。你的意思我明白，你如果想拿‘南玻碗’……”

“什么？‘南玻碗’？”顾忱不明就里。

“就是第一的意思，这块地肯定是安泮市的一号地块，这名字是劳总第一个叫的，我想可能是南方的一种名贵玻璃碗吧……”

顾忱忽然爆发出一阵大笑，笑得手发酸脸发麻，险些握不紧方向盘，“熊总，这个什么‘南玻碗’，英文叫‘Number One’，就是第一的意思。”

“哦，嘿嘿。我英文不好。”熊能也大笑，“你想要这块地，就必须撵走那个北京开发商，搅黄他们的合作，想搅黄他们的合作，就必须先让改制无法获批，只要改制方案一天不批，土地，老夫子就一天不敢动。所以，我回去后，首先帮你摸清合作方的底细，其次，设法把改制方案再打回来。”说到这儿，熊能突然骂道：“妈的，本来前几次都挺顺，但这最后一次，老夫子也在省里使了不少劲，我安排的几个举报人，也基本被他收买过去。我今天赶着回去，也就是想赶紧把这件事张罗一下，绝对不能让老夫子轻易过关。”

“对了，前几次方案被驳回的主要原因是什么？”

“首先是退休下岗分流人员的安置问题，开始很多人上访告状，但通过几次方案，逐渐被老夫子瓦解，这次恐怕翻不起多大风浪。还有一点，就是这块地，公司的其他资产都很清楚，唯独这块地是老夫子精心埋的伏笔，每次他都会做文章，按照当时的价格评估，殊不知现在的市场价格已经比当时整整高出一倍，二百多亩，就是多出一个多亿。这不明摆着占国家便宜吗？几番被打回，也有这个成分在。但这一次方案里也就只有这一个遗留问题，再加上老夫子做了好几年工作，这个问题不被追究的话，方案，也就算过了。”

“所以说，利用土地评估价格的不公，是阻截改制通过的唯一机会？”

“是这样。我回去就继续制造舆论，不行就去省国资委举报，反正是最后一搏，大不了，老子去房管局当个副局长玩玩。”

顾忱忽然灵机一动，说：“现在国资委正重点查处国企改制过程中的国有资产流失问题，我正好有个朋友是国家国资委的，要不，我也……”

“好啊，国家国资委有人更好，直接压下去，小小一个安沣市绝对不敢批准他的改制方案。”

“好。时间紧迫，我不留你了熊总，我今天就去找朋友商量此事。”

“好，顾总，我帮你，你也是在帮我。此事如能办成，老夫子就错过最后一次机会，下半年，他就再没有力气扑腾，只有乖乖等着退休养老了，到那时，我就成为一把手，明年继续推动改制工作，到那时，‘南玻碗’，自然也就是顾总你的囊中之物了！”熊能阴险的笑。顾忱却从他的笑容里感觉到一丝阴云：熊能这样的人成为自己的合作伙伴，天知道还会有多少麻烦在等着自己。

中午，顾忱给熊能送行时，相隔六百公里的另一个餐厅里，老夫子正在请客。今天中午他请到的贵客是卫彬，安沣市市长。在座的还有老夫子专程从省城请来的省国资委的一位副主任。

昨天上午职代会通过了改制方案，下午老夫子便指示将改制方案呈到国资委，并特意专门打印出来一份，通过秘书呈给了卫彬。

卫彬只带了自己的秘书，老夫子也只带了董玫，卫彬下午有会，五个人只品尝了一瓶董玫从家乡——一个两千公里外的南国山寨里运过来的家乡自酿米酒，董玫双手端着酒用家乡话唱着敬酒歌端送到国资委副主任和卫彬面前，两人笑着一饮而尽，气氛非常好。

安沣人都说，董玫是老夫子的红颜知己，八年前，董玫才三十出头时，竟成为安沣市城建办的副主任，在当时是引起轰动的新闻。后来，城建办编制撤销后，董玫本可以去政府部门，以她的年龄及性别优势，再加上她不凡的工作才能和人际能力，前途不可估量。但董玫偏偏放弃了权力诱惑，跟着老夫子成为房地产开发总公司的副总。人们传说，这都是因为董玫感激老夫子的知遇之恩，也有人传言，这个嘛……嘿嘿，自然是因为男女那点事儿……

送走卫彬，又送国资委副主任回宾馆休息，老夫子和董玫回公司。司机放下老夫子的公文包退了出去，董玫给老夫子倒上茶，说："您休息一下吧。"老夫子却说："董玫，坐下，我想和你聊点事。"

董玫坐沙发上，老夫子坐在她对面，长时间看着她，董玫笑，也看着老夫子，老夫子轻轻叹口气，道："真难为你这么长时间跟着我这个糟老头子不离不弃，改制的事一拖再拖，再拖下去，你就四十的人了。"

"劳总，说这些干嘛？你不是说我是你的忘年交吗？为了这份交情，我也得踏踏实实跟着你干才是。"

"话是这样，"老夫子欣慰的笑，"但人活着总要有目的性，以你的脾性，我认为你不太适合在官场混，所以才留你在企业，当然，也是因为你的才能使我实在舍不得你走。但没想到改制拖了这么久，尤其是到了现在，改制到了最后关头，我近些时一直在想，万一要真的改制失败，我退休了没事，可，你怎么办？以你现在年龄再去政府，还有多大意义？"

“劳总，这都是我心甘情愿的，咱们现在不说这些好不好？我看这次改制肯定没问题。”

“是啊，我也感觉这次卫市长的态度特别好，再加上咱们做了那么多工作，成功的概率，应该不下九十。但，我总觉着心里还是有些不踏实，天知道那些人还会整出些什么名堂来？对了，今天怎么没看见熊能？”

“昨天会议一结束他就开车出了公司，也没跟办公室打招呼，结果到现在还没露面，我担心……”

“是啊，这也是他最后一次机会了。我想，他一定是去了某个地方，一定是为了改制的事。他是一个人走的吗？”

“对了，有人看见办公室的小倪在他车上，不过小倪是请过两天假的，说家里有事……”

“不管这些事，一个小姑娘能跟这些事扯上啥关系？这样，我待会儿给他打个电话，跟他商量下明天开个小会，另外，我也想和他开诚布公谈一次，企业改制，对大家都有好处嘛。企业是股份制，大家都有股份，又不是我劳甫梓一个人的公司。这样，我准备把我的股份再多分他些，让他的股份超过你，这样他也许会平衡些，但我要先跟你商量一下。”

“没问题。劳总，公司只要你控股，怎么都行。”董玫坚决的说。

老夫子欣慰的笑了……

劳甫梓，人称“老夫子”。经过资产评估与审计，公司包括办公大楼、两个在建项目和沣水路地块的总资产差不多将近三个亿，但负债总额却也基本是这个数。净资产一千万元，折合为股本一千万元，由出资人以现金方式出资。改制后，他占有新公司40%的股份，现在的四位领导班子成员每人占10%，其余20%股份由全体员工组成的持股会持有。老夫子的想法，让出自己的10%给熊能，以此换取熊能对改制的支持。

所以，当熊能接到老夫子电话，正想着编排个理由搪塞他时，老夫子的亲切，却让熊能感觉很不习惯，甚至有些反感。两人对立多年，是公司上下皆知的秘密，老夫子从来没有如此表现出亲近。莫非，他已经知道我北京之行？

放下电话，熊能骂了一句，“靠，请我喝酒？鸿门宴！一定有猫腻！”

“谁请你喝酒啊，熊总？”倪枫笑着问他。

“我问你，有人知道你跟我来北京的事吗？”

“没有，绝对没有。我跟主任请假，说我妈病了，没有人知道去北京的事。”

熊能点点头，看来不是北京之行走漏了风声，一定是老夫子另有图谋，难道是，在最后关头向我示好，想握手言和吗？呸，没门！想言和只有一条路，让位子给我！想到这里，熊能忍不住自己笑了起来，让位子给我，只怕比让他死还难！

熊能驱车进入市区时，老夫子已经在听香阁的一间包房里等候他多时。房间里放的背景音乐是一支古筝曲，假山上轻烟轻舞，老夫子独自闭着眼，闻着印度熏香的味道，手边的一杯碧螺春，早就冰凉，却滴水未动。

听香阁位于泮水河边的一片树林中，窗外河水在越来越浓的春绿中蜿蜒流淌。在这里吃饭，吃的是一种品位，重要的宴请，老夫子往往会选在这里。

今晚桌上只有两个人，另一个位子是熊能的。

下午打电话时，能听见熊能的话筒里有嗡嗡的风声，好像是在高速公路上。刚才又打电话问熊能几时到，熊能说马上进市区，那么，他会是从哪里回来，匆匆开车，又是会去哪里？

公司的领导外出办事一般都会带司机，也会事先告诉办公室，像熊能这样一言不发就消失两天，上一次，好像也是在改制方案报送到国资委的前夜。

老夫子睁开眼睛，给董玫打电话，“查一查，熊能是从哪条公路下来的。”

老夫子重新闭上眼睛，又过了十分钟，门被推开，熊能夹着个包进来，老夫子亲切的迎上前，拉着熊能坐下，熊能问：“劳总，我是您的部下，如何敢让您请我吃饭，有什么吩咐吗？”

“哪里有什么吩咐？找你来，就是想跟你喝酒聊天，成天忙于工作，疲于应酬，早就想找个时间咱们哥俩儿好好唠唠，今天正好没事，来，服务员开酒，上菜。”

“劳总啊，您心脏不好，酒，还是少喝吧！”

“不行，咱哥俩还是去年春节你给我拜年那天单独喝过酒，这一晃，都一年多了，人生苦短，跟朋友喝酒的机会，其实并不多啊。”

“是啊，那天，我拎着两瓶我小舅子从法国带回来的红酒去给您拜年，然后您非拉我在家吃饭，还让嫂子亲自下厨，那天，咱们把两瓶干红喝个精光，走时您不放心，还非要司机过来把我送回家。”

两人握手大笑，好像一对肝胆相照荣辱与共的老朋友。

老夫子斟上一杯酒，端给熊能，说：“兄弟，这几年辛苦你了，企业效益不好，作为老兄，作为领导，我都问心有愧呀。”

“您说的哪里话，房地产我是外行，没能帮得了您，我有愧才是。”熊能接过酒杯大口干掉，又自倒一杯，说：“嫂子特意交代不要您多喝，这杯酒是我敬你，也还是由我替你喝吧。”说完又一口干掉。

两人吃菜喝酒聊天，话题渐渐扯到工作上，又聊起公司近期的工作，正聊着，老夫子手机响，董玫说：“查过监控录像，是从北京方向下来的。”

“好，哈哈，没事，我和熊总喝酒呢。”老夫子乐呵呵放下手机，“你嫂子不放心，嘱咐我少喝酒呢，哈哈，对了，你这急匆匆的，是从哪里回来？”

“嗨，是这样，我北京一个战友住院了，肝癌晚期，才比我大一岁，昨天开会时才接到电话，结果开完会我就开车往北京赶，晚上看了看他，今天上午又去给他买了点东西留了点钱，知道这边公司还有事，于是急着赶了回来。唉——人啊，什么都不如有个好身体重要。”

“是啊，趁着咱们健健康康，来，喝一杯！”老夫子放下心来，他果然是去北京，看熊能模样，也不像是作假。他如果要捣乱，只有去南边的省会，正好和北京是两个方向。

酒喝过半瓶，老夫子拍了一下熊能肩膀，说：“公司的改制方案我昨天送到卫市长那儿，今天中午还和他一起吃的饭，万事俱备，只欠东风了呀。熊老弟，我年纪大了，这东风，就是你啊。”

“什么？”熊能一惊，筷子里正夹着一块鱼肉，险些掉下来。

“我有个想法，还没和几位领导商量，想先征求一下你的意见……”

“您说。”

“我想，把我名下10%的股份让给你。”

熊能又一惊，一个花生米从嘴里滑落到地上，“为什么？”

“还能为什么？你是常务副总经理，本来就比他们几个高半级，再说了，我这把年纪，还能折腾几年，你虽然房地产业务不是太熟，但作为公司一把手，善于把握全局就行，这，不正是你的长项？”

“一把手？”熊能的一支筷子又掉地上。

“对呀，公司改制后，董事会要选聘一位总经理，论地位，论资格，你都是第一人选，我这个董事长，以后只是帮你们跑跑政府耍耍嘴皮子罢了。”

“这个……”熊能一脸犹疑，“论资格，论地位，我看还是由你兼任总经理更合适，我哪里敢坐总经理这个位子，您过奖了，这不是逼着老弟喝酒吗？”熊能端起酒又是一口。

老夫子微笑着不再多说，只是拍着熊能肩膀说：“你回去想想，不过嘛，股份的事就这样定了。”

“这个……10%的股份就是一百万，我去哪儿再找这一百万去……”

“这个不用你老弟担心，放着我身上。”老夫子笑，像一只老狐狸，“来，再喝一杯。”

回到家，熊能失眠了，思前想后，今天老夫子对自己示好的原因无非有二：第一，老夫子想拉拢自己，解除自己对他的威胁。第二，是想试探一下自己的态度。熊能将酒桌上的对话重新细细梳理过一遍，没有发现自己说错了什么话。老夫子越对自己示好，熊能越不放心，听老夫子的语气，好像董事长已经成竹在胸。“呸，什么东西！”熊能骂道：“狗屁还不是呢，竟给老子许个什么总经理的空头衔，股份再多只要不控股有个屁用？你当我三岁孩子啊？不行，我得加紧行动了。”

熊能当即抓起电话打给顾忱，问：“顾总，你去国资委找人了吗？”

“找过了，我已经打好招呼，必要时可以捅上去。”

“好。这我就放心了。谢谢你顾总，有你我真的很放心。”

熊能深夜莫名其妙的电话，顾忱感到熊能那边一定有了新的问题，不行，顾忱想：“我也必须加快进度。”下午，贾晓阳给顾忱打过电话，说思前想后，还是请卫市长出面找老夫子合适，他已经将顾忱的想法告诉了卫市长，卫市长虽然有些意外，但还是表示理解，说不仅是老夫子这块地，就是白石集团看中的任何项目，需要市政府牵线搭桥的，他一定支持。关于约老夫子一事，卫市长说，今天中午他正好应邀与老夫子吃饭谈改制的事，他会在一两天给老夫子说项目的事，让顾忱等他消息。

贾晓阳说，凭我对卫市长工作作风的了解，他说一两天，这一两天内就肯定会找老夫子谈，你要有时间的话，最好也过来等着，免得到时候猝不及防。

正考虑明天去还是不去，熊能又打来这个莫名电话，现在围绕在一号地块上空的，有顾忱的野心，有市政府的招商引资热情，有老夫子改制，还有熊能与老夫子之间的明争暗斗，而另一家占得先机的北京房地产公司，还尚未露面。还未出手，局势竟已如此纷繁复杂，顾忱哪里能睡得着觉，索性睁大眼睛望着头顶的天花板整理思绪。

手机又响，是倪枫的短信："睡了吗？"

这丫头又有什么事？倪枫的笑脸在顾忱眼前闪动了一下，顾忱回过去，"没睡。"

倪枫电话马上打过来，"顾总，这次人家去北京，你把人家一个人扔宾馆里就只顾着陪熊总去了，人家是女孩，也太没面子了……"倪枫的娇声在黑夜里隔着无线信号幽幽的飘着，顾忱好像已经看见她可怜楚楚的表情。

"我下次一定好好请你玩儿好吗？"顾忱赶紧道歉。

"下次说不定你用完了人家，就再也不理人家了……"

"不会，我保证。"

"真的？"

"绝对真的。"

"好，那我就再告诉你一个消息，今天，我们进城已经天黑，有人请熊总喝酒，他把我送到家，但我一直惦记着您的事，于是又去找了我们的办公室王主任一趟……那家北京地产商每次来，都是他帮着订房订餐，所以，我想，他应该知道更多。"

顾忱心一紧，认真听倪枫继续说。"主任问我问他们的名字干什么，我就说，我有个同学也在北京一家房地产公司里打工，于是我想问问，看是不是一家。主任笑着说我孩子气，也没想到我会跟这事有什么关系，于是告诉我那家的名字叫‘笃寅地产’……”

“什么？”顾忱倒吸一口凉气。

“听说，他们也是一家有实力的房地产公司。”

“是。”顾忱苦笑，笃寅地产集团岂止有实力，简直是太有实力了，由于笃寅地产采用的是多品牌战略，麾下有多个房地产品牌，项目虽然遍布大江南北，但每个项目都由以项目命名的项目公司操盘，所以圈外人一般对它了解并不多。但在顾忱这等圈内人看来，笃寅地产绝对非同一般。打个比方，普通地产商要在土地竞拍市场上看到笃寅地产的影子，第一反应就是像见到了鬼，第二个反应，就是赶紧收拾行头闪人，因为你不闪，它自然也会把你收拾出局！

再打个比方，白石集团这样的公司够牛了吧，但跟笃寅集团较劲的几十次竞地拍卖，还很少有胜绩。

倪枫后面的话顾忱一句没听耳朵里去，直到倪枫说顾总你有事是吗，那我挂了……时才反应过来，说：“我有事，先不说了。”

见鬼！顾忱冲天花板骂了一句，搅和其中的竟会是笃寅！要让它出局，简直是鸡蛋自己往石头上撞，鸡蛋，就是顾忱自己！

这一夜顾忱彻底失眠。

第二天天一亮顾忱就从床上跳起来，想了一夜，不行，是死是活，好歹项目进行到这一步，总得去拼一把才能释怀。顾忱决心动身，立即去安沣！

走到一半时，贾晓阳电话响了，说卫市长今晚有时间，由他出面约老夫子出来和顾忱见面，让顾忱赶紧过去。顾忱说我已在路上。贾晓阳说好，我下午有个会无法陪你，我已经给你订好房间，你到了后自己去安沣大酒店前台取房卡，然后等我电话。

顾忱明白自己已无退路，只得硬着头皮向前冲。

刚挂断贾晓阳电话，熊能又打来，“顾总啊，我上午去打听过了，跟老夫子合作这家叫笃寅地产集团，应该就是北京那家赫赫有名的笃寅，我担心，老夫子这次信心十足，可能就是因为背后仗着他们。”熊能好像已经有几分怯场的退意。

顾忱忙鼓励他道：“熊总，没事，白石集团的实力也差不到哪儿去，我今天晚上约好和卫市长一起吃饭，咱们上下里外一起努力，笃寅不过是一只形只影单的纸老虎，有啥可怕？”

熊能问明晚上是和老夫子见面，马上说那下午我就找人递封举报信到卫市长桌上，咱们里外夹击，共同努力。

安慰罢熊能，顾忱心里却更没了底，支撑自己不断前进的，不过是自己心底的一个梦想。高速公路上方阳光明媚，笔直的公路上反射着刺眼的阳光，有些晃眼，预示着一个无法看清的绚烂所在。顾忱感觉自己已经是一个正在以每小时一百六十公里速度撞向巨石的鸡蛋，梦想，会在接触的瞬间迸裂吗？

第四章　申扬与动感地带

香港的阳光也很灿烂。

顾忱在开往安洋市高速公路上的时候，申扬刚从友仔记鱼蛋河粉位于地下一层的餐厅出来，这里的河粉和牛腩面是申扬最爱，小时候爸爸总带她来吃，中午忙时，还常常叫外卖送到办公室，父女俩会一起趴在父亲那张大大的办公桌上，申扬坐在父亲的腿上，父亲先喂她一口，然后自己再吃一口。那种温馨的感觉，自从申扬长大后便再也寻不回来。

申扬伸了个懒腰，抬头看阳光有些刺眼，跑回马路对面的幻梦酒店取落在房间的墨镜。小时候申扬住在酒店隔壁的那栋十六层老式公寓里，父亲的办公室也离这里不远，所以，申扬每次自己来香港，都会住在这里，晚上靠在窗边看着楼下狭窄单行道上车流如河，街道两边的霓虹红黄蓝绿下，挤着一排跟它们所在街道同样狭窄的小吃店，小吃店里挤满了食客，小吃店是香港的一大标志，广州潮州的小吃，根本无法与香港相提并论。尤其是在北京生活了十几年后，北京那单调乏味的早点，油条稀饭火烧炒肝小笼包……唉——可怜到家的北京人啊，真不知这些味同嚼蜡的几十年如一日的早点生活是怎么把他们从小折磨到老的？所以，申扬几乎每个月都要飞回香港一次，挤在狭窄的小吃店的食客群里品尝小时候的感觉。

当然，除了吃，来香港怎能不购物呢？昨天，申扬独自从空手开始，用一整天时间逛完尖沙嘴和港岛铜锣湾的购物场所，从大百货公司到街边小店，晚上回到酒店时，申扬已经在拖着脚走路，脚后跟的地面，还拖着几十个大小购物袋，把那些购物袋扔在房间的地板上后，申扬连去楼下吃一份牛腩面的劲都没有了。

品尝美食和购物的任务完成，下一个计划，是迪士尼。

乘坐缤纷的充满童话色彩的迪斯尼专线，迪士尼还是老样子。申扬最喜欢在这里找到白雪公主的感觉。人多是三三两两，像申扬这样独自一人又是女孩的绝无仅有，张望了一圈，也没有单独的女孩子，申扬把寻找玩伴的念头打消，从大门口径直往里走，一路走到最喜欢的小熊维尼历险之旅去排队，蜜罐车里有申扬记忆里快乐的童年。队排得很长，有很多内地游客，几乎每对游客都带着孩子，还有两对情侣，申扬突然有些不好意思，犹豫着是不是闪人，忽然，自己身边闪过来一人，一个个头还不到自己耳朵的矮个男人对自己笑了一下，干嘛？插队吗？申扬不满的瞪他一眼，本来想走，这时却偏偏不想走了，那小子对申扬的怒目视而不见，竟回头笑着招呼谁，申扬顺声回头，顿时鼻子气歪了，又一个二十上下的男孩挤了过来，后来这个斜着眼歪头看着申扬邪恶的笑，一股烟味扑来，申扬忍不住后退半步，想，算了，不跟这种人计较，闪人！刚想走，申扬却发现不对，视线里自己前面那个中年男人斜跨的背包拉链开了，她的老婆正拉着兴奋的女儿叽叽喳喳，中年男人正踮着脚尖眺望着前头长长的队伍，根本没发现自己的包已经开了。一只手，正伸进包里……

申扬目瞪口呆，来过迪士尼无数次，还从来没看见过小偷！

这两人竟然是利用自己做掩护，偷人钱财！申扬下意识想喊，身边那人却凶狠的扭头看着她，靠近申扬的手中，露出一把锋利的刀尖！

眼看男人的钱包被夹了出来，没时间犹豫了，申扬突然笑了，伸手去拍了拍那中年男人，那人回过头，见是个年轻女孩，礼貌的笑，“有事吗？”

男人一动，小偷的手立即缩了回来。

“先生，请问现在几点了？”申扬笑着问。

申扬手腕上明明戴着一个表盘比手腕还粗的粉红卡通表，男人诧异了一下，却看见申扬递给他一个眼色，男人顿时会意过来，说：“十点整。”便把包重新拉上。男人的老婆，却回头怒视着申扬，也难怪，任何一个女人，如果看见一个比自己年轻漂亮很多的女孩跟自己心目中全天下最英俊潇洒的老公搭讪使眼色，不吃醋才怪？

申扬苦笑一下，扭过头，却发现怒视着自己的，绝对不止女人一个人。

那两个小偷，此时已经离开了队伍，却站在一旁靠在一棵树上瞪着自

己，申扬冲他们吐了下舌头，幸灾乐祸的笑，拿出手机，冲他们扬了一下，意思是说，再不走，本姑娘就报警了！

谁知那俩人却依旧虎视眈眈的看着申扬，丝毫没有闪人的意思。申扬不再笑，也恶狠狠瞪着他们。谁知申扬一狠，那俩人却笑了。

像申扬这样的漂亮女孩，就算恶狠狠盯着一个男人，男人也绝对不会害怕。

一般来说，胆子太大的女孩不会太漂亮。太漂亮的女孩胆子不会太大。

还有，太漂亮的女孩一般不会单身，单身的女孩也不会太漂亮。

可今天他们见到的申扬，却把这些常识全部推翻，小偷们从来没遇见过申扬这样漂亮又胆大的单身女孩，不禁对她产生了浓厚兴趣。先前的矮个又招了招手，竟又过来两个男人，四个男人齐齐的站在一旁，目光直射，绝不妥协。

游客纷纷看出不对。后面一人小声说："小姐，快走。"

中年男人也回头关切的看她一眼，老婆的怒视顿时转移到他脸上。女儿也回头看着申扬，突然说了句："这个姐姐真漂亮，比妈妈还好看。"

申扬对小女孩笑了一下，掉头走出队伍，看来，游乐场本就不应该是一个人来的地方。但既然来了总不能转一圈就走吧，申扬心有不甘，一边看着有没有和自己一样的单身女孩，一边向右走，森林河流之旅，也是蛮好玩的。

"小姐。"忽然有人拍了下申扬肩膀，申扬一惊，闪开那只已经放在肩头的手，回头，是刚才第一个贼。

"小姐，你胆子好大，敢坏我的事？"矮个仰视着申扬，申扬退后半步，身后一人呀的一声，申扬又吓了一跳，再回头，第二个贼正捧着脚在原地做单腿跳。申扬的高跟鞋跟，正好踩在他的鞋面上。每次来迪士尼，申扬都会穿得很淑女，因为这样才会找到白雪公主的感觉。

另外两个贼，也一左一右，四人将申扬围在了中间。

"你们想干什么？"申扬满不在乎微笑看着他们，四周到处都是游客，害怕的，应该是他们。"对了，听你口音，应该不是本地人，应该是从内地流窜过来的小毛贼吧？"

“大哥，他骂你。”

“我知道！”矮个低声怒喝一声，阴沉的说：“小妞，我手里有刀。”

申扬叹了口气，“本小姐今天心情好，再说穿着高跟鞋不太方便，要不也不会放过你们，这样吧，你们让开，大家各自去玩，好不好？”申扬扭头迈步就走，身后那个被踩脚的家伙却挺着胸迎上来，申扬懒得理会他，只好停下脚，又转身看着他们的头儿，“那你说怎么办？”

“怎么办？”矮个冷笑，“兄弟们，说说怎么办？”

“把她办了……哈哈哈……”一片淫笑。

申扬开始生气了，却又实在不想和这帮小贼纠缠，忽然看着后面人群冷笑一声，“你们脑残啊，也不用仅剩的一点智商想想，姐姐我这样的美女可能会是一个人来玩吗？喂……”申扬对着一高个男人招呼。四个人同时回头，忽然脚疼那人眼前人影一晃，接着脸上“啪”挨了狠狠一记耳光，申扬已经咯咯笑着跳出包围圈，顺便又给了他一记耳光。

另外三个人发觉上当，立即追上来，剩一人在原地捂着脸发愣。

申扬毕竟穿着高跟鞋跑不快，才几步就快被他们追上，听见身后脚步声距离自己只一步之遥，申扬猛停住脚一个急转身，就在这一刹那，申扬惊奇的发现几个人竟同时消失了，无影无踪，原来是正好过来两个保安。

申扬扶着一块广告牌笑，要是保安不正好过来，自己的提包准砸一贼脸上了！哈哈哈，跟四个贼小小交手一下，比独自玩游戏有趣多了！申扬突然有些想念四个贼，踮着脚到处找他们，竟一无所获，看来他们对迪士尼的地形极为熟悉。

过了两个小时，申扬从太空山跳下来，扔下身后仍在持续的尖叫声兴高采烈往回走，该去轩尼诗道渣甸街吃牛杂和咖喱鱼蛋了，四个坏蛋的不良记忆，早被抛在太空山的漆黑宇宙中。刚走到出口，突然，申扬感觉肩上一轻，还没反应过来，身边已经晃过几个黑影……

糟糕，刚才只顾回味，跨在肩头的包竟然被人一把抢走。申扬下意识伸手去抓，却只抓住一人的衣角，那人身形顿了一下，申扬毕竟没力气，马上被他挣脱，眼看几只黑影即将没入熙攘的人群，申扬顾不得多想，跳起来就追。

几人四散奔逃，申扬知道这种情况必须跟紧一人，刚才她手抓住的这人就是先前被她踩脚扇耳光那小子，申扬不理会别人，只顾追着他狂奔。那小子跑出几步回头看了一下，竟发现申扬穿着高跟鞋依然健步如飞不顾一切的杀向自己而来，吓得赶紧扭转身体重新跑，谁知这一回头工夫，却把自己的脚脖子扭了，疼得啊一声大叫，一瘸一拐的跳，步伐顿时慢了很多。但申扬毕竟是女孩，又穿了高跟鞋，想要迅速赶上那个一瘸一拐疯狂弹跳的贼，也是不可能完成的任务。“抓贼！”申扬一句话喊出来，绷紧的身体却立刻松懈下来，脚上更疼，申扬立即后悔自己这么大叫一声，因为所有人都齐齐注视着这个以跳跃姿势踮着脚尖狂奔的漂亮女孩，对于那个贼，反而没人去看。

再往前几百米就是地铁站了，转过一个弯，那贼就会消失在人群里，包里有自己的钱包手机证件房卡回去的机票……申扬急得几乎快哭出来，脚步一个踉跄险些崴在地上，右脚的高跟鞋被地面一块凸起的便道砖磕了一下，离脚飞出，申扬双手努力在半空中张牙舞爪维持着平衡，右手却一把抓住个东西，瞬间一看，竟是自己的高跟鞋！

说时迟，那时快，这横空出世的一个绝佳武器顿时给了申扬无限灵感，申扬0.01秒也没犹豫，立即惯性地将手中高跟鞋以奥运会女子标枪冠军的标准动作投掷了出去，这双美丽的紫色JIMMY CHOO以一种不可思议的高速掠过前方五十多个男男女女的头顶，精确的击中逃跑者的后脑勺！

就在这电光火石的一瞬间，正在两千多公里外一条高速公路上飞驰的顾忱，突然看到右前方一辆行驶的运煤车上一颗石子从轮胎下迸射上来，竟然迎着宝马的前挡风玻璃而来，顾忱已经来不及作出反应，只得眼睁睁看着那颗石子啪一声巨响击打在挡风玻璃正中央，玻璃上顿时出现一个小白点！

那个注定今天要倒霉的笨贼在转弯前作出最后一个弹跳动作后，脸上已经绽放出胜利的微笑，哪知就在身体弹跳到最高时，后脑勺猛一钻心的疼，嗡的一声，大脑顿时一片黑暗，嘴上哎哟我的妈呀，脚下一软，本已受伤的脚在另只脚后跟一绊，整个身体僵直的向前扑倒……

等他再睁眼时，感觉浑身都是疼的。

左脚，穿着帆布鞋的脚面被高跟鞋狠狠踩了一下，至今仍很疼。

右脚，刚才脚踝被严重的崴了一下，稍微一动就疼痛钻心。

左脸，刚才被申扬一记耳光扇到耳鸣。

后脑，被高空坠落的不明飞行物击中，已经有血顺着耳朵流到脸颊上。

这还没完——

最惨的，是嘴。

确切点，是牙。

他扑倒时，整个嘴正好亲吻在转弯处那道青色花岗岩砌成的石墙尖角处，随着一声脆响半声尖叫，两颗门牙从他嘴里蹦出来，伴着血雾，在阳光下旋转着闪亮了一下，然后落在地面的污血中。

申扬赶到他身边时，他已毫无反抗的力气，脸趴在地上，正对着血泊里的两颗断牙口吐红沫。

申扬没料到自己的随手一掷竟收到如此奇效，又惊又喜，先捡起高跟鞋穿脚上，然后蹲下身子，看着那人，“喂，起来，别装死。”

“不……四……窗……屎……”那人呻吟道。

“什么？”

“不……四……窗……屎……四……动不……老了……”

申扬终于听明白过来，是“不是装死，是动不了啦！”这小子由于门牙崩溃，所以说话跑风导致发音不清。

此时已经围拢过来一帮人，好奇的看着一个美女将一个飞贼用高跟鞋击倒在地，大家纷纷四处寻找摄像机的机位和导演摄影师，纷纷笑着说：“香港的电影就是水平高，看人家，演得多逼真！”

“你要再装……屎，我报警了！”其实，申扬手里哪有电话？手机在被抢跑的包里呢！

那人哎哟着爬起来，申扬灵机一动，解下自己脖子里的丝巾，反手捆住了他的双腕，推着他走出围观人群。

小贼拖着伤脚痛苦踟蹰而行，终于支撑不住跌坐在街边一个休息石凳上。申扬这时才发现自己也是体力透支，也跟着坐他身边。

“喂，你是哪儿人？”

"活……蓝……"

"什么？到底是河南还是湖南？"

"……活……蓝……"

申扬还是听不清，又问："你们几个人？"

"是……过……"

"四个？"

"四。"

申扬这回终于听明白"四"不是四，而是"是"。弄明白他受伤后的发音规律，就有了继续审讯他的可能。申扬正想着是不是报警，这人却问："少……姐，李……怎逆害……"

"你是夸我真厉害？"

这人点点头，申扬特得意，弯腰摘下高跟鞋举在手里，作势又要打他，恶狠狠道："知道吗？本小姐练过武术，是飞镖专业的。"

那小子一缩脖，满脸懊悔状。

"你们是专门在这一片扒窃的吗？"

点头。

"你们都是老乡？"

点头。

"你们这个团伙叫什么？"

"荡……管……地……段……"

"什么？"

"荡……管……地……段"

"动感地带？还全球通呢？"

申扬顿时捧腹独自猛笑，笑得快喘不上气，那人可怜巴巴在一边嘴角流着血迷茫的看着申扬整整笑了十分钟。

"哈哈……你们一共几个人？"

摇头，"是……是……过。"

"四个人那为什么叫荡……管……地……段？"申扬学着他口齿不清的样，又弯腰笑了一通。

费了好大劲，申扬终于搞清楚，他们是四个结拜兄弟，以中国移动动感地带品牌命名组织，这年头连贼都懂得品牌意识，真是有意思。这个最笨的贼，姓童，叫童石，今年才十九岁。他刚到香港两个月，等到发现自己上了贼船想下时却已经晚了。

等到弄明白了，她很抱歉的看着童石的牙齿，说："今天对不起啊，弄坏了你的牙，等找回了包，我给你点钱去补一下。不过，以后可别再当贼了。"

童石点点头，特崇拜的看着申扬。

"看我干什么？"申扬被他看得不好意思，举起鞋又威胁他。

童石说："李……太……表亮啦……"

听见童石夸自己漂亮，申扬脸红了，心里却美滋滋的，放下鞋，说："看在你审美之心尚未泯灭的面子上，我请你吃饭去……咦，我没钱。你呢？有钱吗？"

童石点头。申扬伸手去掏他钱，肚子经过激烈运动早饿得咕咕叫，干脆拿他钱先去对面快餐厅买个汉堡吃，刚摸到钱，却摸到一个更好的东西，手机。

申扬心中一喜，心想吃饭先放一边，把包要回来再说。于是掏出手机，说："给其他仨打电话，问他们在哪儿，咱们去找他们，我拿回包，然后请你吃饭补牙，怎么样？要不就报警把你送警局去。"

童石急忙点头同意。申扬按照他说的号拨出去，马上有人接。申扬将手机放童石耳边，里面有人说："靠，老四你咋还没回来？饭都凉了。"

"呲……啥？"

"吃啥？废话，哪天中午不是生炒牛河……咦？你嘴怎么了？"

"不四追……四牙……"

"你牙怎么了？"

"断，断了……"

"哈哈……"电话里几个人同时大笑，"你妈的真笨啊，被个小女人追得牙都跑断了，快回来。"

电话挂断，申扬解开他手上的丝巾让他擦去脸上血污，申扬板起脸教训他，“看你长得也不像坏人，为什么要做坏事？走，带我去你们住处。”

其他三贼各自跑散后，又聚在事先约好的迪士尼公交站，等了半天，也没见老四出现，老二说：“大哥，怎么办？”

老大说：“先等等他，反正没事，兄弟们看看有啥收获没？”

车站游客很多，三个人把身子围拢过来，拉开申扬的包，里面一部挺漂亮的新款手机，一个钱包，一个钥匙包，但钱包里只有一千多块港币，银行卡倒是不少，但对于贼来说，等于没用。其他都是些女孩的物品，化妆镜，小化妆包，一副墨镜，纸巾什么的。

“辛苦半天，就弄了这么点钱，妈的！”老大骂了一声，重新拉上拉链，“回家去好好再翻翻。”

“大哥，等等。”老三眼尖，一把拉住老大的手，说：“这包……”

“这包怎么了？”

“这包看着眼熟，你看这标……香奈儿？”

“香奈儿？”老大顿时吓了一跳，去看，果然，三个人笑了，要真是香奈儿，去二手店里也能卖个几百块钱。“别是假货，这年头背假货的人太多。”三人决定先去问价。

来到一家名品二手店，老大独自拿着包进去，“这包能卖不？”

店员拿过来翻来覆去看，看得老大越来越没信心，刚想说要是假的就算了。店员却问：“这是您的包吗？”

“我……女朋友的。”

店员上下打量着老大，满脸不相信，“这包是今年才出的新款限量版，您女朋友真打算卖？”

“能……卖多少钱？”

“这包原价好像是五万多，全新的我们这里收的话，也就是一万多吧。”

“一、万、多？！”老大手哆嗦了一下，“你没骗我？”

“您自己想好，或者，请女朋友过来。还有，这个钱包和钥匙包也都是好东西，你女朋友不会一起想都卖了吧？”

老大又呆了一下，说我回去再想想。走出门，两个兄弟前来，见他满脸心事，忙说怎么样。

“怎么样？这包值钱着呢？三万多！”

兄弟几个吓了一跳，老二接过包仔细看。

“拿来。”老大一把夺过包，“赶紧回家去，也不知那妞是啥人，怎么用得起这么好的包？”

“老大，街上拎着香奈儿的女孩不多了。咱们楼上那个黄脸龅牙妹不也拎着一个LV？有啥稀罕？”

“笨！那些女孩拎的大多是几千块钱的入门版，二手店人说这种新款限量版，整个香港都没多少，更别提内地，刚才那妞口音是北方人……”

“那妞不是一般人？”

“看她年纪轻轻却气势汹汹的模样，恐怕也不是一般人家的女孩。”

“我看她像个明星……”

“笨！那些明星见人不是假装嫩就是假装牛，哪儿有这女孩一脸不把咱当回事的轻松自然，但又不像男人的情人，我猜，八成是哪个大佬的宝贝闺女，咱搞不好，闯祸了。”

“啊，咋办？”两人向来信服老大，也有些着慌。

“先回家再说。”

三人回到住处，在楼下买了四份牛河上楼，刚到家，童石就打来了电话。

三人没心思吃饭，把包重新打开取出物品摊桌上看，突然，看到一个精致的金属名片夹，里面夹着些名片，刚抽出一张名片，门被敲响，老大动作停顿，问：“谁？”

“我，老是。”

老三跑过去开门，门开了，老三却呆在门口。

“靠，挺尸呢？”老大刚骂出一句，却眼前一亮，门外闪出一个笑意盈盈的女孩，申扬看着这间不到四十平方米的破旧出租屋，笑着说：“哥几个看来生意做得不怎么样嘛……”

申扬后面跟着童石，只见他双手后背，嘴角血迹凝固在下巴上，一副痛楚到骨头里的凄惨，所有人看着申扬呆呆不做声。

申扬一眼看到自己新买的包躺在满是烟头水渍的腌脏桌面，火气顿时上来，说：“把包还我。”

老大终于反应过来，下意识攥住包，站起身来，“谁说包是你的？”

“我懒得废话，把包还我，要不马上警察来。”

“哈，小丫头片子也敢吓唬我？”老大心里转过几个圈，心想反正已经暴露，这么难得一见的小美人自己送上门来，索性一不做二不休……恶念升起，他冲老二使了个眼色，老二眼神里有些惶恐犹疑，老大瞪了他一眼，假装亲切的说：“小姑娘，既然来了就进来坐坐吧，包，我马上给你。”

“进来？哈哈，我嫌你这里太臭。”申扬作捂紧鼻子的动作，微笑着对呆站在身边的老三说：“去，帮我把包拿来。”

老三从来没和美女如此近距离接触，申扬目光里好像有电，他竟傻愣愣点着头转身，迎面却碰上老大恶狠狠的目光……老大站在申扬面前，用目光示意童石关门，一边伸手去拉申扬。

手刚一触到申扬手腕，老大顿时感觉不对，申扬不知怎么一翻，竟反手扣住了自己的手腕，老大呀一声往回抽手，申扬力气无法与之抗衡，干脆猛一放手，老大猝不及防，竟被自己的力量向后倒退了几步才站住，申扬竟然纹丝不动，微笑着说：“说过你不是对手，硬要逞强，实话跟你说，我可是学过武术的，柔道黑带，对了，黑带的意思你们懂吗？”

老二和老三同时摇头。老大气得快疯过去，张牙舞爪冲向申扬，申扬不慌不忙见他到跟前突然一扬手，老大脸下意识往旁边闪，待明白申扬不过是虚晃一枪，手只是在自己眼前晃了一下，小腹却一疼，申扬一个飞腿用高跟鞋尖给了他狠狠一下，老大情不自禁哎呀一声弯下腰，眼前紫光一闪，竟然是申扬另一只脚迎面上来，这下又准又狠，老大只觉着眼前一黑，然后便是金星闪烁，再接着鼻涕眼泪和鼻子里的鲜血一起喷了出来，当时就跪在地上失去反抗能力。

申扬看着另外两人笑，“还有谁上？”

老二老三互相看看，全都摇头。

“哥，还不把……抛……反给银家？”一直站在申扬身后的童石急了。

老二赶紧把包里东西重新装包里，恭恭敬敬双手递给申扬。申扬看着老大轻蔑一笑，“就你们这点本事，还动感地带呢。四只笨猫差不多。”接过包，却掏出钱包来，抽出所有钞票塞童石口袋里，“拿去补牙，以后不要再当小偷，再被我碰上，一定送你们去警局。”

三人同时低头赔笑，说不敢。申扬转身出门。

身后，老大还跪地上喷射液体。

桌子下地板上的菜汤里落着一张名片：“笃寅集团……”

走出破旧的出租公寓，阳光分外明媚。包中物品失而复得，申扬心情好极了，决定认真犒劳自己一次。还有脚上这双JIMMY CHOO，因为沾上笨贼被污染了，没法再穿，可惜了。

正犹豫着到底要不要报警把几个小贼抓起来，想一想还是算了，除去那个凶狠蠢笨的老大，剩余三个人好像还有良知，爸爸常说，要学会得饶人处且饶人，算了，再给他们一次机会吧。

肚子咕咕叫，申扬正想着去吃什么，手机响了，里面老马的声音好像有些急，“扬扬，你啥时回来？”

申扬情不自禁吐了下舌头，论年纪辈分申扬得喊老马叔叔，老马也和公司大多数高管一样叫她扬扬。老马，马大帅，北京人，以前是昌平建委一个副处长，后来下海进了笃寅，一直是笃寅集团的项目总经理，安沣的项目，是马大帅的一个朋友介绍的，这个朋友和老夫子认识，而老夫子也想找一家实力雄厚的开发商合作开发“南玻碗”，马大帅去了安沣一次，对地块一见钟情，返回后极力推举这个项目。笃寅集团也看中安沣市未来的市场潜力，于是委派马大帅进行前期调研，白崇洗去年到安沣考察时，马大帅也正在当地，申扬被爸爸派来跟着马大帅学经验，两人在安沣待了几个月，与老夫子基本达成了合作意向，只待老夫子改制成功后签订合作协议。老夫子的雄心和他的年龄一样大，能够找来笃寅集团这么一家实力雄厚的合作伙伴，也憧憬着“南玻碗”项目能一举成就他在安沣房地产圈子的霸主地位。你情我愿，双方合作非常愉快，只是因着老夫子改制到了最后关头，所以双方交往只限于一个小圈子，除去老夫子和几位亲信，绝大多数人只能和熊能一样隔着墙朦朦胧胧揣度到一些依稀影子。

前几天因老夫子开职代会，申扬和马大帅回到北京汇报工作。回到家，

申扬赖在爸爸脖子上，笑着说："爸爸，人家在安沣都待了两个月了，正好这几天没事，我陪你去香港散散心吧？"爸爸，也就是中国地产江湖上威名赫赫的申笃寅，伸出一根手指在她鼻头用力刮了一下，说："不行！这几天等着劳总的消息，正是最关键的时候，咱们在三四线城市还没有开发经验，在这样的城市，最关键的不是资金，而是人际关系，爸爸让你去打理这个项目，一是因为项目投资不大，更重要的是想培养你的工作经验……"

"哎呀——爸爸真烦，又说这些……"申扬用手去堵爸爸的嘴。

申笃寅把嘴挪开，用手拍了下心肝宝贝的屁股，继续说："可你倒好，成天没正形，马叔叔都告诉我了，你只要一有时间就自己背着相机往山里跑，还专往没有人烟的深山旮旯里钻，害得马叔叔成天提心吊胆操你的心……"

申扬咯咯笑，心想："这老马，竟敢在背后告我的黑状，看我回去收拾他！"

申笃寅又说："所以，这次你哪儿也甭想去，项目前期事情很多，让你跟着去，是爸爸的一片苦心……"

申笃寅只有申扬这么一个宝贝疙瘩，太太早逝，父女二人相依为命，为了女儿，申笃寅竟未再娶，二十多年前，申笃寅带着年幼的独女从北京一个事业单位下海，到香港创立了一家小贸易公司，几年打拼后小有积蓄，再回到内地进入房地产市场一步步起家，申扬的年龄，也恰恰是申笃寅创业打拼的奋斗征程。申笃寅逢人便说女儿是自己的事业福星，女儿每长大一岁，事业便起色一步，申扬上大学后，国内恰逢房地产市场千载难逢的机遇，申笃寅的事业一发不可收拾，隐隐然已成就北方市场的霸主地位。随着公司规模的不断扩张和申扬的年纪渐长，申笃寅计划将具体事务交由申扬打理，自己半退幕后，专心于战略层面的思考与企业的资金运作，依照他的想法，几年后，将公司由家族管理模式改造成为规范的股份制模式，自己的那一份股份，将全转移到申扬名下，到那时，申扬将成为国内最富有的女富豪之一。

由于一直跟着父亲成长，申扬几乎没有什么脂粉气，自幼便养成豪爽泼辣正直善良犹如男生般个性，经常演绎些路见不平拔刀相助的故事，申笃寅对女儿也呵护有加，从来不去过多干涉她的成长，因此申扬从高中起，每个暑假便背上背囊四海游逛，二十岁不到，便俨然一副老江湖的模样。

不过，女孩家长到十七八，便自然有女儿模样，申扬渐渐出落得亭亭玉立，虽说性格豪爽，但看外表，怎么也是个羞花闭月的时尚俏佳人。认识的人都说申笃寅好福气，不但事业成功，鳏居带大的女儿，竟也如此优秀。但在申笃寅心底，事业怎能跟女儿相提并论？一个亿的财富，也比不了女儿一小时的快乐。但自己年龄渐大，眼见身边房地产老板们也渐渐年轻人居多，申扬接班的计划，也必须实施，从申扬大学毕业后，申笃寅便刻意开始让女儿进入工作圈子，安沣项目投资不大，又远离总部，即使失败也影响不大。因此，对于笃寅集团而言，选择安沣项目，其实就是申笃寅拿几个亿给女儿一次实习的机会。

可申扬天性自由，脱去户外休闲装换上套裙高跟鞋每日跟在她眼里那些西装革履道貌岸然的所谓成功人士打交道，对她来说，真是一种罪受！因此在安沣市，只要一得到机会她便偷偷独自钻入深山老林去，最多也就在山村里寻个当地导游，有一次还遇到了狼群。第三天当申扬把狼群的照片得意扬扬拿给马大帅看时，马大帅险些当场昏过去！从此每日对申扬严加看管。

对于女儿的感情，申笃寅从来不加干涉，他相信女儿，就像相信自己。每当有人给他介绍某某老板某某省长的公子，申笃寅总是哈哈一笑，说，女儿的事，当爹的不便过问。但他很清楚，女儿悄悄谈过几回恋爱，却每次都以失败而告终。也许，外表最快乐爽朗的女孩，却都有一颗容易受伤心？

职代会顺利开过，根据老夫子反馈的消息，此次改制方案获批基本已成定局，因此申笃寅让两人返回安沣，开展前期各项筹备工作。申笃寅亲自送女儿到机场，嘱咐申扬好好听马大帅的话，又假装严厉的对马大帅说："申扬要是不听话，你就代替我，替我狠狠打她屁股！"申扬笑，马大帅也笑，心里暗乐道：全天下谁不知道申笃寅这辈子从来就没有对宝贝女儿凶过一回？打屁股？我要真敢打她一下，你还不把我给活剥了皮？！

申笃寅的影子刚刚消失，申扬立即跳到马大帅眼前，满脸都是无赖相。马大帅暗叫不好，这丫头会不会又有什么花样？

果然，申扬拿出一个小盒子，打开来递到马大帅面前，娇滴滴说："马

叔叔，在安沣一直麻烦您照顾我指导我，这是学生一点心意，还望您收下。”

盒子里是一个打火机，Dupon 的纯金版，价值不菲。

马大帅不去接，问：“大小姐，你不会又是想偷偷玩失踪吧？”

“您真聪明，马老师……”申扬咯咯笑个不停，把打火机硬塞马大帅口袋里，亲昵的挽着他胳膊说：“这两天正好没事，我想……去散散心。”

“好啊，回去要没事，我陪你去安山好不好？”

申扬嘟起嘴，“不好，跟您这么个白头发老爷爷一起有啥意思？人家向来是自由自在惯了。”

“那——你想去哪儿？”马大帅也眯着眼笑，心说不管你有多少鬼花样，反正我不会答应。

“我想……”申扬突然眼珠一转，叹口气说：“唉，算了吧，还是跟您先去再说吧，要不爸爸会生气的。”

“这才像话，再说，咱们这趟去，还有很多事情需要……”马大帅放下心来，拍拍申扬肩膀，又大谈起工作来。

申扬急忙止住他，说换登机牌的人特多，您在这儿等着，我去换。还没等马大帅回话，申扬已经拿着票往柜台跑去，马上没入首都机场的人海中。马大帅的身份证在车上已经给了申扬，马大帅看着她的背影眯着眼笑，申扬这女孩机灵又懂事，没半点大小姐的架子，每次出门都是申扬主动去干跑腿的活儿。

过了十分钟，申扬举着登机牌和票回来，刚走两步，申扬又说想去卫生间，马大帅说咱们去候机厅再说嘛，申扬红着脸小声说：“不行啊，马叔叔，在家里喝多了水，路上又堵车，你看过安检的队排得那么长，我忍不住了，您先在这儿坐一下，我马上回来。”

马大帅无奈，只好坐在椅子上，看申扬一溜烟往卫生间方向跑去。几页书看完，却还不见申扬回来，马大帅看表，再有十分钟就登机了，安检的人很多，马大帅不禁有些急。正在这时，申扬突然从另一个方向冒了出来，一脸轻松。马大帅顾不上盘问她，拉上她往安检口走去。

前面还有两个人就安检了，申扬突然把登机牌机票身份证塞马大帅手中，小声说：“马叔叔，我走了。”

马大帅一愣，“什么？”

“我刚才把机票退了，你自己走吧。”

“什么？”马大帅脑子一懵，“你去哪儿？”

“别问了，马上就轮到你了，反正我也走不了，只好你一个人走了。我最好最亲的好叔叔，千万别告诉我爸爸呀，我过两天保准回去找你。”说完，申扬咯咯笑着把马大帅往安检口一推，自己跳出了安检队伍，猛乐。

马大帅整个傻了，安检员看着马大帅说：“该您了。“

马大帅犹豫了一下，只得瞪申扬一眼，往前跨了一步，身后申扬大声笑道：“马叔叔，我还是告诉您吧，我去香港了，两小时后的飞机，票我早就买好了……”

马大帅过了安检再回头，早就没了这顽皮丫头的身影。

申扬到香港后给马大帅打电话，祈求他千万别告诉申笃寅，其实，马大帅才不敢把申扬脱逃的事告诉申笃寅。申扬答应他今天返回，谁知玩得高兴，竟把回去的计划给忘了。

申扬笑，又想赖过去。老马大声问道：“大小姐，是不是又玩忘了？再不回来我可没法跟申总交代了……”

“好了，我的好马叔叔，人家马上就回去嘛……”申扬笑着跟老马撒娇。

老马拿这个机灵顽皮又无法无天的小丫头没办法，也只好说：“快回来，项目好像出问题了。”

“问题？”申扬有些意外。

“有人好像准备插进来，我正在了解情况，扬扬你赶紧回来。”

“什么人？”

“我也还不太清楚，下午就一切水落石出了。”

香港去安沣所在的省没有航班，申扬退房拎着自己的大袋小包赶去深圳，安沣市没有机场，只能去距离安沣七十公里的省会。深圳的飞机下午六点四十起飞，折腾到深圳机场时，恰好能赶上飞机。

入夜时，飞机降落在省会，马大帅开车来接申扬，马大帅还没开口，申扬已经把一样点心塞马大帅嘴里，“马叔叔，饿了吧？快尝尝我专门买给你的芒果糯米糍……”

马大帅本来想假装生气，但突然间满嘴都是申扬的甜蜜，哪里还忍心骂她。待马大帅终于咽下一口点心，申扬问："马叔叔，到底出了什么事？"

"有家北京开发商，也找到了劳总，目的，正是安沣路这块地！"

"是吗？不过劳总推了他们不就行了？"

"可他们找的是卫市长……"

"小小一个市长有啥大不了？"申扬轻蔑一笑，申笃寅身边的政界朋友大多数是省级以上高官，所以申扬头脑中的一个印象，就是市长不过是差不多相当于笃寅集团里部门经理一般大小的头头。

但马大帅可没这么轻松，根据下午了解到的情况，有一家北京地产公司，已经请卫市长出面约老夫子今晚一起吃饭。在电话里，卫市长清楚告诉老夫子人家是对安沣路地块有兴趣，还专门对老夫子说，这个开发商很有实力，也很有诚信，如果老夫子能跟这家开发商合作，市里也一定会大力支持。老夫子问卫市长这家开发商的名字。卫市长轻松一笑，说："哈哈，反正晚上见面时就知道了，是我的朋友。"

"朋友。"这个词在老夫子耳朵里听着，无疑是落下的一颗炸弹！卫市长的意思显而易见，是你老夫子要给予我这个"朋友"足够的认真！

老夫子的身份已经不是官员，对于市长的引荐，本也没什么大不了，大不了客客气气的说声不合适退却就是。但此刻，老夫子却真有些犯怵了——要知道，改制方案正放在卫市长的案头！北京开发商此时的出现，纯属巧合，还是隐藏着什么玄机？联想到熊能突兀的北京之行，老夫子突然心生一股凉意，莫非，这都是熊能的安排？难道……

老夫子将自己的担忧告诉马大帅，马大帅也是心头一沉，事情别到了节骨眼上再起波澜。他向申笃寅汇报，申笃寅沉吟了一下，说："咱们的原则还是以静制动，改制以前的事让老夫子一人去做，安沣市人脉之深浅尚不可知，千万不要插手其间。心态只要平静，无论是风还是雨，都洒不到咱们身上。老夫子改制成功，我们就跟上。不成功，再想下一步怎么做。"

但申笃寅说的话，代表的是他那个老板级层面的思维境界，真到了马大帅这样一个具体操盘层面，面对突如其来的对手，怎能不心生烦乱？

傍晚时分，阳光突被阴霾掩去，此刻竟下起了雨，高速公路上车辆很少，黑暗中到处是空茫一片，只有车大灯的两束光线射入黑暗的前方，此时此刻，老夫子在酒席上的欢宴已经开始，老夫子端起并饮下去的，是不是也是跟这雨夜一般的迷茫与沉重？

第五章　囊中之物

听香阁。夜宴。

老夫子和董玫先行到达。贾晓阳向卫彬请假，实际上，这是和顾忱特意商量过的办法，谈这种事情，人越少越好。

从见到顾忱与卫彬携手跨入房间第一眼，老夫子就感觉这个年轻人的不一般。在卫彬介绍下几人礼节性握手后不到五分钟，房间原本略显僵硬的气氛便被顾忱点燃，一个笑话逗得满屋子人哈哈大笑，卫彬拉着顾忱坐在自己右手，老夫子坐在左手，董玫挨着老夫子，顾忱下面是卫彬的秘书小毛。

卫彬说："老夫子啊，今儿个没别的事，就是想给你介绍个朋友，这位顾总是我和唐书记远道请来的客人，也是我们俩的好朋友，唐书记要不是又去了省城，今晚也会到场……"

老夫子笑道："顾总年纪轻轻面子倒真大，除去上级领导，我还没听说谁能同时请到我们安沣市的两位老大陪酒。"

卫彬大笑，说："非也，非也，咱电话里不是说好了吗？今晚地方你定，但饭我请，所以今晚我是主人而不是陪客，小顾是主宾，你老夫子才是我请来的陪客。"

老夫子脸色有些尴尬，说："怎么敢喝领导请的酒，还是我请吧！"

顾忱道："劳总，市长大人的好酒咱们平日没机会喝，今天逮着机会，不喝白不喝，唐书记虽然没来，却专门给咱们送了两瓶好酒。所以，今天书记请喝酒，市长请吃饭，咱们几个，只好用吃好喝够表达对领导们的感激之情了。"

几人大笑。

小毛从脚边拿出两个红木精雕的方盒放桌上，说："这是唐书记临行前专门让司机送过来的，说劳总身体不好，就别喝白酒了，尝尝这两瓶三十年女儿红吧。”

卫彬说：“这可是唐书记的的心肝宝贝呀，平时自己都舍不得喝，今天我可是借了小顾的口福了……　来，服务员倒酒。”

酒满上，几人吃菜喝酒讲笑话，卫彬绝口不提正事，老夫子也不问，心里却在暗暗忖度，看这顾忱与两位领导的亲密关系，项目之事还真不好一口回绝，只好先哼哼哈哈的周旋一番再说。

酒喝下去一瓶，酒意上来，大家不禁有些兴奋，卫彬拍老夫子一下，说：“好容易请你老人家喝一次酒，你却只顾自己想心事，罚你自己喝一杯。”

老夫子忙笑着答应给自己斟酒，顾忱却拦住说：“这么好的酒喝下去怎能算罚，卫市长您这是偏心劳总呢，太不公平，要不您也罚我三杯？”

“对对对。”卫彬乐呵呵说：“这哪里是罚酒，简直就是照顾你，这样吧，老夫子你说个笑话给大家听，算作罚酒。”

老夫子苦笑，说我哪里会说笑话。

“不行，”卫彬说：“小毛，你先起个头儿，让劳总先搜肠刮肚一番。”

领导的秘书们最精通此行，小毛答应着眼珠一转，笑着说：“那我就先给各位领导们念一支顺口溜，名字叫《秘书之歌》：

为了生活几乎不睡，
点头哈腰就差下跪，
屁大点事不敢得罪，
鞍前马后跑断狗腿，
劳动法规统统作废，
逢年过节家人难会，
不敢奢望社会地位，
柴米油盐让人崩溃。”

满桌人哈哈大笑，卫彬指着小毛假装怒道：“原来你小子早就心怀不满，还想不想混了，明天，调你去计生委！”

小毛假装委屈道："这可不是我编出来的，只是照原样搬来。"

董玫接口道："小毛说得没错，其实这顺口溜早就在网上流传，我还知道一支《领导之歌》，与这《秘书之歌》正好配成一对。"

"是吗？说来听听。"卫彬大为高兴。

"这个嘛，不过我有个条件。"董玫斜眼看着卫彬笑，含而不发。

卫彬说："讲个顺口溜竟然还给我讲条件，好啊，你说。"

董玫慢吞吞说："我这个顺口溜，算是替我们领导讲的，待会儿市长大人就不要再罚我们老夫子好吗？"

卫彬哈哈大笑，"安沣市没人不知道董玫是老夫子的绝对铁杆，连讲个笑话都这样维护他，好，我暂且忍气吞声一回，听你先讲，不过，要说得不好可是不算的。"

董玫婷婷站起身，眼波流转，停在卫彬脸色，笑道："那我只好尽力而为了，不过，卫市长您可不许绷着就是假装不笑啊！"

卫彬马上就被她逗笑。小毛鼓掌大叫"董姐快说"。

"好，"董玫清清嗓子，道：

日不能息夜不能寐，
单位有事立马到位，
一年到头不离岗位，
茅台海鲜其实伤胃，
身在其位方知其味，
身心憔悴无处流泪，
口袋没钱还装富贵，
稍不留神就得犯罪。

"哈哈……"卫彬大乐，连连说好。

这时，老夫子却一本正经站起来，咳嗽一声，道："今天能让领导请客，又能结识顾总这样年轻有为的朋友，我要不表现一下，未免对不起领导和朋友，刚才秘书同志和领导同志都道出了自己的心声，这样吧，我说一个对联，以平息一下各位的辛酸。我的上联是：‘该吃吃，该喝喝，遇事别往心里搁；’下联是：‘按按脚，泡泡澡，舒服一秒是一秒。’”

“好啊……”又是一片叫好。

“慢着，还有横批。”老夫子慢悠悠说：“横批是：‘心态要好！’”

“妙！”

大家齐声喝彩，同时举起酒杯一饮而尽。

顾忱笑着问道：“咱们今天也吃了也喝了，要不要再去泡澡按脚舒服一秒？”

“也好，正好找个安静之处说点事。你说呢，老夫子？”卫彬微笑问道。

听香阁一层便有洗浴。最大特色是分隔成为各自单独的房间，每个房间只能容纳十人左右，各样设备一应俱全，最主要是私密性极好，老夫子选择在听香阁吃饭，也正是这个用意。

当下几人下楼，小毛送董玫先回家，卫彬、顾忱和老夫子三人进入洗浴中心，十分钟后，三人依然坦诚相对，卫彬看着二人，笑道：“老夫子身材最苗条，真是有钱难买老来瘦，小顾你仗着年轻身材健美，只有我这大肚子最难看。”

老夫子说：“我这是因为身体不好才骨瘦如柴，还是卫市长这样的身材最有威严，一看就是领导。”

卫彬哈哈大笑，说：“老夫子你这是在讥讽我呢，难道只有脱光衣服才能让人看出领导？”他率先踏入浴池中，在一处叮咚泉水下躺在一个按摩床上，看着二人接着踏入水中，话锋一转，道：“老夫子啊，我看你这么瘦全是操心操的，年纪大了，也该稍歇一下脚步让自己轻松一些了，等到改制完成后，你还是安安稳稳做你的董事长，至于具体的业务嘛，我看还是交给年轻人去打理为好啊。这不，今晚介绍顾总给你，也是希望你们能合作，有顾总这样年轻有为的年轻人帮着你操持项目，你倒可以省一大半心哟。”

“是啊，现在是年轻人的天下了，我也老了，怎么，顾总有心想来安沣发展吗？同行是冤家，我这一把老骨头，可不敢成为顾总的竞争对手啊。”

“劳总你真是一只老狐狸，下午咱们电话里不都说好了吗？顾总来安

沣，就是想跟你合作。”卫彬微笑着递给老夫子一块毛巾，接着说：“白石集团进入安沣，对于咱们当地房地产市场可是一件好事，劳总你可不要故步自封，拿出些诚意与大度来，才能取得双赢啊。”

老夫子忙道：“卫市长您这是给我上纲上线吗？我哪里有一点不愿合作的意思？就是这么多年一直找不到像顾总和白石集团这样的合作者啊。顾总，其实下午市长在电话里已经把你的想法告诉我了，要不咱俩明天上午去我办公室，我把几个项目拿给你看，看你有没有感兴趣的……”

“当然有，”顾忱不给老夫子留任何机会，马上接口道：“听卫市长介绍，安沣路上那块地是您的，而且也已经正在寻求合作机会。”

“安沣路？是沣水家园吗？”老夫子假装糊涂，“那个项目已经在建了呀。”

顾忱微笑道：“不是，是位于沣水桥边那块二百三十三亩地，听说您正在跟北京一家公司谈，不知我还有没有机会？”

“劳总，多引入一家合作者，对你更有利呀……”卫彬站起身，迈出水池去桑拿房。“你们俩好好聊合作吧，商业机密，我就不便听了。”

卫彬一句话，已经将两人定性为合作关系，老夫子不免心里有些暗暗叫苦，跟马大帅已经谈妥条件，那块地待改制后整体转让给笃寅集团，价格嘛，老夫子不相信还有人能够比笃寅出价还要高。

老夫子沉吟间，顾忱又道：“劳总，要有不方便之处，我去跟卫市长说一声便是，企业的难处，他们这些领导有时是不太能体会到的。”

“哪里哪里，这个……协议未签，我还巴不得有顾总这样的竞争者加入呢，谁家的条件好，我当然就希望跟谁合作。咱们两家要合作成功，我倒要好好感谢卫市长这红娘呢。”

“是，咱们自然要好好感谢他，还有唐书记，也是大力支持这个项目的，对了，我听说，这个项目合作与否，还要等待您改制的结果？”

“是啊。”老夫子转过头去，瞟了一眼独自在桑拿房里的卫彬，卫彬也正隔着玻璃若有所思的看着两人，“这个嘛……唉，其实我也有难言之隐，所以，项目嘛，总还是要等局势明朗些才能定夺的。”

“刚才卫市长说合作才能双赢，我想也是，劳总，我有个想法不知当说不当说？”

“您说。”

“我想，既然项目合作进度取决于改制的进程，那么，如果我能帮您把改制工作顺利完成，咱们两家的合作可能性是不是能大些？”

老夫子认真捕捉着顾忱的画外音，顾忱对这块地的觊觎，已显露无疑。

“还有，相信白石集团的实力，也应该不会逊色于笃寅集团太多吧？”

老夫子猛一惊，他没想到顾忱已经将自己的底细摸得如此清楚，看来他绝对是有备而来！老夫子头脑里猛然蹦出一个人影，暗叫一声不好，熊能的北京之行，难道就是跟白石集团有关？！熊能，顾忱，改制，卫市长，唐书记……众多人物事件突然交错在一起，片刻间让老夫子这样历经百炼的人物也一时找不到头绪，唯一清楚的是，顾忱，或者白石集团已经将自己手里的那块地看做重要目标！如果他们真的跟熊能有所勾结，那么，任何一个疏忽，致使唐书记和卫市长不悦倒不重要，可怕的是，极有可能影响到改制大计！

老夫子感觉一个沉沉的黑影向自己逼近，头不禁一晕，再定睛一看，眼前却还是顾忱坚决的笑脸。

老夫子知道自己今天在卫市长面前必须有一个态度，脑海里紧急盘旋过几千个急弯，老夫子定一下神，已经迅速分辨出轻重，笑着对顾忱说：“顾总，这样吧，明天上午去我办公室，我们就项目合作和改制，认真深入的聊一下，中午，我请客，还是这里，就咱们两个人！”

老夫子回到家中，手机响了一下，是马大帅的短信：“劳总，会晤情况如何？”老夫子知道马大帅也在整晚惦记着自己与顾忱见面的事情，突然间，老夫子有些后悔下午不该将顾忱的来访告之马大帅，也许，顾忱才是对自己最有利的合作者。他将手机关掉，独自走到寂静的客厅一角，身为官员多年，老夫子却极迷信，客厅里供着一尊财神，他抽出三支香点燃，插在财神面前的香炉中，黑暗里火头一闪，犹如一点灵光，在老夫子脑中一闪而过……

上午九时，顾忱如约到老夫子办公室。

踏入这栋办公楼的第一步，顾忱马上强烈感觉到它的陈旧与破败，地

面墙面与大门前那个无精打采的门卫一样黯淡无光。老夫子手下两个楼盘销售情况不错，总不会连装修钱都没有吧？也许，这种表面的破败，全是老夫子故意为之？

老夫子正在办公桌后看报纸，见顾忱进来，热情相迎，拉着顾忱手一起坐在窗边的沙发上，寒暄两句，又打电话给办公室让人过来倒水。

进来倒水的是倪枫。趁着给顾忱倒水的工夫倪枫侧脸对他莞尔一笑，算是招呼，动作极短，老夫子一点没有发觉。

倪枫退出去把门关上，高跟鞋声在水磨石的地面上渐渐远去。老夫子端起茶杯抿了口茶，微笑道："顾总，昨天你的意思我听明白了，承白石集团抬爱，竟然能看得上我们这样小城市的一块地。"

顾忱不动声色，道："劳总，从集团白总开始，我们在安沣转了不下二十圈，唐书记卫市长他们也给推荐了不少项目，但说实话，我们唯一感兴趣的，也只有您这块宝地。我第一次见到它时，便想：能拿到这块地并能稳稳按住几年不开发之人，一定是神通广大之人。昨天见到您时，才知判断无误。"

"哪里，哪里，我也只是因为资历比较老，以前的一班老部下老朋友照顾罢了，再说，土地闲置哪里是我故意为之，而是心有余而力不足，我们这国企，摊子大，负担重，实在是没钱开发哟——要不，我也不会寻找合作者啊。"

"我看不一定。在我看来，这块地随处都埋伏着您的智慧呀。"顾忱也喝了口茶，悠然看着老夫子的眼睛，道："不开发，是因为有不开发的道理，找合作者，自然有合作的好处。"

"哈哈，哈哈，顾总年纪轻，阅历却老到，哈哈，这茶是产自安山顶峰的高山茶，名叫'白峰'，名字的由来，是因为每年四月采茶时，峰顶还积蓄着一层白雪，仔细品品，能品出一丝独特的沁雪味道。这茶产量极小，等下从我这里带两盒回去给……对了，顾总，你成家了吗？"

"您看呢？"

"好像没有。不像成家的模样。"

"哦，这也能看出来？"

"活到我这把年纪，还有什么事情不能看出来呢？要不，人家也不会背地里喊我老狐狸了。"

两人同时大笑，又同时停住了笑。老夫子微欠欠身，小声说："不瞒你说，顾总，昨晚我一宿没睡，就是想咱们之间合作的事……我为难的是，笃寅集团，也是一位领导介绍的，而且双方已经接触了这么长时间，实在是……唉——"老夫子叹口气，摸出手机拿给顾忱看，"这条短信，就是笃寅集团的马总昨晚发给我的，我到现在还没想好怎么回他，要不，顾总你给我出个主意？"

顾忱笑了，"这个简单，大家都是平等竞争，谁的条件好，您跟谁合作不就得了？"

老夫子摆摆手道："顾总你这就不够意思了，都是领导介绍的，也都是朋友，我老夫子要真这样简单做事，只怕也熬不成老夫子了，哈哈。再说了，笃寅集团已经出价到一百二十万一亩，你也知道，这个价格可是我当初拿地时的一倍啊！一亿四对白石集团不多，对笃寅集团也不多，但对于我这个小商人，可着实很重要的。"

"如果，我出价更高，或者，能拿出更好的条件呢？"顾忱端起茶仔细品一口，果然满口沁香。心想：果然是只老狐狸！

"这个嘛……"老夫子也不紧不慢咳嗽一下，说："朋友的面子，哪里是用金钱来衡量的？我要是只为了钱，干脆登个广告招标好了，何必左右为难？"

"是啊，是啊，只要改制能成功，这块地成了您的囊中之物，您想怎么玩都可以……"

顾忱的意思再明显不过：现在这块地还不是老夫子您老人家的！要是改制不成功，这块地还不知最终是谁的囊中之物呢。老夫子心里一沉，心想他果然用改制来要挟我！暗骂一声："小狐狸！"脸上的岁月痕迹却顿时绽放成一朵花，大笑道："看来顾总对我这里的情况摸得很清楚啊！"

"不敢，只是卫市长简要介绍了一下贵公司的情况。"

"好，好。"老夫子心里有些郁闷，看来背后果然有卫彬撑腰，如果他们从中作梗，致使改制流产，则熊能便不战而胜。到那时，土地便成了熊

能的囊中之物！自己多年心血顷刻化作流水！

顾忱俯下身子，轻声说："如果我能帮您完成改制……"昨晚顾忱已经说过这句话，此时再说一遍，听在老夫子的耳朵里，依然如滚滚惊雷。其实，昨晚老夫子想了一夜，也无法断定顾忱到底是否与熊能是一起的。如果顾忱捣鬼，改制付之东流，自己等于提前退休，他自然能从熊能手中拿地。但顾忱这样找自己，难道是因为他与熊能并无联系？但为什么他出现的时机又会如此巧合？又怎能对公司内部改制情况与笃寅的底细摸得如此清楚？难道幕后还另有其人？

不过，目前的形势是老夫子在明处，顾忱在暗处，对自己不利。老夫子想：如果果真是顾忱与熊能联手，找我仅是试探呢？如果此两人联手导致改制失利，我的结果岂不更加糟糕？老夫子又想：现在情况有三，第一，我将其拒之门外，反正改制我也做了不少工作，卫彬一人的力量恐也不一定能改变最后的结果，但硬碰硬的结果是老夫子最不想看到的，不但树敌，也势必加大风险，自己这最后一次机会，绝对不容有闪失！第二，我接纳顾忱，但如果他早和熊能有默契，我岂不是最后连怎么死的都不知道！？第三，假设说顾忱与熊能没关系，他的目的纯粹就是为了这块地，以他和卫彬的关系，再加之有招商引资这面大旗抗在肩头，说不定真能助我一臂之力！？

因此，问题的关键在于改制。那么，老夫子的选择只有一条路，只要顾忱能帮助自己顺利改制，笃寅那边根本不是什么问题！所以，现在只需要判断这个顾忱到底是敌还是友。

这些问题，弄得老夫子头疼，今天本来是想从顾忱嘴中摸出些信息，谁知这小子嘴比自己还紧，几个太极推手来回，谁也没有占到便宜。

打定主意，老夫子决定开门见山，不想继续做无谓的周旋。

其实，顾忱也在选择。自己有意将改制与合作挂钩，其实，这只是自己利用老夫子的心态进行的试探甚至是恐吓，第一，国家国资委的朋友纯属子虚乌有是骗熊能的，自己哪里有本事去把人家的改制大事真给搅黄了；第二，尚未摸清老夫子与笃寅关系的深浅，如果笃寅背后真有大树撑腰，自己无论怎样做也是骑虎难下；第三，项目合作最重要的是合作对象。真要老夫子下了台换作熊能那样的人，顾忱是绝对不敢跟他合作的。当初找熊能的目的只是为了探听老夫子的内部情况，谁知熊能将自己当成了对抗老夫子的一颗棋子。而老夫子看来也对自己与熊能的关系有所怀疑，这块心病不去，老夫子是绝对不会倾向于自己一方的。去其心病的唯一办法，是自己先行开诚布公，取得他的信任。

打定主意，顾忱决定开门见山，不想继续做无谓的周旋。

两人同时又笑了一下，老夫子开口道："这个……说实话，我们公司内部情况比较复杂，比如说，我有个副总……"

"副总"两个字，顿时暴露了老夫子的命门，顾忱顿时在电光火石间顿悟，心里立即闪过一个主意，几乎是下意识打断了老夫子的话，"熊能是吗？"

老夫子顿时心里也有了底，原来他和熊能果然有一腿！不过顾忱主动说出来，老夫子倒要看看他到底有什么进一步的行动。

顾忱道："不瞒您说，熊能我认识。"

老夫子微笑点头不语，好像这本来就是一件全天下人人皆知的事。

顾忱暗笑，老夫子这样故作姿态，反而是暴露了他其实对自己一无所知。要知道，自己也才与熊能一面之交！

顾忱接着说："《水浒传》里有个规矩，叫'投名状'……"

老夫子微笑，"还有部电影，但不好看。"

"是。但我给您的投名状，一定好看。"

"哦？"

"第一，我负责做通熊能的工作，让他罢手；第二，改制的事，我可以助您一臂之力。"

"哦？"

"先说第一件，熊能对于您而言不过是个小事，但他要捣乱，恐怕也挺烦心，我负责去摆平他。"

"怎么摆平？上次他从北京回来，我主动从我名下让给他10%股份，他也不是太领情。"

"不领情的原因，是因为他有非分之想，此外，也是因为心理上的不平衡，您的股份如果跟他相同，他一定不再有意见。”

“相同？”老夫子不解的看着顾忱，“那我还不愿意呢！”

“这好办。我有个两全其美的主意。您看改制让我入股怎么样？”

“什么？”老夫子大吃一惊。

“是这样，以白石集团名义入股，既能换取市政府支持，也能让熊能黯然退却，更主要的是，并不妨碍您的控制权。”

“你想怎么做？”

“您多出的那部分股权给我，等到改制结束后，我立即返还给您。我们可以先行签订协议确定这件事情。”

“你是想用白石集团名义获取政府支持，帮助我顺利改制，作为项目合作的交换吗？”

“是。另外我还有个主意，那块地，您以土地现价出资，我以现金出资，共同开发，共同获利，如何？”

老夫子猛抬头，眼神由衷惊喜，第一次在顾忱面前将自己的内心表露无疑，这个合作方式原本是老夫子提出来的，也是最有利于老夫子的方式，怎奈笃寅集团财大气粗，从来不跟人合作开发，找别家老夫子又不放心，最终只能同意把土地一次性转让给笃寅集团。顾忱的这个提议，一下子说到了他的心坎上！

顾忱这样提议，却出于自己的无奈。只有让老夫子的土地作为投资，自己才能规避巨额土地款，空手套白狼的方案才能顺利实施。万万没料到两人一拍即合，从老夫子眼睛里透露出来的兴奋，顾忱明白，自己快成功了！

“好！我同意你的意见。”老夫子轻轻将身体仰靠在沙发上，一只手却好像无意间轻轻落在顾忱的手腕上，仿佛在替顾忱号脉。顾忱脉搏的急跳，他是否能够感觉到？

顾忱忙将手抬开，反手轻轻搭在老夫子的手腕处，笑道：“那今后就请劳总多多指教了……”

“岂敢，岂敢……”老夫子眯着眼，看着顾忱如有所思的笑，有什么东西在眼睛里一闪而过。老夫子的脉搏平稳而有力，丝毫没有加速的迹象，顾忱心头忽如一阵冷风掠过，被一种寒冷的感觉包围……

自古华山一条路。

顾忱明白自己已经踏上了这条不归路，脚步一旦踏上台阶，结局只能两个：一是顺利登顶，享受成功，二是半路坠落，粉身碎骨万劫不复！

但成功的渴望是那样强劲有力，顾忱背负着装下自己所有财产的行囊，义无反顾的向着巅峰攀登，路上的每个人、每件事，都无疑是横亘在脚下的断崖与深谷，但顾忱自信自己的体力与智慧，入行这么多年，房地产界无数以小搏大空手套白狼的精彩典故早已在他脑海深处发生化学反应，如枯木成为石油一般，演变为无穷动力。

当然，顾忱明白演绎出无数房地产神话的时代行将过去，剩下不多的机会里，蕴藏着巨大风险，那些精彩的典故是很难完美复制到自己身上的，每一步，必须打起十二万分的小心，脚下一个打滑，一切将前功尽弃！

老夫子的心思也在这一瞬间转了千百转，顾忱对自己今天的开诚布公，也给老夫子吃了一颗定心丸，这其中所有周折，其实只有改制才是中心，这个环节出了差错，一切都将不复存在。当初跟笃寅集团合作的一个目的，老夫子也有心想利用笃寅集团这棵大树的高层关系以施加影响，替自己扫平改制途中的险阻。但笃寅集团却不愿置身于这场改制纠葛中来，马大帅虽有心助老夫子一马，但申笃寅不支持，他也不敢擅自作主。因此在整个改制过程中，笃寅集团只是冷眼旁观静观其变。现在凭空里跳出一个顾忱来，一来能够为自己解决改制这个难题，二来白石集团的实力也不会逊色笃寅集团多少，有这样一个合作者，自己照样是安沣市的老大，第三，白石集团的合作条件只会比笃寅高，顾忱提出的方案，正和自己心意，自己又何乐而不为，做个顺水人情呢？

本来担心的局面，却突然柳暗花明，向着完美的结局演变，此刻的老夫子，却唯恐担心顾忱退却。他又反手握住顾忱的手，笑着说："现在，咱们达成了共识，一方面，我将土地交给顾总你，另一方面，公司的改制大计，也交给顾总你了。但……我担心的是，这么大的事，顾总你不用跟白总最后再确定一下吗？"

老夫子的弦外之音，是白石集团的名头无人不晓，但顾忱你却算老几？你难道能代替白崇洗行使决定权吗？

顾忱自然听懂他的意思，也笑着答道：“白总是集团董事长，这件事当然要有他的首肯。但另一方面，白石集团的许多项目采取股份制运作，咱们这个项目，名义上是白石集团，但实际投资人嘛……嘿嘿，也许，在安沣，我的发言权嘛，比白总还要大些……”

许多大房地产公司都采取此类相似的运作模式，项目的实际投资人与总公司之间只是一种股权合作关系甚至干脆就是挂着公司的名义卖自己的狗肉。老夫子听明白了顾忱的意思，点点头表示理解，“这样更好，有顾总这样精明干练的合作者，我也放心。”

两人相视一笑，顾忱知道自己今天已经达到目的，遂起身，道：“那么，咱们就基本达成一致了，中午，老弟做东……”

老夫子赶紧打断他，笑着说：“在安沣地盘上自然要由我来做东，哪里轮得到老弟你了。”说罢打电话给办公室主任安排午餐，又电话唤董玫过来。

顾忱问：“要不要请卫市长也参加？”

老夫子点头道：“我也正有此意，因此中午特意安排了一个僻静之所。”

顾忱给卫市长打电话，正巧卫市长中午没应酬，听说顾忱与老夫子二人已然达成意向，立即痛快应允。

刚放下电话，董玫进房，今天的董玫分外漂亮，明显是精心收拾过自己，盘了一个高高的发髻，一身粉色的套裙，收腰剪裁的西服上装将一个三十岁女人最完美的身材清晰的勾勒出来，西服下是黑色的低胸吊带，吊带上方露出一截粉白的肌肤，挂着一串黑珍珠项链，越发衬得肌肤的粉嫩，就连脚上的高跟鞋都是粉色的。站在老夫子办公室，顿时使得原本有些沉闷的空间有了焕然生机，与窗外灿烂的春阳相应成景，办公室王主任正好跟着董玫进来，见到董玫一声赞叹：“董总，看到您，才知道春天真的已经来了。”

董玫回身嗔笑。

满屋子人大笑。

老夫子挽着顾忱的胳膊笑着说：“这位是咱们公司新来的合作者，北京白石集团的顾总，以后大家就是一家人了，今天中午咱们给顾总接风。”

王主任与顾忱尚未见过面，心里顿时一愣，心里琢磨着笃寅集团的人还在，怎么又蹦出个白石集团来。

老夫子又沉吟道："本来接风嘛，应该公司全体领导都参加，不过嘛……"眼睛却无意间盯着顾忱，顾忱马上反应过来老夫子是不想惊扰熊能，忙笑道："哪里敢劳驾劳总接风，只是随便找个清静地方加深一下了解罢了，还是不要叨扰其他领导好些。"

老夫子点头，"那好，咱们就中午一起去，现在时间还早，顾总要不要我陪你先去转转。"

顾忱忙道："不必了，我还是亲自去卫市长那里跟他当面汇报一下比较好，没有投名状在手，我哪里敢去喝劳总的酒。"

董玫与王主任听到"投名状"俱感莫名，只有老夫子心领神会，两人会意一笑，顾忱告辞出门，径直往卫市长办公室去。

贾晓阳专门为顾忱办了一张市政府的车证，因此能够在所有政府机关畅通无阻，迎着警卫的敬礼顾忱大声按了下喇叭，阳光从前挡风玻璃上欢快的滑过，顺滑如顾忱轻舟已过万重山的心情……

卫市长早打过招呼，只要顾忱来，秘书不必通报。见到顾忱推门进来，卫彬起身笑迎，"今天正好没事，只等着喝顾总你和老夫子的喜酒了。"

"能喝上酒，全赖卫市长您的撮合，我代表白石集团向您表示衷心感谢，也邀请您找个时间去北京，给我和白总一个表达感激之情的机会。"

"北京就不必去了，"卫彬笑着摆手，"作为一市之长，能够为安沣市引来你们这样的金凤凰，我倒要代表全体安沣人民向顾总你表示感激才是哟。你和老夫子达成合作协议的事，我也刚和唐书记说过，他也很高兴啊……"

"怎么？"顾忱一愣，"唐书记回来了吗？"

"没有，他还在省里，说等他回来再请大家一起聚一聚，不过嘛，唐书记也提到……"卫彬有些担心的看着顾忱，"顾总，这回，不会再有什么变故了吧？"

顾忱心里咯噔一下，这次转而跟老夫子合作，其实是他违约在先，虽然有白石集团担着，唐书记他们也没有过多不悦，但这次与老夫子的合作如果再生波折的话，自己就再也无法在安沣混下去了。但……与老夫子的

合作，肯定会一路顺风吗？此刻的顾忱，好比一个野外的漂流者，刚从上一个激流中脱困而出，来到一片平静的水面，但越是平静的水面下越隐藏着无数可怕的旋涡，顾忱不禁抬手抹了一把额头，好像要擦去额头的虚汗，强笑道："只要劳总配合，这次肯定不会有变化了，再说，以前的协议也不算变化啊，项目的启动，也需要一个过程，白石集团踏入安沣市的第一步，也是需要一个更为稳妥的项目作为基石啊。"

"我理解，企业有企业的难处。唐书记和我谈起你们时，还专门说先和劳总合作一个基本成形的项目，对白石集团也是最为安全的选择，作为政府，作为企业的保驾人，我们完全能够理解你们的做法，还是那句话，只要企业能够在安沣市赚到钱，能够为安沣市经济发展作出贡献，理解和支持，就是政府的本分！"

顾忱心里涌出一分感动，又生出更多忐忑，从白崇洗第一次进入安沣开始，安沣市的主要领导便付出了很多心血，从头到尾一路绿灯，没有任何刁难和推脱，要是卫彬知道站在自己面前的这个"大房地产商"，竟然只是一个千万级"小商人"，会作何感想？

顾忱不敢想下去，只是频频点头，一时间不知该说些什么，刚想张口，突然一阵急促的手机铃声，顾忱下意识一个激灵，掏出手机，是熊能的来电。顾忱忙摁掉，又将手机揣裤兜里。卫彬没有在意顾忱的紧张，亲切的拉顾忱一起坐在办公桌对面的沙发里，亲手给顾忱倒茶。顾忱刚欠起身想表示客气，裤兜里的电话又猛然响起，他只好又拿出来，见鬼，又是熊能，他一定是听到了什么！

顾忱无法在卫彬面前跟熊能说话，只得又挂掉电话。卫彬微笑着说："没关系，这会儿我没事，顾总你接电话不妨。"

顾忱心里苦笑，"我哪里敢在你面前接熊能电话？"强笑道："只是一个不太重要的电话，不接也罢。我来这里，主要是跟您汇报合作进展，另一件事，是关于企业改制……"

"哦，对了。"卫彬起身走到桌上拿来一本文件，趁这个机会，顾忱赶紧将手机关机。卫彬将文件送到顾忱面前，"这，就是安沣市房地产开发总公司的改制方案，因为涉及个别问题，此方案几经修改后才基本敲定。国资委的同志已经签字批准，本来这周在市长办公会上通过后由我签字正式批准，但由于顾总你的介入，方案势必要重新修改，公司的职代会也要重新开过，如果要走一遍程序的话，恐怕赶不及这周的办公会了。所以，我想听一下顾总你的具体想法。”

“我今天来找您，也就是想汇报这件事。我的想法和劳总已经沟通过，所以劳总委托我先单独跟您汇报，征求一下您的意见。”

“我们的态度还是一样，支持！如果白石集团能够介入开发总公司的改制，一定能够推动这家老国企提升管理和市场开发实力，从而焕发新的竞争力，倒真是一件好事。那么顾总你的具体想法是……”

“是这样。按照原先方案，劳总个人持股40%，其余四个领导班子成员每人持股10%，剩余20%股份由员工持股会持有。经过我与劳总的沟通，他决定将自己股份减少到20%，我持10%，熊能20%，其他不变。”

“哦？熊能20%？”卫彬有些意外，“你和老夫子的事，怎么又扯上了他？”

“嘿嘿……”顾忱只笑不答。

卫彬转念一想，会意过来，意味深长的笑道：“看来老夫子同志很懂得搞平衡嘛，这样一来，熊能的心态也平衡了许多，看来劳总请你入股，想必有更深的含义在其中，不过嘛，这是企业内部的事，政府不便多说什么，只要国家利益不受损失，职工权益得到保护，我就坚决支持。我同意这个方案。”

卫彬果然精明过人，一眼就看出其中猫腻。

顾忱接着说：“以前一千万元的总股本不变，职工持股总数也没有任何变化，所以，职代会对新方案也不会有什么意见。”

“嗯。”卫彬点头，“与原方案变化不大，那就尽快安排职代会通过，赶在这两天把新方案送到国资委，我也会给国资委打招呼尽快审批。”

卫彬一语落地，顾忱心里一块石头也落在地上，剩下的唯一阻碍，就是熊能了。正好此时市长秘书进来，通报有约好的客人到来，顾忱告辞。

坐入车里刚打开手机，熊能的电话又响，接通，熊能的粗嗓门震得顾忱耳膜嗡嗡响。“顾总，我听说你跟劳总已经订了个什么协议？”

熊能态度丝毫不客气，大有兴师问罪之意。

顾忱大笑，笑得熊能顿时摸不着头脑，语气也松软下来，“顾总，难道……是有什么新的进展吗？”

“熊总，你是从哪里听到的消息，我和劳总又订了什么协议？”

“这个……我只是随便猜猜，你在老夫子办公室待了那么久，然后他又叫几个人去办公室，说中午一起吃饭，我……当然要多想了。”

“上午走得急，刚才又急着去卫市长那儿，所以没来得及跟你说明，熊总，放心，只有好事，没有坏事。”顾忱给他吃了颗定心丸。

熊能将信将疑，“那……跟老夫子是怎么说的？”

“这个嘛……”顾忱大脑里转了几圈，想着怎么才能摆平熊能，改制方案并没有告诉过熊能，如果熊能知道是自己入股，还不知会作出怎样反应。对于这样一个人，应该如何拿捏呢？顾忱想到一个主意，笑着说：“熊总，要不这样，咱们下午一起吃饭，咱哥俩好好商量一下，好不好？”

“还要等到吃饭干什么？你中午陪他们吃过饭过来找个地方不就行了。方案都在卫市长的桌子上了，我哪里还有时间……”

“放心，熊总，我保证您没同意前，卫市长一定不会签字！”

熊能一颗心也落了地，说：“那好，我信你的话，晚上我安排地方，咱哥俩好好合计一下。”

“好的，不过，要多安排几个人。”顾忱心头晃过一个主意。

“还有谁？”

“到时便知。”顾忱神秘的笑。

打发掉熊能，顾忱又拨了一个电话，等到这一切安排妥当，已时近中午时分，政府大楼的工作人员开始陆续出来，领导们的专车也由司机开到正门台阶下等候，其中有卫彬的黑色奥迪，他应该也快下来了。顾忱发动宝马，向着酒店而去。

中午气氛非常好，卫彬对着顾忱和老夫子举杯，祝贺他们达成意向，两人又同时向卫彬敬酒，感谢领导的大力撮合与支持。席间，老夫子又将双方的合作方案向卫彬做了汇报，卫彬表示同意，还说这是一次引进雄厚资本与管理经验的难得机会，希望双方密切合作，为安沣市城市面貌与人民生活的改善作出贡献。老夫子布置明天上午召开职代会，然后在中午前将新方案送国资委报批。

然后几人尽兴而饮。散席后，卫彬回去办公室休息，老夫子待无人处，悄悄扶着顾忱说：“顾总，这件事，差不多就这样定下来了，但在新方案提出之前，是不是咱们两人之间……”

顾忱心头暗笑这老狐狸还是不放心，于是笑着点头道：“您中午回去休息片刻，我回宾馆写一份咱们两人之间的协议，下午上班送到您办公室，如何？”

“我看，还是我去你的住处打扰你吧。”老夫子轻笑，顾忱明白他是避嫌，于是点头约好时间。

中午回到宾馆，顾忱在房间起草与老夫子之间的协议，主要内容第一点是顾忱以现金入股10%股份，然后在某时间，顾忱再将这部分股份无偿转移至老夫子指定人员名下，在顾忱持有此部分股权期间，所有股东权益由老夫子获得，顾忱只是作为名义上的股东配合老夫子的工作；第二点，老夫子承诺将安沣桥按照两人原先商定的合作模式交与顾忱合作开发，具体合作协议另行商定；第三点，老夫子将10%股份转让给熊能，顾忱保证熊能不再干扰改制过程，同时顾忱确保改制顺利，如果改制过程不成功，则双方协议自动失效。

此方案对双方的行为皆作出具体约束，协议一旦落笔，老夫子将获得改制的最终成果，顾忱将得到那块梦想中的宝地。在股权转让过程中，等于顾忱将一百万元现金白送给了老夫子，此外熊能那一百万元，自然也要由顾忱负担，这是顾忱预先安排好的封口费。

果然，下午老夫子看了协议后非常满意，顾忱在房间里将协议打印出来，老夫子看着打印机里缓缓而出的协议一脸笑意，“顾总，你真是有备而来，竟然还随身带着打印机。”

“我就知道这趟来不会使劳总您失望，车后备箱里放上台打印机，还是很方便的嘛。”

两人对视，哈哈大笑。

协议一式两份，老夫子拿着协议又认真看了一遍，有些不好意思的说：

"根据这份协议，我可是占了你顾老弟一百万的便宜呀。"

顾忱笑，"只要劳总您在安沣桥的合作上，把土地价格稍微抬抬手，老弟这一百万就算回来了。我猜，劳总到时候一定会照顾老弟的，是不是？"对于安沣桥地块的价格顾忱并未在此份协议中确定，但他清楚，老夫子也很清楚，有这份协议在手，犹如双方共同穿了一条裤子，今后走到哪里，都需要双方同时迈步，安沣桥合作条件上，老夫子绝不敢太黑。照顾了顾忱，也就是照顾了自己的利益。老夫子心里暗暗叹服顾忱的精明过人丝毫不在自己之下，又将协议认真审过一遍，刚想掏笔签字，手却又停顿在半空，笑道："顾总，你是不是要先付些定金才合适啊？"

顾忱暗骂老狐狸，早就料到他不放心，一定会在签署协议前让自己先行付款。顾忱弯腰从包里拿出一个纸袋，掏出一摞现金，"这是十万元整，权当合作定金吧。"

老夫子眼睛乐成一条线，乐呵呵收下钱，"顾总果然是心思缜密之人，连这都事先想到。等到你入资时，我会替你将这十万元缴纳。今天我就不打收条了。"

顾忱心说反正连另外那九十万也是你的，随便吧。

"以后，咱们就真正是一家人了，缘分啊，真是缘分，谁能想到咱们才认识两天就能有这样的关系。"老夫子笑着在协议上签下自己的名字。

送走老夫子，顾忱独坐在床头看着写字台上的电脑和打印机，心里忽然有种说不出的感觉，从初春第一眼在桥边看到那块地，到现在春天尚未走远，这块地就要属于自己了吗？这一切，是来得太快，还是来得太顺？不会只是一场梦吧？

回顾整个过程，顾忱好像是一个高明的棋手，从开始将白崇洗拉进来，又将贾晓阳拉进来，接着是孙大盛，熊能，老夫子……每个人都像是自己手上的一枚棋子，听由自己的摆布，但几乎每个人又都从顾忱手上获得了自己需要的东西：白崇洗获得了一块挡箭牌，贾晓阳获得了政绩，孙大盛获得了这块自己送上门来的大蛋糕，熊能、老夫子……

顾忱苦笑一下，下棋之人，其实也在被棋子摆布啊！

正在思绪万千，突然手机响起，贾晓阳声音里好像带着醉意，也仿佛透着不悦，“怎么，听说顾总你已经顺利达成协议了？”

“哪里哪里，我正要给您打电话呢。”顾忱赶紧赔笑，忙了一大圈，竟然还没来得及将进展通报最应该感激的人，贾晓阳一定从哪里得知了消息，责怪自己过河拆桥呢。“贾哥，”自从上次贾晓阳收下顾忱的包后，两人关系明显亲近了许多，早已相互作兄弟称呼。

“好，等下我过去，咱们见面说。”贾晓阳刚从酒场下来，吩咐司机开往酒店。

顾忱看看表，此刻已经是下午三点半，贾晓阳竟然才吃过饭，一定是喝了不少酒。顾忱忙将床上收拾干净泡好一杯茶。刚收拾停当，门铃响，贾晓阳满脸笑意，满脸通红，满嘴酒气进门。贾晓阳喝了口茶，道：“恭喜呀老弟，赶紧给我讲讲你到底是怎么在老夫子、熊能与卫市长之间周旋的，一整天没见，你竟然把一切都搞定了，老哥我佩服啊，佩服！”然后一屁股坐在床上，将皮鞋踢掉，靠在床头乐呵呵眯眼看着顾忱。

顾忱从来没见过贾晓阳在自己面前这般随意无拘的模样，心里暗乐，刚想将整个过程讲述给他听，却听得鼾声响起，贾晓阳竟然已经和衣靠在床头熟睡过去。随手丢在脚下地毯上的，仍是他以前那个不值钱的黑色公文包。

顾忱见状，只得给他盖上被子，又拿着钱包去酒店前台开了几间房。然后拿着房卡进入一个房间，打电话给孙大盛。

接到顾忱电话时，孙大盛正在路上。孙大盛从来没有后座上同时坐着两个美女的旅程，心头正洋溢着暖阳，跟后座两位美女说着笑话。不对，是一位美女，不知为什么，自从哈蜜上了车，他就开始感觉看着晴晴不太顺眼了，是长相，着装，还是气质，反正是说不清的感觉，孙大盛猛然明白一个道理：美女不是长出来，而是比出来的！

上午快到饭点时分，也就是顾忱从卫彬办公室出来给熊能打完电话后，第二个电话是打给他的。

当时孙大盛正带着晴晴在逛商场，确切来说，是晴晴带他来逛商场，因为如果不是晴晴带他进来，孙大盛怎么也想不到北京还有这么贵的地方，妈的，一件衬衣就要六千块，一条领带就够老子当年辛苦俩月挣的，但既

然进来，又不好意思马上出去。再说，带着个漂亮的年轻女孩，腆着大肚子走在周围人的艳羡里，绝对是孙大盛的一件乐事，只是这家商场怎么看着也太空旷，太没人气，除了自己皮鞋踩在大理石地面发出的脆响，就只有那些服务员盯着自己的表面恭敬内地里犹如恶狼般好像要把你连皮带骨头一并啃嚼下去似的凶狠眼神。

"自己盯着甲方的，不也是这种表情吗？"孙大盛边走边想。

那些眼神，盯得久了，让孙大盛感觉有些不舒服，想返身出去，但晴晴偏偏没眼色，只顾拉着孙大盛的红领带上到二楼，迎着电梯冲进一间巨空旷的店面，服务员微笑着朝孙大盛弯腰，孙大盛还没来得及用鼻孔看她一眼，就被晴晴拉到一排包前。

"孙总，人家女秘书都是背这个牌子的包包。"

服务员跟到孙大盛身边，微笑道："是啊，这位小姐真有眼力，这是我们店里的新款，先生，您女朋友拿上它走在您身边一定特好看。"

"好好好，"孙大盛点点头，"原来是新款啊，我说怎么没见过呢。"孙大盛弯腰去看，一看顿时吓了一哆嗦，"靠！搞错没，三万多？够买一夏利了。"

"我背着包一定特给您长面子。"晴晴拿着包在身上比画，边比划边在孙大盛西服上蹭。"干嘛？你痒痒啊？"孙大盛瞪她一眼，想勒令她放下包出门，却又在服务员崇拜的目光中犹豫一下，心里想这么贵的包打死老子也不能买给她，但既然来了，总要找到台阶下才是。正想问还有没有其他款式，手机响了，孙大盛大喜，这下有救了。

顾忱在电话里说："孙哥，这边谈妥了，你下午赶紧过来。"

"啥？搞错没有，下午赶过去？"

"对，晚上有安排，我已经安排好了，你带上回那个哈蜜一起过来。"

"哈蜜？"孙大盛眼前顿时浮现出一个人影，那样性感、那样纤细、那样若有若无半时娇羞半时轻佻让自己想犯罪的眼神……自从那晚尝到云烟的味道后，孙大盛就开始觉得晴晴有些不如意了，总想着等顾忱回来再去找云烟，跟那样的女人睡觉，花多少钱都值得！

顾忱说："我已经安排妥当，晚上哈蜜有用，等下她跟你联系，你接了她一起赶紧过来，晚上一起吃饭。”

孙大盛转着眼睛，回想着哈蜜的模样，那个小演员好像比云烟还要漂亮，想到这里，孙大盛周身上下的荷尔蒙被调动起来，身体的某个部位开始异动，看着身边正在发骚发嗲的晴晴更是不顺眼，偏偏晴晴不知趣，还将一只手勾到他脖子上，娇声说：“买给人家嘛……”

“买？买给谁也不买给你个臭婊子！也不看看自己下三烂的长相，配得上这三万的包吗？老子下午有事，赶紧给我滚！”孙大盛厉声大喝。

晴晴还从没有得到孙大盛这样的待遇，整个人都傻了，半天才想起流下眼泪，但这时孙大盛已经自顾自掉头而去，一路还跟顾忱在电话里说着什么。

服务员看晴晴的脸色顿时变了，晴晴脸胀得通红，冲她恶狠狠骂道：“看什么看！臭婊子！”说完哭着跑出店去，跑到孙大盛身后时，却悄悄定住身子，用一只手指轻轻勾住孙大盛的衣摆，像是一只逆来顺受的乖巧小猫。

于是，中午，孙大盛就带着哈蜜和晴晴上路了，本来有了哈蜜，孙大盛不想带晴晴，但电话里顾忱告知哈蜜这两天“有用”，想了想，只好仍然带着晴晴。不过经过孙大盛那么一声大吼，再加上下午见到哈蜜后，晴晴顿时感受到自己与哈蜜身上明显的落差，于是一个低调温柔的女孩诞生了，一路听着哈蜜与孙大盛调情，心里尽管恨得牙根发酸，但还是陪着笑脸，陪着小心。

孙大盛大概还有两个小时就赶到，顾忱放下心来，这才发现自己疲倦极了，躺床上没半分钟，便沉沉睡去。

这一觉睡得天昏地暗，被电话吵醒后才发现日月早已无光。朦胧间顾忱摸起枕边手机，熊能透着不悦：“老弟，几点了，我等你等到花儿都谢了。”

顾忱清醒过来，忙赔不是，“中午酒喝多了，要不是哥找我，还睡呢。几点了？”

“几点了？都快七点了！我已经在神仙洞府订好房间，就等你电话了。”

“嘿嘿，别忙……”顾忱盘算着时间，此刻孙大盛也应该到了才是。“兄弟给哥哥安排了节目，到时候便知。”

熊能听出顾忱话外知音，想起北京那晚的风流韵事，顿时心猿意马，笑

着问："有啥节目，那就快告诉哥哥吧。"

顾忱暗骂熊能没出息，都到了如此关键时刻，此人心里竟还惦记着风流女色，注定成不了气候。于是微笑道："再耐心些，到时便知。"

"对了，晚上老夫子也在神仙洞府吃饭，我看见他的车了，会不会……"

"没事，他吃他的，跟咱没关系。"顾忱淡淡一笑，心想老夫子晚上一定宴请笃寅的马大帅，这个什么神仙洞府以前从未听说过，今晚大家不约而同约在此处，莫非真是个能够带来好运的神仙福地？

顾忱回自己房间，贾晓阳早已不知去向。打电话给孙大盛，已经距离安泮不到半小时路程。

神仙洞府是一家新开的酒楼，坐落于市郊。近段时间安泮的外地客商明显增多，但人家从外地大城市来，谁还想去吃那些粤菜海鲜，倒都有意品尝一下本地美食。于是神仙洞府便应运而生，主打本地特色的产自安山的野蘑菇、地皮菜、土鸡蛋、野韭菜和山里农家饲养的柴鸡土鳖，菜虽土，但规模与装修档次绝不亚于任何一家高档海鲜酒楼，因此春节后一经开业便生意兴隆，成为宴请外地客人的首选之所。

等到快八点，熊能终于等到顾忱一行进门。

等候期间，熊能喝掉了八壶苦丁茶，去了四趟卫生间，还叫服务员悄悄去老夫子所在的包间侦查一番，回来服务员向他汇报说那一桌人不多，三男两女，坐在主宾的男人矮矮胖胖，平头，白脸，五十上下，开口是地道的京腔。熊能明白，老夫子是在宴请马大帅呢。于是心里不由忐忑起来，难道顾忱这小子无功而返，否则此时老夫子怎会有兴致跟马大帅把酒言欢呢？但又想起顾忱下午电话里胸有成竹的姿态，如果顾忱没有摆平老夫子，想来也不会有心情安排节目吧？或者……是顾忱与老夫子两人之间达成默契，自己反倒……这个结果是熊能最不想看到的，但说实话，这次改制方案熊能已经是三鼓而竭，阻止方案获批其实只是熊能的装腔作势，心底里，早就做好出局走人的准备。哪知天上掉下了顾忱，让自己重新又点燃希望，但到了这个节骨眼上，也别无选择，只好一切依顾忱行事，顾忱真要把自己卖了，恐怕自己也只有听天由命去也……

"妈的，不想也罢。"熊能又皱着眉头喝下一杯茶，思绪又转回晚上的节目上来，上次去北京顾忱给自己找的那个小美女果然了得，让自己有种久旱逢雨枯木逢春的感觉，那种感觉……想起那晚的激情，熊能便欲火中烧浑身上下燃起熊熊烈焰顿时将所有忐忑抛却脑后。一直陪着他站到脚麻的服务员见这位客人脸色始终阴晴不定似笑非笑时而眉头紧皱时而满脸春色，心中倒被他弄得忐忑不安，直盼着客人赶紧凑齐，刚给熊能倒满第九壶茶，门声一响，为首一个高个男子笑着进来，服务员尚未看清那人面目，他已一个健步迎上去，抱住了刚站起身的熊能，来了一个典型的顾忱式拥抱。

顾忱身后明显瘦了一圈的孙大盛乐呵呵进来，穿着件浅色休闲西服，发型也换作短发，更显年轻精神，只是笑容间透着疲惫。熊能忙上前和他握手，哪知孙大盛也学着顾忱的模样给了熊能一个熊抱，“哎呀想死哥哥了呀熊老弟……”孙大盛大笑，却低声在熊能耳边轻笑：“老弟，几日不见，憔悴了呀。”

熊能苦笑，“在安沣这枯庙里，哪里比得上哥哥潇洒，只是……”熊能坏笑：“哥哥好像也有些憔悴了呀……是不是……又去潇洒了？”

两人相视哈哈大笑，那一夜两人隔着一道墙同时享受人间“美味”，早已在心里把对方当做了一个战壕里的战友，此刻相见分外亲切。孙大盛身后人影一闪，却是晴晴低眉顺目的跟在孙大盛屁股后面，此外便再无人进来，服务员把门关上，熊能偷眼一瞥，心里不禁失望，心想这女孩虽然也年轻，但哪里有哈蜜的一半姿色，而且看她模样，明明是与孙大盛一道的，难道这就是顾忱嘴上所说的“节目”？熊能心中怅然若失，强笑道：“孙哥这一路辛苦了。”

“哪里，哪里，反正都是司机开车，我辛苦个屁，倒要晚上好好陪兄弟喝上两盅，庆祝咱们合作成功。”

“庆祝什么？”熊能转头看着顾忱，“顾总，咱那事……”

顾忱拉着熊能坐下，笑道：“咱的事，喝完酒再说也不迟，今天喝酒娱乐为主。”

顾忱脸色平淡，一点没有成功的喜悦，熊能一颗心又“砰”的一声掉在地上，心想顾忱今天请我喝酒，看来只是想安慰安慰我，还把孙大盛也

从北京叫来，还美其名曰什么“节目”！“妈的！这不明明把老子当猴耍吗？”熊能颓坐在椅子上，脸色瞬时阴沉下来，但又不好立时发作，强忍着不悦端起一杯茶，茶刚举到嘴边，顾忱挨在他耳边轻轻笑道：“熊哥，老弟专程请孙总从北京给你捎了一件礼物……”

“礼物？”熊能半端着茶冷笑道：“礼物不敢当，顾总是打算给我发一个安慰奖吧？”

顾忱凝神注视着熊能表情，微笑道：“孙哥，怎么礼物还不送过来？”

孙大盛大声笑，“妈的，怎么司机停车这么半天还不上来？”转头对晴晴说：“去，出去看看咋回事。”

晴晴答应着出去。熊能心想：“你们他妈的就别装孙子了，甩了老子，还假装拿一件不值钱的废铜烂铁打发老子，早知道就不吃这顿窝火饭了！”低下头，正准备喝茶，晴晴却推门进来，笑着说：“来了！”

所有人一起抬头，熊能阴沉着脸，假装丝毫不感兴趣，将茶一口喝掉才抬头去看……

“咣……当。”

突然一个声响从正对门的位置发出，大家又一起转头去看，只见熊能正满脸通红手足无措的从桌子后蹦起来，手中的那杯茶，已然不见！

原来，熊能方才刚把视线对准门口，猛然间看到一个人影，不知怎的，心脏有如过电般猛一顿，浑身上下瞬间酸软无力，手中茶杯失手落在桌沿，“咣”的一声，又带着半杯茶落下，熊能惊觉裤裆里猛一股滚烫水流，下意识跳起来，那杯茶又“当”一声落在脚下的地毯上。

熊能黑色的裤裆上沾满了碧绿的苦丁茶，极为耀眼……

顾忱强忍住笑，转脸去看孙大盛，孙大盛张大嘴，尚未从变故中清醒过来。只见门口一道人影已飞身扑向呆若木鸡的熊能，一手顺势从桌上拿过一叠纸巾，冲到熊能面前蹲下，另一只手拿过纸巾低头为熊能擦拭裤裆，熊能终于完全清醒过来，忙向后让开，身后椅子又“咣当”一声倒下。这短短一刻那人已将熊能裤裆中间的茶叶水渍擦拭干净，盈盈站起身，对着熊能莞尔一笑，道：“熊总，怎么这么不小心啊？”

这一声，犹如仙乐耳暂明，熊能听到耳里，心花怒放，所有的不悦统统无影无踪。“哈……蜜？”

“嘻嘻，原来熊总您还记得我的名字？我好高兴喔……”哈蜜一把抓住熊能的手，一付喜不自胜的模样，笑容与动作轻车熟路，跟她在上表演课时的完全一样。

“哈哈哈……”突然，房间里爆发出一阵傻笑，只见孙大盛咧开大嘴指着熊能放声狂笑，说：“老弟，看……把你高兴的……”

孙大盛竟然是刚反应过来，顾忱不禁也大笑，只有哈蜜作小鸟依人状紧靠着熊能一起坐下，熊能方才被哈蜜葱葱玉手拂拭之处激情荡漾，满脸都是由衷的喜悦。

顾忱坐在熊能的另一边，孙大盛和晴晴坐在对面。

熊能有些不好意思，转脸对顾忱笑着说：“好小子，戏弄哥哥呢！”

顾忱忙笑不敢。孙大盛却大声笑道：“我们就是想给老弟你一个惊喜嘛！今天有美女在，咱们可要多喝几杯！”

“好。听孙大哥的，今晚我给各位接风。”熊能一摆手，“上菜。”

当下满屋子人有说有笑，熊能一只手夹菜，另一只手早已忍耐不住去挽着哈蜜的纤腰上下抚摩，瞅顾忱的眼神全是感激。

孙大盛眼睛瞧着对面哈蜜，想着那晚与云烟的游龙戏凤，越看越觉着身边晴晴不顺眼，除去喝酒吃菜，一双眼睛老往哈蜜高耸入云的胸前去瞟。

三人喝酒，只有顾忱喝下的是酒，孙大盛喝下的是醋，熊能喝下的却是蜜。

酒过三巡，顾忱出门去卫生间，转过一个走廊，正巧旁边一间包房推开，服务员往里送菜，顺势往里一瞥，顾忱不禁一呆，坐着的，正是老夫子，老夫子对面一个白胖子，一定就是笃寅的马大帅了。顾忱就在这一顿脚步之间，房间里马大帅身边一女孩却无意间往外一瞥，正好与顾忱视线相对。就在这不到千分之一秒时间里，顾忱心突然被什么触动，这女孩的眼睛清澈见底，很久没有见到过这样的目光了。女孩无意间随着门声转脸瞥去，却看到一个高个男子正看着自己，这男人一看就知道不是安沣本地人，一转念之间，门又重新关闭，关门一瞬间，两人仍在对视，此刻顾忱已经注意到女孩的漂亮，心想这马大帅真有福气，身边竟跟着这么一漂亮

女孩，哈蜜跟她比起来，就好像是洋葱头遇见葱——遇见真神了！女孩却在最后一刻狠狠瞪了顾忱一眼，因为她发现这人的最后一眼变了味道，就好像是初到安沣市，几乎所有人见到她跟着马大帅，立即露出奇怪的眼神。后来她终于弄明白，原来人人都把她当做马大帅的“小蜜”了。女孩气不打一处来，于是从那以后她每次都走马大帅前头，马大帅逢人便说：“这位，申扬，申总，我老板！”

“长得人模狗样，原来也是俗人一匹！”申扬心里骂顾忱一声，立刻将他忘在脑后，仍专注听老夫子说话。这人说话好像是在背书，而且是背文言文，长篇大论哼哼哈哈啰啰嗦嗦，明明一句话就可以说清的，非要绕道上下五千年才柳暗花明，申扬早听得不耐烦，随着门开想歇歇耳朵，却又遇见那么一个无聊的目光，只得打起精神继续听老夫子背书。

老夫子今天的意思其实很明确，说的也早已是马大帅打听到的消息，项目有人插足了，而且背景很厉害。

马大帅只客客气气说了一句：“再厉害的人，只要有您劳总在，能厉害到哪里去？”言下之意很清楚，只要你老夫子不让他进来，他想进也进不来。

老夫子假装咳嗽一下，喝了口水，然后又起身给马大帅敬了杯酒，然后又坐下咳嗽一声，然后又喝了口水，说：“这个，这个嘛，这个……我们做企业的，难啊。马总，您也是企业中人，企业的难处，您应该比我还清楚。不过，您是在天子脚下，又是大公司，我们在安沣一亩三分地里，企业的环境嘛，不说您也知道，理解，希望您能理解我们的难处啊……”老夫子假装咳嗽一下，喝了口水，然后又起身给马大帅敬了杯酒，然后又坐下咳嗽一声，然后又喝了口水，说：“这一家，实力虽不如贵公司，但人家背景，唉……上面没有人，也不敢贸然来趟安沣这蹚浑水啊……”

听得申扬直恶心，老夫子这套标准动作和语言，自打今晚一落座就开始并重复到现在，跟事先复制好似的，就连每次时间都相差不过一分钟。偏偏马大帅极有耐性，每听得老夫子说完一遍，接口道：“那是，那是。”

于是两人端杯，碰杯，喝酒。

这一旁董玫也亲切招呼申扬端红酒杯，碰红酒杯，喝红酒。

申扬正想说劳总您要是一直这么重复下去的话，求求您老人家还是放俺一条生路回房睡觉好不好，老夫子终于转到正题，“这个……此外啊，他们提出的合作条件嘛，那个，也还是很有竞争力的。一个，是土地价格，二个，是合作方式……对了，马总，申总，你们还记得咱们头一回见面时，我希望以土地折价入股的事吧？”

马大帅今天晚上第一次皱了皱眉，说：“当然记得。您是希望以土地折价入股，您出土地，我们出资金合作开发。但我也请示过申总，这样一个京外小项目，我们还是希望能够干干净净的运作，还是直接把土地转让给我们更合适啊。”

申扬也听明白了，原来今晚老夫子请客的目的，是想提高合作价码。老爸说过，笃寅集团能成就今日事业，重要一点就是言而有信。商场上，只要双方达成承诺，不论书面协议签订与否，都应无条件执行。老夫子这种行为，明显是推翻承诺背信弃义！申扬心头火起，假装没有听见董玫亲切的招呼，认真盯着老夫子的表情看，看他接下来又有什么长篇大论。

“是啊，是啊，我记得当初咱们就是这样达成的默契。”老夫子表情如初，假装咳嗽一下，喝了口水，然后又起身给马大帅敬了杯酒，然后又坐下咳嗽一声，然后又喝了口水，说：“理解，还是希望马总和申总多多理解啊……”

申扬终于忍无可忍，张口道：“劳总，我们……”

马大帅用眼神制止了她，打哈哈道：“劳总，贵公司的难处我们当然理解，我们之所以一片痴心的等候在安洋，也就是相信劳总您的为人与诚信。说实话，论背景，笃寅只会多，不会少。但我们申总的为人原则，一是诚信，二是公平。所以笃寅做项目，靠的是本事，是实力，不靠关系。”

“那是，那是。”老夫子脸色有些难看，一半是因为马大帅指责他不诚信，二是因为申扬的眼睛在自己脸色直视了足足一分钟，老夫子脸皮再老，也有些挂不住了。

“这么吧，劳总，您的意思我也听懂了，既然存在竞争者，那么作为土地方，您自然要取其优，去其弱。关于合作条件，您也可以重新再提，咱们也不妨重新再谈……”

“不忙，不忙。今晚请二位来就是喝酒，二来将这个情况有劳马总向总部汇报，咱们改天再谈，再谈。”

“好，我今晚跟申总汇报一声，明天去您办公室谈，如何？我听说这两天改制方案就要获批了，劳总注定成为自由之身，相比也不必忌讳太多了吧？”

“好，一言为定。明天上午九点整，有劳两位去我办公室。”老夫子今晚目的本来只是想把请笃寅出局的结果告之马大帅，但马大帅竟然又提出合作条件可以商榷，意味着老夫子又多了一个选择，他迅速转过一个念头：虽然与顾忱签有协议，但如果笃寅开出的条件更高，自己有土地在手，哪怕待改制获批后与顾忱毁约，自己那时已是私营企业，顾忱又能奈自己几何？那些市领导们又能奈自己几何？再说，自己在安沣市占山为王已久，关系盘根错节，谅那顾忱也不会劳心费力拿着一份见不得光的协议与自己打官司！自己好似一个高明的商人，稳坐钓鱼台，待价而沽，岂不高明？想到这里，老夫子不禁在心底暗暗冷笑一声！

那边几人早已喝得气氛沸腾，有美女相伴，熊能酒兴极高。喝得孙大盛颠三倒四，早已醉眼迷离。晴晴替他挡酒，被孙大盛一把推开，大声吼道：“别拦老子，老子今天高兴，吃完饭还要去泡妞呢！”

孙大盛一句泡妞，明显是把自己已经不再当做“妞”，晴晴可不想刚傍上一个大款就被甩掉，口头不敢再说什么，却用眼神向顾忱求援。顾忱会意，也怕孙大盛酒喝太多又生出事端，于是对熊能悄悄说：“要不换个地方？也该说说咱们的事了。”

美女在畔却无法一吻香泽，其实熊能早就想换个地方，不过他想的地方，却是床上。顾忱的话让他恢复了些理智，猛想起似乎还有更为重要的事尚未落实。当下点点头，问：“去哪儿？”目光却在哈蜜身上依依不舍。

顾忱轻笑道：“要不咱们回酒店，占不了您太多时间。”

“好啊。”熊能站起身就走，孙大盛也晕眩着起身，大叫：“走，泡妞去！”

出来酒楼，几人回到酒店。顾忱给熊能和哈蜜，孙大盛和晴晴各安排了一个套间，孙大盛的司机单开了个标间。

孙大盛一路嘟囔着去找地方泡妞，却还是被顾忱拉到房间，顾忱又让晴晴陪着哈蜜去隔壁房间说话，顾忱与熊能、孙大盛在房间密谈。

谈话的内容孙大盛才不关心，只是半梦半醒半躺在沙发上打着哈欠，顾忱怕他说错话，也不去理会他，拉着熊能坐在另一个沙发上。熊能此刻有美人在隔壁等候，大脑早已空空如也，心却在欲望中焚烧，哪里有心情说正事。

顾忱等的就是这样的机会，假装对熊能的欲火毫无察觉，悠闲的烧水倒茶，边与熊能说话。

“熊哥，我今天与老夫子谈判，看来他早有准备，改制也势在必得。然后我又去卫市长那里，根据我的判断，似乎市里对这次改制方案，也基本达成了共识……”

“哦？不会吧……”熊能疑惑的看着顾忱，说：“这是老夫子最后一次机会，他当然要以命相搏，但我熊能也不是吃素的，最后一刻拦他一把也不是不可能，事关国有资产流失的大事，一旦真闹出什么动静来，卫市长肯定也要有所顾虑，兄弟你要是没收获，明天我去想办法……嘿嘿……”熊能冷笑，“我就算滚蛋，也不能让老夫子太平。鹿死谁手，还没见分晓呢！”

顾忱早已判断出两方博弈的形势：老夫子与熊能的胜算比例是九比一，但就是这一，使得老夫子不敢大意，也使得自己有了游戏其间的机会。自己的加入也使得老夫子的胜算更大了不少，熊能此刻的声色俱厉，不过只是掩盖其内心虚弱。不过，没有到终局时，谁也不敢保证熊能不会再耍出什么花样来，哈蜜今晚的任务，就是要熊能心有旁骛，再加上自己提出实惠于熊能的新办法，摆平熊能，顾忱还是很有把握的。

“熊哥，我知道你的能量，不过那样一来，也可能出现两败俱伤的结局……”

“我才不怕，我熊能……”

“哥，”顾忱一只手轻轻拍在他的大腿上，“我倒有个主意……”

“哦？”

“春宵一刻值千金，我要是哥，要抓住时间享受才是啊……”顾忱意味深长的说，熊能的心立即飘荡到隔壁哈蜜的怀里，脸上表情顿时迷离。

“我的主意是……改制后，你的股份和老夫子平起平坐……”

一句话，熊能又醒过来，愣了愣，熊能大笑："不可能，兄弟你出的是什么主意？老夫子怎肯这样做？开玩笑。"

"我如果能做到呢？"

顾忱一脸认真，熊能摇摇头，"不可能，绝对不可能。"

顾忱不理他，接着正色说："你百分之二十，老夫子也是百分之二十，其他人股份不变。"

见顾忱一本正经，熊能也认真起来，想了想，说："那还差百分之十呢？"

"我。"

"什么？"熊能猛一愣。

"我拿这百分之十的股份。你记得我在国家国资委有朋友吗？"

熊能点头，一脸茫然。

"这是他给我出的主意，而且，他还跟省国资委打过招呼，卫市长嘛……也很支持这件事情。"

熊能有些明白过来，不禁笑道："你要这百分之十做什么？"

"我嘛……自然是以这种方式拿地，再说，土地升值后，我的股份也自然升值，当然只赚不赔了。"

熊能点点头，"我明白了，就算有人支持你，老夫子同意给你十个点，可我的……"

"这哥你就别管了，没有哥，我也拿不到这个项目，我当然要对哥感恩回报，我要十，哥也必须再要十，这样下来，你的股份就跟老夫子平起平坐了。"

"可……老夫子也不是傻子……"

"这件事就交给我去摆平，今晚，哥就别去想这些琐事，安心去享受吧。"顾忱指指隔壁，哈蜜的温香软玉是不是已经玉体横陈……

"总之，兄弟我如果能做到，这件事就这样定下来，如何？"

"行啊……"熊能还是半信半疑，"但时间要抓紧才行。"

"最多后天给你答案。"顾忱斩钉截铁，语气让人不由不信。熊能看着他，一脸不可思议，诺诺道："可……我要多拿一百万……"

"放心，哥，你这百分之十的股份我出资，就当我对你的感谢费。"

"什么？"熊能一惊，"你说真的？"

"是。改制结束后，新公司以土地出资，我出现金，项目结束后，光这一个项目的利润的百分之二十，就是……"

熊能张大嘴点点头，那个数字对于他而言，将是一个天文数字，到那时，哈蜜，更多的蜜……每天都是蜜罐里的甜美日子……悠悠然，熊能几乎坠入梦中。

"哥如果没意见，我就去做了……"

"好，就这样，不过我最多等你到后天。"

"好。"顾忱看着熊能那张庸俗而贪婪的嘴脸，心中大声的笑，距离成功，又近了一点……

熊能出门，孙大盛忽然坐起身来，"好了，摆平了这厮，咱们去找个地方乐一乐。"

顾忱笑了，"原来你一直在假寐。"

"那当然，老子刚才装醉呢，听你老兄这么快把这混蛋搞定，佩服啊，佩服！哈哈……"孙大盛仍然喷着酒气半躺在沙发上，不知到底是清醒还是迷醉。顾忱一直从心里看不起孙大盛，但此刻的孙大盛，却突然让顾忱有了寒意，说不定此人粗鲁的表象下，隐藏着无底的智慧……

"走吧，熊能这混蛋说不定已经和哈蜜干上了……"孙大盛站起身。

门却开了，进来的是晴晴。一定是熊能进去后便急不可耐的将她赶了出来。孙大盛斜眼蔑着她，冷笑道："怎么，我还以为熊总两人都要呢？"

晴晴假装委屈的样子低头走进卫生间。顾忱笑道："你还是别吃着碗里看着盆里，好好休息，明天还有事呢。"

"不行，要不你把这婊子带走，老子现在看她就烦，看来人的素质就是不一样啊。"

"还是你自己处理吧。"顾忱笑着想走，手机却响，竟然是倪枫，好久没见这个小姑娘了，怎么，这么晚，她又有什么消息吗？

"顾总，听说你大获全胜了，恭喜啊。"

听见里面一个女声，孙大盛眼睛都直了，大声说："怪不得你小子不陪我，原来有人了。"

倪枫笑，“原来孙总也在呀？”

“是啊，我们在说事呢。”

“到底是谁呀？是那个什么……小倪吧？”孙大盛扯着嗓门问。

“有什么事吗，小倪？”

“没事就不能给您打电话吗？”倪枫咯咯笑，“要不要出去喝杯咖啡，我请客？”

顾忱笑，“今晚酒喝多了，明天还有事，还是改天吧。等事情落实了我专门请你吃饭，还真要好好感谢你才是啊。”

“感谢不必，只要顾总能给我一点效劳的机会就行了。”

“没问题，美女，你想要什么机会？”孙大盛忽然凑上前笑着叫道。

顾忱生怕他乱放厥词，忙说：“好了，我们也要睡觉了，再见。”然后挂掉手机出门去。孙大盛却跟到门外，小声说：“把小倪电话告诉我，你不去喝咖啡，我去。”

“事情还没办完，这女孩不知深浅，还是别招惹她好，回去睡觉吧。”顾忱想走，却被孙大盛一把拽住，“你听，啥声音？”

孙大盛一脸坏笑，支楞起耳朵站在走廊上侧耳倾听。

有一个声音，隔着隔壁的房门肆无忌惮的钻出来，那是熊能和哈蜜在……

“靠，什么破五星级酒店，连声音都挡不住。不对，是老熊的声音太大了，一定是爽急了。”孙大盛竟然去趴隔壁房门上去听。顾忱听着那声音，再看孙大盛的龌龊相，脸都红了，摇摇头心想怎么跟这两个不堪的家伙为伍了，趁着走廊没人，顾忱急忙回到自己房间去……

孙大盛趴在熊能房门尽情的听了一阵子，听得心潮澎湃欲火中烧，直到有客人路过才依依不舍回到自己房间，房间里晴晴早换上一身情趣内衣在幽暗的灯光下卖弄着风骚。孙大盛心里暗叹口气，心想今晚只好在这头母牛身上解决了。刚脱下西服，晴晴已经扑到他怀中，正在这时，手机却响了，一个陌生的号码，孙大盛犹豫着接不接，晴晴气喘吁吁说：“不接好不好……”

她一说别接，孙大盛反而想接，一把将晴晴推开，摁下接听键。

“孙总……”一个女孩的声音，在咯咯笑。

“小倪？”孙大盛特吃惊，心花怒放，面前的晴晴已经将衣服脱光，孙大盛却正眼瞧都不瞧她一眼。

倪枫笑道：“孙总，你一个人吗？”

“是呀，美女。”孙大盛横眉倒竖，用手指着晴晴，勒令她不得发出声音。

“出来喝杯咖啡？怎么我也得尽一下地主之谊呀！”

“地主什么的姨倒不用客气，只要有美女陪我喝一杯咖啡我就心满意足了，哈哈……”孙大盛大笑，眼前浮现起倪枫那张俏丽的笑脸，虽然不如哈蜜精致，但比起眼前这头母牛，不知强上多少倍！更重要的，倪枫那女孩看上去又纯情又有气质，一点不像母牛和哈蜜这等风尘女子，如果能跟她发生点艳遇……孙大盛已经开始想入非非，边问倪枫地点，边又一把推开试图抱住他的晴晴，抓起西服和皮包大踏步出门而去……

孙大盛开动宝马，按着倪枫的指引三拐两转便找到倪枫电话里所说的一个街角，此时已近深夜十点，街上行人已少，黯淡的路灯下，孙大盛一眼就看见穿着白色长风衣的倪枫。风衣里是一件低胸吊带，是倪枫上次去北京花三千块钱买的名牌货，也是今晚身上最值钱的一件衣服，果然是一分钱一分货，车中的孙大盛隔着玻璃从头到脚打量倪枫，这女孩今夜略施薄粉，水润的透明唇膏在灯光下散发着诱人的光泽，粉嫩脖颈处挂着小小的吊坠，黑色丝袜，黑色高跟鞋，视觉中心，被集中在那件半掩半现的鹅黄色吊带上，果然，孙大盛目光集中在这件内衣上，只顾去看，竟险些忘记踩刹车一头撞在倪枫腿边的护栏上。倪枫迎着孙大盛贪婪的目光心中暗笑，跑过去拉开车门，清雅的香奈儿COCO小姐香水味道伴着春夜微风一起荡漾在孙大盛的鼻腔，好像是一股浓烈的可燃挥发气体，即将引爆车里本已充溢的欲火……

“小倪，你好，竟还记得我呀？”要换作那些风尘女子，孙大盛早就上去一把拉进自己怀中撕碎衣服再说，但眼前这个娇羞可人的小白领，却使得孙大盛强按捺住欲火，努力让自己的表情斯文些。

那天在北京倪枫与孙大盛也就是一面之缘。倪枫假装害羞模样，低头，

又抬头轻瞟孙大盛一眼，轻笑道："那天，要不是您司机陪我，我还不知道您原来也是那么一个大老板呢……"

倪枫的话轻飘飘的，好像清风般在车内飘过去，只有"大老板"三个字加重语气，落到孙大盛心坎里，既是受用。他笑眯眯问道："哦，我那司机竟然敢在背后透露我的情况，明天我就让他滚回老家去。"

"不！"倪枫一惊，双手一起上前，一把抓住孙大盛的大手，惊叫道："不行，人家只是随便说说嘛，求您别这样好吗？再说……您那司机，也是特崇拜您，才告诉我些您的故事，我还不知是真是假呢。"

"哈哈……"孙大盛被倪枫抓住手，那种感觉，到底怎么形容呢？孙大盛在头脑里转过千百个想法，都无法用语言形容这种奇怪的好像亿万个蚂蚁在心头乱爬的感受，车里的挥发气体愈加浓重，孙大盛有些窒息了，他傻笑两声，假意咳嗽两声，问："那……那我要知道……他……他都告诉你什么了？"

"他说呀，大老板，也就是——您！"倪枫抽回手，用一根手指指着孙大盛的鼻尖笑，"说您特有本事，在北京闯荡没几年，硬是从一个包工头做到现在上十亿的房地产大老板，还说呀……您特严肃，工作特认真，底下人，当然也包括他喽，都特怕您，嘻嘻，其实在我们女孩听起来，您这样的男人，特有男人味……让我闻闻您是不是真有男人味儿？"倪枫说完，把鼻子伸到孙大盛的脸上去闻，孙大盛感觉一个滚烫的面庞即将把自己心里的火点燃，竟下意识向后退让了一下，目光却在这一瞬间似曾无意中瞥了倪枫低垂的胸衣深处……

倪枫深吸一口气，"啊，真的耶……您身上真的有一种男人味儿。"

孙大盛除了会傻笑，还会傻笑，心里暗暗揣摩：常年跟那些低素质的女人打交道，今晚跟倪枫这么一亲密接触，才知道世上还真有让自己心动的女人。

"咳……咳……"孙大盛想吐痰，却平生头一次感觉有些不好意思，硬把一口痰吞回腹中，艰难的说："小倪，你不是想去……喝咖啡吗？"

"安沣又不是北京，这时候哪里有喝咖啡的地方，要喝，好像只有……去我家里喝点速溶咖啡好了……"倪枫突然脸一红，羞涩的低下头，"我本来是想请顾总和您二位一起的，您一个人……要不，咱们去叫顾总？”

“他呀，他睡得早，哈哈……”孙大盛眼睛盯着倪枫胸前那一片鹅黄色的动感地带，生怕倪枫说出什么不方便就改天之类的话来。倪枫眼波流转，声音更小了，“那……只好请您一个人去了……”

“行啊行啊没问题的。”

“就怕……就怕……”

“就怕什么？”

“就怕您这房地产大老板嫌我那儿太简陋……”

“没关系，我北京的办公室肯定比你家还简陋，简陋，哈哈，有简陋的温馨。”

五分钟后，孙大盛已经坐在倪枫的小屋里。

这是倪枫租住的房子，一室一厅，陈设简单，却很温馨，一看就是女孩的住处。倪枫的卧室半掩着门，里面透出暖暖的光晕，使人联想丰富。

狭小的客厅里，孙大盛坐在一组双人沙发上，客厅立刻变得拥挤起来，倪枫去厨房烧水，孙大盛打量着这套不到五十平方米的住处，问道：“小倪你怎么买这么小的房子啊？”

“哪里是买的，我这点微薄工资，哪里能买得起房子？”

“是吗？你们劳总实在太小气了。”

“唉……只有等孙总您以后做我的老板了。”倪枫端着两个咖啡杯坐在孙大盛对面的单人沙发上。

“没问题，等咱这项目开了，我送你一套。”

“真的！”倪枫惊喜的跳起来，“说话算数？”

“真的。”

“那……我更要好好请请您了，不过，白送我可不敢要，要不……我去给您打工怎么样？比如……做个秘书什么的？”

“秘书？”孙大盛眼睛顷刻直了，眼前这个小尤物要能做自己的秘书……

“您不要我就算了。”见孙大盛不说话，倪枫有些泄气，说了句话起身。

“哪里是不要你，我喜欢还来不及呢……”孙大盛猛蹦出一句。

“真的？！”倪枫兴奋得转身跳起来，又蹲在地上趴在孙大盛的膝盖上，抬脸说：“像您这样的大老板，哪里会对我这样一个小女孩认真呢？”

倪枫的吊带里一览无余，孙大盛感觉到身体某个部位正在剧烈的产生反应，孙大盛又想退缩，倪枫却一把抓住他的手放在自己胸前，“您听，我可是认真的，心都在拼命跳呢……” 孙大盛心也开始狂跳，口干舌燥的诺诺道：“小……倪，我……”

“那我们说好，等项目开始后，您跟劳总要我，我保证做个好秘书。”

“好，好。”

“其实，我知道，您才是真正的大老板，是吗？”

“什么？”孙大盛一愣。

“您的司机都告诉我了，那个顾总，其实……还赶不上您的十分之一？”

“哈哈哈……”孙大盛忽然爆发出一阵得意的大笑，“顾忱那点小钱，哪里能跟我比？”

“这么说，我找对人了？”倪枫忽然有些颤抖，眼睛也变得湿漉漉的，“您真的要我？”

“要……”孙大盛手在倪枫胸口越来越热，想抽回，却将倪枫一并拉近……

第六章 饕 餮

顾忱一早被手机闹钟惊醒，窗外已是大亮。

八点半，是昨晚顾忱给自己定的起床时间。摆平熊能，要赶快给老夫子回个话。老夫子接到顾忱一早打来的电话，语气依然跟平时没什么两样。

顾忱说："熊能已经同意咱们的意见，事不宜迟，请您安排重新召开职代会通过新方案。"

"新方案嘛……我已安排人在做，只是文字调整一下嘛，资产总量和职工股都没有什么变化，所以，只是领导班子原则上通过一下就可以了，职代会嘛，就不必重新开了。"

"那好，您这里新方案一成文，咱们一起去找卫市长，以免夜长梦多。"

"好的，好的，您等我消息。"老夫子淡淡的挂掉电话。

顾忱心生疑窦，老夫子的语气平淡得几乎有些漠然，会不会一夜之间又有了什么变故？难道是……马大帅？

顾忱正在沉思，门被大力敲响，进来的是孙大盛兴奋的笑脸。顾忱奇怪，这人一向不是睡懒觉吗？怎么今天早上如此精神，容光焕发精神百倍，跟一大早遇见天大的喜事似的？

"上午有啥安排不？"

"稀罕了，孙哥你不是一向不想过问这边的事吗？"

"我是股东，能他妈的不关心吗？"孙大盛跟在顾忱屁股后头去卫生间，顾忱洗漱，他就靠在门上乐呵呵看着，顾忱满腹狐疑，怎么过了一晚上所有人都跟换了个人似的？

"小顾，你知道吗？这人的素质就是他妈的不一样，就连干那事儿都不一样……"孙大盛兴奋异常。顾忱牙刷了一半，忽然有所察觉，扭头问道：

“你昨晚出去了？”

“嘿嘿……”孙大盛得意的笑，却故意将话头转移，“你猜，昨晚哈蜜把熊能累成啥样了？”

顾忱摇摇头，吐掉口里的水。

“对了，”孙大盛道，“你说，咱要不要找人收拾收拾马大帅他们？”

“什么？”顾忱大为意外，脸都顾不上洗，吃惊的看着孙大盛。

孙大盛更是得意扬扬，“我得到一个最新消息，马大帅他们今天上午可能去老夫子办公室，看来，他们还是贼心不死啊。”

“糟糕！”顾忱心里暗叫一声，果然老夫子那边有反复。这个老狐狸！他顾不上追问孙大盛从哪里得到的这个消息，三下两下洗完脸，边洗脸边思索着对策，对付老夫子这个老狐狸，一定要把他逼到死胡同里，否则不到最后一刻，还不能保证他不出什么幺蛾子来，出了问题，连熊能那边都交代不过去！

顾忱抓起电话打给卫市长，卫市长正在开会，破例接了顾忱电话，问他有什么事，顾忱只说了一句：“等您开完会我和劳总去您办公室汇报改制新方案的具体细节，请您最后拍板。”

卫彬有些意外，说：“你跟老夫子不都说好了吗？”

“劳总那边好像有些……情况。”

“这个老夫子。”卫彬立即听懂了，小声说，“十点，你们来办公室，我通知国资委的同志。”

拿到卫彬的尚方宝剑，顾忱顾不上吃饭，拉着孙大盛直奔老夫子办公室，路上才有时间问孙大盛从哪里得知情报，孙大盛半遮半掩，跟怀里揣着个元宝又想让人知道又怕人知道似的，顾忱知道这人嘴把门不严，迟早自己会说漏，也不再问。孙大盛带着一脸满足幸福状沐浴在春风和阳光里，有如初夜后的新郎官。

顾忱径直推开老夫子办公室的门，所有人都吃了一惊。

老夫子正坐在沙发上和对面的马大帅笑着说什么，马大帅身边是申扬，老夫子身边是董玫，旁边单独一张转椅上坐着王主任，还是昨晚吃饭时的原班人马。

马大帅刚进门，双方还没有寒暄完毕，便见顾忱一头扎进来，平时深沉惯了的老夫子竟然也有些惊慌失措，强笑着站起身来，一脸雾水道：“顾总，这么早……”

“哦，劳总，您的手机一直打不通，事关紧急，我只好不请自来了，卫市长让咱俩十点去他办公室，国资委的几位领导也都到场。”

老夫子吃了一惊，没想到顾忱竟然给自己来了这么一招。

马大帅和申扬也立即明白了眼前这个不速之客是何人。申扬盯着顾忱看，心想昨晚在酒店那个无聊之人原来就是自己的竞争对手。顾忱目光扫视一周，目光恰与申扬对接，心想：“这个马大帅走到哪里倒都不忘带着自己的小蜜。”

两人目光对接瞬间，彼此心生厌恶。

孙大盛盯着申扬，却险些要流出口水。眼前这女孩，出奇的清纯，出奇的清新，出奇的靓丽，毫无争议的比哈蜜与倪枫都要漂亮得多，“妈的，这样漂亮一位美人，竟然被马大帅这白色大肉虫给独占了，真他奶奶的好艳福！”孙大盛立即派生出一个理论：衡量房地产商实力的一个重要标准，就是看谁身边的美眉漂亮！马大帅身边的美眉如此惊艳，怪不得人家是笃寅，自己刚搞定的倪枫姿色也是美眉中的上品，但跟这女孩相比却相差甚远，所以，自己的财富比起笃寅来，也是相差甚远，至于顾忱，身边无女人，自然只配当个穷小子喽！

没有人知道短短几秒钟，孙大盛脑子里竟能生出这许多想法。

老夫子不愧是老江湖，顷刻间掂量出轻重缓急，微笑道：“顾总你来得正好，来，我给你们介绍一下，这位，是北京笃寅集团的马总，这二位，是北京白石集团的顾总与孙总。”老夫子特意没有介绍申扬，是因为申扬曾特意交代过不要透露她的身份。这一来更印证了顾忱与孙大盛对申扬身份的判断，孙大盛一双色眼肆无忌惮上下扫射着申扬，申扬奋起还击，也用力瞪着孙大盛看，一脸鄙视。

顾忱忙上前与马大帅假意握手，顾忱说“久仰”，马大帅却酸溜溜说：“我还没听说过白石集团有顾总大名，不知是白总新从何方请到的青年才俊？”顾忱微笑不答。老夫子在旁说：“顾总是白总好朋友，也是白石集团

股东之一。”

顾忱是股东，马大帅却仅是经理人，再加上顾忱虽年轻，但气度显然超马大帅一筹，马大帅醋意的态度更加降低了自己身价，就连申扬都在旁为他汗颜。两人高下，立时分晓。

老夫子冷眼旁观，也立即得出答案：其一，有卫市长背后撑腰，局势顾忱占优，看来马大帅一方已无翻盘可能；其二，顾忱是老板，马大帅仅是个经理人，申扬虽是笃寅少主，但毕竟年轻力薄没有分量。这么一来，自己只有一条路可走了：那就是请马大帅走人。

想到这儿，老夫子轻轻一笑，对顾忱道：“顾总，今早请马总来，主要是叙旧，顾总你来得正好，同行之间可以共叙有无，毕竟大家以后还有合作的机会嘛。”

又对马大帅说：“马总，时候不巧，领导召见，我也只好过去领旨，只能陪你少聊一会儿了。”

王主任此时又推来两张座椅，几人分别落座，申扬早对老夫子的背信不忿，再加上这个粗鲁男人的无力目光，终于再也无法忍耐，对老夫子和董玫说声对不起我还有事先出去一下，最后狠狠瞪顾忱和孙大盛一眼，扬长而去，董玫反应过来，忙推门跟了出去。

马大帅有些尴尬，老夫子笑呵呵假装没看见这一幕，顾忱悠然坐在马大帅身边，孙大盛却小声用鼻孔说了声：“小样！”

马大帅昨晚连夜请示申笃寅，申老板对安沣的变故很淡然，答复是只要有利于公司，条件可以继续谈。得到大老板令箭，马大帅今天本来是想与老夫子重新确定合作条件，不料却被顾忱搅局，看老夫子表现，明显已偏向对手一方，心里又气又急又羞，哪里还能叙得下去，假意寒暄几句，站起身，说：“几位还有正事，我就不打扰了，先告辞。”

老夫子假意挽留，说中午一起吃饭，马大帅说中午还要赶到省会去见一个老朋友，就不吃了。于是几人送马大帅出门，回屋重新就座，老夫子微笑，顾忱也微笑不语，只有孙大盛又用鼻孔说了句：“打工的就是打工的，劳总啊，谈生意，还是要老板跟老板谈才是。”

这么富有深度的话从孙大盛嘴里说出来，实在是前所未闻，顾忱顿时被震住，心想他昨晚难道是遇到了什么神仙鬼怪不成？怎么陡然上升到一个新的境界？

老夫子的脚踏两只船被顾忱撞破，又是懊恼又是心虚，听任孙大盛讥讽，除去强笑着连连点头称是，一时间竟也说不出什么话来。

顾忱见老夫子狼狈，心中暗乐。心想也不能太叫老夫子难看，于是抬手看表，说："距离十点还有半小时，要不咱们现在出发？"

老夫子忙点头，吩咐备车，顾忱拦住他，说就坐自己车一同去吧。

几人下楼，顾忱给孙大盛使眼色，孙大盛知趣的坐进自己车，老夫子坐进顾忱的车里。

顾忱开门见山，问老夫子何时能出新方案，老夫子说："新方案董总已经开做，下午就可完稿，上午正好当面将具体内容口头向卫市长汇报，下午等方案出来就安排开领导班子会议通过。"

"看来笃寅集团给您的压力也很大嘛……"顾忱悄悄用余光打量老夫子。

老夫子忙笑道："哪里有什么压力，马总奔波这么久，我当然要好言安抚他才是，等他明天回来，我还要好好安排请他一顿呢。"

顾忱大笑。老夫子也大笑。车入市政府大院，老夫子不由赞道："看来顾总果然在市政府畅通无阻，我的车，每次进来也要登记呢。"

卫彬已经在办公室候着，国资委的两位主任也在场，当下由老夫子将新方案口头做了汇报，事先国资委已经得到卫彬预先告之，也没有什么意见，因此此次汇报只是走走过场而已。前后二十分钟汇报结束。出门时卫彬意味深长的说："劳总啊，体制换了，思维也要更换才行，有顾总这样的能人加入，有白石集团这样的雄厚实力做依靠，意味着公司将注入新鲜血液，意味着公司上升到一个新的层次，机会，一定要好好把握哟。"

马大帅回到酒店，见申扬已经自己打车回来，正坐在窗前望着外面的春光生闷气，见他回来，申扬嘟着嘴说："马叔叔，你说咱们这次为什么这么被动？堂堂笃寅集团，竟然在安沣这样一个小地方被人随意摆布。不行，这个项目跟这么久，我们绝不能轻易退出，必须想想办法。"

"扬扬啊，"马大帅坐在她身边，"刚才在车上我给你爸爸汇报过了，他

说，凡事随缘，凡事不要强求，越是在安沣这样的小地方，暗中机会越是复杂，咱们越是需要谨慎行事，太过刚硬，反而容易深陷泥潭，对付这种环境，越是像水一样顺其自然，反而越能流转自如。”

“这是他那套老庄哲学，我才不信！什么流转自如？几个月辛苦付之东流，谈何自如？简直是谁都不如！”

“扬扬，笃寅集团这么多年稳健壮大，也正是这套哲学有助于你父亲，每每遇有强敌，你父亲却往往后退半步，这一退，却退出海阔天空，留出万般精彩。”

“持而盈之，不若其已；揣而锐之，不可长保。金玉满堂，莫之能守；富贵而骄，自遗其咎。功遂身退，天之道也。”申扬随口说出一句申笃寅常说的一段话。

马大帅点点头，道：“咱们对于这段话的理解，尚不如你父亲的十分之一。世人逐利，利令智昏，在当今的房地产市场上，随处有暴发者，也充满着暴发的梦想。那些没有实力却妄图一夜暴发者，只想投机取巧，无异于饕餮，撑死了自己，留下的天地，却还是给咱们的。”

“饕餮？”

“饕餮，是古代传说中的一种怪兽，它贪婪凶恶，永远满足不了自己的贪欲，形容那些贪得无厌者。”

申扬点点头，道：“爸爸常说，现在的房地产市场太好了，所以培育出很多贪婪，但市场好景不长，那些贪婪的人，迟早会被贪婪吃掉。”

“所以，笃寅做的项目，都是在自己能力范围内的事，也只有这样，企业才能长治久安。”

“对了，白石集团也是一家大公司，他们做这个项目，算不得贪婪吧？”

马大帅微微一笑，“这个什么顾总，我从来没听说过。回去要认真打听一下，别是什么人打着白老板的旗号招摇撞骗。”

“对呀，那个什么孙总，就是那个黑黑的土老帽儿，那双眼睛别提多恶心了，我刚才特想给他一巴掌。”

“扬扬，马叔叔这就要批评你了，不管你再怎么看他不顺眼，但当着主人的面甩门而去，就是你的失礼了。”

“嗯。”申扬低下头，“我知道了，爸爸要知道又该尅我了。”

“商场是最能历练人的地方，我刚才当着顾总面暗讽他，说明我的修炼也远远不足，你父亲要知道，也要尅我了。”

两人同时笑起来，申扬道：“那咱们就说好，谁也别告诉我爸爸。”

“好。咱们现在去省会。”

“去省会？”

“是，去见一位省领导，希望能得到他的协助。”

“你不是说我爸爸不同意吗？”

“我昨晚请示过，他说，有些事情，只要不悖原则，去做又何妨？所以，咱们还是应该去试一试。”

申扬一声欢呼跳起来，“早该这样做。”

就在马大帅与申扬说到“饕餮”一刻，老夫子却正在与顾忱说起这个词。

从卫彬办公室返回到老夫子办公室路上，老夫子沉吟很久，缓缓说：“那么，咱们的合作，就这样确定了。”

顾忱知他还有话，只是点头不做声。

老夫子又沉吟半晌，道：“其实，作为企业，当然也应该选择最有利于自己的合作者……马总今早来，其实是打算提出更好的条件……”

顾忱早知道他一定会在最后关头提高门槛，于是微笑点头，“那……您的意思是……”

“顾总你看……”老夫子掰开手指，开始计算，“二百三十三亩土地，价值每亩一百万，土地价值就是两亿三千三百万，容积率2.0，则可开发的建筑面积为三十一万平方米，建筑单方造价一千元，单方土地成本七百五十元，其他费用折合单方成本约为三百元，单方总成本合计两千零五十元。而目前房价最少能卖到两千六佰元，算下来，项目总利润足足有一亿七千万元！况且，目前安沣市的房价刚刚开始上涨。咱俩合作，土地出让金我可以拖延缴纳一部分，建设资金嘛，当然是由施工单位垫资，差不多启动资金也就是一个亿。一个亿的投入，换回将近两个亿的利润，也难怪笃寅集团舍不得放手啊。”

“您当时拿地是六十万一亩，跟笃寅合作，您的收益是九千三百万。”顾忱淡淡一笑，“跟我合作，您不光能得到这九千三百万，另外还有两亿利润中的一大块蛋糕等着您分啊。”

“哈哈，原来顾总的账，比我算得还要细……但马大帅，也不是没有算过。您的条件，他们也可以接受。我现在怕的是，马大帅会不会去疏通上层关系，以笃寅实力，这绝对是一件很可能的事情。”老夫子阴险的笑。

顾忱现在已经对老夫子的出尔反尔和贪得无厌深恶痛绝，但形势使然，还必须对他屈意逢迎，顾忱皱了下眉，问道：“那您的意思呢？”

“我的意思，当然还是想跟顾总你合作，但笃寅那边托人找回来，我也总得有个说法，您说是不是？”

“嗯。”

“这样，我记得咱们从没有确定过土地价格，现在也该到议定的时候了，每亩一百一十万，应该是个可以接受的价格，即使这样，也还低于目前的市场价呢，要拍卖的话，这块地现在怎么也得……”

“好，我同意。”顾忱心想：老夫子就这么一张口，两千多万就从自己口袋跑他腰包里去了，等我把地盘拿过来，还怕玩不死你！

“顾总果然爽快，跟您这样的人合作，真是运气呀，哈哈……”老夫子靠在座椅上，悠然自得，心里得意极了。

“不过，我也有个条件。”顾忱祭出自己早已打算好的想法，“土地折价两亿五千六百三十万，则其他成本大约是四个亿，那么按照投资比例计算，我应该占到百分之五十七，土地价格涨了，股份嘛，您就适当让我些，给个整数，我六十，您四十，如何？”

老夫子默默计算了一下，点头同意，“就这么说定了。”

顾忱说：“那咱们回去签个补充协议？”

按照与顾忱的合作方案，老夫子的土地差价便达到一亿一千多万，再加上项目利润分红得到的差不多八千万，总利润接近两亿！而这一切，仅仅是靠当年的四千万保证金换回。按照老夫子在新公司百分之三十股权计算，老夫子个人得到的利润，达到了六千万，这可是身为国企领导时的老夫子连做梦都想不到的结果！老大了这次爽快同意，说马上回到办公室便起草协议。

顾忱又说：“我还有个想法，对双方都有好处。容积率……还能不能提高些？”

此话一出，两人相视一笑，此种默契全在笑意中。老夫子说：“顾忱果然精明，咱们现在已是一家人，我就坦诚相告，这块地当年挂牌时，我是做足了功课的。按照常规，这块地的容积率至少应该2.5，我却做到2.0。重新做到2.5也不是没有可能的，况且有顾总您的加入，工作应该更好做了。说实话，我选择顾总合作，正是基于此原因啊。”

两人同时大笑。

容积率由2.0调高到2.5。虽然只是不起眼的一个数。但对于项目而言，建筑面积却一下子猛增了四分之一！由原来的三十一万平方米变成了三十九万平方米，换成利润，就是四千四百万！

这个巨大的数字，仅仅是靠小数点后一个数字的改动！更改容积率，是房地产商们扩大利润的利器。说到这里，两人才真正把对方当做了自己的合作伙伴。

顾忱笑道：“劳总把土地雪藏到改制成功后，这一招实在是高明。身份从国企领导到私营老板，土地从六十万到一百一十万，合作从转让土地到股权收益，容积率从2.0到2.5，每一步都是精打细算，精心布局，我实在佩服。劳总眼光远见，雄心万丈，这胃口嘛，也是蛮大的……”

“哈哈……”老夫子一阵畅快的笑，“顾总你这是骂我贪如饕餮了？”

“饕餮有什么不好，吃得多，才能强壮，人人都强壮了，经济才能发展，社会才能进步，劳总您这样的饕餮，无疑是社会进步的一大动力呢。”

老夫子却道：“哪里哪里，顾总你年纪轻轻，却自上而下游刃有余，将公共关系玩得风生水起，硬生生从笃寅集团虎口夺食，表面是你让我三分，实际算笔细账，你却是最后笑得最欢的人，要说胃口之大，我老头子哪里堪比？说到饕餮，我是，你是，这在房地产圈里混的芸芸众生，又有谁不是饕餮，或者心怀饕餮之想呢？”

两人哈哈大笑，手挽手亲密无间的踏上安沣市房地产开发总公司的台阶。

第七章　狭路相逢

一觉醒来，头疼如裂。靠在床头想了许久，顾忱才回忆起昨晚的情节：昨天回到老夫子办公室，顾忱、老夫子、孙大盛三人对合作细节进行进一步明确，敲定按照车里两人的约定起草协议。

仿如已过万重山般轻松，三人心情愉悦。中午一起吃饭时都喝了不少酒。饭后老夫子照例午休，约好下午还是去他办公室签合同，顾忱兴奋得无法入睡，就在房间倒数着时间，想叫孙大盛陪他，却不料这人不见了影踪，房间里只有愁眉不展的晴晴，问孙大盛去向，晴晴几乎快哭出来，说孙大盛昨晚一夜不归，临走前好像是接到了一个叫什么“小倪”的女人的电话，顾忱猛一怔，小倪？难道是倪枫这小丫头，孙大盛一夜未归难道是和她在一起？再加上早上孙大盛的表现，难道他嘴里说的那个高素质的干那事儿都不一样的女人，就是倪枫？孙大盛没有倪枫电话，难道是昨晚倪枫主动找到的孙大盛？那么，倪枫主动献身孙大盛，是不是有什么目的？与项目有关的人并没人知道孙大盛比自己有钱，倪枫这样古灵精怪的女孩主动接近孙大盛，一定是对孙大盛的底细有所了解，如果她对孙大盛有所了解，那么，也一定对自己的底细有所了解！想到这里，顾忱不禁倒吸一口凉气，此秘密如果走漏，自己将难以在安沣立足！但仅仅跟孙大盛有一面之缘的倪枫，又是怎样知道这一切的？除非……一帧帧影像急速从顾忱脑中飞闪而过，忽然，大脑停顿下来，顾忱拍了自己一下，“是了，只有在北京那天，孙大盛派司机陪倪枫那个晚上，一定是司机说漏了什么！”

天衣无缝的计划，仅仅因为一小处纰漏，竟然被倪枫这么一个毫不起眼的小女孩洞察天机。现在的女孩子很现实，没人会愿意去勾引孙大盛这样一个粗鲁之辈，当然，除非知道他有钱。倪枫既然已经这样做了，她的目的，就一定不仅仅在于勾引孙大盛本身。再加上孙大盛口无遮拦……顾忱越想越怕，暗暗骂自己疏忽大意，骂孙大盛成事不足败事有余，这么快就有一条破绽被人牵在手里。他抓起电话打给孙大盛，竟然是关机。顾忱又打给孙大盛司机，果然是孙大盛自己开车出去了，顾忱把司机叫进房间，三问两问，司机一切从实招来，果然完全与顾忱担心的一模一样！顾忱心中暗暗叫苦，倪枫这个弱不禁风的小女孩渐渐在心头演变成为一个巨大的魔鬼，这样一个女孩，利用仅有的一次机会，探听到孙大盛与自己的真实实力，并迅速主动出击勾引孙大盛上手，论心计，论手段，顾忱自愧不如，思量到这里，顾忱不免心头涌上寒意，打发走司机，独自在房间思索对策……

下午，到了去老夫子办公室的时间，孙大盛仍未返回，顾忱只好自己去，孙大盛竟然已经端坐在老夫子沙发上，看他脸色，兴奋后藏着疲惫，精神下掩着虚弱，一定是利用中午这点时间去发泄情欲。顾忱的不快当场写在脸上，劈头就问：“你手机不开，也不通知我你的去向。”

孙大盛有些不好意思，嘿嘿笑道：“私人活动，不便公开。”

有老夫子在旁，顾忱不便发作。老夫子乐呵呵递过来一份打印好的协议，说：“顾总你别生气，我刚才问孙总为什么没和你一起来，他说怕你这两天没休息好，想让你多睡会儿，于是自己先过来了。这份协议，孙总刚刚已过目。”

“是。”孙大盛点头微笑，小眼睛贼亮。

顾忱看过协议，由老夫子首先签字盖章，顾忱说白石集团的公章自己不可能带在身边，只有等回去盖章了。老夫子表示理解。顾忱在协议上签字，留一份给老夫子，另一份小心放进包中。本来应该一颗放下的心，却偏偏被倪枫搅成乱糟糟一团。顾忱急于找孙大盛问清经过，便向老夫子告辞。老夫子下午要召集领导班子成员开会通过新方案，于是三人约好晚上好好庆祝。

回到房间，顾忱劈头盖脸质问孙大盛，搞得孙大盛倒有些委屈，说不就是个小女孩嘛，老子只是耍耍她玩玩儿罢了，怕个逑！

“玩玩儿她？”顾忱火了，“只怕是她玩玩儿你吧？我问你，她要没有

目的，会主动勾引你？咱们这项目一旦泄露了真情，项目玩完不算，咱俩就他妈的被人当骗子了，传回北京，这辈子也甭想做人！”

孙大盛想了想，想清楚了其中后果，低头不语。孙大盛有个好处，只有一旦认识到自己错了，便绝对认错。顾忱见他这蔫头耷脑的凤样，又好气又好笑，碍于孙大盛脸面，也不好再多说，坐在他身边说：“孙哥，这件事既然已经发生了，咱就要赶紧想个补救的法子，倪枫那头儿，无论你使什么办法，都要设法堵住她的嘴。她勾引你一定有她的目的，既然有目的，就一定不会在此时坏了咱们的事。但你千万别再让她知道更多的事儿了。”

孙大盛点点头，“你放心，老子昨晚还以为她真喜欢我，听你这一分析，算明白了，妈的，老子以后就当她也是个婊子，睡过就算完。还有，那个司机……对了，他奶奶的逑……”顾忱还没听明白，孙大盛已经腾的跳起来冲出房门，等到顾忱反应过来追出去，只见司机的房间门已洞开，里面嗷嗷乱叫，顾忱忙冲进去把门关上，只见孙大盛已经在拎着一个电热水壶劈头盖脸追着司机满屋子乱打，司机刚开门便被他一脚踩在地上，还没起身，一头热水劈头盖脸浇下，然后便是孙大盛毫无章法的乱踢乱砸，司机整个被打懵了，只顾哭喊着满屋子乱窜乱跳，鼻子头顶上飞溅出鲜血。顾忱上去抱住孙大盛，又将他死死摁床上，司机此刻还不明白老板为啥痛下杀手，抱着头蹲床边流着眼泪一声不敢吭。

“老子问你，”孙大盛好容易把气喘匀了，问司机，“那晚在北京，你他妈的都跟倪枫讲过些啥话？”

司机中午被顾忱问过，已经意识到自己说漏了嘴，此刻也明白老板正是因此臭揍自己，于是一五一十的据实交代。听得火气，孙大盛上前又是一脚将他踹翻在地，指着司机骂道：“老子养你还不如养了条狗！狗还能看门护主，你却连自己的嘴都把不严，日你奶奶的，现在就给老子滚蛋，滚回你那穷山旮旯里去！”说完又要上去打，顾忱又拦住，将孙大盛劝回自己房，说：“这也怨我，那晚怎么没想到这里面有疏漏。”

“怨你不得，老子管教不严，再说，谁能想到倪枫这小婊子这么有心眼，我还从没见过这么……哎呀，不好，倪枫该不会告诉熊能吧？”孙大盛一拍脑袋。两人面面相觑，一言不发，半晌，顾忱说：“应该还没有，她既然工于心计，一定不会让别人分享这个秘密。昨晚……你自己不会告诉她什么事吧？”

顾忱本是提醒孙大盛，谁知孙大盛竟脸一红，啪的给自己一嘴巴，低头道：“昨晚……我光顾爽了，好像也说了些，比如说……我的公司在平房……”顾忱哭笑不得，呆了一下，只得反过来安慰孙大盛道：“没关系，她现在一定不会告诉他人，稳住她就行。她跟你提什么要求没？”

“提了，想当我秘书。”

“秘书？”顾忱笑，“如果仅是这个要求，那倒便宜你了。你既然应了她，干脆就顺着她，别露声色。”

“对，老子该玩儿还玩儿她，玩得越多，老子越不亏！”

顾忱对孙大盛的经典理论叹为观止，一时大脑缺氧，竟想不出如何应对。听孙大盛又说：“还是熊能爽，那个哈蜜就只要钱，啥都不关心，对了，熊能呢？”

“熊能好像一上午都没出房门，下午老夫子开会，希望他还有劲儿举手。”顾忱中午给熊能打过电话，通报了进展，熊能自己很高兴，用明显肾亏的语气保证下午开会一定会举手同意。

“这么说，他现在不在房间，要不，我去陪陪哈蜜……”孙大盛提起哈蜜，口水顺流而下，忙抽过纸巾去擦嘴。

顾忱暗叹口气，心想自己哪怕有一点希望，都不会再找这种人合作。

晚上，老夫子带着全体领导班子成员宴请顾忱与孙大盛。下午班子会议上，当老夫子宣布自己与熊能的股份一样多时，不知情的另外两位领导瞪大了眼睛，但毕竟事不关己，再加上班子成员中除去熊能，全是老夫子的嫡系，因此一致通过了新改制方案。

轻舟已过万重山 鹬蚌相争，得利的，永远是渔翁。

每个人都得到了最佳结果，所以晚间宴会气氛极佳，老夫子将顾忱与孙大盛一一介绍给大家，说：“从今天开始，大家便同是一家人了。我代表安沣市四百万人们与安沣市房地产开发总公司的三百位员工，欢迎顾总正式成为公司的一员，也欢迎顾总在日后工作中将先进的管理经验与经营思想带给我们，推动公司又好又快发展，在座股东的利益蒸蒸日上。”

上午开会时，老夫子还以国企一把手自居，短短几个小时，便天地换新颜，摇身成为私企老板。老夫子笑着宣布："上午的会议，是咱们安沣市房地产开发总公司的最后一次领导班子会议。在会上，大家已经一致同意由我担任新公司董事长一职，由熊能先生担任副董事长，由董玫女士担任监事会主席，各位都是公司董事。下次会议，顾总你也要在座的，现在，我提议，由顾总担任新公司总经理，大家同不同意？"

"同意！"熊能第一个举手。

笑声祝贺声一片，突然，孙大盛举手，大家一愣，俱都看着他。孙大盛大声问道："我呢？劳总你怎么不给我安排个职位？"

哄堂大笑。老夫子赶紧道歉，说："孙总自然会在项目公司里担任重要角色。"然后意味深长的看了顾忱一眼，道："安沣桥地块的开发，自然要靠顾总的大力支持才行，改制完成后，咱们双方就要开始商议项目启动的事情。"

孙大盛笑着说："老夫子你又错了，刚才明明说已经是一家人，可现在又说什么'双方'？还是把顾总当外人嘛。"

老夫子一怔，不说话，先满满给自己斟了一杯酒一口饮尽，正色道："刚才是我言辞有误，以后谁要再无意中将顾总当做外人，一律罚酒三杯！"

又是一片赞同声。气氛更加热烈，大家轮流上前给顾忱和孙大盛敬酒，以顾忱酒量，竟也招架不住，到最后怎样回到的房间，任凭怎么回忆，也想不起来了。

靠在床头，顾忱想：改制方案今天上午应该已送至国资委，一两天内便会由卫彬签字生效。笃寅那边，看来也是无能为力了。尘埃落定，也就是三两天的事，自己的辛苦努力，终于没有白费。新公司宣告成立后，接下来便要单独注册项目公司，当务之急，是要返回北京，筹措资金，等到资金就位，距离自己实现梦想的日子，便是一步之遥。

顾忱又想：自己能顺利进入安沣，最应该感谢的人是白崇洗与唐书记；老夫子和熊能的险关得过，最应该感谢的人是卫市长和贾晓阳；接下来，项目公司的组建，还需要这几位市领导的大力支持，项目开发前期的道道关卡，也需要一一疏浚。这也是重中之重的关键环节。

想到这里，顾忱完全清醒过来，看表已经是上午十点，刚去卫生间洗完澡，门铃被摁响，孙大盛又是容光焕发的进来，只是眼睛四周挂着两个黑眼圈。顾忱笑问："你这黑眼圈不知是在那位哪女身上获得的？"

"呸，除去倪枫这妖精还有谁？熊能这两天跟长在哈蜜身上一样，昨晚喝多了还知道来酒店找哈蜜住，现在肯定还在房间呢。"

"那你呢，昨晚不也喝多了？"顾忱笑。

"嘿嘿……是喝挺多，但神智还清醒，让司机把我送到倪枫家，还是她扶我上的楼，妈的，一晚上又把老子给掏空了……对了，找你是有正事，听倪枫说，那个什么马大帅果然还没死心，昨天带着他那个小蜜，去省里找人了。"

"哦？她怎么知道？"

"马大帅跟他们办公室的王主任关系好，早买通了他探听老夫子的情报，昨天中午他们俩去省会，临走时给王主任打电话让他留意咱们动态，但现在大势已去，王主任便成了双面间谍，原原本本反而将马人帅的动向一五一十向老夫子汇报，倪枫也是从侧面听说的。不过这小丫头果然厉害，建议我找人收拾马大帅，给他们个下马威，还说她能找黑道……"

"黑道？"顾忱一皱眉。

"对呀，我觉得这主意不错，是该找个人吓吓他，最好把那个小妞给……"孙大盛越说越不像话，顾忱打断他，严肃的说："现在笃寅大势已去，没有翻盘可能，别去惹他们。"

"翻盘是不可能，但他们要找人捣乱添堵，也不是不可能啊，毕竟现在卫彬还没签字，万一到最后关头出现闪失，说不定……"

顾忱点点头，"理论上也存在这种可能性，毕竟笃寅财大气粗，到省里找人还是稀松平常之事。你让倪枫注意他们动向，我加紧催卫市长签字就是。"

顾忱联系卫彬，他却说去省里开会了。联系唐卿，他也没在安沣，电话里顾忱将进展向唐卿汇报，唐卿很高兴，说卫市长已经告诉他了，新公司的挂牌庆典，他一定到场祝贺。

两位大领导没在家，顾忱正好约贾晓阳。贾晓阳中午有客人，但说好

饭后一起去泡个澡。顾忱想中午和孙大盛一起吃饭，哪知此人说中午倪枫在她的温柔乡亲自下厨，只好重色轻友了。说罢孙大盛告别顾忱出门，顾忱穿着睡衣，无奈坐在沙发上发呆，给白崇洗打了个电话说自己这两天忙完便回去。白崇洗说自己有客人，让顾忱回去再细谈便挂断电话。刚放下电话，老夫子的电话又来，说中午本来想一起吃饭，但外地有个项目需要赶过去看看，午饭只好作罢。顾忱明白老夫子昨晚喝酒也是元气大伤，所谓外地项目只是礼节性推辞，大家都是江湖中人，想念不一定非得吃饭，不吃更好，大家反而都轻松些。

孙大盛的司机被他盛气之下狠揍一顿后，孙大盛气反倒消了，再也没提让他走人的事。孙大盛说自己已经累得开不动车，跟倪枫约会时也带上了司机，两人在楼上倪枫的暖巢里云雨，司机便在楼下等候，他想起在北京时倪枫对自己含情脉脉的眼神，却害得自己险些被打死，便暗下决心，这辈子再也不敢相信女人！

晴晴这两天等不到孙大盛回来，便也不知去向。

所以，一行人等，只剩下孤孤单单一个顾忱。

顾忱独自在房间，想起这两天来发生的热闹事端，好像又经历了一场梦境，夹杂在商场中的情欲与纷争喧嚣过后，又回复安静。今天难得一点事都没有，倒乐得好好休息一下。正想着打电话给自己叫份午餐，门铃却响了，站在门口的竟然是哈蜜。哈蜜湿漉着头发，只穿着一件浴袍站在门前。

“难道熊能这么快就对她腻了吗？还是熊能还有别的事情？”顾忱想。

“顾总，您不能就让我这么站在门外吧？”哈蜜妩媚的一笑，笑容生动极了，跟上表演课一样。

顾忱犹豫了一下，打开门，问道：“熊总呢？”

哈蜜好像回到自己卧室一样自在的散发着沐浴液的清香从顾忱身边擦身而入，大大咧咧坐沙发上，盯着顾忱看，浴袍下，竟然好像什么都没穿。“熊总被他老婆叫回家了，这两天他没回去，老婆有些怀疑。正好刚才我在洗澡，没听见他打电话，叫他陪我一起洗的时候熊总脸色难看极了，跟见鬼似的挂掉电话就走了，咯咯……”哈蜜捧着肚子笑得直不起腰来，“看来他老婆一定是个母夜叉。熊总刚出去，我发现他的手包竟然落房间了，于是拿上开门出去给他，谁知，回来时门却自己锁上了，没办法，只好先到您房间躲一躲。”

顾忱有些意外，看来熊能回家免不了遭受审讯了，自己要不要想个办法替他解围？

“顾总，我的任务算是完成了吧？”哈蜜将一只赤脚放在茶几上，一只手在大腿上摩挲，摆出风情万种的造型。

顾忱突然有些厌烦，淡淡说：“应该没事了。”

“那……要不要我……”哈蜜的手引导着顾忱的目光游走在浴袍深处。

顾忱笑着摇头，“我打电话叫人给你开门。”

“唉……我从来没见到过顾总你这么正经的男人，好容易见到一个，却对人家一点兴趣都没有。”哈蜜假装呜呜痛哭。

顾忱不去理她，打电话叫酒店开门。

“好了，逗您玩儿呢，柳下惠同志……”哈蜜笑着站起来，送了顾忱一个飞吻，“我明天正好要回去，您事先说好了送我的。”

“没问题，我下午让孙总司机送你，对了，孙总可能也先回去。”顾忱猛地想到一个主意，孙大盛整天流连在倪枫身上，误事不说，要被人知道，影响也不好。再加上孙大盛对哈蜜也一直垂涎三尺，陪哈蜜返京，正好也是引诱孙大盛离开安沣的一个好借口。

“那还，最后让我们吻别吧……”哈蜜半真半假朝顾忱扭捏过来，顾忱正想躲开她，门铃又响，一定是客房服务员来了，顾忱一个健步过去拉开门，却呆在原地。

门外，是一个大眼睛女孩！

顾忱身后半露酥胸的哈蜜也呆住了，心想怪不得顾忱对我毫不动心，原来竟会有这么漂亮一个女孩来找他。

申扬与马大帅昨晚在省会请某位领导吃饭，领导答应过问安沣的事情。上午和马大帅返回安沣，申扬却悄悄一个人跑到安沣不多的几家星级酒店打听顾忱一行。她昨晚托人私下打听白石集团的管理层或股东，结果根本

没找到顾忱这么一号人！申扬明白此刻笃寅身处下风，以她性格，想直接找到顾忱问个清楚明白，干脆或讽刺或威胁或臭骂一通，让这来路不明的江湖骗子主动退出。

顾忱这样的客人很容易找到，再加上申扬这样的女孩，所有酒店几乎都为她开绿灯，结果才到第二家酒店，便找到了顾忱的踪迹。

用顾忱名字登记的几间客房被申扬一一敲过，等到顾忱开了门，一心想兴师问罪的申扬，却闹了自己一个大红脸——这可恶的江湖骗子身后，竟站着一个看似水性杨花的半裸女孩！

几个人全傻了。

顾忱也有些脸红，第一反应不是问申扬找谁，而是想开口解释。

申扬脸绯红，本来想好的话此刻竟一个字也蹦不出来，顿了顿，狠狠瞪顾忱一眼，掉头便走。

顾忱也终于反应过来，看着申扬的背影也轻蔑的瞪了一眼，心想："就你这小蜜有啥神气的，还有脸瞪我？"突然又想："不对呀，马大帅的小蜜怎么会找上门来？难道是马大帅即将有所动作？"

这时客房服务员终于也来了，哈蜜把浴袍带系好，低低说声我走了，便一声不吭回到自己房间。

剩下顾忱一个人，被方才申扬的举动弄得百思不得其解……

贾晓阳打来电话，顾忱才发觉自己仍旧饿着肚子。两人进入酒店的洗浴中心，中午洗澡的人个个脸红脖子粗，一看就是刚从酒场上下来泡澡解酒的。顾忱饿着肚子陪贾晓阳泡澡，蒸桑拿出来，已经是眼冒金星。

回到房间，顾忱实在是忍不住，不好意思道："贾哥我还没吃午饭呢。"

贾晓阳一怔，哈哈大笑，"空着肚皮蒸桑拿才饿呢，你快去吃饭，不必管我。"

顾忱打电话叫餐送进房间，贾晓阳大模大样换上睡衣靠在床头喝茶。顾忱边吃边陪他聊天便想：换作在北京，怎么也想不到自己能跟堂堂一副市长混成如此无拘无束，看来，安沣是注定属于自己的福地。

"那个方案，听说已在卫市长案头，等他明天回来就签字通过。这么一来，兄弟你就大功告成了。可喜可贺呀。"贾晓阳悠闲的眯着眼。

“这还要感谢您啊贾哥，等这件事落实后，趁着周末您要不跟我去趟北京，让老弟有机会好好感谢您一下？”

“感谢？哈哈，招商引资是我的分内，我应该感谢你才是呀。咱们都这么熟了，以后别老提感谢什么的，外气。周末我说好带着老婆孩子去安山踏春，你这项目一落地，哎呀我呀……”贾晓阳长长伸了个懒腰，“我也算心里一块石头落了地。”

“要不，全家一起去北京？”顾忱还想坚持。

贾晓阳摇头，“不必了，路上来回就得一天，太累，你日后也算安洋人了，想不请哥出去好好玩玩儿，哥都不答应。”

两人同时笑。贾晓阳又道：“晚上俩老一都没在家，我说了算，给你庆功吧。你带上孙总，叫上老夫子，我叫上刘市长……”

“刘市长，就是主管城建的那个？”

“对呀，你头一回来安洋时，唐书记带他见过你还吃过饭。刘市长跟我关系很铁，我把你娶进了门，从今天起，就把你交给他了。”

顾忱嬉皮笑脸道：“我这媳妇儿是您娶回来的，可不能转手给别人就不管了，以后有事，还要哥多多关怀啊。”

贾晓阳斜眯他一眼，“废话，我还指望你这大老板送我套房子呢，哪儿舍得不管你？对了，上次唐书记在招商引资工作会议上的要求还没有落实，我尽快给你去办。新公司成立后，你让老夫子去起草个报告给我，我转给唐书记，你这个项目保证全程一路绿灯，手续简化，税费减免，服务全程，对于你们这些外来大老板，我们这些政府官员甘愿做三陪，你们满意了，企业赚到钱，地方经济才能发展，政府才有业绩，说到底，还是我给你打工啊。不过，刘市长以后跟你是对口，有啥事，找他更容易办到。”

顾忱点点头，小声说：“要不，今晚人少点，就咱仨行吗？”

贾晓阳想了想，说：“行啊，那就找个僻静的地方。”

顾忱想起北京郊区云烟那个私人会所，问道：“安洋市也没有什么别墅之类的私人会所……”

贾晓阳摇头，“没听说过。”

顾忱猛然计上心头，说：“那我来后，自己弄一个怎么样？”

贾晓阳指着他哈哈大笑，“你不会是想弄一个红楼，拉兄弟们下水吧？”

“我可没那么大胆子，也没那么坏，只是想找个僻静之处，自己可以住，还能经常请哥来喝小酒，又方便，又省钱。”

贾晓阳说：“好啊，做项目少不了应酬，你弄个私人会所反而省钱，对了，距离你那个项目不远之处，河边就有个别墅区，是前些年一个私人老板建的，但在安沣这地方，能买得起别墅的人不多，因此卖到现在都没卖光，听说还有几套空着，要不晚上让刘市长帮你压压价，弄套别墅，既办公，又休闲。”

“好啊。”两人一拍即合。当下决定贾晓阳下午去实地看看。

贾晓阳沉沉睡去，顾忱翻来覆去睡不着。眼睁睁等到两点半，贾晓阳起身去上班，约好等贾晓阳有空了两人一同去别墅实地勘察。

贾晓阳刚走，熊能电话却来了，说：“我刚到办公室，下午要是你嫂子打电话问你，你就帮我遮掩一下，想来想去，也只有你来做这个挡箭牌了。”当下熊能将中午哈蜜事件原原本本告诉顾忱，与哈蜜叙述基本吻合，顾忱忍住笑答应他，说一旦嫂子来问，就说是几个朋友吃饭时开玩笑呢，在哪里吃饭，桌上有几人，都是谁谁谁……都一一编排好，熊能放下心来千恩万谢。顾忱又说哈蜜下午要回北京，熊能说：“走就走吧，再不走老子就被她累死了，只要顾总你不走就行……咱们之间的事，是不是也该确定一下了？”

顾忱想起来，自己与熊能之间的约定尚停留在口头上，难怪熊能不放心。顾忱立即表态下午就让公司给熊能私人账号里汇去一百万元。熊能从头美到脚，说兄弟老哥今后就跟着你混饭吃了，晚上哥给你好好安排一下表示感谢如何？

顾忱说晚上约了贾晓阳和刘市长。

熊能道：“这个刘市长我也挺熟，以前是市长秘书，后来去了建委当一把手。他当秘书时老夫子已经是城建办主任，论资历只是老夫子的小老弟。你想啊，老夫子能瞧得起他吗？依然对他吆五喝六如对待小老弟一般，他自己对老夫子也看不惯，老夫子前两次改制不顺，其实也有刘市长的‘功劳’。”

“他如果跟老夫子心存芥蒂，我倒要好好处理关系才行。此人有什么习惯吗？”

熊能笑问：“你是想说他喜欢喝酒还是泡妞吧？这人很能干，城建口贼精通，跟当地房地产老板们也都混得极熟，吃吃喝喝嘛自然也是家常便饭。对于你这个天子脚下的大老板，他还有心结交呢。今晚你先单独见他，下回我再请他出来，咱们找个地方再叙叙，一回生两回熟，就连老夫子这样的人都能被兄弟摆平，刘市长只怕很快就能甘当兄弟你的马前卒了。”

熊能一阵怪笑挂断电话。孙大盛也挂着两个愈演愈烈的黑眼圈回到酒店，坐在顾忱对面猛喝水，好像累得连话都说不出来。顾忱看着他不做声，阴险的笑，笑到孙大盛毛骨悚然，求饶道：“求你别这样看我了，我知道自己没出息好不好？”

“倪枫呢？”

“这小妮子干完活儿每次跟没事儿人似的，该上班就上班，老子下辈子也要当个女人。”

“告诉你个好消息……”顾忱小声说。

“什么？”孙大盛唯恐顾忱涮他，半信半疑。

“哈蜜已经闲出来了，你需要的话，现在就可以。”

孙大盛倒吸一口冷气，摇摇头，“你现在就是把世界第一美女放在老子跟前，只怕也提不起精神来了，罢了，罢了，恢复几天元气再说吧。”

顾忱哈哈大笑，“那倪枫呢，这小丫头能让你闲着吗？”

“哎呀，别再提她，听到她的名字老子大腿就抽筋，我骗她下午回北京呢，再不躲房间休息两天，只怕要被她玩死了。”

“晴晴呢？”

“这小婊子死了才好，我刚才回房间根本找不到她。”

“正好。”顾忱把哈蜜返京的事说与孙大盛，孙大盛马上同意一起出发。于是顾忱通知哈蜜出发，孙大盛有美女相伴，但除去眼睛能用，心有余而力不足，只能望蜜兴叹了。

临走前，孙大盛又记起一件事，“倪枫打探到笃寅的人已经回来，怕他们生事，说找人吓他们……”

“不是说过这件事了吗？不行！绝对不行！你跟倪枫说，这件事跟她没关系。”

“嘿嘿，怎么没关系。”孙大盛心想：“这件事要成不了，她岂不白跟我睡了几天，这么大的亏，她怎能承受得起？这小丫头想促成项目成功的急迫，一点不在你我之下。”但见顾忱很坚决，孙大盛只好点头允诺，说跟倪枫去说。

孙大盛一行离开了安沣，只剩下顾忱一人，他去前台把多余房间退掉刚回房间，贾晓阳电话就来了。“走吧，刚办完事，咱去别墅看看。”

“沣水雅园”，这是一个建于五年前的别墅区。总共也只有不到一百幢独栋别墅。顺着安沣桥地块沿河一路下去，不远就到了。门口保安形同虚设，看都不看一眼就放顾忱车进去。

才历经五年风雨，欧式别墅的外立面已经陈旧，白色涂料被风雨浸刷成为土黄色，所幸大部分外墙是用红色毛石铺就，在一定程度上挽回些面子。

住有人的别墅大多安装了防盗窗，有的铁艺，有的不锈钢，样式也是形形色色，用黑色铁艺栅栏围起来的庭院里原本是草坪，但现在早已面目全非，有的种上树，有的种上花，有的铺上青砖，还有人干脆加盖了平房，最雷人的，有一户竟然挖去原来草皮，种满了大白菜和大葱，铁栅栏边搭的小棚子里，竟然还养着鸡！

“奇怪吧？这就是安沣特色，住在这里的人都是当地的有钱人，但住进欧式别墅，并不一定说明他不再是中国农民，再加上物业公司管理混乱，才几年，好好一个别墅区就变成如村庄一般景象。”

小区最深处僻静之处，还有两栋三层空置别墅，庭院内的草皮早蔓生为一人高的野草。两人下车，顾忱发现此处在小区最边上，透过栅栏就是沣水河，景观还是不错的。如果能认真收拾下，绝对是个环境优美的所在。交通也便利，步行十分钟就能到达项目所在地，租下来，好好装修一番，一幢自住和办公，一幢待客应酬，非常合适。

“这别墅多少钱？”

“买的话，也就是一千五六。”顾忱没想到这么便宜，差不多三百平方米的面积，买下来也就是不到五十万，还不够在北京买一套小户型的钱！

“如果租呢？”

“还没听说过谁租房子，晚上你可让刘市长找来开发商问问。一年租金下来，也就是你们一顿饭钱而已。”

顾忱心头盘算，自己拿下这两套房也要投资装修，租肯定是不如买合适。这两年安沣房价看涨，这两处房产，也是一个投资的好机会。反正不过一百万的事，当下决定买下来。

晚上，贾晓阳在安沣大酒店安排了一个小包房，刘副市长如约而至。第一次见他时因有唐书记在场，刘市长唱不了主角，因此顾忱对他印象不深，只记得特能喝。

第二次见面，刘市长跟变了个人似的热情如火，好像两人是结交了两辈子的好朋友，贾晓阳尚未介绍，刘副市长已经上前握住顾忱的手，“顾总，又见面了。还记得我吗，刘连。”

贾晓阳在旁笑道：“刘市长乃水果之王，名如其人，熟悉的朋友都叫他刘大脑袋。”

顾忱失笑，细看此人果然如榴莲一般模样：五十多岁，大大脑袋，板儿寸发型，黝黑的肤色，大大的眼睛外戴着一副黑框眼镜，身材也是浑圆短小，再加上穿着件灰绿色的夹克，猛一看上去，果然如榴莲一般。

可能是跟建筑商成天待一起的缘故，刘连嗓门很粗，言谈举止粗枝大叶不拘小节，但你若仔细观察他的眼睛，厚厚镜片后时常闪过一丝不易察觉的锋利，便知此人绝对心机甚重，不容小视。

刘连寒暄片刻，笑着不容分说一把将顾忱推在居中座位，又拉着贾晓阳坐在顾忱左手，自己落座于右手。贾晓阳解释道：“在安沣吃饭，居中的是主宾，主宾左手是主人，也是埋单的，主人右手是主陪，看来刘市长今儿意思是让我埋单了。”

顾忱忙站起来说还是我来请客吧……

刘连却一把将顾忱摁回座位上，大声说：“顾总你听候发落便是，我跟贾市长都不是外人，你来了这么长时间他才把你介绍给我，实在是不义气，所以今晚必须痛宰他一刀，让他请客便是……对了，老贾，今天荷包里钞

票带足没有，可不准签字报销，必须你自己掏腰包请客。”贾晓阳笑着点头道：“刚好今早起老婆发了零花钱。”刘连又转头对顾忱笑道：“老贾是有名的妻管严，以前年轻时每月工资准时上交，老婆从中给他抽个一块两块当一个月的零花钱，现在当上市长了，这规矩还在，只是听说零花钱涨到五百块了……对了，今天五百块可不够，这样吧，你请饭菜，我请喝酒。”

顾忱还没说话，刘连已经掏出手机打给司机：“把酒送上来。”放下手机，又转脸对顾忱说：“后备箱里正好有两件六十五度的泮水河谷，是酒厂下午才专程送来的。”

“六十五度？”顾忱吓了一跳。当下三人喝酒吃饭聊天，这刘连虽然外表豪爽粗狂，一见面跟你称兄道弟，但很快顾忱发现，此人其实极难打交道，好像身上总罩着一层铁布衫，总保持着一层若有若无的距离。这是安泮官场上的一种习惯吗？顾忱明白，跟这样的官员打交道，你非得拼命把自己喝高或者把对方灌倒喝得一塌糊涂一泻千里，等酒醒了，大家才算是交上朋友，第一次不醉，以后他永远会跟你保持距离。

于是顾忱豁出去，一杯一杯大口往嘴里倒酒，刘连看顾忱这样大觉痛快，两人酒兴大发，贾晓阳乐得躲在一旁笑呵呵观战。

很快一瓶酒下肚，菜却还没怎么动。贾晓阳说：“咱们今天还不如去吃土菜，但那儿人杂，只怕一般人都认识刘市长。”

刘连点头道：“就是，但这里虽然人少安静，可这千篇一律的口味，哪里能下得了酒？”

顾忱趁机说：“就是，这种酒店的菜吃遍全国都是一个味道，可那些有特色的酒楼两位市长大人也不方便去。你们说我要自己弄个吃饭喝酒的地方怎么样？”

刘连一拍桌子，大叫一声“好”。

贾晓阳微笑道：“下午我陪顾总去过泮水雅园，他有意想在里面或租或买套别墅，既可以居住办公，又可以休闲娱乐……”

“好啊，这地方卖了几年都没卖干净，顾总你要买，可是等到一个好时候，我担保最多一年，这儿的房价就上去了。这些时间外来客商越来越多，安泮像这样的别墅区仅此一家。我上个礼拜还见了刘术，哦，这个刘术就是别墅区的老板。”

贾晓阳在旁淡淡补了一句：“也是刘市长的堂弟。”

“现在估计也就剩七八套了，这小子说，他现在一点都不急，早知道安沣房价会上来，他就故意多留些房子不卖了，一般人如果要买，他可能还会要个高价。”

贾晓阳又说：“再高也不就是一千五六吗？”

“哪里？你说得还是去年上半年的价格，现在早就两千上下了。不过，顾总你要看好了，他多少钱也得卖！”

顾忱道：“我已经看好，就要河边那两套。”

“好，有眼光。那两套景观最好！还是北京人有眼光，以前卖房子时，本地人总觉着越靠里的房子越好，住得越安全，脑子里根本就没用景观的概念。好，我现在就叫刘术过来。”说完刘连抓起电话，“过来，安沣大酒店二楼小包……废话，啰嗦什么，给你十分钟快来！”刘连不由分说挂掉电话，“这小子，说自己正陪人吃饭呢要等一下，妈的，越来越不听话了。”

十分钟后，一个四十上下满嘴酒气的红脸汉子进门，刚弯腰赔笑一下，刘连就指着他道：“你迟到了，就在门口罚站吧。”

刘术冲贾晓阳和顾忱逐一点头致意，却果然老老实实站在门口不敢动弹。可见刘连平时多少蛮横骄纵。顾忱看着刘术一副窘相心中暗乐，却想：不知日后自己在刘连面前，也是这么小心模样？

“这位是贾市长，你认识吧？”刘连问道。

“是，早认识了，贾市长您好。”刘术赶紧点头致意。

“这位，是你同行，但可比你这不成器的家伙强上一百倍，白石集团的顾总，叫你来，就是要把顾总介绍给你认识。”

刘术一惊，问：“是北京白石集团吗？”

“废话，中国还有第二个白石集团吗？”

刘术赶紧点头致意：“顾总，久仰。”

顾忱点头，微笑，想站起身跟他握手，却相隔老远，刘术还是站在原地一动不动，看他狼狈模样，顾忱倒有几分尴尬。

“这样吧。”刘连感觉罚站时间差不多了，又一指刘术，“喝一个满杯，

就算饶过你。服务员，给他满一杯。”

一杯酒就是二两半，刘术刚从酒场上下来，本已醉意上头，却不敢不从，端起酒杯咬牙喝下去，再放下酒杯时，脸红得好像已经在燃烧。

刘术终于有机会屁股落座，忙抓起筷子大口吃菜压酒。刘连看着他笑，“看你小子以后还听不听话，今天叫你来，是有正事。你泮水雅园的房子还剩几套。”

刘术赶紧放下筷子，“八套。”

“河边那两套现在多少钱？”

“是……谁要？”刘术小心翼翼问，眼睛不住往顾忱身上瞟。

“废话，我要！”

“嘿嘿……那当然是……免费送您了。”刘术笑嘻嘻道。

“放屁！你敢送，我敢要吗？说个实在价格，是顾总想要，对了，顾总你是要租还是买呀？”

“买。”顾忱微笑道，这个时候，不买也得买了。

“这个……两千五吧……”

“什么？就你那破房子，烂得都长毛了！”刘连一拍桌子。

“可现在这房价都……都涨上去了，前几天也有外地客人来看……”

“废话，顾总能跟一般外地客人比吗？快说个实价，又想喝酒！服务员，给他满上。”

服务员忍住笑给刘术倒满酒，刘术吓得脸都绿了，忙说：“那就……还是按照去年价格，一千六吧？”

“一千六，价格倒合适，可说出去岂不是顾总占你便宜，这样吧，我说个数，一千八，算便宜你了。顾总，你意下如何？”

“没问题。”顾忱忙答应，心想这个价格其实一点没便宜多少，刘术回头还不知怎么感谢他，自己没占便宜，倒显得自己占了天大便宜似的，刘连是一条在官场上久混成精的蛇，坑你一把还让你感激涕零，果然有手腕！

不过，顾忱心中暗暗盘算，这个价格对自己而言也绝对不亏，项目几年完工后卖到两千五六问题不大，再说，到时候做个人情，将他们送给贾晓阳这些关键人物，花钱不多，面子却大，到底，还是划算。此外……嘿嘿……顾忱暗自揣摩：价格好说，但现钱，你刘术却是拿不到的！

当下顾忱与刘术说定按照一千八百块钱价格成交两套别墅，每套面积三百二十平方米，两套合计是一百一十五万二，刘术将零头抹去，只要一百一十万元。刘术问道："顾总您的项目在哪里？"

"就是距离你不远沣水桥边那块地。"刘连接口道。

刘术吓了一跳，竖起大拇指，"我说呢，能同时请动两位市长大人陪您吃饭，果然不是普通的开发商。能从老夫子手里拿过来这块地，顾总您真是不一般。敢问这土地价格……"

顾忱淡淡一笑："一共两亿五多一些。"

刘术吐了吐舌头，"果然大手笔，我一个项目还比不上您一个零头呢，有机会带带兄弟，给兄弟也找点机会。"

"对呀，你不妨给顾总参个股嘛，也跟着顾总多学些经验，是不是顾总？"刘连道。贾晓阳却下意识看了顾忱一眼，欲言又止。

顾忱明白贾晓阳意思，忙道："我在安沣还要待好几年，合作机会自然有的是，有机会我介绍刘总给集团的几位股东认识一下，大家共同发展嘛。"言下之意，是此项目还有别人，我做不了主。

刘术点头表示理解，又站起来敬酒，"顾总，您今天又是我的客户，又是同行，更是我的榜样。"

"哪里哪里，我倒要感谢刘市长牵线，不如咱们两人代表房地产商们共同敬刘市长一杯。"

"好。"三人共同喝下一杯酒。顾忱话锋一转，将刚才心底盘算好的想法提了出来，"那明天咱们就签合同办手续，不过，咱们是同行，您今天又给了我个优惠价格，我不能占您便宜，为了交个朋友，不妨以房换房如何？等项目开始后，您还是以相同的价格，去我那里随意挑相同面积的房子，刘市长，您看呢？"

"好，我看好。刘术还是你占了便宜，人家顾总的房子明年肯定卖到两千五以上，你转手就赚七百一平方米。还是顾总有气魄！"

刘连这么说，刘术自然只好同意。

贾晓阳在一旁看得仔细，觉得顾忱这小子真精，等于一分钱不掏先拿过来两套别墅用着，刘术因着顾忱的实力，也不会觉着不妥，反倒感觉占了便宜。真道是商场比的就是谁比谁更精，谁比谁更能占到便宜。

喝罢酒刘术已是脚步踉跄，贾晓阳也要回家跟老婆报到，于是散去各回各家。临走时，贾晓阳说："我今晚将刘市长引见给你，顾总你今后就跟刘市长单线联系好了。"顾忱会意，下楼时悄悄跟刘连说："再找个时间单独约您如何？"刘连一口答应，说跟顾总你喝酒感觉爽快，咱们一言为定！

顾忱回到酒店，感觉今晚收获很大，这个刘连看来很容易接近，下一步项目启动后此人用处极为重要，还需要重点攻关。晚上贾晓阳和刘术每人喝了不到半斤酒，等于自己和刘连每人喝了一斤半六十五度的烈性白酒，任顾忱有酒量也有些不负重荷，想赶紧脱衣洗澡上床休息。

刚把衬衣解开两颗扣子，门铃却响。这个时候还会有谁来找？顾忱酒意上头，反应有些迟钝，犹豫了一下，走上前开门，门外，是晴晴。

晴晴今天很奇怪，好像比以前漂亮些，化妆穿着都不那么俗气了。只是两个眼睛红红的好像刚哭过。

顾忱向来对晴晴不屑，奇怪道："你来干什么？"

晴晴低头道："顾总，孙总他……不要我了是吗？"说完两颗眼泪垂下来。

顾忱猛的想起，下午孙大盛匆匆离开安沣，没有带上她，难道是真的不要她了？这个孙大盛，甩了人家总得跟她说一声吧！顾忱皱了下眉，问："你跟孙总打电话没？"

"打过。他说……忘记带我了……我下午回来，才发现他人走了，房间也退掉了，我在这里也没有住处，我……"晴晴哭得很伤心，声音越来越大。顾忱生怕有人看见，只好让她先进房再说，心想大不了我替孙大盛给她些钱打发她走罢了。晴晴却又说："孙总说走得太匆忙，忘记通知我，还说您在呢，让我找您，还说，您过两天回北京时带上我一起走，所以我就在大堂一直等着您。"

顾忱心里暗暗骂孙大盛竟然把这女人推给了自己，还没想好怎么说，晴晴又道："他还说……这两天要我好好……伺候您……"

顾忱脑袋顿时大了五寸，掏出手机打给孙大盛，哪知这人却关机，尚不知两人是否彻底中断关系，顾忱也不便强行撵晴晴走，他心里把孙大盛姥姥和奶奶的名字骂了几遍，再回过头来，眼前一黑，“哎呀”一声险些叫出口：竟这短短几秒时间，晴晴竟然已经在自己身后脱去了衣服，一双手正在背后好像正在解开胸罩的扣子！

“喂……你干什么？”顾忱大惊失色。

晴晴依然带着泪，却温柔娇笑，“我又没地方去，只好陪您喽……”

“住手……你……”顾忱又急又恼，眼见晴晴将胸罩解开，一时间竟不知说什么才好。

“您喝了这么多酒，还是我来伺候您吧……”晴晴一脸娇羞，双手回到胸前开始脱胸罩。

“你……”顾忱刚要让她住手，门铃又响。管他是谁，也要先把这个瘟神打发走再说，没等晴晴有所反应，顾忱已经一个箭步冲过去，一把拉开房门。

顾忱彻底傻了。

门外站着的，竟然又是申扬！

申扬更傻，中午来找他，顾忱身后又一个身着浴袍的浴女，将自己羞退。

晚上二次来找他，他身后竟又一个半裸的女人，而且与中午的并非同一女！

申扬目瞪口呆，眼睛定定的瞪着顾忱，这次竟连害羞都忘记了。

顾忱平生头一次脸红到发烫，张口结舌看着申扬也不知从何说起。

晴晴吱溜一下抓起行将脱落的胸罩围在胸前，也是目瞪口呆。

顾忱酒后大脑迟钝，还是申扬先反应过来，低低骂一声：“流氓！”扭头就走。这一句话惊醒了顾忱，第一反应是把晴晴推出门去，但却下意识脚步一动，冲着申扬的背影追过去。

申扬骂完顾忱才想起红脸，还没走出走廊听见身后脚步沉重，扭脸一看，哎呀不好，竟然是那个流氓追了上来。申扬是背着马大帅来找顾忱，孤身一人，见又高又壮的顾忱直朝自己追上来，吓得脚步加快，跟上次在香

港孤身追小偷童石似的从酒店大堂飞奔而过。

申扬住在距离这个酒店不远的安沣大酒店，走路不过十分钟，所以是步行而来。跑出酒店大门，申扬停下脚步，突然笑了：刚才自己跟见鬼似的疯跑，其实在酒店里顾忱哪里敢动自己一根寒毛？想起刚才所在，申扬脸又红了，这个该死的流氓，竟然一天两个……呸！申扬拍胸口回头，不好，大门闪出一个人影，竟然是顾忱阴魂不散，又追了出来！

顾忱跟着申扬跑了一阵，酒意上来，头重脚轻，晃晃悠悠踉踉跄跄穿过大堂出得门来，远远看见马大帅那小蜜正在马路上驻足，心想："你骂我流氓，我倒要看看你这小蜜是个什么好鸟。"正好夜风一吹，醉意涌上头来，意识一阵模糊，脚下发力，又朝申扬追去。

此刻是晚上九点，路上行人不多，见流氓又跑来，申扬真的害怕了，视线扫去，回自己酒店方向没有一个行人，只怕跑不到一半就会被他截住，用手机叫人已来不及，只有对面马路边上好像有两个男人，不管了，申扬立即冲对面那俩男人奔过去，心想也许顾忱一见有人便会放弃自己。

哪知顾忱就是一心想找她理论明白，才不管人少人多，也跟着冲过马路。

申扬跑到那两人身边，刚要开口寻求帮助，却被右边一人目光惊出一身冷汗，这人目光冰冷锋利，脸上还有道深深的仿如刀疤似的印记，在黑夜的映照下特别恐怖，还正盯着自己看。申扬心里一哆嗦，却没时间反应，脚步不停，从两人身边飞奔而过，倒把那两人吓愣了。

顾忱追到马路一半，有辆汽车摁着喇叭从他面前飞驰而过，险些撞到顾忱，顾忱惊出一身冷汗，吓得站立在街心，醉意顿时消退，眼见那女孩跑进对面的街心花园，刚想放弃，却见有两人跟着她跑了进去。顾忱看着他们背影在花园里闪没，忽然涌起不祥预感，犹豫片刻，也迈腿跟了进去。

花园里没灯，顾忱凭着感觉一路冲过花园，却赶忙刹住脚步，眼前，是沣水河。左右无人，一片安静，刚才那几个人影好像凭空消失不见了。

怎么回事，是自己真喝醉了吗？顾忱摇摇头，突然，有一个声音发自身后，"啊——"是一个女孩的尖叫！

顾忱猛然寒毛倒竖，在黑夜里听到这么一声尖叫，实在太恐怖了！接着，又有几声脚步，顾循顺声跑去，“扑通”一连串的声响此起彼伏，顾忱跑得太急，脚下忽然一绊，竟一个前空翻飞跃一片冬青丛，结结实实吃了一嘴土！

等到顾忱眼冒金星挣扎着爬起来，眼前却晃动着几个身影，他心知不好，急迫中也不管太多，奋力扑了过去，一下子扑倒在一个软软的身体上，额头却重重砸在一片草地上，险些又啃了一嘴青草。底下那人尖叫一声，就在顾忱耳边，将顾忱耳膜险些震破，顾忱用劲撑地努力离开地面，眼睛刚刚感觉周围有景物，脸上“啪”一声脆响，竟是结结实实挨了一巴掌！

顾忱哎呀一声跳起来，正好马路上有汽车经过，照亮这一片草地灌木丛，自己脚下正坐起一个人，瞪着圆圆的眼睛看着自己，一只手捂着胸口，另只手却握紧在身侧，好像正准备蓄力再给自己一巴掌。

车灯远端，还有两个人影正在狂奔中消失。

顾忱率先反应过来是怎么一回事。

申扬却还在发呆，心脏狂跳，要不是用手用力捂住，只怕要跳出胸腔。

刚才自己跑进花园，谁知身后立即响起杂乱脚步，紧急中回头，竟然是刚才那两男人跟在自己身后不到两米之处。越往里跑越是黑暗，这个花园申扬来逛过，知道再跑几步就到了河边，幸好今晚穿着运动鞋，申扬一个跳高想蹦过一丛冬青，哪知后面一只脚却被人凌空抓了一下，紧接着自己失去重心，一头扎在草丛中，险些啃了一嘴草。

再后来，申扬只觉着自己身上压上来一个人，用手紧紧捂住自己的嘴，另一双手好像使劲摁自己的脚，申扬奋力挣扎，也不知怎么竟一脚踢倒一人，紧跟着膝盖一顶，自己身上这人一声惨叫，手也松开，于是申扬一声尖叫，想从地上爬起来，哪知两人同时上来压在自己身上，脸上也被一巴掌打得几乎失去知觉，眼前一黑，等清醒过来，自由的右手奋力挥出去，“啪”一声，打得这人竟站起来，申扬趁机坐起来，借着汽车短促灯光一看，不禁傻了，这人，竟是顾忱！

申扬跳起身，站在被整个打傻的顾忱面前，那两人已不知去向，申扬突然一点都不害怕了，瞪眼望着黑夜里顾忱的影子，一边握紧拳头，一边恶狠狠骂道：“流氓！有本事再上啊！”

顾忱哭笑不得，也看着申扬的影子，一时说不出话来。

又一辆汽车过去，灯光里，两人互相瞪视良久，顾忱忽然看到申扬脸上满是泥污，头发上沾满杂草，嘴角渗出鲜血，一副被人狠狠修理过的狼狈相，心中怨气一下子消失不见，特温柔的问："你没事吧？误会了。"

静夜里，猛然听到这么温柔的问候，申扬紧绷的神经也瞬间瓦解，思维恢复正常，意识到顾忱并非袭击自己那人，才觉着脸上嘴角热辣辣的疼，脚腕处也是一阵钻心的痛，眼泪再也忍不住，颤抖着弯下身子，又缓缓坐到地上。

"没事吧？"顾忱也蹲下来，想伸手去扶申扬，却犹豫着该不该伸手。

"刚才……真不是你？"申扬双手捂着越来越疼的脚，抬头看着顾忱，其实，什么也看不见。

"哼，要不是我，现在你早不知被那俩人这么样了！"顾忱开始理直气壮。

"哼，能怎么样？"申扬一张口，马上意识到自己说错了话，脸立马绯红。

"嘿嘿，还能怎么样？"顾忱冷笑。

申扬想顶嘴，却知道顾忱说的一点没错，眼泪顺着脸颊哗啦啦往下流，声音也有些颤抖，"要……不是你……我怎么会往这儿跑？"

"你，你要不那么无礼骂人，我追你干嘛？"顾忱也生气了，声音特大，"你凭什么骂人？"

"骂你？活该！"申扬火气也上来，心想就你这么不要脸，还在乎人骂吗？

"胡说，你骂人还有理了，你不也……"顾忱想说你也不就是人家一小蜜吗？话到嘴边，还是硬生生咽下。但在申扬看来，却是顾忱理屈词穷，也不觉脚疼了，得意的心想：自己是流氓，没话说了吧？

"我……"顾忱想解释，但一想，自己有必要跟她解释吗？于是问："我问你，你找我干什么？"

"请你滚蛋！"

"什么？"

“滚蛋！大骗子，冒牌货！快离开安沣，别让我拆穿你老底。”

顾忱心头一震，半天说不出话来，这句话从竞争对手嘴里说出来，实在令人恐惧万分，她是怎么知道的？“你……凭什么说我是骗子？”顾忱开始心虚。

“哼，我打听过，白石集团根本没你这号人！”申扬得意扬扬，“对不对？”

顾忱恍然大悟，原来他们就知道这点儿情况啊？还是顾忱老到，立刻一本正经问：“我问你，你认识白崇洗吗？”

“谁不知道？”

“白石集团董事长是白崇洗，总经理也是白崇洗，副总经理一共有六个人，总经理助理五个人，集团是由七个企业组建而成，每家企业的股东是谁你清楚吗？白石集团底下还有十几家大小公司，每家公司的股东你又清楚吗？”

申扬傻了，摇摇头。

这时两人都已适应了黑暗，对方的动作也基本能够看清，顾忱见她摇头，知道这女孩涉世不深，容易哄骗，语气更加重了些，“你如果不知道我是谁，自己去打电话问白崇洗，别在这儿胡搅蛮缠！”

“你……”申扬张口结舌，心想难道他真的是白石集团的股东？

顾忱气焰更盛，大声质问道：“马大帅没有胆量，就单派你这小丫头片子来找我吗？你信不信，我就算在这里把你给……嘿嘿……都没人知道！”

黑暗里，顾忱特别狰狞可怕，换作别人，也许申扬不怕，可偏偏这话是从这样的一个大流氓嘴里说出来，申扬不由心生恐惧，再加上浑身疼痛，已经失去搏斗的勇气，看着顾忱的脸，牙齿开始上下敲击。

见此情景，顾忱不忍心再吓她，缓和口气道：“告诉你，你看到的两个女人跟我都没有关系。”

“哼。”申扬鼻孔出气，心想此地无银三百两，我都亲眼所见还抵赖。

顾忱心里那个气，也不知道自己为什么偏偏想解释给她听，但还是忍气说：“反正跟你也说不明白，信不信由你。”

“信，我当然信了。”申扬的语气突然特温柔，“人家都快脱光了，我还

能不信吗？”

顾忱气得差一点跳起来，冷笑道：“就算我是流氓又怎么样？你呢？不就是一小蜜吗？给男人当情妇也不认真看看，找谁也不能找马大帅那样的肥蚕啊！”

申扬愣了半晌，忽然捂着肚子笑起来，笑得直不起腰来。

“还有脸笑？现在的女孩呀……”顾忱叹口气，站起来，“我走了，你走不走？”

“你说……我是马大帅什么？”申扬还笑。

“自己明白。”顾忱狠狠补上一句：“你比流氓也高尚不到哪儿去！”

申扬不再理他，咯咯笑了一会儿，把手伸给顾忱，“拉我一下好吗？我脚疼，站不起来。”

顾忱见她不像假装，只好将手给她，两人手一接触，同时跟触电般震了一下，顾忱险些松手，申扬哎呀一声，却险些倒下。

顾忱忙扶住她，申扬已经疼得满脸是泪，“脚疼。”

“没事，慢慢走，走回路边我去开车送你去检查一下。”顾忱轻轻扶住她一只胳膊，另一只手老老实实垂在身边，标准正人君子的动作。

申扬心中一动，心想这人说话动作都特正经，难道真是我误会他了？

顾忱扶着申扬慢慢走到路边，顾忱说你等在这儿，我去开车。申扬却一把拉住他，轻轻说：“我怕。”

路上一个人没有，也没有路过的的士，身后是黑洞洞寂静的花园。

顾忱想了想，小声说“别动”。一把将申扬拦腰抱起来，大步走过马路，申扬在他宽阔的臂弯里脸又红了，心又开始怦怦乱跳。

走到酒店大门前灯光明亮处，顾忱将她放下，申扬轻轻说：“不麻烦你了，我打电话叫马……大帅过来接我。”

“好。”不知怎么，提起马大帅，顾忱突然对申扬心生厌恶，立即重重放下她，抽离双手，任凭申扬独自摇摇晃晃扶住墙，一手掏出电话打给马大帅，听见马大帅的声音，申扬哇一声便哭出来。

马大帅吓一跳，在电话里问申扬怎么了。

“快来接我，就在安沣宾馆大门……”申扬抽泣。

马大帅开着车五分钟不到就冲到两人跟前，跳下车，马大帅一眼看到申扬竟跟顾忱站在一起，满头满脸眼泪污垢，嘴角还有血迹，又急又气又心疼，大声问："扬扬这是怎么回事？谁欺负你了？"边说边看顾忱。

顾忱冷冷道："我可没欺负她，还救了她一命。"

马大帅更吃惊，抱着申扬连声询问。

申扬哭得更伤心，一句话说不出来。顾忱心里暗暗鄙视：刚才还气势汹汹，见了老情人竟跟见了亲爹似的。

马大帅急得蹲地上查看申扬伤势，说要不咱们去医院检查一下。

申扬说："不要，我要先回房间。"

"好，咱们回去。"马大帅对顾忱说声谢谢，扶申扬上车。

申扬在车里看顾忱一眼，目光里有什么东西一闪而过，顾忱心中一动，眼睁睁看着车子远去，消失在夜色里，心里，突然感觉少了什么……

回到房间，晴晴已经穿戴整齐老老实实坐在沙发上等着。见顾忱刚出去半小时回来却满头泥土草屑衬衣也撕扯，晴晴眼睛都直了，顾忱懒得理会她，扔过去一个刚刚开的房卡，又随手给她些钱，打发她回自己房间。临走时，晴晴低声说："刚才，用不用我解释一下。"

"解释什么？"

"那个女孩，是不是误会了……"

"我不认识她！"顾忱摆摆手让晴晴出去，倒在床上，才感觉周身都是酸痛，嘴角好像也出了血，眼前的天花板一片恍惚，好像有双眼睛在看着自己，目光那么纯，那么清澈，那么认真的看着自己……

门铃响的时候，顾忱正在做梦。梦里，自己正在跟一群长相奇特的章鱼搏斗，任凭顾忱竭尽全力也无法摆脱越来越多的触角，突然，自己的双手双脚俱被牢牢箍住丝毫动弹不得，顾忱杀红了眼拼命挣扎，哪知却越挣扎越紧，眼看对面一只章鱼用触角举着一只口哨，大声吹响，几个长触角好像是听见号令，一起朝顾忱眼前重重压来……顾忱啊一声跳起来，却发现自己好端端在床上，门铃，却在响个不停。

"谁呀？"顾忱大声喊，却马上意识到自己住着是套间，隔着一个客厅，摁门铃的人一定听不见自己的叫声。门铃还在响，自己明明记得挂上"请

勿打扰”了，不可能是服务员，顾忱摸起手表看，“妈的！”竟然才八点半！

“来了。”顾忱摇摇晃晃站起来，心想如果又是晴晴骚扰自己，一定认真收拾她一顿再说。

门开了，门铃终于消停下来。顾忱脑袋顿时胀大了六寸。

门外站着的，又是申扬！

“想不到是我，更想不到我会这么早来骚扰你吧？”申扬笑嘻嘻靠在门框上，除去嘴角还略有伤痕，整个又是一光彩照人的小美女。

顾忱苦笑，“你也知道是骚扰啊？”

“哼哼，我想好了，哪怕你房间再有一千个裸体美女，我也不怕了。”申扬笑着伸头望房间里望。

顾忱又好气又好笑，问：“你来干嘛？”

“我嘛……”申扬眼睛滴溜一转，“你不请我进去吗？”

顾忱无奈，做了一个请的姿势，申扬却不动，看着顾忱的睡衣又乐，“看来你挺讲究的嘛，住酒店还穿着自己的睡衣，这个习惯很好。”

顾忱低头看看自己睡衣，又看看申扬的嬉皮笑脸，想起昨晚的事和自己那件被撕扯的衬衣，头又大了两圈。

申扬终于迈腿了，她一动，顾忱笑了。她走路竟然还是一瘸一拐的，很痛楚的样子。

顾忱忍住笑，恨得牙痒痒，“就你这模样，还有心思来骚扰我？”

申扬不理他，朝卧室张望一下，回头做个鬼脸小声说：“不会打扰别人吧？”顾忱苦笑，大步过去推开卧室门，里面就一张大床，床上没人。

申扬点点头，微笑：“你真聪明，竟然让人躲卫生间去。”

顾忱终于忍耐不住放声大笑，“你到底有事没？要没事就请你出去，我还没睡够呢！”

“有，当然有了。”申扬一瘸一拐走到沙发前坐下，“姐姐开始相信你是好人了。嗯，开始说正事儿吧。”

“难道我房间里没女人就证明我是好人？”顾忱虎视眈眈。

“这个嘛……嘻嘻，还是说正事儿吧，昨天那个刀疤脸，我好像见过。”申扬突然正色道。

顾忱一头雾水，“什么刀疤脸？”

“哦，你可能是没看见，就是昨天追我那人，另外一人我没看清。”

“废话，那你当然见过。”

“不是，我是说，在昨天追我之前，我就见过那人。”

顾忱听懂了，一脸不相信。

“真的！”申扬见顾忱不信他，急了，“你难道不觉着昨晚的事特蹊跷？”

顾忱点点头，“昨晚咱们都忘记报警了。”

“报警？报警有啥用，那俩人不就是追了追我，给了我一巴掌吗？我是怀疑，那两人是专程跟踪我的。”申扬看着顾忱，很认真的样子。“因为我一定在之前见过那刀疤脸，一定是有计划有预谋的行动！”

“神经！谁会跟踪你这小丫头？”顾忱对她的猜疑嗤之以鼻。

“当然会了，比……如……你！”申扬瞪着顾忱。

“什么！？”顾忱气炸了，跳起来，“你是说我派人跟踪你又追你又打你的？”

“对呀？要不怎么你一去那俩人就跑了？”申扬得意的笑，跟顾忱已经认罪伏法似的。

顾忱笑得特惨烈，阴惨惨说：“要真是我，你已经不在人世了。”

“不过嘛，本小姐才不怕，因为我后来又想了，应该跟你没关系，因为如果不是我骂你，你也不会追我，我也不会往对面跑，再说……要不是我敲你房门，你一定开始忙别的事了……”

顾忱被她折磨得快疯了，真想抓起她一把扔出去。“说完了吗？”

“不，还没说到正事儿呢。”

顾忱快哭出来了，敢情她还没说到正事儿呢？！

“这件事就先这样吧，本姑娘伤养好后，会自己破案的。我今天来的目的，是想告诉你……”申扬突然温柔下来，语气变得跟一只正卧在主人怀中的大猫咪似的，“安沣的项目，我撤出了。”

“什么？”

“我的意思是……你昨晚救了人家小命，小女子何以回报，想来想去，

还是决定放你一马，以报答你救命之恩。”申扬似认真非认真，顾忱有生以来头一遭被人玩弄得神经错乱，呆呆看着她，不知说什么才好。

“听见没？笨！”申扬跺脚，马上又捧着脚喊疼。

顾忱长吁一口气，心里对这古灵精怪的小丫头佩服得五体投地，对她说的话却难以置信，半天才开口，“你不是又用什么花样耍我呢吧？要谈，也是马大帅跟我谈，你……”

“你爱信不信，反正我的意思已经说到了，本姑娘走了，对了，我是叫出租车来的，你总要送我回去吧？”

顾忱本就犯困，一大早又被她整到大脑短路，无奈点点头，叹口气，说：“你坐这儿等我，我回房换衣服送你。”

申扬笑着点头，靠在沙发上悠闲自在的打开电视开始选台。

待顾忱洗漱换衣服完毕再出来，申扬却已了无踪影，茶几上只有一张写在客房便签上的字条：“哈哈，本姑娘骗你的，出租车就在门口等着我呢！告诉你个秘密，如果今天我看见还有别的女人，那么结果，一定会是另外一番模样！再见，祝你继续睡个好觉！嘻嘻……”

顾忱拿着纸条几乎要昏过去，沙发上，好像还有这个女孩留下的一缕清香……

第八章　拐　　点

高速公路两旁山峦起伏桃花烂漫，正是春光最盛时节。顾忱独自开车，音乐开得大大，是为了堵住晴晴的嘴。

昨天一切顺利得出乎想象。卫彬从省会返回的第一件事，就是在改制方案上签了字。据贾晓阳透露消息，卫彬这趟省会之行好像就是为了改制，听说某位领导亲自过问此事，但却不知为何悄然无声。

但不管怎样，毕竟轻舟已过万重山，下午得知获批的消息，老夫子马上召开新公司第一次全体董事会，议题是提名顾忱为新公司总经理，同时宣布安沣桥地块的合作计划，会议一致通过议题，并安排下周由新公司与白石集团就沣水桥项目签约。晚上大家一起联欢畅饮庆祝新公司的诞生。

第二天一早，顾忱便带着晴晴上了路。带她的原因，是因为孙大盛请顾忱把她带来。孙大盛本想在电话里打发她走人，怎奈晴晴并不是轻易能甩脱的主儿，不依不饶，在电话里威胁孙大盛如果不要她，便马上将他和顾忱的底细公之于众。无奈之下，孙大盛只好答应等她返京再说。这些事，孙大盛没有敢告诉顾忱，接连被女人骗了两回，孙大盛终于总结出女人，尤其是漂亮女人绝对不能轻信的道理。

走到半路，贾晓阳一个电话追上顾忱，说卫彬刚刚和他碰了一下，意思有两个，第一，顾忱代表白石集团顺利入主安沣房地产开发总公司，可喜可贺，希望双方能够加强合作，加快进度，把安沣桥项目早日启动；第二，是白崇洗此前签订的四个项目，市政府还是希望要尽快落实。

贾晓阳还专门讲到，唐书记对此事也极为关切，说等顾忱下次再来时专门给他接风，还希望白总能够一起来。

顾忱听明白市政府的意思，说白了，还是有些不放心，生怕顾忱跟白

崇洸似的，签了个协议又没了下文。这些年各地政府招商引资热情高涨，却也上了不少当，受了不少骗，很多企业就是利用政府发展地方经济的迫切心情，在投资项目上占尽上风，意向协议签了一堆，最终落实的却寥寥无几。如果不是白石集团名声赫赫，市政府也不会如此轻信顾忱。

顾忱让贾晓阳转告两位领导，说下周保证带着资金回来。此时顾忱的迫切需求，是资金。项目落实后，资金千万不能掉链子，丢脸倒在其次，要是被弄个诈骗什么的罪名给办了，那才得不偿失。至于贾晓阳提到的四个签约项目，本来不关顾忱的事，但此刻听贾晓阳提起，顾忱却突然有了一个新主意！

回到北京，第一件事是将晴晴送到孙大盛那儿，中午和孙大盛两人一起吃饭，顾忱把项目进展告之于他，约好下周一齐去安沣正式签约。在此之前，顾忱需要做的事还很多。

下午，顾忱去找白崇洸，顾忱去白崇洸办公室从来不用预约，敲门进去就是。径直敲门而入，顾忱却呆住了。白崇洸正在靠门的沙发上说笑，沙发对面，有一个年轻女孩——申扬！

她怎么又会在这里？难道……真是来调查我的底细？顾忱看着申扬，跟见了鬼似的，整个傻了。

申扬正听白崇洸谈笑风生，猛见顾忱进来，也一下愣住。

白崇洸回头，笑了。“你这小子，整天神出鬼没的，刚回来吧？”

顾忱尴尬的点点头，这时才发现申扬身边还坐着一人，这人的脸……只要是中国地产界的人没人不认识——申笃寅！他竟会坐在白崇洸的办公室里？！顾忱比看见申扬还要吃惊，圈内人无不知白崇洸与申笃寅是多年死对头，虽说白崇洸实力稍逊一筹，但敢于直面叫板申笃寅的为数不多几个人中，白崇洸绝对算一个，两人在房地产市场上厮杀多年，怎么突然看上去成好朋友了？

“顾总，你来得正好，这位就不用介绍了吧，申总，哦，这位，申小姐，申总千金……这位是顾总，我的好朋友……也是合作伙伴。”白崇洸说了一半，想起顾忱在安沣项目上与笃寅是竞争对手，忙帮顾忱圆了一下。

这个申扬……竟然是申笃寅的千金！顾忱呆呆望着她，竟有些失态。

申扬脸不知怎么突然有些发烫，狠狠瞪他一眼，却转脸对申笃寅大声说：“爸爸，他是我的救命恩人。”

此话一出，白崇洗与申笃寅均一愣。顾忱恢复自然常态，笑着解释道：“也没什么大不了，只是前晚无意帮申小姐赶走了两个小流氓。”

两人更吃惊，此前申扬并没有跟申笃寅说起过前晚故事，嘴角伤口也说是生疮而已，听得顾忱这么说，申笃寅吓了一跳，忙上下打量宝贝女儿。

顾忱坐在申笃寅身边，很快弄明白这两大巨头为何亲切聚首的原因。

申笃寅与白崇洗经历颇有几分相似，都是二十年前做贸易起家，后不约而同进入房地产市场，逐渐成为风云人物。与白崇洗的奢华讲究气势凌人相比，申笃寅却低调很多，总拿老庄的清静无为作为行事指导，就连穿衣也是一身白色的中式布衣，颇有几分仙风道骨。

两人的主战场均在北京，于是天子脚下便成为两人数年征伐的战场，在北京这么一大块美味蛋糕面前，还没有发生过你死我活的惨烈战事，大家反而在竞争中越做越大越发强壮起来，几家巨头的竞争缝隙中，那些几亿几千万级的小老板们也吃着自己那份蛋糕。房地产市场，一片风和日丽兴旺安逸。

但，随着土地越来越少，房价越来越高，从京外地区或房地产以外进入北京房地产市场的人越来越多，这个市场越来越拥挤狭窄，虽然只要有这几家巨头参与竞争的土地终归还会落入巨头之手，但土地成本却越来越高，利润空间却相应越来越薄，敏感的人，已经对市场未来有所警觉。

恰在此时，一向走在别人前面的申笃寅却忽然在上月发表了一篇讲话，预言市场将迎来“拐点”，那是一次重量级的业内研讨会上，此言一出，一片哗然，因为这个时候正是那些开煤矿的、跑运输的、卖服装的、倒电器的、做中介的各色人等跳着高进入房地产市场的旺季，大多数人对申笃寅这番讲话嗤之以鼻，指责他这是恐吓，妄图阻塞竞争。唯有白崇洗，听到申笃寅此番言论立即有同感，申笃寅发表完讲话的第三天，就在媒体网络对他此番讲话声讨最热之时，白崇洗却头一遭登门拜访笃寅集团总部。

两位大佬的第一次亲密接触被小道消息透露，市场一片喧哗，但谁都不知两人葫芦里卖的什么药。

六十九号地块，原来是东四环边一个药厂，五年前倒闭。目前，东四环边上这空荡荡一片土地，早已是北京四环内寥寥无几的最后几块大宗地块了。早在七八年前就传说这块地有重量级人物染指，还曾有谣言说某某高官就是为了这块地而身陷囹圄，传说到今天，却没有人真正能将它掌控于手心，大家眼睁睁看着它进入公开竞拍程序，于是市场又纷纷预言它将最终落入传统大佬手中，还是进入房地产新贵囊中。

白崇洗拜访申笃寅，就是这块地拍卖进入倒计时后的倒数第七天。

为这块地，白崇洗没少费脑细胞，几年前传说的重量级人物就有他的身影，无奈这块地的背景过于复杂过于深沉，几番试探均没有下文，待看它进入竞拍程序，白崇洗只好精心调度资金，准备力搏。

地块面积几百亩之多，起拍总价达到七十亿，预计成交价达一百亿以上，按照这个价格，开发商的净利润最少也在三十亿以上。此地块到时到底能够引发地产江湖多大的腥风血雨，许多人已经在猜测，在等待……

两人见面时是在申笃寅的办公室，没有一个外人参加，因此外部对两人的谈话内容苦苦追寻却不得而知。只知道从第二天起，申笃寅接连几天或召见媒体或电视上镜或发表博文，以从来没有过的高调姿态预言房地产市场的拐点必将来临，很多媒体也纷纷跟进，一周内赞同拐点言论的文章竟数以万计，一时间，申笃寅仿佛化身舆论领袖，硬生生将北京房地产市场掰向另一个方向。

当然，不赞同他的人更多，除去指责辩驳，更多人却猜测申笃寅高调亮相的背后到底有什么阴谋，据业内人士普遍猜测，他的目的只有一个，六十九号地！激发市场恐慌的目的，在于动摇对手的信心甚至左右市场心理，从而使自己以一个较低价格获得土地。

那么，白崇洗呢？他在做些什么？市场转过脸来，想看看一向高调的白崇洗的表现。

白崇洗却什么也没干。

什么也没干当然不可能，他只做了一件事：洗澡。

所有关于白崇洗的消息只有一条：某日，白崇洗在位于自己办公室的豪华浴室里洗澡。某日，白崇洗仍在位于自己办公室的豪华浴室里洗澡……

至于白崇洗洗澡时在干什么，没一个人知道。

白崇洗这样低调得好像不是白崇洗了。

这个情节，有些像吴宇森的电影《变脸》，两人好像见面后彻底互换了一下，市场被他们的表现搞得莫名其妙。

谜底在土地竞拍报名截止日当天下午四点五十五分揭晓……

这个时间，距离最终报名时间只有五分钟。

这个时间，一般人是绝对报不上名的，因为等你填表签字提交资料银行转款的一系列程序完成后，时间已经肯定过了五点！

这个时间，已经有来自全国的五十几家房地产商报上名，巨头里没有露面的，只有笃寅和白石集团这两家。

这个时间，只有最具有强大能量的人才能控制……

四点五十五分，接受报名的国土储备中心的工作人员打了一个哈欠，准备把资料夹合上，等候在门口的记者们已经撤到楼下准备打道回府，记者们的腹稿已经打好：《百亿地王上市，两巨头莫名退却！》

就在这一刻，却有一个人出现在报名办公室，拿出已经全部填写完整的报名资料，轻松的递给工作人员，工作人员傻眼了，刚想说你们已经迟了，案头电话却铃声大作，工作人员拿起电话，立即恭敬的频频点头，放下电话就换了付脸，“你别急，还有好几分钟才到点儿呢……”

第二天，所有媒体的头条是：《百亿地王上市，两巨头首次联手！》。

白崇洗竟然与申笃寅组成联合竞标体联合拍地！这个特大新闻震惊了国内地产界，一篇新闻评论道：“两大巨头首次历史性携手，标志着国内房地产市场进入了一个新的历史阶段，绝对可以评为今年最具轰动效应的大事件！”

两巨头携手的结果，是那些各自为战的房地产商们首先丧失了厮杀的勇气，很多本来就是凑热闹的公司干脆连牌都不举，只等着看一场好戏。

两巨头组成的联合竞标体气势压人，才一小时，历史性大战便宣告结束，结果几乎没有任何悬念，自然是联合体成功成为今年北京新地王的主人。价格嘛……却令人大跌眼镜：区区八十五亿元人民币！

事后参与竞拍的对手分析，这个价格远远出乎他们意料，退却的原因，是因为两巨头组成的联合体实在令人畏惧，几乎无人愿意跟他们正面竞争，这反倒是成就了两巨头合作的初衷：靠心理战术不战而胜，获得了超出想象的低价土地。等到其他家反应过来时，竞拍已经结束。

白崇洗与申笃寅短短一小时的会面，至少价值十五亿元！

成功后第二天，两人又互换了回去。申笃寅不再有任何消息，好像人间蒸发。而白崇洗，又开始张牙舞爪出现在媒体大众面前，有记者问："这一场精心布置的战术，是您和申总事先策划好的吗？"

"废话，策划是顾问的事情，我们在一起只是喝茶聊天。"

"能透露一下项目运作的细节吗？"

"细节？还没商量呢，再说，这几天我也找不到申总了。"

"听说您和申总经此一役，从对手变成好朋友了？"

"废话，对手还是对手，朋友还是朋友，对手也是朋友，朋友也是对手。"

"您与申总合作后，您主要的工作是哪些？"

白崇洗奇怪的看着这个发问的记者，很奇怪他竟然会不知道自己主要的工作是什么，记者等不到回答，又问一句："您的工作是什么？"

"洗澡！"白崇洗吐出两个字，扬长而去。

这段历史发生时，顾忱正在安沣为项目绞尽脑汁，竟然忽略了这么大的事件。此刻白崇洗偌大的办公室里除去两巨头外，就只有自己与申扬，顾忱突然有种受宠若惊的感觉，看来白崇洗对自己的态度，比自己感觉的还要近。

申扬突然伸出一根手指，冲顾忱笑："白叔叔，前天在安沣，我还以为他是个骗子呢！"

顾忱脸一红，白崇洗转脸看他，似笑非笑。

申笃寅忙制止她，"这孩子一点不像我，张口就乱说话。"

"就是嘛，那天，我还狠狠给了他一巴掌，哈哈……"申扬想起那天顾忱的狼狈样，竟自己笑得直不起腰来。

顾忱尴尬的笑，申笃寅也看着他笑。

白崇洗解围道："顾总是我的好朋友，也是集团股东，安沣项目就是他负责。”

“哦。安沣项目我听马总汇报过了，顾忱你厉害呀，竟然把马大帅打得一败涂地，他现在最恨的人就是你了。哈哈……”能成为申笃寅这等大佬级人物后，所有事都看得很轻很淡，面对一个刚刚在异地击败自己的对手，申笃寅能够这样毫不在意一笑而过，顾忱着实佩服。

“就他？”申扬瞪着顾忱笑，“他不过是靠着政府里那几颗大葱，搞歪门邪道……”

“不许胡说！”申笃寅假装严肃的制止女儿，“这个事情就过去了，我倒希望有机会跟顾总这样的年轻才俊合作，扬扬，你倒要多跟顾总学习才是。”

“不敢。”顾忱忙客气。

申扬不说话，目光在顾忱身上上下翻飞，眼睛里全是戏谑，顾忱哭笑不得，也不明白自己为什么一见到申扬就内心发虚，跟遇见天生克星似的。

申笃寅此次来只是为了将女儿介绍给白崇洗认识，以示亲近，关于项目合作事宜未提一句，全交由手下对接。两人又寒暄几句，申笃寅告辞。

人达到他们两人这个层次，虚伪客套这些普通人的交际手段便成为多余，大老板们自有大老板们的对话方式。白崇洗话不多说，起身送客。顾忱陪同送到电梯厅，申笃寅对顾忱道：“顾总，我一见你便懊恼万分。”

顾忱一愣，“此话怎讲？”申扬也不解的看着父亲，只有白崇洗微笑不语。

“像你这么优秀的年轻人，我怎么没白总好福气早些结识到，叫我怎能不懊悔万分呢？”

众人大笑。申笃寅却一本正经说：“有时间顾总去我办公室坐坐，咱哥俩促膝长谈。”

申扬嘟嘴道：“便宜死他吧，明明跟我一辈，凭什么跟您称兄道弟？”

众人又是大笑，电梯来到，申笃寅含笑道别，申扬在电梯里又冲顾忱做一个鬼脸。白崇洗一切看在眼里，回到办公室微笑道：“申小姐好像很喜欢你嘛。”

“喜欢？”顾忱现在听到申扬的名字便周身发抖，“她不把我气死就不

错了。”

白崇洗笑了一下，“走，吃鱼。”

此刻已近五点半，顾忱问道：“刚才您怎么不请申总一起吃饭。”

“申总喜素，吃不到一锅，再说，他要走，自有他走的道理。一切顺其自然，合乎本性，才是和谐本意。一个假装要走，一个假装强留，是俗人行为。”白崇洗自顾坐在浴室那张餐桌上，眺望着脚下京城，“好久没见你了，说说那边情况。”

顾忱将事情进展详细说与白崇洗，听完，厨师和佣人推着车入内，“今儿有我的吗？”顾忱笑嘻嘻问。

“当然有。”白崇洗淡淡说：“我一早吩咐过前台，只要你出现，就通知厨房加你的饭，还有，申总来访这么重要的会见，为什么前台和秘书都没有挡驾，那是因为，我也交代过，除了你，一律挡驾。”

顾忱收起笑脸，心里一阵感动。实在没想到白崇洗真把自己看得这么贴近。但对白崇洗开口道谢，在他眼里便又是俗人所为，于是不再说话，陪着白崇洗一起看窗外黄昏。

“窗外本无风景，看的人多了，便成为风景。”白崇洗轻声说。

顾忱有些听不懂，前段时间白崇洗神秘消息，一定是在浴室里又多看了几遍老庄。

“你说，为什么当人看到天边飘来一丝乌云，便知道要下雨。”

“这是自然规律嘛。”

“那为何有人看得到，有人却看不到呢？”

顾忱语塞。白崇洗又说：“安沣的天如何？”

顾忱明白他是想说市场，“很晴朗。房价刚刚起来。年后才一个月就……”

白崇洗打断他，“安沣距离北京六百公里，不近，却也不远。你开车往来，是不是感觉两地天气总是一样？”

“是。”

“北京变天，安沣也会变，这也是规律。”

“您说，北京的天要变了？”

“不是要变，而是变了。”

“哦？”

“不变，哪儿有我和申笃寅之间的合作？”

“他的感觉与您一样？”

“他的感觉，在我之前。我以前常常不服老申，总认为他比我成功是因为机缘。此番他的拐点论一出，我立即明白，他的确在我之上，比我更能嗅到变天的前兆。”

“于是您就去登门？”

“是。一见面，我就说，申总，我不如你。”

“他说什么？”

“他说，我只比你略胜半步。没有你来，我怎么能知道自己是对的。”白崇洗往嘴里送上一口鲜鱼，“今天的刺身魔鬼鱼，绝对新鲜，吃下一口再喝些冰水，吃完鱼泡在六十度水温的热水里，是一种完美体验。”

顾忱学他模样往嘴里放了一块鱼肉，立即觉得喉咙发木跟吃了毒药似的滚烫，也立即端起冰水喝了一口，真奇怪，那种感觉竟立即消失，冰水伴着鱼肉入胃中，全身即刻温暖如春，被包裹在一种极为舒适的感觉中。

“不错吧？”白崇洗笑，“魔鬼鱼肉质本来有毒，但摄氏五度的冰水恰好可以解其毒，不光解毒，还能助其味，使毒药变成美味。好比，安沣项目对你而言是毒药，但只要有解药，也能成为美味。”

“解药是什么？”

“不贪。”

“不贪？”

“这个项目对你而言过大，你若强做，风险极大。但以你智慧，应该能顺利启动，但北京天气将变，安沣必不幸免，所以动作要快，定位要准，你这个项目关键在于资金运作，但资金的运作效率取决于市场运作，所以说，别贪心，不要将利润率企图过高，按照目前价格制定你的利润目标，便能规避风险。”

“您是让我快速出击，切勿恋战？”

“所谓‘恋战’，其实就是一个‘贪’字。好比饕餮，总是吃不够，但

食物总会有匮乏一天，市场总会有波动时刻，贪吃的人，便跑不快。”

“是。”

白崇洗微笑，“别看你小子嘴里说是，其实心里一定对我这老帮菜嗤之以鼻，以你年轻气盛，好容易把握一次机会，不赚个盆高钵满便不是你了。但记住我的话，见好就收，切勿贪恋。钱永远有的赚，命，却只有一回。”

“老大，那您说说我具体应该怎么样做？”

“很简单，我给你两千万，你自己一千万，孙大盛四千万，一共是七千万，土地款你设法让老夫子拖住迟交，工程交给孙大盛垫资，房子出地面就低价开卖，像安沣这样的小城市，购房者讲究的是实惠，见是政府请来的北京大开发商，价格又足够便宜，肯定踊跃定购，你的资金，一下子就活了，手里有了钱，项目就好做了。”

顾忱迟疑了一下，白崇洗看出端倪，冷笑问道：“你小子是不是还有什么想法？”

“是。”顾忱老实回答，“我想提高容积率……”

“饕餮啊，典型的贪吃者。”白崇洗摇摇头，“绝对不可。这样看似占了大便宜，但时间呢？成本呢？全上去了，以我经验，小城市是不认高层的，提高容积率便全变成高层，势必造成市场被动，购房行为至少拖后半年，这半年，既能让你喜出望外，也能叫你万劫不复。”

“但如果不提高容积率的话，利润实在有限……”

“利润要紧还是命要紧？以你的投入，即使不改容积率，你自己也能赚到几千万利润，对不对？但你觉得老夫子要价太高，自己吃亏，所以想再挖掘出利润来，对不对？但人家老夫子手里有地，而你是什么都没有，即使项目黄了，老夫子的地还在，大不了多等几年，你呢？我的投资赔进去无所谓，孙大盛呢？别看他跟你哥们，你要让他赔进去，他指定翻脸！到时候你便一文不名，光着屁股回北京吗？我要是你，一定找地方挖坑把自己埋了。”

“嘿嘿，老大，你吓得我都不敢做了。”

白崇洗在顾忱脸上打量片刻，轻叹口气，道：“算了，我也不说了，很多事情，只有自己经历过才会相信，旁人再说也只不过是放屁。再说了，市场虽变天，但何时变，也不是我和申笃寅能预报得准的，也许就在明天，也许还要三年，一切看万物发展和相互作用，这是天机啊！你小子要信了我，结果少赚了几千万，还不在心里骂我一辈子？哈，算了，刚才的苦口婆心，换了人我才不说呢。你小子信也好，不信也罢，反正自己的命，自己小心玩吧，走，洗澡啦。”

白崇洗放下筷子，脱去衣服，一脚踏入温度恰恰六十度的热水里，表情跟神仙似的。

顾忱对他的话有些不忿，心想市场哪有你想的说变就变？等我成功之日，再回头跟你理论！顾忱也跟着坐在白崇洗身边，说：“您此前跟市政府签的四块地，怎么处理？”

白崇洗睁开眼，“我还真没想好呢，你小子又有什么鬼心思？”

“申笃寅，如何？”

白崇洗何等精明，顾忱说出申笃寅的名字，便洞察了顾忱的心机，“你小子，想转给申笃寅那宝贝丫头？一来，解除我的顾虑，给贾晓阳他们一个交代，你有面子，我也要谢谢你；二来，作为交换弥补你从人家手里抢项目的内疚，化敌为友；三来，说实话，你是不是喜欢那小丫头，想给人家送一份礼，说不定申笃寅一喜欢就……”

“哪里会？”提起申扬顾忱就脸红脖子粗，心想这丫头除了漂亮，哪一点都让我烦，还喜欢呢？提起来就想扁她一顿。不过，前两点白崇洗说得很对。

“现在我与申笃寅在北京合作，安沣嘛……马大帅既然进入了，也一定还会寻找其他机会，这四块地都是好地，送与他们，申笃寅一定笑纳。距离你那块地也较远，对你形成不了太大威胁，嗯……一石两鸟，看来你是经过深思熟虑的。本来这四块地我还在犹豫，但市场一变，我的确想退却了，而申笃寅不同，他们有外地项目的运作经验，资金也充足……我同意，是你去说，还是我说？”

“我去吧。”

“你小子，申笃寅似乎很欣赏你，你可别弃暗投明，变成他的嫡系了。”

“嘻嘻，您现在都和他一家了，我自然也算是一家了。”

“错，大错特错。”白崇洗认真的说：“商场如战场，今天你是朋友，明天也许是死敌，今天你是朋友，但同时也是死敌，是友是敌，非友非敌，是友非敌，是敌非友，全在一恍惚间，哪里有定数，所以，没有朋友，也没有敌人，只有利益，这才是商场中唯一之‘道’！”

顾忱被白崇洗点化得心猛然透亮，今天白崇洗指点一番，果真受益匪浅。

“好了，我晚上有会，你小子滚蛋去吧。对了，两千万在账上给你准备好了，但里面只有一千万算我的股份，另外一千万，是逐步从你佣金里扣除的，所以，安沣项目以后就是你唯一的收入来源，小伙子好自为之吧。”

“贾晓阳的意思，是希望我能用外资投入。”

“这个好办，我到时帮你转成外资不就成了。”白崇洗轻描淡写。

“还有，我是用白石集团名义，还是……”

“废话，都到这个份上还想利用我吗？用你自己公司名义跟他们合作，别再扯上我了，他们若怀疑，我来解释，就说不便以集团名义投资，你的公司，也是集团成员企业嘛。”

“还有，下周签约……”

“我去。我若不去，倒显得我不够朋友，只是你要跟贾晓阳他们说清楚，酒，我是绝对不喝了……”

顾忱开车出得停车场，孙大盛电话跟来，“晚上去请你吃饭如何？”

“刚在白总办公室吃过。”

“哈哈，跟他吃什么，不还是鱼吗？那东西哪儿有肉好吃？还不顶饿！晚上就咱们俩，我请客，哥俩好好商量下项目的事儿。”

“好。”也该跟孙大盛落实资金了。

“先来我办公室，然后一起出发。”

顾忱开车进了孙大盛破平房，头一次见孙大盛独自一人在办公室，桌上摆着个笔记本电脑，孙大盛正在上网。顾忱大为吃惊，从没见过这人用电脑！

“稀罕吧，嘿嘿，都是倪枫那小丫头教我的。”孙大盛办公室好像干净了不少，往常两天不剪便无比繁茂的鼻毛也悄然无痕。

“你说，这次利率上调意味着什么？”孙大盛严肃的问。

顾忱险些被他惊吓得背过气去，老天爷也想不到孙大盛嘴里能问出这等难度颇深的问题，眼前的孙大盛两天不见，难道有鬼附身不成？顾忱惊魂未定，孙大盛又说：“别怕，这都是小丫头问我的问题，我都跟她上网聊一天了。”

“你会打字？”顾忱眼睛瞪得更圆。

“不会。”孙大盛笑嘻嘻举着一个手写笔。

顾忱终于明白眼前此人仍然是孙大盛，他要能学会上网打字用电脑，倒也不亏新找这个大专以上毕业的秘书。

“还有，我想好了，明天我就搬你公司去，这儿吗，也就给手下民工当宿舍吧。”

“晴晴呢？”很奇怪没见她的人影。

“在家呢。”孙大盛说：“我想好了，一时间甩不掉她，只好先将就着给她租了套房子去待着，以后我两地跑，安津有倪枫，北京有她，但秘书就不用她了，太土，太俗，素质太低，等项目一启动，老子就弄走她。对了，今晚带你去个意想不到的地方。”孙大盛说完站起来，对着镜子整理自己的领带。顾忱惊奇的发现他竟然换了条新领带，墙上还多了个镜子。

孙大盛拿起包，“你的车就搁院里吧，我让司机开车。”

顾忱顺其自然，也懒得问他去哪儿吃饭，任司机将两人带到南郊一个小区里。“在这儿吃饭？”顾忱特奇怪，这个普通的小区怎么看也不像吃饭的地方？

“跟我来就是。”孙大盛笑嘻嘻道，下了车，直奔一个楼洞，顾忱跟进去，终于忍不住问：“不会你就在这儿租的房子吧？”想起吃晴晴做的饭顾忱就恶心。

孙大盛回头一笑，“我哪儿那么没品位。”

电梯上到十七层，顾忱跟着孙大盛进入左边一个已经门户大开的房间，一个人影迎出来，客厅光线很亮，那人的笑容却比灯光更明亮，顾忱呆住。

这个人，是哈蜜。

“孙总，顾总，二位来了，请坐。”哈蜜亲昵的上前挽住孙大盛的胳膊，

又大叫一声，“铃铛。”

伴随着答应，另外一个人影翩然而出，又是一个年轻漂亮的女孩，两个大眼睛跟铃铛一样灵动，铃铛系着围裙，像是今晚主厨。

两人坐在客厅沙发上，铃铛去拿饮料，哈蜜在孙大盛额头上亲热的亲一下，又顺势用胸口蹭了他的脸蛋，说：“你们坐，我去做饭。”

这时铃铛也端着水过来，目光轻轻在顾忱脸色流动，笑靥如花，也跟着回到厨房。

顾忱皱眉，“你搞什么鬼？”

“怎么样？不错吧？”孙大盛得意洋扬扬，小声说：“这就是哈蜜住的地方，我昨天，就住这儿的……”

顾忱失笑，“你不是已经被倪枫累到极点了吗？怎么还有精力……”

“我发现，越是漂亮女人，越让男人有精力……”孙大盛神秘的笑，“今晚，哈蜜特地叫上她同学给咱们做饭，晚上一起出去唱歌，然后再……”

顾忱忙摆手，“你知道我没这爱好，还是你自己一箭双雕吧。”

“男人嘛……有钱不享受，傻啊。没钱的时候，女人看你像看一泡屎，可有钱的时候，你就算真是一泡屎，女人们也都抱你亲你，说好香啊！好美啊！这样的女人，他妈的不玩儿白不玩儿！”孙大盛端杯喝水，悠闲的打开电视。

孙大盛的话，一下子勾起顾忱的往事，毕业几年后，顾忱还是一个房地产公司部门主管的时候，谈了几年的女友竟然投送到一个足够当她大爷的大款的怀抱，那大款，不过是公司一主管工程的副总。顾忱立即辞职换了家公司，发誓这辈子要混个人样。但从那以后，顾忱即患上女性恐惧症，随着资产渐增，身边的女孩们也不乏频送秋波，但顾忱从来都拒绝跟她们走近，更别提那些风尘女子，顾忱见她们就恶心，也不知道孙大盛天生对女人的好胃口，来者不拒，照单全收。

哈蜜与铃铛，不过是利用出租房勾搭有钱大款，说白了，跟妓女没啥两样。顾忱哪儿能吃下她们做的饭，但有孙大盛的面子，顾忱也不想太过生硬，正想着找个借口离开，手机正好响了。

申扬的声音那么近，好像就在身边，“猜猜我是谁？”

“除了你还有谁？”顾忱一下就听出她的声音，感觉特亲切。

申扬很奇怪，“你怎么马上知道是我？”

“你的声音我都刻骨铭心了，能听不出来吗？”顾忱的意思，是烦申扬都烦到仇恨了，但申扬却误会了他的意思，一下子脸红了，轻轻笑骂：“讨厌，谁跟你刻骨铭心了？”

顾忱心一动，申扬的声音那么温柔，那么羞怯，一点不像以前那个凶巴巴的小女孩，更不像眼前这两个卖弄风情的女子……顾忱的语气也变得温柔，“有事吗？”

“当然有啊，干嘛呢你？”

“哈哈，我……正准备泡妞呢……”顾忱笑，突然想调戏她，正巧铃铛端着菜走出来，笑着说：“帅哥，等急了吧？”

申扬一怔，问：“谁呀？”

顾忱突然也不好意思起来，刚想解释，申扬却毫不犹豫“啪”一声将电话挂断。顾忱拿着手机，心头一片空茫，有一种感觉，慢慢漫上心头，好久没有过的感觉……

“发什么呆呢？谁啊？”孙大盛笑道。

“申扬。”

“哈哈，马大帅的小蜜呀。”

“胡说什么？”顾忱正色，“人家是申笃寅的千金。”

孙大盛傻了，结结巴巴问：“谁……谁是……谁的千金？”

“对不起，我有事必须走。”在这一刻顾忱突然下定一个决心，也不管给不给孙大盛面子，起身就走，“让你司机送我一趟。”

顾忱不理会孙大盛的询问和两个女人的挽留，开门便走。身后孙大盛哈哈大笑，“今晚我要一箭双雕了！”

顾忱心里突然觉着好闷，有种特别想发火的郁闷，这种感觉自从女友跟自己分手后，一直没有得到宣泄，人一天一天在老，钱一天一天在赚，可心，为什么心却一天一天空？顾忱没叫孙大盛的司机，因为他也不知道自己到底前往何方去。一个人在路上走着，渐渐把小区的灯火隐入身后的夜色里。

今晚月色好亮，是不是月亮的圆缺影响情绪？顾忱抬头，果然是满月。顾忱跳起来，想够到月亮，落地时笑了，心情回复平静，掏出电话打回去，申扬半天才接电话，语气很凶恶，“干嘛？”

顾忱笑，“你干嘛呢？”

“干嘛？陪帅哥呢。”

顾忱大笑，“刚才逗你呢，我在孙总家里，刚才是……她女儿。”

“真的？不是美女？”申扬语调很奇怪。

“不是，我刚出来，你听，我在路上走呢。”

“你……没开车？”申扬更奇怪。

“想一个人走走，对了，今晚月亮特圆。”

“是呀，我也正在看月亮呢，我们出去散步好不好？”此刻申扬也正靠在阳台看着天空一轮满月，春风不再有一丝寒意。

“去哪儿？”

“随便，散步，一个可以散心和散步的地方。”

一个小时后，顾忱去接了申扬。

一个半小时后，新开放的南锣鼓巷多了两个身影。

巷子里熙熙攘攘，巷子深处飘荡着不知名的音乐，每个人的梦境伴着雾一样的月晕静静徘徊在各个角落，四面八方的人聚拢又散去，像一幅淡淡的迷烟，时间就这样滴答滴答照常老去，脚下青石板的老路，却被一层一层刷新。

酒吧里有人在唱歌，一首唱给这崭新而悠久的窄巷的歌，唱歌的是一个年轻歌手，他的表情，比岁月沧桑。

熙熙攘攘的大街

孤孤单单的夜

那么多的人

全都找不到方向

沿着脚下的马路我们追逐

梦想

却在另一个方向

熙熙攘攘的角落
孤孤单单的街
我这样的人
多想找一个地方
顺着自己的梦想我们追逐
前方
永远没有方向

我们是一群没有方向的人
梦想
却照样熙熙攘攘

酒吧里一共只有十来个客人，稀稀拉拉的掌声，歌手冷酷的脸。咖啡伴着芝华士融成一种迷惘，透过破旧的门框，街上的声音清晰入耳，有情歌，有脚步，有这样那样新鲜或不再新鲜的故事，但没人听，只有说的人自己能懂。

“我正想告诉你一个项目……”顾忱想说，安沣有四块地，感兴趣吗？

申扬却狠狠瞪他一眼，不说话。

申扬眼里有泪。

顾忱醒悟过来自己的唐突，歌手又在唱一支新歌：别唐突这样的夜，别辜负这样的月，别惊扰，孤独的我……

申扬悄悄站起来，等顾忱追出来，她已在巷子里融入熙熙攘攘，顾忱没有继续追，眼睁睁看她走远，看她上了出租车……头顶，依旧是月圆。

这个晚上，梦里，全是申扬那孤独的背影……

顾忱一觉醒来，却感觉一夜没睡。拉开窗帘，圆月已换作阳光。

顾忱却开始思念，思念昨夜的满月。

申扬打电话来，语气像窗外的阳光。“嗨……昨晚不知怎么了，突然想

自己离开，不介意吧？”

“都是月亮惹的祸。” 顾忱笑。

“你昨晚说的什么项目？”申扬那边叮咚轻响，好像是在用小勺搅动咖啡。

“安沣有四块地……”

“是白总签的那四块吧？”

“你知道？”

“有马大帅在，怎么能不知道？”申扬嬉笑，“想转给我们，是吗？”

申扬如此直截了当，顾忱一时竟不知如何应对。申扬接着笑，“同意。”

顾忱又惊又喜，“真的？”

“本姑娘不打诳语。”

“你是怎么……”

“爸爸早说过，你们既然拿到安沣桥地块，这四块地一定会成为鸡肋，这两天马总正在对这四块地做调研，初步结论问题不大。你不找我，爸爸也会找白总。”

申笃寅老谋深算到如此程度，顾忱不由从心底里佩服他的老辣。

于是四块土地在两大巨头间轻松转手，下午便签订协议，对外宣称由白石集团和笃寅集团共同开发安沣四块地，白崇洗前期签订意向协议依然有效，只是正式合同由笃寅集团指定公司签订。这样一来，白崇洗金蝉脱壳，申笃寅顺势而入，各得其所。两大巨头联合进入安沣市场，无疑将对当地房地产市场起到巨大推力，从而带动整个市场的活力与层次。白崇洗选择从安沣市场退出，是为了更好集中精力应对北京市场的开拓，从管理上规避竞争风险。申笃寅选择进入安沣市场，是利用两巨头声誉引导安沣市场升级，一次性锁定四块地，先开一块，另外三块必将升值，稳获其利。顾忱的土地位于市中心黄金位置，再加上有白石集团为后盾，更能坐享其成。三方均获得自己想要的东西，市场就这么奇怪，有时候红眼厮杀倒不如合作共享更能双赢。

当顾忱电话通知由两大巨头联合开发四块土地后，贾晓阳立即把这个情况汇报给了两位领导，唐卿与卫彬本来担心白石集团爽约，未曾想白崇洗竟然又把名动中国的笃寅集团给带了进来，两巨头同入安沣市，必将对安沣的招商形象与经济发展起到极大促进作用，实在是一个意外之喜。

帮助白崇洗顺利金蝉脱壳后，顾忱又忙自己的事。电话告知贾晓阳与老夫子等人，他将以白石集团企业成员“固宸国际投资集团（北京）有限公司”的名义签约，有白崇洗认可，对方对此也毫无怀疑，由此顾忱正式华丽转身成功，站到了前台。这个“固宸国际投资集团（北京）有限公司”是他去年在香港用一万港币注册的空壳公司。然后，顾忱与孙大盛签订协议，分别将“固宸国际投资集团（北京）有限公司”部分股权转让给孙大盛和白崇洗，其中孙大盛占百分之四十，白崇洗占百分之十。孙大盛将四千万现金、白崇洗将两千万现金打入公司账户，再加上顾忱自己汇入的一千万资金，然后由白崇洗帮助将这七千万资金转成外资，空壳公司摇身一变成为实实在在的外商投资公司。这个过程其实很复杂，但有白崇洗这等大佬出手，一切举重若轻，轻描淡写中搞定。

孙大盛与顾忱签协议时，笑嘻嘻道：“兄弟，咱们又一次合作了，不过这回你是老大，我倒要跟你混了。不过你说好了，合资公司我做副董事长，倪枫自然就是副董事长的秘书。对了那个铃铛，人家是《京城报》房地产板块的广告经理，陪咱睡觉当然不会是免费的，有机会，还要去她那儿做些广告才是。”

孙大盛现在脑子里除了女人，还是女人。顾忱现在面对孙大盛，除了苦笑，还是苦笑。只好拼命点头，现在的顾忱，像做了一场梦，前后奔波不到一个月，自己的两千万竟实实在在控制了七千万资金，相当于五千万元！而用这七千万元，又套住了一块价值两亿多的土地与价值更大的项目！顾忱生平第一次搭上资本运营的快车，感觉爽极了！

一切安排妥当后，一个风和日丽的早晨，由北京房地产商们组成的一行车队出发了。

第一辆车，宾利，坐着白崇洗和两个部下，离开浴缸白崇洗会周身不太舒服，所以一路都在睡觉。

第二辆车，正版宝马760，坐着孙大盛和丁铭，晴晴留在了北京，孙大盛本来是想和顾忱一车，但申扬却在顾忱车里，看到申扬与顾忱的亲密状

孙大盛整个傻了，本来兴致勃勃见到倪枫的欲望，也突然间小了很多。

第三辆车，山寨版宝马760，是顾忱与申扬。有申扬在，丁铭自觉的溜到孙大盛车里，陪孙大盛聊了一路女人。一路上申扬叽叽喳喳说笑个不停，顾忱说咱们虽然表面是合作，其实项目开始后就是对手，还是彼此有些距离感为好。申扬伸手打了他一拳，说去死，那是你跟马大帅的事，再说了，你要敢再跟我作对，我亲自跑到你工地去，你建多少，我拆多少，说到做到！顾忱只得苦笑，说早知道让你坐孙大盛车了。申扬说我又不喜欢孙大盛，才不坐他车……一句话没说完，申扬脸红了，假装望着窗外风景不做声。顾忱呆了一秒钟，打开车内音响，一种气氛在车中狭小的空间里弥漫开来，很温馨……

贾晓阳照例在高速入口迎候。马大帅也开着自己的奥迪等待。

一行车会合，在警车的引导下浩浩荡荡开入安沣市政府大院。

唐卿与卫彬双双站在市政府的大门前，见到车队驾到，唐卿亲自迈步到为首宾利的后门开门，白崇洗忙开门跳下车，连连说不敢当不敢当，怎么敢劳驾书记亲自为我开门。唐卿道："白总是贵客，主人为贵客开车门本就是天经地义啊。"两人亲切握手，卫彬上前与白崇洗热烈握手，"白总，好想你呀。"

周围早已准备好的记者上前摄像拍照，热闹非凡。

孙大盛跟着下车，两位领导又上前亲热寒暄，这时，贾晓阳等几位领导也上前迎接。

顾忱是第三辆车，白崇洗跳下车的一瞬间，申扬突然捂着嘴笑，顾忱看她一眼，奇怪的问："你笑什么？""我笑是因为，人家都有司机，就你自己开车，你要下车，立马堵了后面的车，你要不下车，显得你跟司机似的，特傻！"顾忱一想也对，但此时已来不及，眼看着孙大盛也下车，他的司机将车开走，偏偏那呆头呆脑的丁铭也不知道回头替自己，傻乐着跟着孙大盛寒暄，只好踩油门把车开到门前，正想着摇下玻璃跟大家大声招呼后开车走，申扬却一把推了他一下，"下车啊笨蛋！"顾忱愣了一下，申扬瞪眼道："快下车，有本姑娘呢！"顾忱反应过来，感激的看一眼申扬，这边贾晓阳已经拉开车门，亲切的抱住了他，"顾总，这回来可不许走了啊。”唐卿与卫彬见到顾忱，也围拢上前亲切握手，无人注意车里的申扬挪到司机座位上，把车悄悄开到了停车场。第四辆车后门下来马大帅，大家却不认识，顾忱忙介绍这是笃寅集团的马总，大家忙又上前欢迎，马大帅哪里敢越俎代庖，想把大小姐介绍给主人们，偏偏视线里没了申扬的身影，只好上前握手，等到欢迎仪式结束，申扬却从人群里钻了出来，笑嘻嘻跟在顾忱身边，小声笑道："顾总你有我这么年轻貌美一个司机，是不是最有面子啊？"

顾忱正跟唐卿谈笑着往电梯厅走，忽见申扬冒了出来，随手一把拉住她的手，对唐卿道："唐书记，这位是申小姐，申总的千金。"

大家事先被告知申笃寅本人未到，委派马大帅参加活动，并不知道申扬来。此刻猛听到竟有申笃寅的千金到场，全都吃了一惊，纷纷转脸来看，唐卿笑眯眯与申扬握手，申扬忙伸出右手与他相握，周围卫彬贾晓阳等人也忙过来问候，说笑着到电梯厅，顾忱才注意到申扬脸色通红，小声问："怎么，害羞吗？"

申扬狠狠瞪他一眼，脸更红了，低低说："羞你个大头鬼，快放开人家手嘛……"顾忱一愣，这才注意到自己一路竟一直紧紧拉着申扬的左手，两人就这样手牵手走了几十米，幸亏身处人群当中无人注意。顾忱忙松开她的手，偷眼看申扬，满脸都是娇羞，心中一动，手心里的温热淡淡的融入体温，不知怎么的，自己的脸也红了……

主客分乘两部电梯上到位于八楼的会议室，会议室门口摆放着花篮，墙壁上挂着鲜红的横幅，"热烈欢迎北京客人考察指导！"

白崇洗大声道："不敢不敢，考察应当，但指导却万万不敢当。"

唐卿微笑道："白总是国内企业界的风云人物，申小姐又是代表申总的，其他如顾总、孙总、马总，俱是企业界的成功人士，要论级别，白总怎么也算是省部级领导，我和卫市长才是一市级官员，怎么能不诚惶诚恐呢？"

"说笑，说笑。唐书记真会开玩笑。"白崇洗谦虚两句，倒不推让，径直坐在居中位置。

卫彬请申扬坐在白崇洗旁边，申扬笑道："我挨着顾忱坐就行。"

"哦？顾总好大面子呀。"唐卿看着顾忱笑。

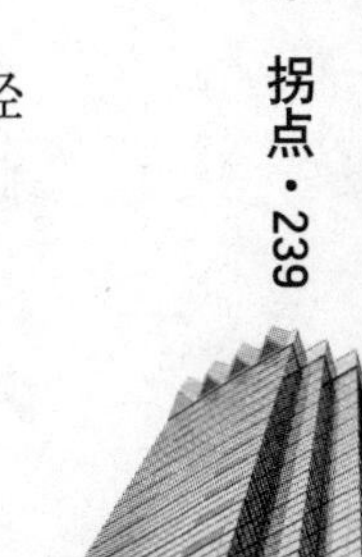

贾晓阳在一边神秘对顾忱挤眼，顾忱笑道："申总临走将这小丫头交代给我，让我好好照顾，我只好走哪儿把她带哪儿了。"

大笑声中，众人纷纷就座。申扬将嘴贴在顾忱耳朵边上，悄声说："你再敢在我面前冒充长辈，小心我拧你……"还没说完，顾忱就觉着大腿外侧一阵痛，原来申扬已经痛下杀手，疼得顾忱忙点头答应。落座于对面的卫彬看着两人表情，会意的一笑。

欢迎仪式由卫彬主持，先请顾忱将北京一行人员介绍一番，然后又介绍了当地人员。卫彬说道："几位老总不辞辛苦千里奔波，来到安沣这样的小地方，实在是我们的荣幸，清晨出发，现在已经快一点，想必大家也都饿了，我就不必再多客套，更不必啰嗦，就请唐书记代表四百万安沣人民，表达我们的肺腑之言吧。"

掌声中，唐卿站起来，说："首先声明，我与各位客人一样，也不是土生土长的安沣人。但是，自从到安沣的第一天起，我就爱上了这一片充满魅力与热情的土地。卫市长让我代表安沣人民致辞，说明安沣人民已经将我当做了安沣的一分子，这也是我的荣幸。这，是我的肺腑之言。今天，各位不远千里莅临安沣，更说明安沣的魅力在不断加强，居然能引来这么多著名的企业家来我们这里投资落户，在几年前，这是绝对无法想象的。安沣的今天比昨天美好，安沣的明天肯定比今天更美好！在这里，我代表安沣市委市政府和各级部门向各位庄重承诺，一定为大家在这里的商务活动保驾护航，周到服务。让大家能够舒心舒服的工作生活，获得满意的回报！只有大家获得了利益，安沣才能更好的发展，也只有当地经济的持续发展，才能使大家真正留在这片充满机会的热土！我衷心希望，安沣这片热土能留住大家，与大家的事业一样发展成长，蒸蒸日上！"

掌声中，贾晓阳宣布，"今天的欢迎午宴就安排在楼下的市政府宴会厅，午餐后请大家回宾馆休息，正式的欢迎晚宴安排在晚上进行。"

众人起身，又一起下楼。唐卿陪着白崇洗小声道："听晓阳说白总您爱吃鱼，今天特意给您备了产自安山溪涧里的野生冷水鱼。"又转对顾忱道："顾总，您喜欢的安山野韭菜炒地皮菜，也专门给您备了，还有孙总爱吃的野蘑炖柴鸡……"唐卿竟将几人的喜好了如指掌并熟记于心，顾忱大为佩服他的周到细致。唐卿又转脸看着申扬与马大帅，问道：“不知申小姐与马总的口味，只好等到晚上安排，但今天午间吃的都是最正宗的安沣农家菜，你们吃惯了京城的山珍海味，正好换换口味，尝尝咱们小地方的家乡菜。”

申扬接口道：“我最喜欢吃安沣的土鸡蛋羹和野山菌豆腐汤，还有冷水鱼、地皮菜、柴公鸡……”申扬伶牙俐齿，一口气说了十几种安沣特产，唐卿大为吃惊，“看来申小姐对我们这里很熟悉嘛。”

马大帅笑着说：“她呀，整个一个小馋猫，来安沣几个月差不多没有她没去过的饭馆酒楼酒吧茶馆，就连沣水桥边的地摊夜市她也挨个吃了个遍。”

众人大笑。来到位于二楼的餐厅，这是市政府内部餐厅，宴会厅已经准备了两桌酒宴，白崇洗现在一见安沣的酒就眼晕，忙说咱能不能不喝酒，唐卿笑道：“主随客便，我正好下午有会，陪着您不喝酒。”卫彬笑道：“我也是。”又指着贾晓阳道：“今天中午除去白总不喝酒，其他客人你可要陪好，尤其是马总，安沣规矩是一定要招待好初次光临的贵客。”

马大帅吓得忙摆手，说：“我哪里是初次，早来过几十次了，不必客套不必客套……”

领导们分别陪同主要客人坐了一桌，各人带的司机和下属由一名副秘书长和接待处几位官员陪着坐了一桌，奔波一路，大家都有些饿了，卫彬代表全体四百万安沣人民说了敬酒词，午宴开始了……

住处安排在安沣大酒店。午宴后贾晓阳陪同客人们去酒店。白崇洗、顾忱、孙大盛、马大帅每人安排了一个套间，得知申扬的身份后，贾晓阳趁着午宴间歇又多开了个套间，其他人分别安排标间。

各人回房休息，贾晓阳陪顾忱进房，乐呵呵坐在沙发里道：“顾总你真厉害，竟然又拉来笃寅集团投资，哥哥倒真要感谢你才是。这两天忙完了，去哥家认认门，让你嫂子给你专门做点家常菜，对了，要带着申小姐……”贾晓阳凑上前来，笑着问：“给哥说说，笃寅来投资是不是跟申小姐有啥关系？”

“有什么关系？笃寅当然是本着项目有利可图才来的。”

“怕不仅仅这么简单吧？嘿嘿……”贾晓阳坏笑，“说真的，要不是亲

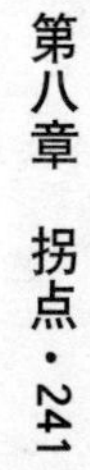

眼所见，没人相信申笃寅能生出这么漂亮一个闺女，我看申小姐对你倒是……”

顾忱忙解释道：“人家小女孩也就是来玩儿几天的，贾哥你别乱猜。”

“嘿嘿，你倒不好意思起来，听我的，抓住机会，申小姐人不错，我不会看错……”贾晓阳正说着，顾忱手机响，正是申扬打来，“你在哪间房？要不来我这儿吧。我不睡午觉，一个人特没意思，咱们去散步好吗？”

“我陪贾市长呢。等下好吗？”

“郁闷。”申扬挂掉电话。

贾晓阳笑得很诡秘，“还说没情况，人家小姑娘都主动……”

“得了，贾哥，别开我玩笑了，要安洋有什么好姑娘你倒不如介绍给我。”

贾晓阳眼珠都快瞪出来了，“安洋？安洋打着灯笼找一辈子也找不到申小姐这样的天仙啊……算了，咱不提这事儿，晚上，几位副书记副市长都会参加，刘市长也到场，还通知了老夫子，市里对你们这次签约活动非常重视，前天专门开会布置了具体日程安排，你看一下，唐书记请你最后确定一下。”贾晓阳将一份日程安排从包里拿给顾忱，又问顾忱，“那两套别墅你还要吗？刘市长让我问你。”

“要。上次走得匆忙，把这事给忘了。回头我找刘术签合同去。”顾忱低头看日程，明天上午，安排四块地的正式签约仪式，由白崇洗和马大帅分别代表两巨头参加，马大帅代表笃寅集团签字盖章。下午，是安洋桥地块的签约仪式，根据顾忱事先沟通的结果，由顾忱代表白石集团签字盖章，签约主体是“固宸国际投资集团（北京）有限公司”，签约的另一方，是安洋市房地产开发总公司。这两个签约仪式两位领导都到场。

“还有，唐书记让我问你，安洋市房地产开发总公司的挂牌仪式何时举行，他一定到场庆贺。”

“好，我与老夫子商量日期后告诉你。”

“接下来，事情还多得很，公司注册和项目前期手续还有很多事情，唐书记指示一路绿灯，对你们的项目各有一个正式批件，拿着这份批文好比如尚方宝剑，绝对没有哪个部门敢于拖沓推诿，还有，卫市长还专门交代要给投资商们安排良好的生活环境，绝不能让你们生活上有后顾之忧，租房这些事，有需要就尽管找我。”

顾忱很感激。说以后我也是安沣人了，别墅入住后，专门给哥留个房间和钥匙，以后这房子也是你的了，还有……顾忱俯过去小声说：“项目完成后，别墅就留给您吧……”

“不可！”贾晓阳忙拦住，“兄弟你可不能让我犯错误，房子万万要不得，你送我的包都让我翻来覆去几天没睡好觉，后来还是又用上旧包心安理得，你要是照顾我，成本价能卖我套房子就行了。嘿嘿……我引进你这项目，唐书记可说过奖励我一部奥迪的，也不知能不能兑现呢……不过这是玩笑，重要的，是终于落实了这两个项目，也算我今年的一大业绩，今年刚春天，我个人全年的招商任务已经完成，对了，你的项目是确定外资吗？”

“是，我已经办好了。”

贾晓阳一脸欣喜，“这样外资任务也落实了，哥哥我真要感谢你呀，项目开始后，需要什么协调的，尽管来找我，我随叫随到，保证听候调遣。”

两人又亲热的聊了一会儿，贾晓阳告辞回去上班。

顾忱略洗漱一下，出门去找老夫子。刚关上门，突然见孙大盛房门一开，一个人影匆匆出去，是倪枫。一定是刚与孙大盛缠绵完去上班的。顾忱自从得知倪枫的心计后，对这个女孩总有种隐隐的害怕，她这样成天泡着孙大盛，迟早还会惹出事端，只好走一步看一步了。顾忱摇摇头，见倪枫的背影从走廊消失后才锁门，走到孙大盛门前，还是决定提醒他一下。房间里孙大盛披着浴袍不情愿的开门，又是一脸疲惫。“干嘛呀，人家刚要睡着。”

“是啊，人家倪枫更辛苦，忙完了还得去上班。”顾忱揶揄着。

孙大盛吃了一惊，诺诺道：“你……看见了？”

“我看见没事，今天这么多人，随便谁看见都会造成不好影响，不是我说你，孙哥，咱自己的事业，千万不要毁在一个女人手里。你泡妞我不管，但别在别人眼皮底下。”

“嗯，以后我去她家。”

“还有，千万记住别给她任何许诺，别多说任何咱的事……”

“我知道，等项目开工后老子甩了她就是，你放心，对了……”孙大盛嬉皮笑脸，“你那个妞儿可够正点，还是你小子有本事，两天不见，竟把申笃寅的宝贝千金泡到手了。”

顾忱正色道：“什么泡，人家小女孩一个，别乱讲。”

“乱讲，她一双眼睛就挂在你身上满眼都是柔情似水除了你连别人看都不看一眼，娘的！老子啥时候有这等好事早死两年都值，说真的，对这妞儿……”

顾忱懒得听他瞎扯，站起来说我去找老夫子商量事情，自己好好休息吧。

出来大厅，顾忱一眼看到沙发上申扬孤零零坐着，百般无聊的打着哈欠，看见顾忱一个高跳起来，“你终于出来了！”

不到半个小时就听两个人说起申扬跟自己的关系，虽然心里对这个女孩有好感，但顾忱还是不想多事，一定要保持和她的距离，于是淡淡一笑，“你怎么在这里？”

见顾忱如此冷淡，申扬有些意外，答道：“不知道，反正感觉你会出门，就在这里等你了。”

“等我？干嘛？”

“你不是说好散步吗？”

“对不起，我下午有事，没法陪你了。”顾忱微笑一下，很客气。

申扬表情黯淡下来，轻轻说声对不起，便转身回房。

顾忱突然心有不忍，想叫她，却还是憋住，独自走出大厅。

老夫子与顾忱商定公司挂牌仪式的日子，又拉着顾忱来到自己隔壁办公室，叫办公室来人开门。顾忱奇怪道：“这不是董总的办公室吗？”老夫子神秘地笑，不作答。倪枫拿着钥匙匆匆跑来，开门后便站在门口，老夫子带着顾忱进门，里面是全新的办公用品，老夫子笑道：“顾总你以后的办公室就在这里吧，咱们好商量工作。”

顾忱忙道谢，又问：“那董总呢？”

“董总搬到办公室那边去了。”老夫子转头道：“小倪，这位是公司总经理，顾总，你负责将顾忱办公室缺少的东西配齐，让王主任这两天安排各部门经理来让顾总认识一下。”

“是，我们主任还说了，要给顾总安排一次欢迎晚宴呢。”倪枫微微躬身，带着温婉的笑容，像一个单纯善良的小白领。

晚宴在安沣大酒店的宴会厅，顾忱与老夫子一起到场时，主客双方刚开始落座。晚上只有一桌，却是一张硕大的圆形二十人台，唐卿、卫彬、贾晓阳、刘连和几位领导分别陪着白崇洗、顾忱、申扬、孙大盛、马大帅、老夫子等人，一主一客穿插就位，却单单将申扬与顾忱安排在一起。这个排位，明显是有意安排的，顾忱有些尴尬，悄悄看申扬，晚上换了一身灰色套裙的申扬却格外安静，对自己视而不见，好像身边根本没顾忱这个大活人似的。

顾忱心知自己中午过于冷淡，心想对于申笃寅的大小姐怎么也不敢得罪，于是趁着喝酒间歇小声恭维：“我第一次见你穿这么正经的衣服，特别有味道，化妆也很……”没说完，顾忱只觉着脚背一阵钻心的疼，险些哎呀一声叫出来，抬眼看，却是申扬得意扬扬的侧面，她的高跟鞋，仍重重戳在顾忱鞋面上……

晚宴气氛很好，众位官员轮流敬酒，唐卿也破例喝了些酒，渐渐欢声浓重，醉意弥漫在席间……

喧闹的背面总是寂寞。

晚宴散罢已是十点钟，白崇洗回房休息，孙大盛照例跑去倪枫的温柔乡，马大帅与丁铭喝高了，被人们扶回房间。依旧清醒的人，只有顾忱与申扬。

礼貌的晚安，客气的道别，两人各回各房。月明星稀，春风拂面，夜晚的暖风是如此令人回味绵长，月光静静洒在地面，照亮了独凭栏处顾忱的脸。他却在想：申扬此刻不知在想些什么。顾忱所不知的是，此刻申扬也正凭栏看着明月，在想：他，不知在想些什么。

月光如水，照亮两个寂寞的人。

第九章　晴晴追踪

上午的签约仪式很精彩，卫彬主持，唐书记致贺词。白崇洗代表白石集团和笃寅集团致辞，动情地说两家企业联合进入安沣的原因，是被这里的山水与热情所感，表示项目只是成为安沣人的第一步，今后将把更多的精力倾注于这片美丽的热土。

马大帅代表申笃寅讲话，并代表笃寅集团签字盖章。笃寅集团大印落下的一瞬间，顾忱和白崇洗不约而同看了对方一眼，会意一笑。

下午，是安沣桥地块的签约仪式。顾忱心情突然有些紧张。照例由卫彬主持，唐书记致贺词。老夫子作为合作一方讲话，北京一方依旧由白崇洗发言，白崇洗动情地说，这是白石集团进入安沣的桥头堡，围绕着这个项目有数不清的安沣情结，通过这个项目认识了这么多热情的安沣人，他相信在安沣各位领导各级政府部门的关心支持下，在合作者的密切协作下，项目一定能够成为市中心最美丽的风景。

顾忱代表白石集团签字，并用力盖下“固宸国际投资集团（北京）有限公司”的公章。人们热情鼓掌，马大帅也到场捧场，孙大盛把手都拍红了，闪光灯下，顾忱仿佛今天最耀眼的明星，梦想终于即将点燃，顾忱心里豁然开朗，不知像是拥抱着一个梦境，还是从一个梦境中返回现实，那种飘然的感觉，只有最幸福的人才能体会。只是，少了些什么。顾忱四顾台下，人群里已经没了申扬的脸，她去了哪里？顾忱的心悄悄顿了一下，飘然的感觉，忽然重重坠落在地面。

晚宴由老夫子做东，到场的除去市里各位领导，还有各主要部门的领导和当地主要房地产企业的老板们，所有人轮番端着酒敬给客人，白崇洗最烦这种场合，却也不得硬着头皮应付着，每个人上前来敬酒，他都要站起来，听旁人介绍一下这是谁谁谁，白崇洗笑着点头啊啊啊久仰久仰，然后喝掉杯中盛的冰水，一圈下来，菜没吃上两口，水倒灌满一肚子，脚麻手酸眼冒金星，早没了胃口。唐卿看在眼里，小声对白崇洗说："白总啊，我也最讨厌应酬，我早安排好，待会儿结束后，咱们几个人一同去安山，我陪你泡温泉，也学着北京的样在温泉边上吃鱼。"白崇洗感激的点点头，道："安沣人民实在太热情，真有些吃不消啊。""哈哈，我刚来也是。"唐卿笑，"咱们晚上就住度假村，好好休息一夜，上午陪您去踏青。"

马大帅和丁铭又是不胜酒力，才不到半圈便倒下，一个靠在椅背上出气，另一个伏在桌上鼾声大作，几人的部下更是早作鸟兽散被淹没在酒的海洋里。

申扬不喝酒，对敬酒之人也是略微沾唇表示一下，董玫带着几位女领导陪她聊天，自成一个小圈子。

只有顾忱和孙大盛在继续战斗，顾忱有酒量，但不知怎么却没有心情，申扬照例安排在他身边，却早早跑去跟董玫她们有说有笑，顾忱几次想借机会跟她搭讪都被申扬白眼瞪了回来，于是心情越发低落，不明白自己是怎么一回事，剪不清，理还乱，想借酒浇愁，却不知愁自何来。于是仿佛跟机器人一般，对敬酒者来之不拒，杯到酒干，如此豪迈的饮酒，倒教在酒海中成长的安沣人瞠目结舌，于是渐渐敢于找他喝酒的人稀薄了许多，此时顾忱却偏偏酒性发作，你们不喝，我自己喝，他开始满场跑，看见熟人便碰杯，不亦乐乎。董玫看着顾忱笑，悄悄捅捅申扬，"扬扬，你看顾总怕不是有些醉了，怎么这么兴奋？不过，倒蛮可爱的。"几位女人纷纷转脸看顾忱，哈哈大笑。虽然才两天，但顾忱与申扬的小道消息已经传开，今晚酒桌上的人们大多知道他们两人有着非同寻常的关系，还有人说，之所以两巨头能够一起进入安沣投资，关键人就是顾忱，人家自己进来，当然也有本事把岳父的公司也拉进来。还有人听说，顾申二人就是在安沣相识的，这么一来，安沣竟成为两家巨头联姻的红娘了。

申扬听董玫说话，回头去瞅顾忱，见他果然满脸绯红，憨态可掬正抱着卫彬碰杯，卫彬酒量一般，接连被顾忱灌了三大杯，也是双脚打晃即将失态。董玫说："扬扬，他真喝高了，看他把卫市长给灌成啥样了？你过去

劝劝他。”申扬哼了一声，“才不管他。”回过脸不再看顾忱，几位女人愣了一下，相互看看，相视一笑，于是，第二天，顾申二人的故事又有了新版本。

酒到最高潮时，便是落幕时分。就在大家即将喝不动时，孙大盛端着酒摇摇晃晃走到老夫子面前，认真的看着老夫子笑着说：“劳总，来，咱哥俩干一杯。”

老夫子忙起身，笑眯眯道：“孙总今天好兴致呀，咱可至少干了二十杯了。”

“是，我记着呢，跟老哥你喝酒，是想拍你马屁，以后，我就是你的兵了。”

老夫子吓一跳，“我怎么敢当孙总您的领导？”

“不对，你说的不对，论年纪，你是大哥，论阅历，你更是老大，论地位，你是总公司的老板，我只是你下边一个项目公司的股东，我当然是你的兵。”

老夫子情知孙大盛喝多了，忙点头应付着与他碰杯，想堵住他的嘴，哪知孙大盛却让过酒杯，嬉皮笑脸道：“老……劳总，我既然是你的兵，求你件事行不？”

“行，孙总您吩咐。”

“我，我总该有个秘书吧？”

孙大盛本来嗓门就大，刚才啰嗦一大通，早被大家注意到，此话一出，全场目光纷纷集中在他身上。顾忱酒立即被他吓醒，生怕这人又大放厥词，手举酒杯停在半空，白崇洗皱了一下眉，轻轻咳嗽一声。老夫子不明所以，呆了一下，说：“应该，当然得给您配备一个。”

“那好，这秘书嘛，我就要倪枫了。”

“什么？”老夫子以为自己听错了。

“倪枫，就是你办公室那个漂亮小妞，我要定她了，哈哈……”孙大盛大笑，一口干掉酒。

白崇洗脸色刷的白了，尴尬的笑。顾忱脸却红了……

唐卿哈哈大笑，说孙总性情中人，就烦劳总同意吧。

众人哈哈大笑，卫彬趁机宣布宴会结束。

孙大盛还要拉着老夫子纠缠，顾忱上前将他摁在座位上，又将一杯茶水堵住了他的嘴。

大家起身告别，走到楼下一一握手道别。唐卿对顾忱说："咱们去泡温泉。"

顾忱摇头，说："我喝多了，还是您和白总去吧。"

卫彬也喝多回家，于是唐卿带着两三人单陪白崇洗而去。

众人散去，顾忱被夜风一吹，醉意又涌上来，眼前的灯光夜色融化成一团迷茫，抬头，月色却又说不出的落寞。

转眼间，身边就只剩孙大盛一人，顾忱叹口气，拉过仍站在原地摇晃的孙大盛，"走，回房睡觉去。"

"睡……什么觉。"孙大盛将顾忱推开，笑嘻嘻道："我还有……人等着呢。"说完摇晃着走向停车场，借着停车场微弱灯光，顾忱发现孙大盛的车里隐隐约约已经有一人，倪枫，好像也正若有所思的看着顾忱和孙大盛……

顾忱呆呆看着孙大盛发动汽车，一把拉过倪枫亲了一下，然后车驶出停车场，倪枫从他怀里挣扎出来，用手抚一下凌乱头发，不经意间，回头看了顾忱一眼。

身边安静下来，只看到孙大盛的车影完全消失，顾忱才想起来迈腿，一摇一晃走向客房，走廊里也是寂静一片，踩在软软的地毯上，就像走在十二级风浪中的船甲板上，前方灯光渐渐迷乱，头晕得厉害。顾忱停住，用力甩了下头，但更迷乱，下意识里顾忱明白自己真的喝多了，一只手伸向一边，希望能扶住墙，忽然，手好像触到一个温热的身体，顾忱酒醒了些，努力抬头，眼前是一个模糊的人影，"喝这么多？"

"谁呀？"顾忱想看清那人的脸。

"……我。"那人犹豫了一下，轻声说，一个温柔的声音。

顾忱心头一喜，挣扎着站直，想看清她，却被一个柔软的身体扶了起来，"咱们走，回房去。"

"嗯。"顾忱点点头，努力走好，却脚下越来越无力，整个身体越来越

沉重的压在那个柔软的身体上。“扬扬……是你吗？我……对不起，我……昨天，是我不好……我……”顾忱嘴里嘟囔着，想跟申扬道歉，想说那天都是自己不好，那人却不吭声，扶着顾忱一步一步向前走。

走到房门前，那人从顾忱口袋里摸出房卡，扶着他进房。顾忱一路都在嘟囔，却无论如何睁不开眼睛。顾忱感觉那人在解开自己的衬衣，忙推开，“别，扬扬，我……我自己……你出……去。”

“没事的，我来吧……”那声音飘忽在耳边，带着热度。好像不是申扬，顾忱有些醒了，是在做梦吗？房间里很暗，只能隐约看到面前一个人影，顾忱用手去摸她，“扬扬？”

无人回答，一只手，却握住了顾忱的手，轻轻拉向一个地方，一个更为柔软的身体……

“叮咚……”

一个声音在顾忱大脑里回响。

“叮咚……”

又一声。顾忱听得更清楚，是门铃吗？

“叮咚……”

又一声，顾忱突然清醒，一定是门铃，是有人在摁门铃。

“谁呀？”顾忱问，摇晃着想要站起来，却被眼前人影吓了一跳，哦，对了，是扬扬。顾忱小声说：“扬扬，帮我去开门。”

那人犹豫了一下，门铃还在响，顾忱似乎也清醒过来，努力要站起来，只好转身去开门。

门终于开了，站在门口的申扬却再一次怔住！

门前，竟又是一个衣冠不整的女人！

申扬独自回到房间，眼前却依然晃动着顾忱的醉态，他是真喝醉了吗？是怎么回的房间？要不要去看看他？想了很久，申扬意识到自己要是不清楚顾忱的状况，一定会整晚睡不着觉，去冰箱里取出一瓶冰矿泉水，边走向顾忱房间便拧开盖，他要喝些冰水，一定清醒得更快。

门铃摁了五六声，终于听到动静。在门开一霎申扬突然心跳加速，脸也有些红……门开了，申扬的一颗心却突然速冻在千丈的深渊中，整个人僵住了。

开门的是晴晴。

两个女孩面对面站着，谁也不说话。

借着走廊灯光，顾忱也清醒过来，看见申扬正站在门口光亮处，顾忱高兴的跑到门口，“扬扬……”刚说出两个字，顾忱只觉着一股冰冷的水流迎面拍打过来，浑身打了个寒战，这一下顾忱终于完全清醒过来，面前，却已经没有申扬的影子。

难道又是一场梦吗？顾忱低头，脚下是一瓶矿泉水瓶，脸上和坦露的胸前还是一片冰冷的水，身边，却是另外一个女人——“晴晴？”顾忱惊呼一声，“你怎么……会在这里？”

晴晴低头不语，顾忱猛意识到什么，冲出房间，远远申扬的背影恰好消失在拐角处。这一刻顾忱头脑一片空白，抬腿就朝申扬背影消失的地方追去。刚拐过拐角，前方走廊上申扬的身影又一闪，门重重一声碰上，顾忱跑过去，用力拍门，里面却一声不吭。顾忱停了片刻，又去摁门铃，摁着摁着，门铃上却转为显示“请勿打扰”，门铃没了声息。顾忱更用力拍门，拍了很久，门后申扬终于说话：“快住手，这么晚了，不要骚扰别人。”

顾忱停手，头靠在门上，低低说：“扬扬听我解释……”

“扬扬是你叫的吗？流氓……”申扬好像在哭。

刚才的一幕在顾忱头脑里回放：孙大盛说……倪枫……送客……唐卿说……洗澡……孙大盛推开自己……倪枫的眼神……寂静的走廊……一个柔软的身体……昏暗的房间……门铃……顾忱想起来了，“对不起，我……申小姐，我只是想解释一下……”

“滚！”

“刚才我喝多了，我……我以为那人是你……”

顾忱头猛向前栽，险些冲到申扬的脸上，原来是申扬听到他说这句话，猛然打开了房门。“你再说一遍，以为是谁？”

“你……”

“啪！”一记清脆的耳光在走廊回响。申扬已经愤怒到极点，眼前的顾忱衣冠不整，天知道他跟那个女人刚做过什么？还竟然说以为是我？

顾忱捂着脸，彻底清醒过来，只是舌头还有些大。

“我……以为是……你……不对，刚才那人扶我的时候，我以为是你扶我。”顾忱好容易捋顺舌头，说清了意思。

申扬一脸不相信，愤怒的说：“我信以为真，以为前两次是真的误会你了，没想到竟然还会有第三次，你……流氓，无耻，我不想再见你！”申扬泪水顺流而下，再也忍不住伸手去关门。

顾忱急忙伸手去拦，门关在他的手上，顾忱一声惨叫，手却一往无前的伸进房间。申扬只得又开门，怒视着他，“再不走，我就报警了。”

“你要不信，自己去问她，那女人是……孙大盛的……秘书。”

说到孙大盛的秘书，孙大盛的丑态又浮现在申扬眼前，她一脸鄙夷，“这么说你们的秘书都是可以互相借‘用’的喽？”

“不是，她……本来应该在北京，我怎么知道……对呀，她怎么也来安沣了？”顾忱奇怪道，“我也想知道呢。”

“你没骗我？”

顾忱苦笑，“要不咱们一起去问她？”

“去就去！”申扬开门，顺便瞥了一眼顾忱被门夹过的手。

两人一起回到顾忱的房间，晴晴仍老实呆坐在房间，正在想为什么每次想勾引顾忱时，这个女孩一准会出现？

面对两个人的愤怒，晴晴不敢隐瞒，说出实情：孙大盛返回安沣的消息，是她昨天刚刚得知的，于是今天一早就乘长途汽车赶来安沣。到了安沣已经是晚上。晴晴不知道孙大盛住哪儿，只好先去以前一个姐妹的出租房落脚，不料却在晚饭时看到安沣新闻中孙大盛的笑脸，原来，当地电视台对两大巨头联合投资安沣的盛事进行了全程报道，从电视上晴晴得知今晚安沣大酒店的晚宴，于是赶紧打车溜到宴会厅大门外守候。

好容易等到宴会散席，众人出门，却看到孙大盛钻进自己的车里扬长而去，车里，似乎还有一个女人！晴晴暗自伤怀，嘴里恨恨骂着孙大盛家族里的女性亲戚，正想回去借宿于姐妹家，却又看到顾忱独自回房。晴晴灵机一动，便跟着顾忱一路进来，顾忱的醉态被她一目了然，见顾忱身边果真没有旁人，又几乎人事不省，晴晴想，如果能勾引到这个大帅哥，岂不比跟着孙大盛那老混球强上一万倍！于是趁着顾忱扶墙工夫，晴晴借机上前。

晴晴的叙述验证了顾忱方才的话。申扬想："我难道果真误会了他吗？"但仍不敢轻易放过顾忱，于是又问晴晴："他刚才对你怎么做了？"

"没……做什么，只是一直说话。"

"说什么？"

"说……他一直说'扬扬，对不起，我错了，我不好……'之类的话。"

申扬的脸顿时通红，看顾忱一眼，却看见顾忱正呆呆凝望着自己，又看到他那只被门夹过的手，忽然一阵心疼，眼泪又渗出眼眶，想问他还疼不疼，却又不好意思。

"我刚才是这样说的吗？"顾忱想不到自己会这样说，大窘。

"是。"晴晴低头。

"讨厌！"申扬骂了顾忱一下，心想："人家都害羞了，你偏偏还说一遍。"

两人烟波交汇，心意疏通，却不知该说些什么，只是这样静静看着对方，好像已经没有了晴晴的存在。

晴晴尴尬的站起来，说："那我走了。"

"谢谢你了。"申扬也站起来，满心欢喜的对她说声谢谢，说完却有些啼笑皆非，怎么竟然对一个刚刚企图勾引顾忱的女人谢呢，谢她什么？

晴晴走后，两人大眼瞪小眼，谁都不知该说些什么。终于是申扬忍不住扑哧笑了，问："手还疼吗？"

顾忱得意的笑，"其实没夹住，因为你根本就没使劲。"

申扬脸又红了，低头笑。

"只是你那瓶冰水真够冷的，够狠，竟然用冰水拍我！"

"去死！人家是想让你喝冰水解酒的，谁知道正好派上用场……"冰释前嫌，申扬想起刚才那一幕，弯腰笑得不亦乐乎。

"扬扬……"顾忱第一次当面叫申扬的小名，申扬娇羞低低答应。

顾忱想去抓她的手，却被申扬躲开。

顾忱一脸坏笑，“你知道，我现在在想什么吗？”

“什么？”

“我在想，如果刚才那真是你，那该有多好……”话音未落，一个靠垫飞砸到顾忱的脸上，笑声中，申扬红着脸跑了出去。

那晚，月亮更圆。

那晚，两人没有再见面，只是两间客房的电话通话到凌晨四点半，聊天的具体内容，只有他们自己知道……

上午九点半开董事会，由于涉及合作项目的事，因此邀请了孙大盛列席。顾忱约好孙大盛九点准时出发。四点半睡觉，八点半起床，顾忱只睡了四小时，睁开眼想起昨晚和申扬的绵绵夜语，好像经历过一场温暖的梦，一点都不觉疲累。“她在做什么？”顾忱看着床头电话，好希望它又一次响起，转念一想却自己笑了，“自己有事早起，申扬一定在熟睡呢。”想起她的声音，她的身影，她的顽皮，甚至是她发火时恶狠狠的模样，都无比的甜蜜。顾忱感觉自己的心扉又一次打开，“难道自己真的恋爱了吗？”

等到九点钟，已经整装待发的顾忱呆呆想着申扬，却迟迟等不到孙大盛。正想电话催促，耳中却听到孙大盛的大嗓门在走廊上响起，“你妈的，敢打老子？！”紧接着是一阵厮打纠缠声响，“啪！”又一声脆响。

不好！顾忱冲过去拉开房门，走廊上已经出来好多客人观战，走廊上两个紧紧撕扯的身影，正是孙大盛和晴晴！

顾忱顾不得害臊，冲上去一把拉过孙大盛，死死拽进自己房间，晴晴不依不饶痛哭流涕追过来，连连大叫：“你丫的，冒充大老板睡了我还想跑掉！妈的看我不揭开你的老底……”孙大盛挣脱顾忱，回头一脚飞踹，要不是顾忱拼命往后扯，险些命中晴晴的小腹，顾忱一把将他扯进房间，又冲上去一把拉住晴晴，提溜进房间，把门外的戏谑目光统统关在外面。

“你要不要脸啊这么多人看着！”顾忱冲孙大盛大吼。

“操，都是这婊子，上来就撒泼……”孙大盛浓眉倒竖，上前又要打晴晴，脸上竟已是鲜血淋漓。

晴晴气喘吁吁却一脸镇定，双拳紧握，随时准备出击。

原来，孙大盛从倪枫家出来，回酒店找顾忱一道出发，没想到却在大厅撞上了趴沙发上守候他一整夜的晴晴！

孙大盛一怔，怎么也想不到晴晴会出现在眼前。

“想不到吧？”晴晴娇笑，“回来也不告诉我一声，是不是想甩掉人家呀？”

孙大盛皱眉，“你来干什么？我上午有正事。”说完想走。

晴晴一把拽住他，“正事？哼，又跟倪枫那小婊子鬼混去吧？”

早上正是酒店大厅人来人往之际，孙大盛不敢在此跟她纠缠，低低说：“进房再说。”想哄着她进房去。

哪知晴晴却不依不饶，手抓得更紧，大声道：“你现在在安泮出名了啊，我倒要让人知道我就是个婊子，你也不是什么好鸟。”

晴晴声音很大，已经有人侧目，孙大盛臊红了脸，低低说：“别他妈的犯贱，老子生气了啊！”

“生气呀！”晴晴更来劲儿了，“想甩掉我可以，拿一百万来！”

周围人越来越多，孙大盛终于忍无可忍，用力扯脱晴晴的手，晴晴突然间被他大力一拉，险些吃了一个狗啃泥，双膝跪倒双手撑地，孙大盛趁机大步就走，哪知晴晴竟然在地上双手一撑，双脚发力，一个凌空飞扑，一把抱住孙大盛的小腿！孙大盛走得正急，险些被这一下拉倒，耳边听见有人嬉笑，孙大盛脸上挂不住了，另只脚直朝晴晴双手蹬过去，晴晴顿时疼得松开手在地上缩成一团，孙大盛趁机拔脚而出，飞奔回房，晴晴哭喊着爬起来奋力追赶，终于在孙大盛即将开门时又死死缠住他，厮打间，锋利的指甲划破了孙大盛的脸，孙大盛的巴掌也让晴晴变成了黑眼圈，嘴角也渗出血。

顾忱知道晴晴这种女人什么事都能干出来，要真出去满街嚷嚷孙大盛是个骗子，倒还真难以收场，再说距离董事会的时间已经不多，只得先安抚住晴晴再说。顾忱给孙大盛使个眼色，“快去我卫生间洗洗脸，咱们要出发了。”

孙大盛进卫生间收拾残局。顾忱把晴晴拉进卧室，问：“你到底想怎样？”

晴晴心里喜欢顾忱，口气缓和下来，“顾总，我知道你是正经人，跟那

老混球不一样。他玩儿了我，当初带我去北京，给我许得天花乱坠，说送我房，送我宝马，送我去读大专，可现在好，我工作也丢了，去北京住的出租房，他想起来就过来睡觉，腻了就不理我，前前后后一共给我了几千块钱，连个屁包都舍不得给我买，还说什么秘书的工资已经够高了！妈的，北京的秘书都是陪人睡觉吗？这还不算，他在北京成天泡女人，回安沣又泡上一个新女人，还什么都瞒着我。我跟他说分手算了，给我补偿费我自己走，他还舍不得……”

“你要多少？”

“一百万！少一分我就去市政府说：孙大盛是个骗子！他在北京的办公室就是一平房，下雨还漏水呢，还敢跑安沣来开发房地产？”

距离开会时间只有十五分钟了，事不迟疑，孙大盛已经收拾停当，在客厅里焦急的来回踱步，顾忱想也不想从自己包里抽出一沓钱给晴晴，“你先拿着给自己买些东西，我负责去跟他讲。”

“不！”晴晴扭头，“我就要让他现在就说清楚。”

“有我在，他跑不了。”顾忱脸色一沉，“要不听我的，要不你现在出去，我才懒得管你们的事。”

其实，晴晴到处咋呼孙大盛是骗子，是基于看到他的公司在破旧平房，对于孙大盛的真实状况并不了解。对顾忱的底数也不清楚，两人要真不理会她，她倒是真没办法。见顾忱口气变硬，顿时软了下来，低声说：“顾总，你去跟孙总说说，我也不是故意想让他难堪，我是怕他什么也不说就不要我了，您说把我一个弱女子独自扔在北京，我靠什么活呀……”说完哭起来。

“好了。”顾忱看下表，“这钱你先拿着，等孙总回来好好商量。”晴晴低头从顾忱手中接过钱去，随顾忱一起出门，孙大盛仍捂着脸横眉冷对，晴晴低声对他说声对不起，孙大盛用鼻孔恶狠狠瞪她一眼，不说话。

“你出去吧，等我们回来再说。”

“不，我怕……你们一走就不要我了……哇……”晴晴大声哭起来，眼泪鼻涕和嘴角的血一起混杂成混合液体，顾忱看着孙大盛猛皱眉，这个样子让她出去又是丢人现眼，倒不如就让她在房间等着，但实在又不想让这女人待在自己房间，于是要过孙大盛房卡给晴晴，让她去孙大盛房间等着。

处理好晴晴，顾忱自己开车带着孙大盛飞也似直奔公司，路上顾忱让孙大盛一定要处理好晴晴，项目刚刚签约，绝对不能让她闹出什么动静来，大不了好言安抚，每个月给点钱让她好好在北京待着。

“给点钱？”孙大盛气得大叫，“你不知道这小婊子胃口多大，买一个包都要好几万，老子哪儿有钱花她身上？”

“你自己惹出来的事，自己摆平，反正别再让她来烦我。”

孙大盛捧着头作痛苦状，沉默一会儿，突然灵机一动，说：“你不是要租个别墅当活动场所吗？就让这婊子来陪人，反正她本来就是小姐。”

“有病啊！你还嫌她惹事不够，要真让她缠住一个市长局长的满街嚷嚷，我看咱们真的要跳楼去了。”

“对，也对，这种人啊，真是没处用。”孙大盛长叹口气，“这人啊，有没有素质就是不一样。”

两人进入会议室，全体董事已经就座就等着他们。孙大盛一进门，所有目光便集中到他脸上赫然的新创口上，孙大盛笑着掩饰：“嘿嘿……对不起大家我们来晚了……早上洗澡地太滑，结果就一下子撞在台面上，脸也被划破了……嘿嘿……”

“哎呀，那顾总你应该打电话会议改期呀？用不用陪孙总去医院检查一下。”

“没什么事，正事要紧正事要紧。”孙大盛仔细捂着脸，找个最边位置坐下，老夫子忙请他坐自己身边两个为他们留好的空位，“不用，我是列席，自然要坐列席的位置嘛……”孙大盛说什么也不肯坐在前头，老夫子只得作罢。

会议研究确定了几件事情：

第一，确定新公司正式成立挂牌的日子定在下周，在此之前，由董玫负责去产权交易中心办理产权过户手续，到工商局办理股本变更与新公司营业执照。新公司名称依然保持安沣市房地产开发总公司不变。

第二，确定由新公司以土地作为出资，顾忱代表白石集团以现金作为出资，组建合资公司开发安沣桥地块，由北京方控股。双方具体投资比例

另行协商议定。合资公司法人代表和董事长由顾忱担任，老夫子与孙大盛任副董事长，顾忱兼任总经理，熊能与董玫分别出任合资公司副总经理，分别负责前期手续与行政事务。项目前期手续与营销策划工作随即进入程序。

本来关于合资公司的会议应有白崇洗参加，但白崇洗却大手一挥，全权委托顾忱代表。昨晚白崇洗与唐卿夜宿安山，今天上午登高赏春，唐卿与卫彬中午要陪同省领导，白崇洗午饭后又要返京，因此委托贾晓阳为白崇洗一行送行。

马大帅也要回去向申笃寅汇报项目，因此两人约好同行。午餐也聚在一处。现在距午宴时间还有半小时，会议结束后，顾忱提议去地块现场看一圈，于是老夫子陪同顾忱与孙大盛驱车往现场。

出门来，顾忱惊奇的发现老夫子的座驾已由原先那部老旧的红旗换作奔驰，只是这奔驰虽然明光瓦亮，却是上一代的旧款。孙大盛哈哈笑道：“劳总刚改换门庭就买新车了吗？还买了辆旧款！”

老夫子浅笑一下，含糊答应一声上了那辆奔驰，董玫跟着他上了奔驰。熊能却上了顾忱的宝马。车里，熊能揭破了奔驰车的秘密：“老夫子这辆奔驰放在后院，都两年没动了。”

“哦？”两人不解。

“他两年前头一次改制满心以为会顺利通过，所以先悄悄给自己买了一辆，又悄悄停后院车库里，就等改制后风风光光的开出来。哈哈，哪知道这一拖就是两三年，奔驰都熬到换新款了，却一次都不敢正经上路。只有每个礼拜找一个晚上让司机开出去跑一圈，要不车早烂车库里了。”

“为啥？”孙大盛又不解。“他为啥藏着不开出去？”

“你想，他一个国企老总，能开比市长还好的车吗？岂不是找死吗？”

孙大盛这回听懂了，哈哈大笑。笑声中车开进工地，从河边一个小门进入，又从一条长满一人高荒草的煤渣路面上驶入工地深处。

地势由河边向北逐步抬高，高差足有五十米。顾忱站在高处向下看，一条晶莹的水面从地块外缘环抱而过，地块宛如一个静卧在母亲臂弯里的婴儿，南面、东面是河湾，北面是高地，西面是繁华的安沣路景观大道，再加上北高南低，真是一块难得一见的宝地！

老夫子说原址是一个技校，搬迁到新区后，政府在土地挂牌之前进行了三通一平，原有建筑物都拆除干净，只留下一片待开发的土地。老夫子拉着顾忱手笑眯眯道："顾总啊，咱们真是缘分，若不是改制，若不是我缺资金，若不是你来安沣，咱们哪有机缘合作这么一块宝地？"

"这样的地块劳总您能以不到四千万代价拿进囊中，实在是了不起呀。"

"嘿嘿，拿地的时候我还挂着大帽子，普通开发商哪里能竞争得过我？可现在就不行了，任你再大的私营老板，也都要去市场上竞争，没人再买你的账了。"

几人正随意聊着天往回走，突然，孙大盛眼睛里好像有什么东西一晃而过，"有人！"

几人顺势去看，顾忱才发现地块东头竟然真有一个人影，更令人吃惊的是，这个人身后还有一个建筑！若不是孙大盛眼尖，这个隐藏在深草中的建筑物真还不容易被发现。看建筑外形，应该是一座仓库或食堂什么的，老夫子不是说建筑物全都拆光了吗？

老夫子脸色有些尴尬，低声说："咱们回办公室细细再说。"顾忱悄悄察言观色，老夫子略显尴尬，董玫若有所思，熊能却面有得意之色。

那人定定站在原地，看着工地上一行人过去，顾忱也发现从车停的中心地带到那个建筑物，深草中还另有一条小路延伸过去，路上有足印车辙，看来，此人并非刚刚到来，而是已驻扎了很久。老夫子为什么讳莫如深？难道其中隐藏着不为人知的隐情甚至纠纷？

中午贾晓阳代表两位领导为北京客人送行。午餐后白崇洗上路，本来马大帅与申扬一起返回，哪知申扬却坚持留在安沣，马大帅无奈，只得留下司机和车给申扬用，自己搭乘白崇洗的车回去。

费尽心机排除万难顺利签约后，本以为从此一路顺风顺水，工地里的建筑和人影，又让顾忱心生疑窦，开发房地产最怕的就是土地拆迁的遗留问题，从老夫子的紧张表情看，这也绝不是一个能够轻易解决的事情。顾忱后悔太急于拿到土地了，竟事先没认真深入了解一下土地的情况，会不会正因为这个建筑导致老夫子推迟了开发，而根本不是他宣称的那样是为了等待改制？如果这样……顾忱头顿时大了三圈，好像自己千辛万苦跳进

了一个黑洞！

送走白崇洗和马大帅，几人分别回去休息，顾忱知道老夫子有午休习惯，只得与他约好下午去公司说事，贾晓阳喝了不少酒，让顾忱陪他去泡个澡，本来兴冲冲想让顾忱陪自己去逛街的申扬只好独自回酒店去。

桑拿房里，顾忱将上午所见和担心说与贾晓阳，贾晓阳淡淡一笑，道："你所言那个建筑应是技校的食堂，所看到的人影也许是老夫子派来看守土地的人，土地是经过正规程序拍卖的净地，你太多虑了。"

贾晓阳这样一无所知，顾忱却更担心，如果真是这样，老夫子没有遮遮掩掩的必要，上午直接告诉自己不就得了？好容易熬到两点半，贾晓阳小憩一觉后去上班，顾忱开车直奔办公室。

改制完成了，安沣房地产开发总公司的工作节奏却没有半点变化，下午两点半上班，都两点四十五了走廊上却一片寂静，只有一层门卫见顾忱进来，忙笑着站起来客气点头："顾总您好。"

顾忱点头微笑，心里却自嘲，"自己是公司的总经理，却第一个到公司，也是唯一一个没有迟到的人。"说实话，总经理不总经理顾忱才无所谓，反正这公司傻瓜都知道是老夫子的，自己这总经理不过是老夫子拿来掩人耳目的幌子罢了。自己要的是那块地，这个所谓总经理，顾忱也没有放在心上。顾忱独自坐在簇新的办公桌前，呆呆的想，直到走廊上响起脚步和开门关门的声音，又过了十来分钟，隔壁门轻轻打开又关上，老夫子来了。

顾忱敲门进老夫子办公室，他正坐沙发上往自己茶杯和另一个纸杯中沏茶，"顾总，我就知道你要找我。"老夫子微笑，悠闲的靠在沙发上，"咱俩，该说说项目的事儿了。"

顾忱不知道自己到他这岁数有没有老夫子的气定神闲，但上午的情景如鲠在喉，顾忱直截了当，"劳总，上午工地里那人是怎么一回事？"

"这个嘛……嘿嘿……喝茶，今年的新茶，对了，等下我让小倪……对了，那天，孙总说想让小倪给他当秘书，是怎么一回事啊？我好像听说他们俩的一些事……"

顾忱现在哪里有心情管孙大盛的烂事，此刻猛然想起孙大盛中午吃罢饭又不知去向，不知是又跟倪枫泡在一起还是回酒店处理晴晴。他要没回酒店，天知道晴晴下午又会闹出什么新闻来！现在听到孙大盛的名字顾忱就犯愁，但老夫子提起，顾忱却只得耐着性子应付，“他……也许是喝高了开玩笑吧……等哪天您问他吧……对了，上午工地里那人是怎么一回事？”顾忱只好再问一遍。

老夫子看出顾忱已经着急了，也收起笑脸，说：“这块地，的确有些遗留问题。”

顾忱脑子嗡一声，险些背过气去。多少开发商都因为土地折戟沉沙，这块地要真再因为前期纠纷拖自己两三年，真把自己拖茄子地里去了！

“顾总你不必太过担心。”老夫子喝口茶，道：“我用土地来跟你合作，土地上的事，自然由我处理干净。说实话，”老夫子轻轻叹口气，“这件事，也是我拿到地才得知的，你老哥我也是太过自信，结果吃了一个哑巴亏。”

“哑巴亏？”

“是，说来话长，这件事的始作俑者，嘿嘿，又是熊能……”

“熊能？”顾忱更吃惊，怎么又跟熊能扯上关系了？

“他这人，要不整天琢磨着在后头给你一记闷棍，就不姓熊了……”

从老夫子的叙述中，顾忱得知事情原委：当初安沣市政府为了促进城市发展和有序规划，决定把技校迁到新区，但在这样一个小城市，政府意志往往与扯皮与无序相作用，技校搬迁新建是要钱的，而技校自有资金根本无法满足新建需要。你市政府让我迁走，我当然要钱。但钱从何来？市财政很紧张，唯一能利用的资源就是土地。于是，新区技校的新址用地以极便宜的价格划给技校，卖老校址土地的钱，也就是不到一亿四的土地出让金，作为筹码由市政府与技校签了一份协议，土地出让金的百分之六十收入国库，另外百分之四十，也就是五千五百万作为技校的地上物补偿款，其实就是新校区的建设费用，剩余建设费用部分自筹部分贷款。这种方式政府和技校各得其所：政府获取了土地收入，技校获得了更好的发展未来。

转过头来，市政府又与老夫子的安沣市房地产开发总公司签订了一份协议，约定由老夫子按照六十万每亩的价格获得土地。市政府这样做无非因为两点：第一，当时安沣房地产开发总公司还是国企，也是安沣市唯一一家挂着国字招牌的房地产企业；第二，必须先让技校把地腾出来才好拍

卖土地，所以在拍卖之前，钱就应该打到技校账号上，否则技校也不干。于是，签订协议后，就预先支付了四千万保证金，技校拿到这笔钱立即开工建设新校区。半年后土地挂牌上市，不过只是走了回形式而已，外面有些开发商不清楚底细，前来报名者一律被国土局做工作堵了回去，所以说，要说这种做法是违背了国家法律，是幕后交易，但这样的幕后交易无疑又是政府一手操纵的，绝对正大光明，任谁也说不出所以然。

但后来老夫子却违约不再缴纳土地款，国土局当然要催缴，几年过去，老夫子桌头的催缴函早有一打，但事在人为，尤其是老夫子这样有历史积淀的人物，老夫子只要当真不给钱，市政府自然当真没办法！其实老夫子的理由也非常简单：没钱！企业就那四千万交了，企业要改制，员工要发工资，那么多退休职工需要养活，为了安定团结，为了和谐，这个理由够充分了吧？

于是转手倒腾土地的市政府被结结实实的夹在中间，这边是老夫子的坚不可摧，那边是技校的嗷嗷待哺，最终的结果，是市政府设法解决技校的资金困难。

土地挂牌后一年，技校整体搬迁到新区。

故事，本应该就这样结束了。

顾忱听完，更加奇怪，因为老夫子说了半天，都没有说到那个食堂和人影上。“这不挺好吗？”顾忱问。

“是挺好。”老夫子苦笑，“如果事情就这样结束的话。我刚才所说，只是土地的背景，真正的故事，却刚刚开始……”

技校搬走了，按照老夫子最初与市政府签的协议，土地是净地交付，但老夫子却留了个心眼，虽然是净地交付，但地上建筑物的拆迁却由老夫子自行负担。有人一定会问：“为什么这样？”

嘿嘿，这是因为，地上建筑物拆迁是不花钱的，说白了，是赚钱的！因为建筑的每一块砖每一块瓦每一扇门窗都是可以卖掉的，拆迁公司给老夫子拆迁不但不要他的钱，反倒要给他交钱！

市拆迁公司的总经理也是老夫子铁哥们，靠拆迁赚的钱自然也能流进老夫子的小金库。老夫子打着这个如意算盘正得意间，突然某日，铁哥们打来电话："拆不动了！"

老夫子有点懵，赶紧去了解情况。情况却是这样的：不能拆迁的位置是技校原来的食堂。食堂跟技校签订了长期承包合同，合同期长达二十年！据食堂承包人郭笑天讲，这食堂他投资了整整一百万改造，刚刚经营了一个多月技校就通知他技校要拆迁了，他当然不干，找技校，技校却推得干干净净，说按照合同这属于不可抗拒因素，校方当然没责任。

郭笑天问为啥算是不可抗拒因素，技校说："这是市政府的强加意志，我们无法抗拒，当然属于不可抗拒因素！"

郭笑天跑去找政府，政府更有理："这是你们双方的合同，跟政府有啥关系？"

郭笑天说："这一百万是我的全部家当，里面还有高利贷，没人给我钱，我就死在里边，哪儿也不去！"

老夫子也急了，跑去找技校，技校果然说是不可抗拒因素，又说了，劳总你如果把剩下钱赶紧给我们，也许我们还可以考虑下给他补偿，但现在……我们紧张啊……老夫子占不到理，赶紧撤退去找政府。政府当然也是这套，协调可以，负责没门！

拆迁公司才懒得理这钉子户，把食堂周围的大小建筑拆光后走人，从此土地中央剩下孤零零一小岛，就是郭笑天长期据守的堡垒。

顾忱听到这里，更加糊涂，"这跟熊能又有啥关系？"

老夫子说："故事，才刚刚开始……"

老夫子奔走一圈后，猛然回过味来，弄不好，自己是被人设了一个套？于是他私下打探，结果让他大为意外：郭笑天与技校的协议，是市政府跟技校那份协议签订的前一周才签订的。协议的内容是郭笑天承包食堂二十年，投入改造资金一百万。协议一签订，郭笑天立马开始装修。等到装修完成时，正巧老夫子与市政府的协议也签订。

有这么巧的事儿？老夫子暗自揣度，这里面一定有鬼！

老夫子再次打探，又发现一个他更为吃惊的情况：技校的一把手，听说跟熊能是一条船！

市政府置换技校土地的事情早跟老夫子打过招呼，这么大的事，老夫

子自然要在班子会上通一下，当时熊能头一个表态说绝对支持，还让老夫子奇怪这回他为啥不跟自己拧着干了。

再后来，又收到一个消息：郭笑天好像也早跟熊能认识。在他跟技校签约前几天，有人看到他跟技校一把手在一个小酒馆把酒言欢，在座的只有三人，另一人，就是熊能！

老夫子明白了，这都是熊能在背后搞鬼！

老夫子派人去食堂暗访，却发现郭笑天所谓是一百万不过是贴了贴低档壁纸，隔出了几个包间，换了个门头，总共费用不会超过十万。老夫子更印证了自己的猜测，对熊能旁敲侧击，熊能却装傻。

老夫子冷笑，“你装傻，我也装傻，反正土地我不急着开发，要拖，大家就一块拖下去。有郭笑天在里面待着，我倒省了找人看地！”

“这就是故事的来龙去脉？”

老夫子点点头。

“也没有证据能证明是熊能在搞鬼呀？”

“是没有，也没必要知道。郭笑天手里有协议，我找律师咨询过，协议是有效的。”

“那也是技校应该承担的责任啊？”

“是，但人家技校也有理啊，你拿钱来，我就给钱。可……咱现在不是钱紧吗？”老夫子一个亲切的“咱”，让顾忱后背一阵发凉，老夫子的意思，是想把这钱转嫁给我头上？顾忱马上说：“这钱，绝对跟咱没关系。”

“是啊，当然没关系，可技校拿不到土地款，就坚持不给郭笑天，郭笑天拿不到钱，咱就拿他没奈何。我也咨询过能不能起诉郭笑天，律师说能是能，但人家郭笑天也能起诉技校，到头来，也是一场漫漫无期的官司。有人建议找个夜间去把郭笑天绑了抬出来，咱们给强拆了，可那是市中心地段，万一出点问题，影响太大。剩下唯一一条路，去找政府解决，但政府只要一伸手，说：‘拿土地钱来！’咱就一点余地都没了。”

“那您的意思……”

“顾总啊，你想，现在市场这么好，项目一定要快些开起来，唐书记卫市长他们也承诺这个项目一路绿灯特事特办，从现在到开工，前期手续也就两三个月的事，这件事如果得不到解决，势必影响全局呀。”

“你的想法？”

“我的想法，就是只好先给他钱，然后再从土地款里扣除就行了。”

“不行，咱们跟郭笑天没有直接关系，凭什么给他钱？再说了，剩余土地款是交给财政的，财政局会让你扣除这钱吗？”

“也是，事已至此，我想，只有一个办法了。”

“什么？”

“缴纳土地款，顾总，你看，现在项目急着启动，我嘛……也没钱，土地款嘛……是不是你先借我一个亿资金，我自己再凑个一千万，把土地款全额缴齐。”

顾忱心头火起，按照两人原先的私下约定，老夫子应在合作时办理土地证，剩余土地款也是由老夫子自行解决，跟顾忱没任何关系。协议墨迹未干，老夫子竟想出尔反尔了。

“劳总，咱们不是说好你负责土地，我只负责建设吗？”顾忱冷冷道。

“这个嘛……是自然的，哈哈，但是，这个时间问题嘛……”老夫子言下之意，是我现在没钱，没钱就解决不了问题，解决不了问题，项目就只好拖着。

顾忱口袋里没钱，最怕的就是拖，拖下去的结果，一怕市场变盘，二怕孙大盛和白崇洗反悔，三怕自己在安沣的信誉丧失，总之，项目是绝对不能拖的。但老夫子这样大耍无赖，自己却真有些招架不住。

老夫子又说：“其实，顾总你跟我合作是占了一个天大的便宜，相信你也算过账，我的土地价值两亿五，前期费用和建筑成本虽然远远高于土地成本，但是建筑是可以垫资的，以目前市场形势看，销售收入完全能满足支付建筑费用的需要，况且，我保证销售能在开工后就开始，另外，容积率的提高……”老夫子啰里啰唆一大堆，其实就是告诉顾忱有我老夫子帮你，你做这个项目其实用不了几个钱。

哪里用他说，顾忱不就是为这个来到安沣的吗？按照顾忱的如意算盘，只要土地款跟自己没关系，整个项目运转起来，自己手里的七千万其实根本花不出去多少。老夫子心里早替自己算清了这笔账，此刻是在用项目威

胁，逼自己拿出一百万替他摆平拆迁的事。

顾忱脑子里转了几百圈，却发现除了屈从于老夫子，自己好像真的没有选择余地。要不替老夫子掏一百万确保项目启动，要不任由老夫子拖延项目，将自己陷入更为被动的局面。

老夫子悠然品茶，一脸和谐的朝顾忱微笑，“顾总，你感觉这茶的味道如何？”

苦极了，涩极了。你他奶奶的！顾忱暗自骂，却只得故作镇静端起茶，心里却痛骂老夫子无赖无耻无信自己无能无力无助。“这样吧，我先考虑下，但项目嘛，咱们可要抓紧时间才是。”

“那是，安沣市的规划水平较差，建筑规划设计就麻烦顾总去找人做吧，此外，咱们还需要商议一下公司的管理程序……”

下午，两人对公司的注册和内部管理进行商议。顾忱保证资金立即到位，公司的注册资本就按照七千万确定，规划设计由顾忱安排，从现在开始，所有经营管理费用由顾忱负担，两人还确定了合资公司的管理班子和主要部门的分工职责……一个全新的公司，呼之欲出。

华灯初上时，顾忱告辞老夫子往酒店赶。晚上约好跟刘连一起吃饭，有个重要的东西要取。车刚停在酒店门口，申扬的电话响起，顾忱接着电话进酒店，却迎面碰上也拿着手机正在打给自己的申扬。

两人都笑了，同时挂断电话。

“干嘛总见你急匆匆的，晚上一起吃饭好不好？”申扬下午没事给自己做了一个夸张的发型，穿着一件卡通 T 恤，牛仔裤运动鞋，青春四射。

不知为什么，顾忱每次见她总有种自惭形秽的感觉，想见她，却又怕见她，真见了她，顾忱心里涌过暖暖味道，顾忱开始明白这是为什么了。想到这里，顾忱的脸竟然有些发烧了。

“我晚上有事了……”顾忱不忍心看她闪过的失望，忙又说，“只是吃饭，忙完了我陪你好吗？”

“一言为定。”申扬笑，一路跟着顾忱进他房间，“那我就不吃饭等你回来请我吃夜宵。”

“好，一言为定。”顾忱从自己行李箱中取东西。又顺口问，“见过晴睛吗？”

申扬嘟嘴道：“刚见面就问别的女孩？”

“我只是担心她又跟孙大盛胡搅蛮缠，不见她人，倒有些不放心了。”

“没见过她，也没什么动静。”

也许她是死了心拿了一万块钱溜掉了。顾忱放下心来，已经到了约定时间，顾不得多说，出门而去。申扬在身后笑着说：“记住，不准腐败，不准泡妞……”

按照刘连指点，顾忱找到的竟是郊区一个偏僻的小酒楼，门前零落的停着两三辆车，缺了半边的霓虹灯无精打采的照亮幽暗的门头，“甲鱼邨”，一层大厅里也是黯淡无光，只有二层有两个包间露出少许灯光。

进得门来，柜台后是一个瘦得皮包骨的中年男人，见了顾忱进来，面无表情的问：“几位？”柜台边上是一组玻璃柜，里面十来只沉默的甲鱼，是唯一的生物。

这明明是一家生意惨淡的破旧酒楼，看样子随时都有倒闭的可能，堂堂一市长，竟然会找到这样的地方吃饭？顾忱有些奇怪，却看见门外灯光一闪，刘连从一辆汽车上下来，汽车紧跟着远去。

顾忱忙迎上去，刚要开口招呼，刘连却忙摆手，却对店老板说：“雅五。”

“哦，王总您来了。”店老板忙起身热情招呼，看来刘连在此是常客。

顾忱一怔，心想刘连怎么姓王了？随即便反应过来，他寻到这么一个僻静之处，自然是不想让人知道。

顾忱于是不再说话，跟着刘连上二楼，店老板将他们带进二层顶头一个小包间，刘连点了一份红煨甲鱼，一份清炖甲鱼，几叠小菜和一瓶当地的高粱酒。待店老板退去，刘连微笑道：“顾总啊，没办法，城里认识我的人太多，恐怕受打扰，只好请你来这么破的小店吃饭了。不过，这里的甲鱼倒是味道很足，尤其是配上高粱酒，绝对够劲。”

“是啊，刘市长你走哪里都是名人，想必平日吃饭也没有个清净地方。”

“谁说不是？对了，顾总，你那别墅……”

“这两天不是忙嘛，我抽空就去找刘术。”

“好，好，对你是小事一桩，刘术嘛，我也跟他说过，你跟他签个协议

就成，赶紧拿钥匙装修，到时候我就有地方去了。”

“我保证第一个请您去。”

“一定捧场，一定捧场。”刘连大笑，顾忱也跟着笑。这个刘连表面粗鲁豪爽，骨子里却有种说不出的冰冷感与距离感，就算他大叫着你是他最好的兄弟，你也明白，绝对不能把他当兄弟。

顾忱取出一个包，轻轻放在桌子上，“刘市长，一点小意思。”

“什么？搞腐败啊？”刘连斜蔑着眼，笑。

“只是一块手表，您留个纪念吧。”

“手表？”刘连随手拿起，打开包装，只看了一眼便熟练的说：“哦，很贵哟，顾总你这可要不得，这种表我怎么敢戴出去？哪天被人拍照片去网上曝光，可不得了啊哈哈……”刘连大笑一阵，却毫不客气把这块价值十多万的江诗丹顿扔自己手提包里。

顾忱见他轻易便收下，心中顿时踏实下来，刘连选择这里跟自己吃饭，也自然是有意结交自己。以后找他办事必然容易很多，这人平时跟当地的建筑商开发商打成一片，但真到事儿上，倒极其注重影响，绝对是个心思严缜小心谨慎的主儿……

这时店主人亲自端着一盆清炖甲鱼入内，后面跟着服务员又将一盆红煨甲鱼和几碟小菜端进来。店老板陪着小心打开酒，恭敬的问：“王老板您还需要什么？”刘连摆摆手让他出去。顾忱问：“这地方看来您常来？”

“是。”刘连往嘴里先塞了一大块裙边，心满意足的咽下去，道：“别看这店又小又破又偏僻，但甲鱼的味道的确不错。你看他这店，一天没几桌客人，但是甲鱼毕竟是值钱的菜，一桌吃五百块钱稀松平常，每天就算只有两三桌也足够他维持生计，因此这店开了也有年头，来吃的，也都是我这号贪食甲鱼的人。”

刘连招呼顾忱一起喝了杯酒，又道：“跟我来这儿的，都是我的朋友，也都是看得起刘某的人。”

顾忱忙说：“哪里，我怎么敢看不起刘市长您？”

“见外了吧？”刘连咧嘴无声的笑，笑容很阴险，“顾总，我把你当朋友，你却总对我客气，我才不敢承受呢。话说回来，顾总你这样的大老板，才是我巴结的对象呢。我们做官员的，尤其是我这管城建的，其实就是像你这样大老板的服务员呀。”

“刘市长言重。”顾忱忙笑，心想还从没听说过堂堂市长大人把自己降为服务员的。

“你想啊……”刘连又干一杯，拉住顾忱的手，“兄弟，我知道你找我，当然是有事，尽管吩咐吧。”

刘连的目光就这样直勾勾盯着顾忱的嘴看，好像真等待顾忱的嘴里向他下达什么指令似的，难道这就是所谓的公仆吗？顾忱有些想笑，又有些尴尬，刘连这样直截了当，倒让顾忱手足无措了。

刘连端起碗吸溜吸溜喝下一整碗甲鱼汤，又眼睁睁看着顾忱。顾忱只好说：“刘市长……”

“刘哥。”

“刘哥，我来安沣开发项目，你是主管城建的副市长，当然要找你。”

“鬼话，兄弟你太不实诚。”刘连皱皱眉，“你要土地款都交齐了，建设资金都到位了，前期手续都办理了，房子都抢着要了，你找我？找我干嘛？就为跟我老哥喝杯酒啊，只怕你连正眼瞧都不瞧我一眼，市长又怎么样？管个屁用！”

“嘿嘿……”

“兄弟，跟你交个底，你是京城来的大老板，论钱，比我这个小山沟的副市长多得多，论地位，你整天吃鱼翅燕窝天经地义，我自己吃顿甲鱼就有人指指戳戳，论自由，你脖子上挂一串名表无所谓，我要真戴上你刚送我这块江诗丹顿，过两天就有人来查我！所以说，我为你服务，是真心交你这个朋友，你有难处找我，我有难处时，还要麻烦你留口饭给兄弟呢。”

听刘连一席话，顾忱大为震惊。

“我在安沣小圈子里混了一辈子，到头来也不过是一副市长，这么多年战战兢兢如履薄冰，终于盼到你这么个北京大房地产商来，能够为你服务，也是我刘连一份荣幸，是不是？”

他是喝醉了吗？顾忱小心翼翼看着他，试探着说：“刘哥，项目即将启动，也许，还真有事请你……”

"义不容辞。"刘连点头，"要是换作老夫子，我才不理会他，安沣这些人，求你的时候把你捧得高高的，跟在屁股后面'市长市长'叫得比自己亲爹还亲。等到我退休了，没用了，哈哈，鬼才理你！不去背后捅你一刀整你个双规才好！

"而你不同，跟他们不一样，所以顾总你放心，我在城建圈里混了多年，安沣每一个犄角旮旯我不熟悉。有什么需要哥哥做的，只管吩咐就是。"

话说到这份儿上，再客气就是傻气了。顾忱敬刘连一杯酒，说："这块地中间有个食堂还没拆……"

"这事儿啊，小事儿！"刘连大笑，"老夫子找我不下十次我都懒得理他，第一，跟市政府没关系，属于个人与技校之间的经济纠纷。市政府当初与技校签订的协议很清楚，土地上不得存在纠纷，技校必须拿出净地上市。政府只是桥梁，现在老夫子为难了找政府，我除了协调技校，还有啥作为？第二，老夫子违约在先，土地出让金拖了这么长时间不交，还好意思让政府出面协调吗？"

顾忱笑嘻嘻道："大哥，以前是老夫子的事，现在，已经是兄弟的事了。"

"对了。"刘连一摸头，哈哈大笑，"对了，现在已经是你的事了。不过，这件事你只能让老夫子出面协调，人家技校成天找我要钱，他要不交钱，我跟技校那头也不好说话，其实，兄弟呀……我给你出个主意，你直接去找那人，摆平他不就成了？"

"我自己去找？"

"是呀。不就一百万吗？你大不了先给他，然后从老夫子的股份里扣出来不就成了？这种鸡毛蒜皮小事，还用找哥哥吗？哈哈……其实，这一百万，也许根本用不了……"刘连特神秘的笑。

难道他也知道熊能搞鬼的事？顾忱问："您知道承包那人的底细吗？"

"你知，我知，大家都知道，只是说出来就没意思了……"刘连意味深长的说，"喝酒。"

顾忱明白自己该怎样做了：自己直接去找熊能谈，肯定用不了一百万。

"关于前期手续的事，唐书记和卫市长都有指示，我还听说唐书记准备为你这个项目专门批示特事特办，给予一切优惠便利。但你作为招商引资项目进来，土地款，恐怕就不好再拖了吧？”刘连又笑，笑得顾忱心中发虚，赶忙道：“这个嘛……土地的事讲好由老夫子负责，他以土地出资，我凭啥支付土地费用。”

“话是这样，其实，你干嘛不直接把土地转过去？何必非要跟老夫子这种人搅和在一起，大家买卖完成一拍两散，你自己开发不更好吗？莫不是……你顾总也缺那点钱？”刘连口气总给人阴阴的，顾忱听得直起鸡皮疙瘩，忙掩饰道：“那点钱自然不缺，但合作……自有合作的好处嘛，哈哈……”

“你别骗我。”刘连大笑，“开发商那点小九九我最清楚，就拿你说，再有钱的开发商也不愿意把钱都掏出来砸土地上，启动资金能少掏就尽量少掏，其实你这个项目我也替你算过，启动起来不过是区区几千万而已，兄弟精明过人啊，佩服佩服。”

顾忱顿时松了口气，两人同时大笑，顾忱又道：“还有容积率……”

“打住！兄弟，我就知道你要说这件事。当初土地挂牌时土地价格是按照2.0核算的，你现在要增到2.5，很难。土地出让金和其他手续都好办，就是这容积率是个红线，我明确告诉你，我这里是办不了的！不过嘛……”刘连话锋一转，又道：“你这项目可是安沣市的重点招商引资项目，我再透露你一点：那个地方容积率2.0本就偏低，尤其这两年市里鼓励节约用地，突出城市现代化形象，鼓励开发商盖高层建筑，调整成2.5的容积率，也是顺水推舟的事，只是需要你去多找找唐书记和卫市长他们，拿到尚方宝剑，剩下的事情，自然有哥哥负责了……”

顾忱听罢刘连一席话，犹如茅塞顿开醍醐灌顶，欣喜若狂的端起酒杯敬刘连，刘连不客气地接受，又说：“今晚话就说到这里，现在专心喝酒。”

刘连的表态，实际是给顾忱吃了一颗定心丸，告诉他容积率肯定能改！这可是实实在在几千万的利润啊！难怪顾忱喜不自胜，心想要真办成了，就是送出去一千万也值得！当下暗示绝对不会亏待刘连，刘连对他的承诺照单全收，但话不再多说一句，两人推杯换盏，酒兴渐浓，不觉中又喝下一瓶酒去。

吃完饭，顾忱回到酒店时，已是晚上十点半。

酒店里却有两个女孩在等他。

申扬和晴晴，都是一脸紧张，好像刚刚发生过什么可怕的大事!

孙大盛果然食言，压根儿就没把晴晴当回事，自打上午离开后就再没跟晴晴联系。但晴晴毕竟跟他这么久，自然知道能从哪儿下手，今天由于孙大盛跟着顾忱同去开会，因此没有叫司机送他，孙大盛一离开酒店，晴晴便去找他的司机。司机住在其他楼层的标间，对他们之间的龌龊不明就里，更没见着早上打架一幕，还以为是孙大盛让晴晴回来的。趁孙大盛不在，晴晴施展媚功，在司机眼里，老板这个新秘书漂亮又风骚，小司机于是神魂颠倒，如实交代了孙大盛这两天的行踪，但被问到孙大盛的私生活时，这小子吸取了上回倪枫的教训，一律含糊支吾过去，晴晴一无所获。但她自有高招，中午正好孙大盛跟顾忱等一起给白崇洗送行，叫司机自己吃饭，于是晴晴请司机吃饭，天南海北满世界聊就是不提孙大盛二字，吃罢饭，晴晴说我忘带房间钥匙了，去你房间睡午觉吧。晴晴知道孙大盛的习惯，有事会打电话招呼司机，绝不会来房间找他，于是想中午用自己美色勾引司机成功，从而在孙大盛身边埋下眼线。两人回房，小司机哪里能经受得起晴晴的引诱，正准备色胆包天给老板戴绿帽子的关键时刻，手机铃声却大作，司机接了电话答应着手忙脚乱穿好衣服便告别晴晴仓皇而去……晴晴冷笑，知道一定是孙大盛让司机接他，于是迅速穿好衣服，跟随而去……

晴晴说到中午房间这一段时，申扬立刻脸蛋绯红假装玩弄自己的手机，顾忱看在眼里，心里暗乐，突然有种想抱住她的冲动。

晴晴是男女情事的专家，两人的神态看在眼里，心里一片酸楚，心想为什么老天爷对我不公，我就遇不上顾总这样又有本事人又正经的男人?

三人各自心有所想，停顿片刻，晴晴接着讲故事——

晴晴跟到酒店大门，见司机去停车场开车，忙跑到路边招手拦了辆出租车，一路跟着宝马760来到中午顾忱他们吃饭的酒店，此时众人已散去，顾忱与贾晓阳去洗澡，大门前只剩下孙大盛一人，见司机来迟了，不上车，先让司机下来，指着他吹胡子瞪眼训斥了一通，晴晴在车里远远看着，吩咐司机仍然一路跟上宝马。孙大盛上车继续走，宝马驶向市中心一个咖啡馆，门口一个红衣女孩见孙大盛下车，立即亲昵的上前挽住他的胳膊……晴晴第一次见到这个抢走自己男人的骚狐狸精，赤红的眼睛顿时喷出复仇的火焰……

刚才晴晴对申扬并未叙述得这么仔细，此刻听晴晴用最恶毒下流纷繁复杂的词汇形容那个红衣女孩时，脸又有些红，顾忱忙打断晴晴的诅咒，“要光是这点事，我就不听了，扬扬咱们去吃夜宵去……”

申扬却恐慌的摇头。顾忱正在奇怪申扬为什么会对晴晴与孙大盛那点事如此紧张，晴晴却掏出自己手机送到顾忱眼前，申扬的眼睛也瞪大，仿佛手机屏幕里马上会有恶鬼跳出来一般。顾忱更奇怪，仔细去看，晴晴用手机拍下的照片里，孙大盛正用手搂着倪枫的屁股，一袭红衣的倪枫好像嘴里正说着什么……

“没什么呀！”顾忱在申扬脸上探寻。

“你看这人……”申扬指指画面上一角。

顾忱这才看见，倪枫身边还有一男人，三十来岁，平头，穿着件过时的风衣正点头对孙大盛微笑……

“不就是个人吗？怎么……”顾忱还是不解。

申扬一字一句道：“这个人，就是那晚袭击我的刀疤脸！”

顾忱顿时惊呆了，晴晴把画面放大，果然，那人左脸眼角下方横亘着一道触目的刀疤。

“我想起来了，那晚，我出门找你时，在我住的酒店大堂上见过他，难怪事后总觉着见过他似的。”申扬脸色苍白，顾忱真想搂住好好安慰她，心里也明白是怎么一回事：那晚，这个刀疤脸是一路尾随申扬去找自己的，申扬被自己追逐，也是慌不择路跑向刀疤脸方向，于是，刀疤脸与另一人干脆就……顾忱也不禁打了个寒战，如果这一切都是有预谋的，那么，那一晚申扬没有出事，实在是太庆幸了！也许自己追申扬，恰恰救了她！更可怕的是，这一切又跟倪枫有什么关联？！

两人目瞪口呆，申扬遇袭那晚的情形历历在目，顾忱轻轻握住申扬的手，柔声道：“这里面，一定有原因。”

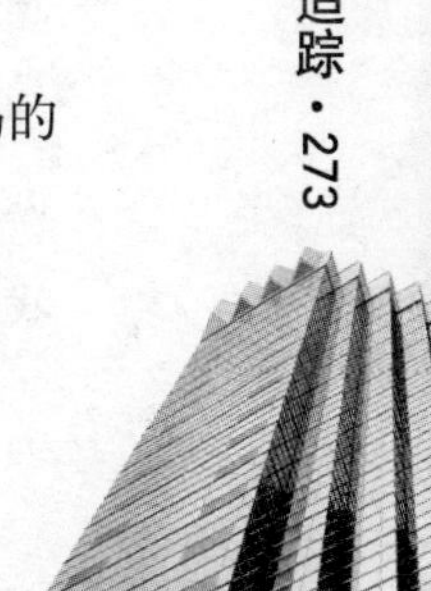

下午，倪枫在咖啡馆门前向孙大盛引见那小平头，三人又进去待了半小时，晴晴也在车里守候了他们半小时，后来，三人一起出来，小平头自己离开，孙大盛带着倪枫去了一个老旧的居民区，晴晴悄悄跟随着他们，见两人进了一栋楼，又大着胆子小声在楼道里跟踪，发现他们去了四楼，晴晴把耳朵贴在门上，隔着破旧的一道伪劣防盗门，里面二人打情骂俏发嗲风骚的声音清晰入耳，晴晴恨不得冲进去咬孙大盛几口，心里暗下决心：这么快就甩了我另寻新欢，没那么容易！

晴晴听了一会儿，里面突然没了动静，连忙下楼重新守候，又过了一会儿，那红衣小妖精独自下楼，在街边叫了一辆出租车，晴晴又一路跟着她，眼睁睁看她进了安沣市房地产开发总公司的办公楼……

完成跟踪工作，晴晴回到酒店等候顾忱，想把照片给顾忱看，让顾忱转告孙大盛自己手里有了孙大盛跟红衣小妖精鬼混的证据，晴晴从司机嘴里得知孙大盛正是跟安沣市房地产开发总公司合作项目，这么快就跟里面女孩上床，传出去，孙大盛一定很丢人！获取了如此宝贵的证据，晴晴觉着自己的胜算又大了一些，得意扬扬等着顾忱，却又在酒店里遇见了申扬。晴晴一直对这个漂亮的女孩有好感，又以为她跟顾忱是一路，自然也应该认识孙大盛，于是把手机里的照片拿给申扬炫耀，谁知申扬一看之下，却发现了那个刀疤脸！

于是一个得意，一个紧张，都在等候着顾忱的回来。

告诉了顾忱，晴晴说："我的手机是刚在北京买的，五百万像素！放大后连小妖精鼻头的雀斑都清清楚楚，她可以不要脸，但孙大盛一定要脸，想要脸，对不起，花钱把脸买回去！我就从此再不跟他纠缠，这些照片如果明天之内他不买去，我就全部发到网上，打印后送到安沣市房地产开发总公司，还把他在北京那破平房里的公司和破得到处是窟窿满地跑蟑螂的办公室也一并发出去，还有，我要告诉大家，孙大盛根本不是什么开发商，顶到头儿是个包工头！我和孙大盛上床的照片录像也多得是，嘿嘿……我还知道你们的项目刚刚签合同，这些糗事抖搂出去，连累了顾总您，我也没办法，对不起了！还有，您转告孙大盛，他要再说什么好话答应什么承诺，我也不会相信，我现在只要钱，拿到钱一刀两断！另外，您告诉孙大盛别想使黑招抢我手机，照片录像早备份过，他就是弄死我也捂不住我的嘴！”

晴晴说完一席话，扬长而去。

申扬看着她的背影，又看看顾忱，一脸疑惑，“她说的，都是真的吗？”

事已至此，顾忱只好点点头告诉她基本属实，只是说明孙大盛待在平房办公纯属个人习惯，跟实力无关。晴晴要真把这些证据公布出去，除了对孙大盛脸面有损，倒也不会有太多后果，这事跟自己没关系，由孙大盛自己去处理吧。

顾忱轻描淡写，申扬仍是半信半疑。顾忱笑道：“这事儿跟咱俩没关系，我们现在需要关心的，应该是刀疤脸。”

一句话，申扬的思维又回到刀疤脸身上，等到这么久申扬还饿着肚子，顾忱带着她去找地方吃夜宵，吃夜宵时，申扬才注意到顾忱满嘴酒气，不解的问：“我见你几乎每天都要喝酒，难道非得如此吗？我爸爸就从来不喝酒，生意不也照做吗？”

“没办法，身不由己嘛，申总是大人物，我哪儿能与他相比？”

“爸爸常说，如果一个人失去自我，便失去了所有。如果把赚钱当做唯一的目的，失去的，一定比得到的多。”

“这个道理谁都明白，但真正能掌握自己命运的，只有那些向你父亲这等达到一定境界的人。而达到这个境界之前，他们恐怕也和我一样无奈吧？”

“是吗？”申扬认真看着顾忱，“在你看来，事业重要，还是感情重要？”

顾忱淡淡一笑，“你们这些小女孩都会这么问，其实，如果一个人不把全部感情投入到事业上，那事业一定不会成功，而没有事业作为基础，感情便由不得自己控制。”

“你的意思是，事业才是决定感情的根本？”

“是。”

“这世界上那么多平凡的人，他们没有事业，但活得一样幸福。”

“你这么说，是因为你没有经历过柴米油盐的操劳愁苦，他们的幸福，更多是一种安于现状之下的无奈的平淡，幸福，只是他们惨淡人生自我安慰的幻想。”

“是吗？顾忱，你有过爱情吗？”

顾忱一时语塞，心里晃过无数自问：是啊，我有过爱情吗？爱情，是曾经拥有过的东西，还是被遗忘在另一个角落的期许？

“我再问你，有朝一日，当你遇到自己的真爱，你会甘愿放弃所有的事业吗？”

“我不会！”顾忱坚决的回答，“爱情并不一定要以事业为代价，这根本是风马牛不相及的两回事。”

“如果是我，我会毫不犹豫的选择爱情！”申扬坚决的说。

两个人都不再说话，时间在滴答流走，很久很久，很安静的一个夜晚，顾忱与申扬，好像两人之间升起一堵看不见的墙，两人的视线望不见对方，申扬心底忽然莫名的失望与忧伤，抬头，并不是一个月圆的晚上。

第十章　第一城

那晚，顾忱失眠了。

早上起来，门前却站立着申扬，她也是一脸憔悴，却拖着行李箱。顾忱一惊，问："你要出去吗？"

"是回去，回家。我是来跟你道别的。"

顾忱心里一沉，结结巴巴道："咱们不是说好调查刀疤脸吗？"

"算了吧，不去理他也许让自己更幸福些。"申扬送顾忱一个灿烂的微笑，"拜拜。"

"等下……"顾忱追出两步，"你……怎么走？"

申扬回头笑，眼睛里却似有些潮湿，"你忘了我有司机？"

顾忱突然有些不舍，不对，是强烈的不舍，他冲口而出，"昨晚，我……我……"顾忱想说，"我可能错了，也许爱情才更重要。"但不知为什么，他偏偏说不出口。

申扬不再回头，轻摆手，留给顾忱一个美丽的背影。

顾忱平生第一次有种被强电击中的感觉，直挺挺站在房门前，一直望着申扬纤细的背影消失，消失不见……

顾忱怅然若失，茫然回到房间，手机却"滴"的一声，去看，是短信："我以为遇到爱情，爱情却没有选择我。"

是申扬刚刚发的，字迹有泪，浸花了屏幕。

顾忱突然惊醒，抓起手机给她打电话，手机却关机。顾忱冲出酒店大门，又冲到大街上，清晨的车水马龙里，顾忱却什么都没有看见……

这一天顾忱不知自己是怎么过的，一切恍如程序设定般刻板。

上午刘术给他打电话，并送过来一份协议，协议内容，是上次见面时

两人的约定，顾忱一个字没改在协议上签字，然后刘术又拿过来两套别墅的销售合同让他签字。不到十分钟，顾忱已经成为两套别墅的主人。

快到中午孙大盛才现身，顾忱告诉他晴晴的事，孙大盛有些傻，嘴里骂骂咧咧说要找人卸了这臭婊子！顾忱淡淡说："找人？是那个刀疤脸吗？"

孙大盛一愣，"什么刀疤脸？"

"昨天倪枫给你介绍的那人。"

"对了，他脸上的确有道疤……你……你怎么知道？"孙大盛奇怪。

"他是谁？"

"倪枫的远房表哥，对了，这小子黑白两道都特能混，咱们要在安沣做项目，肯定用得着……"

"所以你用他威胁过申扬？"顾忱猛然想起有一次孙大盛曾神秘兮兮问自己要不要找人威胁马大帅的事，那肯定是倪枫出的主意！

"嘿嘿……"孙大盛低下头，"那次……是倪枫自己找的他，后来我才知道，倪枫不也是想助我一臂之力嘛……"

"助你？"顾忱火了，"她能想到这个办法对付申扬，就能同样对你！这个女人太可怕，叫你想法疏远她摆脱她，你竟然当做耳边风！一个晴晴就让你吃不消，你不吸取教训，还想……"

"你这么大声音干嘛？老子自己的私事不用你管！老子就是爱玩儿女人，出了事也是我自己心甘情愿，关你屁事！大不了老子撤资，影响不到你行了吧？"孙大盛也急了，脸红脖子粗大声嚷嚷。顾忱听说他撤资，顿时软了，叹口气道："我提醒你，也是为你好，别栽女人手里了。"

"你放心，我知道倪枫不是什么好鸟，我会小心提防她，自那以后我从来就没有多说过一个字，等到项目开始后，再慢慢疏远她不就行了，现在我要突然不理她，反而让她生疑。"孙大盛也知道自己刚才态度不好，笑嘻嘻道："我也是没办法，老哥又没你那福气，能有申扬这么可爱的小妞，对了，她人呢，中午我请客，带上她……"

提起申扬，顾忱心里特郁闷。摇头叹气道："她回去了。中午没事，咱们和丁铭一起吃，我让他这几天进行市场调研，中午一起说说项目的事，还有，吃过饭咱们一起去看看别墅，让丁铭安排装修。这边公司注册马上开始，咱俩与白崇洗之间，也该有份协议了。”

“对，对，签了一堆协议，咱哥俩之间的协议还没签呢。”孙大盛一拍脑袋，“下午把事情办完，我也赶回去工地看看，这两天我不在，奶奶的进度又慢跟不上了，甲方上午打电话找茬，靠，老子又得回去伺候他们去。对了……”孙大盛好像刚想起一件事来，色迷迷道：“现在哈蜜特听我的，只要给钱干啥都行，这次回去，我准备让她陪陪甲方，肯定管用，还有，咱们别墅开张后，需要她时，就让她来陪客人，那帮市长局长什么的，只管用哈蜜去对付，保准让他们爽够。”

“靠，这样一来，真成红楼了。”顾忱骂了一声，却发现孙大盛这个歪主意也蛮不错的……

中午饭桌上顾忱与孙大盛商量妥当，由固宸国际投资集团（北京）有限公司作为合资公司的控股方，孙大盛和白崇洗作为影子股东，不出现在合资公司里，也不具体参与合资公司的管理，但孙大盛担任副董事长。三人另行签订一份合同，三人按照在固宸国际投资集团（北京）有限公司中的股份比例享受项目分红。午饭后顾忱回房打出协议，两人先签上字，待顾忱返京后请白崇洗再签字即可。

内部投资股份弄妥后，下午一上班顾忱去公司找老夫子，两人闭门长谈，确定公司注册资金七千万元，全部由顾忱提供。双方股份比例为固宸国际投资集团（北京）有限公司以现金出资，占百分之六十，安沣市房地产开发总公司以土地出资，占百分之四十。由顾忱任法人代表董事长，老夫子和孙大盛任副董事长。总经理由顾忱兼任，熊能和董玫任副总经理，财务经理由双方各派一人。这些约定两人前两天已谈过一次，此次以协议方式固定下来，老夫子安排办公室将合同打印出来，两人分别签字盖章。顾忱心里呼喊着大功告成，知道自己终于即将享受到事业的巅峰，但申扬的身影一闪而过，本来应激动的心情，顿时黯淡了许多。

与老夫子约定晚上由合资公司的相关人员联欢，顾忱匆匆赶去别墅，路上方才想起食堂拆迁的事忘记了，于是又打电话给熊能，约他明天中午一起吃饭，熊能似有预感，阴笑着答：现在顾总你是我的老板了，有啥事

只管吩咐就是，我一定听命。

到了别墅，丁铭和孙大盛已经在等着他，一下车，顾忱顿时又险些气炸了。

孙大盛身边，又是那个该死的倪枫！

倪枫丝毫不顾及旁人目光，紧紧挽着孙大盛胳膊，见顾忱来，甜蜜一笑，这笑容在顾忱眼里，却是说不出的阴寒与狡诈。

顾忱拿着钥匙打开大门，别墅里一股封闭了几年的阴冷之气冲出来，别墅共三层。一层是一个五十余平方米的挑空客厅、一间独立餐厅和一个三十余平方米的厨房，二层是一个起居室、两间客房，三层是主卧，另间房兼备书房与健身房。顾忱决定靠近河边一套作为会所，一层是会客厅与餐厅，二层的起居室加上隔墙后装饰为卡拉OK厅，另外两个房间分别作为棋牌麻将室、茶室和桑拿浴室，三层整个做成主卧，也是这栋别墅里唯一的卧室。

另一幢别墅，除去三层作为顾忱自己的天地以外，所有房间作为卧室，供其他人员使用。

两套别墅连装修费用带家具电器设备，最少也得一百万元以上，孙大盛自告奋勇说施工他最熟悉，装修就交给他了，费用嘛，日后算总账。顾忱正好乐得自己又省下一百万的现金流，赶忙点头同意。

别墅的事确定，顾忱让丁铭从明天开始抓紧办理合资公司注册事宜，资金已经在顾忱公司的账户上，随时可以转到当地的验资户上。顾忱还让丁铭去起草一份项目请求优惠政策的报告明天呈交给卫市长。

说完工作，顾忱与孙大盛同去赴宴，晚上老夫子代表合资公司的安沣方面做东，带着几位部下轮番向顾忱与孙大盛敬酒，觥筹交错间，顾忱不觉又喝高了，连怎么回到房间的都不知道，他更不知道的是，那一夜，他整夜都喊着一个女孩的名字……

同样的夜晚，孙大盛回到倪枫住处，两人温存一番，孙大盛答应这次返京前去租一套精装修的新房让倪枫搬过去，倪枫调皮地坐在孙大盛的肚皮上，俯下身子悄悄在他耳边吹气，娇声道："我还有件事，求求你答应我好吗？"

"什么？"孙大盛最怕倪枫这样，呼吸沉重起来。

"上次你见过的我那个表哥，他自己就有装修队伍，别墅的装修……"倪枫伸出一根兰花玉指，孙大盛的皮带悄然滑落……

第二天上去，顾忱将请求给予项目优惠政策的报告拿给老夫子，两人各自盖下本公司的公章，派人送到市政府招商办公室。顾忱已经跟贾晓阳打好招呼，报告一经送至便会迅速签署意见并转呈卫市长。两人又分别委派熊能与丁铭办理公司注册事宜。商议完工作，顾忱独自驱车前往工地，河边的小门虽关着，但没有上锁，顾忱独自开车进入中心，又下车走向食堂，尚未靠近，已闻犬吠，果然是有人居住，看来此人耗了这么多年，是下定拿不到钱绝对不走的决心了。

这是一座约有一千三四百平方米的建筑，大门被用铁丝紧紧锁死，地上的脚印显示后面才有人，顾忱绕行向后，果然看到一个小门，门前正呆呆坐着一人，见有人突然现身，吓得一怔，立即站起来警惕地看着顾忱，脚下的一条黄狗跳起来大叫。这人问："你找谁？"

"你是郭笑天吧？"顾忱乐呵呵问。此人满脸皱纹，眼神呆滞，哪里像是一个曾经拥有过百万的生意人。

"……是。"郭笑天迟疑一下，止住了犬吠。

小门里是一间不到十平方米的房间，一张单人床，一张写字台，墙面上用铁丝拉了一根晾衣绳上挂着简陋的几件衣服，此外别无他物。

顾忱笑笑，"三四年了吧，你就这么每天守在这儿？"

"你……您是谁？"

"我是这块地方的新主人，姓顾。"

"哦，顾总，我在电视上见过你。"

"这么说你知道土地要开发的事情？"

"知道。"

"这么说你也快熬出头了？"

"是啊。"郭笑天半点没有兴奋的样子。顾忱朝屋里又看一眼，心里有了数。

"你是每天早晚都住这儿吗？"

"对。"

"每天三餐都在这儿？"

"当然了，我要一刻不在这儿，老夫子就会派人来拆我的房子。每天家人给我送饭。"

"哦。"顾忱点点头，忽然问："你的电视机呢？"

"什么……电视？我没有。"郭笑天被问得有些糊涂，不知道顾忱忽然问电视机做什么。

"但你刚刚说是在电视上看见过我，你又是时时刻刻守在这里，那么我请问，电视机在哪里？"

郭笑天顿时语塞。

顾忱又问："你驻守在这儿，每月拿多少钱？"

郭笑天整个愣住，不解的看着顾忱。顾忱轻笑，"我什么都知道，是熊总让你住这儿的吧？"

郭笑天一惊，想摇头否认，却在震惊之下下意识的点头，完了发现自己失误忙又拼命摇头，顾忱于是大笑，笑得郭笑天心里更发毛。

"我来找你，就是为了告诉你这件事很快就要解决，你也不必再坚守下去，不过对你来说，能待在这儿就能拿工资，也算不错，不过，人总不能无限期在这里待下去，总有结束的一天。对了，等工地开工后，我还想请你看工地大门，每月一千元，怎么样？"

"真……的？"郭笑天大喜，立刻显露原形。

顾忱暗笑，认真点头，"不过，你要告诉我熊能的事。"

郭笑天又有些犹豫，顾忱正色说："我知道是熊能让你出面签承包协议，也是他让你在这儿守着，不过，他并不知道你回家住的事儿吧？"

郭笑天有些尴尬，苦着脸说："这地方整天没个人，到了晚上更瘆人，草丛里到处是黄鼠狼和蛇，晚上根本没法住人。"

"不管你告不告诉我，这件事肯定马上会解决，下个月你就可以到我公司上班，我来，只是为了让你亲口告诉我这些事。"

郭笑天的防线被顾忱连骗带哄彻底击溃，当下把真相全部告诉给顾忱：其实郭笑天只是熊能老家的一个远方表亲，在安洋市有个街头小吃摊，熊能找他来，告诉他应该怎么怎么办怎么怎么说，整件事都是熊能一手操作，其中关节郭笑天才不关心，反正熊能答应每月给他八百块钱看守费。于是郭笑天头一年老老实实在这里守了一年，但后来草渐渐长高，一年中又从来没有发生过什么事情，他便悄悄晚上又出去陪着仍旧摆小吃摊的老婆，收摊后还能回家去睡一觉，上午起来再到这里睡上一整天，每月轻松多赚八百块钱，何乐而不为？

顾忱从郭笑天嘴里探得底细，离开工地去跟熊能见面。

甲鱼郇，仍是上回与刘连见面的小包房。顾忱开门见山，问："咱们项目即将正式运作了，熊哥咱们也是一家人了，兄弟要有事，你帮我不帮？"

"哪里的话，别说帮，就是顾总你让我替你挡子弹我也愿意。"熊能胸脯拍得梆梆响。

顾忱说："那好，熊哥你心里最明白，现在有件事已经影响到项目。"

熊能一愣，问是什么。

"食堂。"

"这个……"熊能眼神一阵慌乱，顾忱尽收眼底。

"熊哥，你要当我是兄弟，就跟我说实话，食堂是不是你的？"

"这个……"熊能张口结舌，想否认，却心知顾忱一定已经了解清楚，再要否认反而显得自己太小气。于是顺水推舟，道："兄弟你既然都知道了，我也不瞒你，这件事，当初就是为了让老夫子难受，其实每个人都心知肚明跟我有关，但协议不是我签的，我只要不认，谁也拿我没办法。"

顾忱心想你承认就好！又道："哥哥你想，咱们项目要抓紧时间启动，哥哥赚的大钱还在后头……"

"我知道，我当然知道轻重，不过嘛……土地的事跟兄弟你又没关系，你去催老夫子赶紧给钱不就得了，钱也用不着你掏啊！"

"话是这样说，但老夫子偏偏不急，想让我先把这钱拿出来。"

"他妈的，这个熊玩意儿真不是什么好东西！他自己赖土地款好几年，到头来还要赖在你身上，兄弟，我要是你，绝对不理他！"

"可我要不理，那项目岂不是又要往后拖？"

熊能想想也是，问顾忱有什么高见。

“哥哥，我跟你开门见山，就是知道你做这件事不是针对我的，所以我找你，是想给你出个主意：我知道哥哥你为这事也花了不少钱，一百万当然是对外说的，但十万八万肯定是要，雇人看场地一年下来也要不少钱，我的意思是，这些钱，先由我给哥哥你……”

“不行，不行，我怎么能要兄弟你的钱。”熊能忙摆手。

“听我说完，”顾忱止住他，接着说：“我先给你些补偿，然后你让郭笑天给我出个收条，就说收到了我这一百万，我自然会事先跟老夫子谈好，这一百万当然算在他头上，我强要从他的收益里扣掉，他一句话也说不出来。这样一来，哥哥不吃亏，兄弟我也对得起哥哥，老夫子嘛，嘿嘿，吃了一个哑巴亏。”

“好！”熊能猛拍大腿，“就听兄弟的，不过，我投入的那点钱就先不用你拿了，我就等到最后你扣掉老夫子的钱再给我，不，咱哥俩一家一半，各拿五十万！”

顾忱正中下怀。熊能也终于在顾忱面前表现了一次大度。两人一起碰杯，这件事就这么轻松搞定。

下午顾忱又去找老夫子，说自己去找过熊能，但熊能坚决否认跟自己有关。老夫子叹口气道：“他能承认才怪呢。”

顾忱也叹口气道：“所以这样一个哑巴亏我们只好吃了，现在只有一个办法，您这里没钱，我就先垫上给他。不过这钱……”

老夫子忙笑，“这钱当然算我的，我随后再去找技校讨说法就是。”

于是顾忱与老夫子又签了一份补充协议，约定由顾忱先向郭笑天支付一百万元拆迁补偿款，随后此款项从老夫子的应得利润中扣除还给顾忱。签过协议，顾忱转过头又把协议给熊能看，熊能等待了几年终于等到今天，喜不自胜，连连说还是兄弟你有主意，当下让郭笑天给顾忱开了一张一百万的收条，吩咐郭笑天第二天撤出，由老夫子安排队伍进场拆迁。

第二天，卫市长和唐书记在报告上批示，本项目作为市里的重点项目，各部门必须在符合政策的前提下特事特办，一路绿灯，与批件一同返回的还有一份以市政府名义印发的红头文件，再一次对这个项目的各项优惠政策给予明确：凡是由安沣市财政收取的各项地方性收费一律免除，各项手续一切从简，企业各项合理要求一律满足。拿着这两份文件，犹如拿到畅通无阻的尚方宝剑，顾忱终于要大展宏图！当晚顾忱再一次宴请刘连，刘连看着两份文件，连连说安沣从来没有哪个房地产项目得到如此待遇，兄弟果然有过人之处，在我职权范围内可以帮到兄弟的，一定尽力。顾忱又提起容积率一事，刘连沉吟片刻，说这是大事，必须周密安排，还是等到合资公司成立后，先以合资公司名义向市规划局打份报告，我先安排规划局递到我这儿，在每月一次我主持的规划例会上提一下，看看大家的反应，你同时去做唐书记和卫市长的工作，必要时拉着我一起，没有两位老大的批示，谁也不敢触碰这道高压红线，不过嘛……刘连胸有成竹的笑，最终的结果，一定会让你满意的。

土地的事情摆平，老夫子答应在一周内平整完场地，进场进行地质勘探。公司注册进入程序，各部门一路绿灯，执照最多也就在一周内拿到，公司的名字确定下来："安沣第一城置业有限公司。"项目的名字，自然也是顾忱与老夫子商量好的："第一城。"老夫子说，名字虽土，但正符合安沣人的口味，更重要的是，只有这个大气的名字，才配得上安沣一号地王！

安沣这边的事安排妥当，顾忱需要返京安排设计单位进行规划设计。临行前顾忱与孙大盛去老夫子办公室，三人也商定在同等条件下施工交给孙大盛来干。午饭后两人起程，顾忱惊奇的发现晴晴赫然又出现在孙大盛车里。孙大盛却不愿再跟她一车，而是坐到顾忱车上。顾忱问他晴晴的纠缠是如何摆平的？孙大盛却苦笑："摆平？奶奶的，是她摆平老子了！老子现在是拿她没办法，只好好言安抚，答应继续请她作秘书，月薪一万五，另外等到安沣项目完成后再送她一套不小于一百四十平方米的房子。"

顾忱大笑，"她不是说再也不相信你的承诺了吗？"

"妈的，她逼着老子跟她签了一份协议，所有这一切都白纸黑字写在纸上了，唉——我算是被她套进去了，女人啊……"

中午的阳光很刺眼，孙大盛嘟囔着骂了晴晴几句，靠在座椅上睡着。身后距离第一城越来越远，但距离顾忱心中的目标却越来越近，第一城，顾忱反复默念着这个名字，第一城，是自己的第一城吗？为什么触及到自己梦寐以求的理想时，却发现自己漏掉了些什么？申扬……顾忱默念着酒醉

那晚呼唤过无数次的名字，申扬，你在哪里？

申扬正在发呆。

该死的顾忱，竟真的一个字都没给自己回复，那天上了车，申扬立即开始后悔自己为什么突然决定返京。其实想想那晚顾忱的话，任何一个男人也都会这样说，如果顾忱不是一个以事业为重的男人，自己还会对他这么动心吗？申扬侧脸看着后视镜，决定只要一看见他的影子，就立即吩咐司机停车，但……这该死的人，竟真的不来追自己吗？看不见酒店了，申扬才发现自己的眼泪不争气的流了下来，狠狠关掉手机，“顾忱，这辈子都别想让我理你！”

司机头一次见大小姐流眼泪，吓得一句话不敢说，申扬沉默一路，回家又沉默的钻进自己卧室，晚上申笃寅回来后竟不知女儿已经回家，等到第二天早起刚想去公司，竟发现宝贝女儿从自己房间穿戴整齐出来，只是两眼都是红肿。申笃寅吓了一跳，却知道自己不该问，小心翼翼说：“穿这么整齐，去哪里呀？”

“跟您去上班。”申扬淡淡的说，“您不是让我多去公司学点东西吗？”

“是不是顾忱那小子给你气受了？要不要老爸替你收拾他？”申笃寅和女儿坐在后座上，一路察言观色，终于还是忍不住小声问。

“他？就他也有本事能给我气受？”申扬哼了一声，眼睛却又潮湿了，不自觉把身体靠在父亲身上。

“乖，跟老爸说说……”申笃寅轻轻抚着女儿后背，申扬与顾忱在安沣市的状况，他早看在眼里。“小顾这孩子……”

“都说了跟他没关系！”申扬转过脸去。申笃寅不敢再说话，过了一会儿，申扬却自己说：“爸，你说……一个男人是事业重要还是爱情重要？”

申笃寅笑了，沉吟了一下，却说：“顾忱回来没？”

申扬摇头。

“等他回来，你请他来见我，我有事找他。”

“别理他，我可不想见他。”

申笃寅笑了，“我找他，是想跟他说些项目的事，再说，咱们安沣的项目毕竟是他介绍的，咱们表示感谢才对嘛。”

“好吧，哼，但我不会理他！”申扬狠狠点头，眼睛里却充满了期待。

申笃寅慈爱的看着女儿，会心的一笑……

顾忱返京第一件事，是找到白崇洗签了协议。白崇洗详细问了一下顾忱项目的进展，当听说食堂一事时，不禁摇摇头，“顾忱啊，你现在是身处一个陌生的环境，面对一群各怀鬼胎的人，推进一个勉为其难的项目，再加上这段时间北京的房地产市场阴云密布，申笃寅预测的拐点说不定就要成为现实，小心，一切小心行事，不行就再等等看，千万别盲目求成。”

顾忱表面答应，心里却想，项目已是箭在弦上不得不发，只有靠时间赢得胜利，无论市场是否变化，只有赶在变天之前启动项目才能做到最大程度的安全。从白崇洗办公室出来，他又赶去设计院，谈定规划设计事宜。那边丁铭打电话过来，说一切顺利，合资公司的名称已经核准，验资报告也已完成，工商、税务、银行各个单位一路绿灯，再过三五个工作日，就能拿到营业执照了。老夫子也打过电话，说食堂今天已经安排拆迁队伍进场。一切都在按照计划推进。那么从容有序，好像从春季过渡到夏天那样符合自然规律，顾忱不知道，老夫子不知道，甚至白崇洗和申笃寅这样的大佬也无法未卜先知的是，中国的房地产市场，正在演绎着一场前所未有的风暴……

北京市四环内商品住宅均价创纪录达到有史以来最高点：一万二千元。市中心个别豪宅卖到每平方米十万以上竟然一房难求！春夏之交季节，干燥的北京城随处弥漫着房价上涨的炽热，所有售楼处被举着钞票的购房者包围，大多数开发商却捂盘不放，等待着价格的进一步推高。市场上那只无形的手，就是开发商们的自信。有人预期房价会在年底前再翻一倍，已经有房子的人仍然努力抢购更多的房子，从天南海北赶到北京的购房者充满了大街小巷，山西来的煤老板们拿不到地，便将买地的钱全部用作买房子。没有房子的人心急如焚，生怕等待自己的是更高不可及的房价。城市疯狂了，无论是上万块钱一桌的盛宴还是平头百姓的餐桌，流转

的话题只有一个：房价！

北京人的见面问候语渐渐汇拢成一句："今天，您买房了吗？"

开发商们在笑，地价不断被刷新，地王层出不穷，两个月前白崇洗与申笃寅联合拿获的六十九号地块，两个月后竟变成不可思议的价。孙大盛近日来变得大方极了，不再像往常那样用鼻孔瞪人，有一天，倪枫在电话里告诉他安沣近来房价也在疯涨，一个月上涨了百分之十！孙大盛心里乐开了花，放下倪枫的电话就打给顾忱，拼命夸顾忱有眼光，说哥哥好几天没见你了真想你啊，今晚要不让哥哥请你一次？我刚刚包了个小姑娘，外企白领呢，长相身段气质一流讲一口流利的英语素质特高，要不要哥带给你认识一下……顾忱这两天忙于确定规划方案，哪里有心情跟他胡闹，市场越好越疯狂，顾忱就越想加快开发进度，坚决拒绝了孙大盛的盛情。

孙大盛满心欢喜却不知往何处释放，哈蜜这几天外出拍戏，外企白领也没在身边，孙大盛坐在办公室里想着，晴晴却一身正装推门进来低头给他倒水，晴晴自打上次跟着孙大盛回来后跟换了个人似的，努力表现出自己的职业风范，每天准时上班准时下班，只要孙大盛在公司，准保低眉顺目不吭一声，也绝对不再轻举妄动，真把自己当秘书了。只是孙大盛这些天每天跟倪枫电话传情，晚上又要约会外企白领，抽空还要对付那千娇百媚的哈蜜，哪里还有精力睁眼瞧晴晴？但此刻孙大盛欣喜之下，再加上很多天没碰晴晴了，看到晴晴，孙大盛忽然觉着她原来跟那几个女孩比着也不是太差嘛！怎么自己就把她给忘了呢？晴晴倒完水刚要转身，却冷不防被孙大盛一把拽到腿上，还没反应过来，孙大盛的手已经深入到晴晴早时刻准备着的区域，被冷落许久的晴晴顿时心花怒放激动得眼泪飞奔而出在孙大盛腿上左右摇晃犹如一朵摇曳在春风里的月季花，身子一软，手一松，手里拿的一个水壶坠落在地面"啪"一声化为碎片……

扔下还在娇喘吁吁的晴晴孙大盛意犹未尽，突然想起来刚认识晴晴那会儿的柔情蜜意，又想起这段时间对她的冷漠，心里一软，突然升起一个念头，于是穿戴整齐独自出门……一个小时以后，晴晴正在清理地上的瓷片，孙大盛兴冲冲回来，晴晴回头一看，顿时激动得热泪哗啦啦哗啦啦流啊流……一个健步扑到孙大盛怀里眼泪鼻涕口水把他领带弄了个一塌糊涂，孙大盛却笑呵呵毫不在意，把手里盒子递给她——一个LV手包。看着晴晴如饿虎扑食一般撕开纸盒叼出手包又用虎爪扯开拉链，发出一声咆哮，孙大盛得意的笑，爽到了极点！

晴晴不知道的是，孙大盛宝马的后备箱里，还放着另外三个同样包装的盒子，一个，是倪枫的，一个，是哈蜜的，一个，是外企白领的……

合资公司挂牌日期由于顾忱忙于规划设计一推再推，终于定在下周，是由于顾忱想在挂牌那天隆重推出安沣第一城的规划效果图，作为第一城的闪耀亮相。场地整理好，地勘报告也出来，别墅装修也由原定两个月的工期缩短到一个半月赶在合资公司挂牌的日子竣工。这样一来，万事俱备，只等顾忱拿着规划设计方案返回安沣，推进下一步的具体工作。

搞定容积率提高一事，这些天顾忱跟刘连保持热线联系，刘连也预先跟规划局打过招呼，老夫子也配合在底下做了大量工作，顾忱也亲自给卫彬打过电话进行试探，卫彬的回答使顾忱心里更有了底：只要是有利于城市形象，有利于提高土地利用效率，有利于展示第一城作为全市重点招商引资项目的风采，只要是不违反原则的事，原则上，都是大力支持的！因此，顾忱针对两个容积率分别做了两套规划方案，按照2.0做的方案中，大部分是多层和部分小高层，外立面也非常普通，但在2.5方案中，全是外立面新颖时尚的高层建筑，耸立在周围一片低矮的老旧楼房中，绝对鹤立鸡群！顾忱把两套方案同时拿给白崇洗看，白崇洗一看就笑了，说你小子真他妈的狡猾大大的！随便找谁看，只要是眼睛不瞎，都会觉得2.5的好看很多，就算本来不想同意提高容积率的人，看到这两套对比方案，也绝对没话说了！你小子要放在我那个年代，一定比我还厉害！不过，白崇洗话锋一转，提醒顾忱要认真研究市场，白石集团两个项目这段时间销售过于火爆，有些客户甚至千方百计请售房员吃饭也是为了提前拿到房号，白崇洗说："妈的，这种现象是绝对不正常的，房子卖得越火，我心里就越没底，申笃寅也跟我有同感，不过现在报纸上网上骂他骂成一片汪洋大海，纷纷指责他前段时间的拐点论是蛊惑人心是妖言惑众是另有所图，是为了低价拿地使出的奸商伎俩，所以他也只好三缄其口，再也不敢多说什么，但私

下跟我沟通的结果，是我们都想放缓六十九号地的开发速度，走得太快了，怕闪着腰啊。

“对了。”白崇洗突然想起一件事，诡秘的笑问顾忱，“申总没找你吗？”

“找我？”顾忱摇头，“他找我做什么？”原来，那天申笃寅让申扬请顾忱来见自己，申扬回到公司刚想给顾忱打电话，申笃寅却又让她等等再联系顾忱，申扬不解，问父亲为什么，申笃寅笑着打趣：“他小子刚惹了你，总要晾他一段时间，要不我的宝贝女儿也太不矜持了。”申笃寅话锋又一转，深沉的说道：“刚才的理由，是爸爸为你着想，另一个理由嘛……我找他的目的，是想跟他沟通一下市场的感觉，但这个感觉，我自己也还没找到，姑且等等再说。”申扬乖乖听话，强忍着不去想顾忱，却每天都要想他千百遍，每天都在心里骂这该死的顾忱竟然一次都不跟自己联系，越想，越骂，思念，却越浓……

但是前天申笃寅与白崇洗通电话时，却似曾有意问道顾忱在干什么，白崇洗回答说这小子很久都没跟我联系了，等到需要我，自然会跟我联系。

今天顾忱来找白崇洗，白崇洗便忽然想起申笃寅问及顾忱，笑着上下打量顾忱一番，意味深长说：“你小子也就穷光蛋一个，可我还就把你当兄弟，申笃寅看人一向更为精准，却怎么也和他那宝贝女儿一样，都对你青睐有加，你小子到底有什么魔力？对了，申小姐你们俩近来怎么样了？”

顾忱脸一红，忙假装换了话题敷衍过去，心里却柔情荡漾，这些天每天忙项目的事，晚上却无比的孤独，几乎每个夜晚都会做梦，每次梦里，都是申扬的笑靥……每个早晨顾忱都用冷水狠狠浇自己的头，拼命想把这份莫名的思念冲走，顾忱知道自己不可救药的喜欢上了这个女孩，但理智又告诉自己申笃寅的唯一千金怎么可能跟自己……曾经经历过的伤，不能再一次伤着自己了。但不知怎么的，越是不想想她，思念，却越浓……

终于有一天申扬给顾忱打电话。那天下午，顾忱刚好从设计院出来，坐进车里，却有种莫名的情绪袭来，拿出手机调出申扬的名字，顾忱看着这个温暖的名字轻轻用手指抚摩，屏幕上申扬的名字轻轻一跳，顾忱一怔，下意识按下去。

申扬下午去申笃寅办公室，临走时申笃寅却叫住她，微笑道：“还记得上月爸爸跟你说顾忱那些话吗？”申扬脸微微一红，点头。“好，你请他来，我的感觉找到了。”于是申扬回到自己办公室，在顾忱的名字上拂拭良久，抑制心跳刚按下去，铃声还未响起，顾忱那边却已无声息。

顾忱眼睁睁看着屏幕，半天才反应过来是申扬打来的电话，心顿时有些急促，呆呆看着仍在跳动着的申扬的名字，耳朵里却除了心跳，没有听到手机的响铃。

申扬同样如此，呆呆看着顾忱的名字，半天终于反应过来顾忱竟早已接通，两个人同时举着手机，却说不出一句话，听到的心跳，是自己，还是对方？

“喂……”顾忱先开口。

“你！”申扬想起来顾忱的冷漠心里就生气，忍不住又想恶狠狠痛骂他一顿，但刚说完一个“你”，眼睛竟湿润了，语气也有些哽咽，“……在哪儿？”

“在车里。”顾忱傻傻的说。

两个人同时呆了一下，同时笑了。

“我问你是不是在北京，傻瓜！”

“在，一直在。”

“在？那你为什么不找我？！”申扬口气又变得特凶。

“我……”顾忱语塞，心里却大声说：“我不敢。”

“我爸爸找你，过来。”

“哪儿？”

“公司啊，笨蛋！还能请你这个大色狼来我家吗？！”申扬突然想起那些骂顾忱大色狼大流氓的场景，顿时咯咯笑得不亦乐乎。

顾忱被她的一会儿柔情一会儿娇羞一会儿刁蛮弄得头又大了几分，嘴变得笨拙无比，心里奇怪为什么自己一向头脑敏捷能说会道却每次在申扬面前变得比猪还笨？脚下却兴奋的踩下油门，向着笃寅大厦欢驰而去……

笃寅大厦位于东三环边上，楼不高不大更不气派，却是世界顶级名师设计，全灰色的石材外墙勾勒出简洁线条，看似平凡，却超越平凡，平淡如水，却暗合玄机，正如它的主人，内敛，淡然，却蕴涵巨大能量。

这幢大厦的土地是三年前申笃寅拍得，规划时，申笃寅却将原定容积率砍掉大半，将一座原本可以建成三十九层近八万平方米的大厦压缩成十六层三万平方米的一栋小楼。在北京繁华商务区，降低容积率比提高容积率更难！当时所有人说申笃寅简直是疯了，人家花钱找人是为了提高容积率，他竟然降低容积率，同区域写字楼的均价是三万一平方米，他砍掉五万平方米，直接经济损失就高达十五亿！申笃寅真是疯了。但申笃寅却淡然一笑，说："这楼本就是我自己作为总部办公之用，从来没想过对外出售或出租，因此价格高低跟我没关系。笃寅集团就这么多人，楼建得太大反而是极大的浪费，于社会无利，与己无利的事，何必去做？"

此楼建成，本来应该在一片高楼大厦包围中应像是大树下的一根小草，但不知为何，却毫不逊色于周边高楼，从三环看下去，任何人第一眼见到的建筑，不是国贸三期，不是央视大楼，而是笃寅集团这栋外表平凡的灰色小楼！用鹤立鸡群形容它，一点不为过。

事后有人评价：笃寅这栋楼，足够申笃寅一直用下去，等到若干年后周边大楼的时尚外墙褪色后，它照样历久弥新毫不逊色，绝对经得起时间的考验。申笃寅不去考虑卖或租它，是为了独享繁华商务中心的清净，敢问北京有谁有这份雅致？况且减少面积又能节省一大笔建设费用。再假设说，哪一天申笃寅想卖掉它，这块土地照样值钱，接手人大不了拆掉大楼原地重建，申笃寅卖楼卖地的钱，绝对不低于降低容积率之前的回报。

申笃寅的哲学，在这座大楼上得到绝佳体现。

顾忱车进笃寅集团大门，刚摇下窗户，门卫已经上前客气的说："顾先生请进，大门前已经给您预留了车位。"栏杆升起，顾忱往大门去，门前只划了寥寥几个车位，顾忱一眼便看出那部外表内敛的奥迪A8一定是申笃寅的座驾，而旁边一辆奔驰一辆宝马倒极有可能是他副总的用车，几部轿车边上，还停着辆红色的双门版牧马人，"这一定是申扬的车。"顾忱把车停在牧马人边上，探头看着车里塞满的毛绒玩具，想起自己停在车库里很久的那辆牧马人，顾忱心里顿时一股暖意，开牧马人的，都是向往自由热爱生活的人。

"喂……看什么看？"

顾忱回头，申扬正双手环抱瞪着他笑，一个月没见，申扬换了发型，头上别了五六个五彩斑斓的卡子，上身一件套头的纯棉T恤，下身牛仔短裤和黄色牛皮短靴，好像刚驾着牧马人从草原上归来。

“太荣幸了，申大小姐竟然亲自下楼接我？”顾忱打趣她。

“想得怪美！”申扬瞪他一眼，“我是回车上拿东西的！”申扬打开车门弯腰取出一个军绿色的行囊，吹了声口哨，“爸爸在楼上等你呢。”

顾忱伸手想去帮她拿包，正好迎面过来一人，申扬侧过身子躲开顾忱的殷勤，将包凌空掷向那人，那人刚接过包，申扬已亲热地上去挽住他的胳膊，扭头对顾忱得意地说：“这是我男朋友！”

顾忱的脚步一下停顿，心跳也好像瞬间停顿，呆呆看着那人，果然是一个二十出头的帅小伙儿，短发，黑脸庞，白色T恤和蓝色仔裤，脚上也是一双黄色的牛皮短靴，两人站在一起宛如情侣。

“我们前两天去大草原玩了，还露营了一宿，是不是？”申扬拍拍男孩手里的包，推了他一把。那男孩马上点头，笑容绽放。

顾忱头晕了一下，只记得自己茫然的傻傻的冲那男孩笑，男孩又开口说话，顾忱却什么都没听见，只记得申扬亲昵的挽着男孩胳膊转身进门，自己机械的跟着他们，直到面前出现申笃寅的脸，才有些清醒过来。

申笃寅微笑，却只是淡淡点头，请顾忱坐下。

申笃寅的办公室最多只有白崇洗一半大，白崇洗的窗户正对脚下的车水马龙，申笃寅面对的却是看不见CBD的一面，房间里很幽静，茶几上有泡好的茶。

身后门轻轻关闭，那声音，却有如巨雷将顾忱惊醒，他回头看，除了紧紧关闭的门，已经没有申扬的影子。顾忱心一阵刺痛，却强打精神笑对申笃寅。中国房地产市场一向莫测的大人物就坐在对面，并且是二人独处，顾忱心里开始有些紧张，刚才的痛楚，隐约退了下去。

“顾总……”

“申总，不敢当，您叫我小顾吧。”

“好。”申笃寅和蔼的笑，“安沣项目进展如何？”

顾忱打起精神，简略诉说了项目进展，心中却暗自揣摩申笃寅请自己

的用意，难道仅仅是打听下安沣市场吗？那里有马大帅在，更何况，双方迟早会在安沣市场上短兵相接，迟早，会是对手。

“小顾啊，先喝口茶，这茶是扬扬从安山带给我的，是她跑到高山茶场从茶农手里直接买到的，味道虽然一般，但却少了许多商气和造作，多了几分野趣与纯粹。”

喝茶竟然也能品出这么多道道，顾忱大感佩服，抿一口茶入嘴，紧张的感觉也消失不少。

“小顾，你对市场前景如何看？”申笃寅淡淡说。

顾忱刚想张口，申笃寅却又说：“只说你最直观的感受，有信心，还是无信心？”

“有。”

申笃寅转眼看一眼窗外，“坐在我办公室，只能看到小半个北京城，坐在白总办公室，能看到大半个北京城，小顾，坐在你办公室，能看到多少北京城？”

“我……”顾忱正想说自己办公室就在白石集团。申笃寅却一笑，道：“小顾，你不是白石集团的股东，是吗？”

顾忱一惊，静听他继续说什么。

“别在意，我只是揣测罢了，你在安沣项目的经过我虽然只是听马总和扬扬偶尔提及，但依我判断，你的项目，与白总关系并不大，我猜的，确实吗？”申笃寅淡淡目光好似行云流水，在顾忱看来，却宛如刀锋！

“你放心，是与不是，与我无关，我自己的揣测，也不会告诉别人，更不会……告诉扬扬。”申笃寅抿一口茶，点点头，“我本来只是随意猜猜，刚才看你表情，便印证了自己的判断。”申笃寅放下茶杯，竟不再提这件事。顾忱后背冷汗直冒，心想我一向自以为沉着老练，哪里想到在申笃寅面前竟像是一个赤裸的孩子，此人智慧深不可测！

“我不是白石集团的股东，安沣项目，是我自己在做。”不知为什么，顾忱脱口而出，这个隐瞒了所有人的包袱突然卸去，顾忱顿时有种坦荡荡的感觉。申笃寅的眼中，有一种他信任的东西。

“好。”申笃寅欣慰的笑，“你如果刚才这句话是否认我的判断，此刻，我们的谈话已经结束了。”

顾忱又一惊，看着申笃寅。

申笃寅的笑容现在变得很亲切，有些长辈的味道，顾忱忽然有些感动，眼前这个威名赫赫的长者，竟然会有如此温暖的犹如父亲般的目光。

“我看人，很少会看错。”申笃寅自信一笑，语气忽然又深沉下来，“你现在可以问我，我一生中最重要的是什么？”

顾忱愣了一下，迟疑的问：“申总，您一生，最重要的是什么？”

“爱，我对女儿的爱。”

顾忱突然感到心中某种东西被触动，呆呆看着申笃寅。

“你如果再要问我，如果必须要我在事业和女儿之间选择其一，我会选择什么？这一次，由你来回答。”

“女儿！”顾忱毫不犹豫的回答。

“是。”申笃寅轻轻说：“即使让我回到从前，让我一名不文，让我穷困潦倒，让我身败名裂，只有女儿陪着我，我便什么都不惧。因为只有这份爱，才是一生中真正有价值的东西。小顾，如果你在事业和感情之间进行选择，你会选择哪一方？”

顾忱低下头，“不知道。”

申笃寅点点头，“你印证了我的第二个判断，你是个诚实的人。你之所以不知道，是因为你现在一无所有。”

顾忱猛抬头。

“人之所以要选择，前提是因为他有选择。而你，之所以无法选择，是因为你一无所有。如果我现在问你，要爱情还是要事业，你一定会说两个都要，但当你两样都拥有时，答案，却只能有一个。”

顾忱茫然点头。申笃寅又笑：“所以，你现在不但不用回答，就连我的问题都不必听懂。”

“是，我听不懂您的话。”顾忱老实回答。

“好，这个问题，咱们也跳过。下面，说第三件事，也就是我问的第一个问题。”

“坐在我办公室，也能够看到大半个北京城。”顾忱想起申笃寅的第一

个问题尚未回答。

“我却看不到，你能说我不如你看得清楚吗？”

“不能。”

“为什么？”

“因为……”顾忱张口结舌，不知怎么去回答。

“因为，看到的，未必是真，真的，未必让你看到。”

“您的意思是……”

“市场有些变化，我们都没看到，今天请你来，问你对市场有信心无，你说有，而依照你的计划，项目也应该在三个月内开工，五个月内销售？”

“是。”

“从北京开车到安沣，需要几个小时？”

“四个。”

申笃寅淡淡一笑，“你开什么车？”

“宝马7。”

“如果是一辆时速不到七十公里的破车呢？”

“差不多要九个小时。”

“如果你开着宝马，中途却没有了油，也没有人帮你，何时能到达？”

顾忱苦笑，“无法到达。”

“那你……有足够的油吗？”

顾忱又一次不知如何回答。

“所以说，当市场好时，开破车一样能够到达目的地，市场不好时，你可能要换作快车，但不要忘记，无论破车快车，当你没油时，结果是一样的，就是都到不了。”

顾忱有些听懂了，“您说，油可能会没？”

申笃寅点点头，“我和白总也沟通过，这正是我们的担心。安沣那边的公司马总正在抓紧注册，资金也会如期就位，否则我们就违约了。但项目进度嘛……我已暂时推迟，此外北京六十九号地块，我正要和白总商议，看是否也等等再看。”

顾忱大吃一惊，“市场真会变得如此严峻？”

“我不知，但我有油，充足的油，所以我能等。而你则要三思而后行。”

顾忱点头，申笃寅每句话重重压在他心头。“我会，但仍会尽快推进项目。”

“换作我，也会这样做。但切忌被晴朗的天空所迷惑，目前的价格飞涨，也许是暴风雨来临前的最后一顿盛宴。表面的价格，只是虚荣表象，不要过于在意利润，安全，平安到达，才是关键。”

“是。”

“刚才问你进度，以你效率，应该不过一月就可破土，其中有什么需要解决吗？”

顾忱犹豫了一下，还是照实说：“我想提高容积率。”

“哦。”申笃寅皱眉，“这需要做大量工作，但以我经验，安沣这样的市场恐怕很难接受高层建筑。”

“市场可以引导。”

“但时间才是你的关键。调整容积率我不赞成，但这是你的决定，我不好多说，只是提醒你切切注意安全。”

“是。”

“最后一个问题，”申笃寅笑，“愿意陪我这老头子吃饭吗？”

晚餐在笃寅大厦一层餐厅的小包房里，申笃寅没有叫申扬，仍是他们两个人。能够有机会跟申笃寅单独吃饭的年轻人不多，顾忱强忍内心失落暗暗下决心忘记申扬，认真倾听申笃寅的话语，局促感消除后，也渐渐进入状态，两人谈兴大发，天南海北聊得甚是投机，只是再没对安沣项目提及一字。申笃寅从顾忱身上看到了自己曾经的影子，顾忱也暗想如果想拥有申笃寅一样的未来，首先要先学会他那种从容淡定气定神闲的大将风度。二人本来就互有好感此刻更是惺惺相惜，虽然只有清茶没有酒，但兴致却愈来愈浓，等到发现茶早已无味，竟已是深夜十点。申笃寅起身道：“我每天准时十一点半上床，早上五点起床，要回去了。以后随时欢迎你来找我聊天，安沣项目需要我出主意的，尽管开口，另外什么时间回安沣，你们俩自己商量。”

“我们？”顾忱一愣。

申笃寅奇怪道："你不是近期去安沣，扬扬正好也要去，你们不正好同路吗？"

顾忱心底涌起一阵酸楚，笑着点头答应。申笃寅上楼去办公室取包，两人在大厅告别，顾忱独自出门，停车位只剩下自己的车跟申笃寅那辆奥迪，奥迪中已有司机在候着。顾忱上车前，仍是情不自禁四周看一眼，希望能看到那辆红色牧马人的影子，结果却令自己失望，今天能有幸听取申笃寅的真经实在难得，但却无法弥补心里巨大的失落。顾忱茫然上车，刚要发动，前排另侧车门却被人一把拉开，闪进来一个身影，没等看清，却听见一片清脆的笑声。申扬跳进车里对着顾忱猛笑，"你们真能说，害我等到这么晚！我还饿着呢！"

顾忱一下愣了，不知如何反应。

"走，请我去簋街，我知道有家跳跳虾做得特地道。"

"我……我要回家去……太……晚了吧？"顾忱结结巴巴道。

申扬一脸不容推辞，"不行，你回来这么长时间不理人家，还不请我吃夜宵？"

"不怕你男朋友吃醋？"

申扬眼睛滴溜一转，笑道："不怕，只要不夜不归宿就行！"

顾忱心里好像被打翻五味瓶，难受极了，正想拒绝，申扬却娇声道："人家都快饿死了，求求你，请我吃点东西吧……"

顾忱心里暗叹口气，知道自己永远拿申扬没办法，只得老实遵命。

一路上申扬唧唧喳喳，顾忱支支唔唔疲于应付，有申扬在身边，顾忱感觉甜蜜，同时失落感也更强烈，申扬查看他的表情，得意的笑，更眉飞色舞诉说自己跟男朋友去草原露营的经历。到了酒楼，申扬给自己要了菜，顾忱却什么都吃不下，自顾要了一瓶二锅头听着申扬的继续唠叨闷头喝酒，等到替申扬结账出门，顾忱竟感觉自己有些醉了。刚才那瓶五十六度的二锅头，也不知什么时候被自己独自喝光了。

申扬挽着顾忱胳膊笑着问："晚上的菜好吃吗？"

"好吃。"

"骗子！"申扬伸手刮了下他鼻子，"你整个晚上一筷子都没动，只顾自己喝酒，没半点绅士风度，不行，这顿不算，陪我去个地方。”

顾忱低头看表，却险些一头撞树上，申扬拉着他闪过，却笑着从顾忱口袋里摸出车钥匙，“喝多了吧，我开车。”

“不行，太晚了，我送你回家。”顾忱去抢钥匙，却被申扬轻易闪过，顾忱只好投降，主动坐进副驾驶座。申扬钻到驾驶座上发动汽车，更是得意，“你喝了一斤酒还要开车，醉酒驾驶要被拘留的，所以嘛，今天只好我开车了。”

申扬纤细的身子开着硕大的宝马7，实在有些比例失调。但申扬开得却非常娴熟，边开边侧脸笑，“上次我帮你停车没留意，这回感觉出来了。”

“什么？”

申扬神秘的笑，“你这760好像有问题……”

顾忱本来酒意上头有些昏昏沉沉，被她这句话却惊醒，“什么问题？”

“公司那几辆车我都开过，你这车一点劲儿都没有，肯定不是760！怎么样？从实招来！”

顾忱对这个小丫头的古怪精灵早已俯首称臣，但事关面子问题，脸再红，嘴却不能松。见顾忱坚持说就是760，申扬哼了一声，说：“我最不喜欢不诚实的人。”

顾忱也来气了，“你喜不喜欢关我什么事，你回家去，我自己回家。”

申扬瞪他一眼，想还击，见顾忱真生气了，却软了下来，于是住嘴认真开车，顾忱听不到她的还嘴，头脑又陷入一片混沌之中，两边街灯渐渐连成一条亮线，渐渐的，亮线消失，一片黑暗……

顾忱再一次看到亮光时，却吓了一跳：自己竟躺在一个陌生的环境。顾忱发了一下呆，头脑中回闪过昨晚的情景，从床上坐起身，发现自己竟然是和衣躺在一张大床上。房间的布置看上去应该是一家酒店。看表，已经是上午九点。

自己这是在哪里？昨晚发生什么事情了？申扬呢？

顾忱抓起床头柜上的服务卡，才知道自己身处东二环的一家宾馆。

自己是怎么进来的？

顾忱抓起手机打给申扬，申扬马上接了，“你醒了？”

“昨晚是怎么回事？”

申扬又是咯咯笑……原来，昨晚申扬本来是想带他去找个酒吧坐坐，哪知顾忱坐进车里不到十分钟后竟呼呼大睡，申扬急忙推醒他，顾忱已经快进入迷醉状态，被喊醒后意识已经非常模糊，连自己住哪儿都说不清了，申扬无奈，只得就近停车跑进一家宾馆开了房，又回车上拼命推醒他，搀着一个醉鬼进房，顾忱还存有一丝意识，一路上还执意谢绝申扬的搀扶非得自己走，磕磕绊绊进入电梯又扶着墙走进房间，竟然用去十分钟。顾忱进房倒在床上，申扬给他热水泡茶，刚想扶他起来喝水，顾忱又醒过来，极为不好意思的把申扬送出门外，说我没醉你走吧……申扬被他用力推出去，再敲门，里面却没了声息。只好独自开着顾忱的车回家，一整夜申扬不停给他打电话，但顾忱始终不接，熬到天亮申扬才昏昏睡去，结果刚睡一会儿，顾忱的电话就来了。

申扬所说的一切，顾忱竟然没有一点印象。其实，申扬还有一点没有告诉他：从下车开始顾忱就开始喊申扬的名字，极为动情，极为温柔，进到房间，申扬终于克制不住自己的感情轻轻吻了一下顾忱，但此刻顾忱却突然清醒过来，见到是申扬，连连说我没醉把她推了出去……顾忱第二次的喃喃醉语，终于突破了申扬的感情防线，申扬那轻轻一吻，却是对自己选择的有力证明。

申扬知道自己真的爱上了顾忱。

打完电话顾忱去冲澡，申扬开车过来接他。再次见面顾忱有些尴尬，说昨晚我没说什么吧？申扬今天穿得特女人，一点也不像昨天那个飞扬跋扈的牛仔，轻轻摇头，“没有。”

顾忱放下心来，一时却不知该说什么好。

申扬也低头不语，清晨的时光静静从两人手边溜走。

申扬抬头，认真看着顾忱，“你真的忘记你昨晚说的话吗？”

“你不是说我没说什么吗？”

“你……”申扬忽然脸红了，把手中车钥匙给顾忱，“该你送我去公司了。”

上了车，顾忱向申扬道谢，还要把房钱还给她，申扬气得转过脸去不理他， 顾忱自讨无趣，只得赔着笑脸道：“好了，那我什么时候认真请你吃饭好吗？对了，你父亲说你也要去安沣，你……是一个人吗？”

“我不去，马总在那边已经注册好公司，土地安排下月挂牌，爸爸说开发的进度要适当推迟，所以，我没必要去了。”

顾忱点点头，“好。”

看顾忱的表情，真把自己当成商场上一普通朋友了，申扬心里又伤心又懊恼又气愤，但想一想顾忱之所以这样，也是昨天自己那句故意气他而开的玩笑话，哪知这笨蛋竟当了真！但顾忱这种态度，申扬仔细想一想又有些高兴，这不正说明顾忱在乎自己吗？申扬一颗小女生的心灵绕了千百结，想告诉他实话，但又不好意思，但再不说，岂不是更尴尬？

正想着，车开进笃寅集团大门，申扬心乱如麻，越想越郁闷无比，见顾忱仍旧波澜不惊，气得想给自己一巴掌，也想给这不解风情的笨蛋一巴掌，顾忱却停了车，客客气气说一声：“申小姐你到了，请下车。”

“要不要去我办公室坐一会儿。”申扬依依不舍。

“不客气了。”顾忱看着那辆红色牧马人又停在原处，车上下来昨天那小伙子，正笑着迎向申扬，心里苦水又翻涌而起，这样的场景越看越让自己伤心，索性快走。于是冲申扬点点头，踩下油门就走。

申扬呆呆望着顾忱绝尘而去，强忍住眼泪想转身，那小伙儿却亲热的上前想替她拿包，却被申扬一把推开，冲他一跺脚，“都是你！”

小伙子傻了，不明白她为什么发火。申扬却已转身上楼去。

这个小伙子，就是童石。

自打申扬痛扁老大后，童石便下决心不再做贼。但“动感地带”为首的大哥哪里能放他走，说你的身份证在我手上，哪里也去不成，咱们在香港是黑户，离开我，你在香港非得饿死。但童石也是下定决心，一日正好在墙角找出一张申扬的名片，兴奋异常的童石照着名片上电话向申扬求助。于是半个月后童石就投奔了申扬，童石正好会开车，便成了申扬的司机。

昨天申扬纯粹为了气顾忱，骗说童石是自己男朋友，哪知顾忱信以为真，刚刚冒出嫩芽的爱情迅速凋零。申扬回到自己办公室，越想越难受，有心找顾忱澄清，却又放不下女孩的面子，一时间愁肠百结，没了主意……

申笃寅这时却推门进来，见宝贝女儿正发呆，笑了，小声问：“怎么？顾忱又让你不高兴了？”

申扬眼圈顿时又红了。申笃寅说：“这小子挺不错的，老马办事少了他一份机智，你去安沣，应多跟顾忱学学。”

“谁说要去安沣了？我不去！”

“咦？你这小丫头，安沣公司你是法人代表，怎么能说不去就不去呢？一定又是顾忱气你了，好说，老爸打电话叫他过来……”申笃寅假装拿出手机，申扬却一把夺了过去，“别理他，永远都别理他！”

申笃寅把女儿搂怀里好言抚慰，弄明白了原委，不禁大乐，说：“扬扬，这就是你不对了，人家顾忱知道你有男朋友后跟你保持疏远，正说明他为人正派，他越是对你冷漠，越能证明他心里有你。你该主动去跟人家澄清才是啊……要不要，老爸去替你……”

“不要！”其实申扬也知道这次误会是因自己而起，想起顾忱一副怅然若失的表情，扑哧一声乐了，但转念又忆起昨晚顾忱酒后对自己深情的呼唤，眼圈又红了。申笃寅见她一时笑一时哭一时晴天一时雨，也忍不住笑了，正好秘书过来通报客人到，拍拍申扬肩膀申笃寅出去。父亲一走，申扬便抓起电话打给顾忱，顾忱正在设计院敲定最终方案等着打印，见是申扬电话，迟疑着未接，怎奈申扬很执著，铃声响个不停，只好接下。

“喂……在哪儿呢？”听她口气好像遇到了什么特开心的事。顾忱这两天一颗本来麻木的心灵被她整得极为敏感，生怕又有什么幺蛾子等着自己，犹豫着还没回答，申扬大声说：“我想过了，昨晚房费你还是要还给我的，毕竟八百块钱不是小数目，足够我吃好几顿跳跳虾了。”顾忱哭笑不得，申扬这个理由让自己完全没有回旋的余地，只好乖乖说好我还给你。“不成，还给我就完了？人情呢？我昨晚替你开房，又扛你进房，对了，还有酒后代驾，总要有辛苦费吧？”

顾忱心里猛叫苦，心想你这小丫头闲着没事整你男朋友玩去不行吗？非得跟我耗上？

申扬不容他插话，又道：“还有，我的身价你是知道的，陪你一小时至少要一万块钱，再加上辛苦费，算你一万五吧，你欠我那八百块钱就当零头抹了，你今天中午请我去吃一顿价值一万五的大餐，咱俩扯平从此各走各路两不相欠行还是不行……”

顾忱整个头被她整得发麻，除了连连点头说行丝毫没有抵抗的勇气。

“那你在哪儿？”申扬突然问。

“设计院……”顾忱脱口而出，说完才知道上了她的当！果然申扬在另一头笑得不亦乐乎，“哈哈……哪个设计院？”

事已至此，顾忱只好老实招来，半小时后，申扬神采飞扬的出现在顾忱身边，引得满屋子惊艳。顾忱只得把她介绍给朋友，“这位是申……”申扬却一把堵住他的嘴，满不在乎道：“我姓申，顾忱的哥们儿。”

顾忱怕她乱说，忙拉她坐下，申扬一眼看见旁边电脑里安沣第一城的效果图，又拉着顾忱给自己介绍。顾忱只好坐在电脑前一张一张给她看，申扬便大模大样一张一张的评价，顾忱这才发现她的确不愧得到申笃寅的单传，指点颇有见识，周围设计师听到这小丫头轻松指点江山全然不费吹灰之力，也大为佩服。有几处意见听得顾忱也暗自点头，决定再按照她的意见斟酌一下进行调整。但此时两套方案已在打印，只能等到随后修改。打印完后，设计师朋友又忙着覆膜贴板封边，申扬看完图纸坐回沙发上，得意的跷着二郎腿笑，“我这么辛苦来找你要钱，你总要给人家倒杯水吧？”顾忱苦笑，只得又过去给她倒水，屋里人大多认识顾忱，见今天突然降临一个漂亮小丫头让顾总服服帖帖的老实伺候着，大跌眼镜。顾忱脸上赔着笑，丝毫不敢怠慢这位命里注定的克星，在申扬面前，跟听话的小学生一个模样。

好容易等到设计师抱着几张效果图出来，顾忱接过图告辞，两人出门。

到楼下，顾忱手里捧着图板，只好麻烦申扬替自己开车门，申扬从他口袋里摸出钥匙，嘿嘿冷笑两声，却不开门。“姑奶奶您又有什么吩咐？”顾忱赶紧赔笑。

“我问你，你打出这些图纸，是要去安沣吗？”

“当然。”

“什么时候出发？”

“明天。”

“上午吗？”

“是。”

“带着我。”

“啊？”顾忱吓得手一软，图板险些散落一地，旁边却上来一人抢着替他扶住，顾忱正要说谢谢抬头一看，心里那份郁闷又冲上心头，这人，正笑着看着自己，正是申扬那位年轻英俊的男朋友！

“带不带？”申扬恶狠狠说。

顾忱为难的看了一眼她男朋友，无奈道：“行啊，您申小姐能坐我的车，是我的荣幸。”

申扬这才打开车门，那小伙子帮助顾忱将一沓图板放后座上，申扬对他说：“你跟着我们就行。”小伙子点头答应着离开。顾忱这时才看到那辆红色牧马人紧紧停在自己车后。上了车，顾忱叹口气，问道：“你明明带了男朋友，还上我车干嘛？”

“怎么？不行吗？”申扬猛乐，“我喜欢坐宝马行了吧？”

顾忱知道自己跟她讲道理绝对是费力不讨好，闭上嘴发动汽车，“您想去哪儿咱就去哪儿！您要咋的咱就咋的！”

“对——乖孩子，这才乖——”申扬伸出手轻轻抚摸顾忱的脸，突然想起昨晚偷偷亲他的情景，顿时脸又红了，侧过脸去不敢再说话。顾忱被她突如其来的娇羞给弄傻了，却又不敢吭声。申扬红晕消退，轻轻道：“咱们找个安静地方去吃饭好不好？”

“行，我找个仨人能吃一万五的地方去。”

“哈哈，逗你的，今天你请客，就花一千五吧，剩下的钱给我攒着。”

顾忱也乐了，申扬却打电话，“你回公司去吧，不用跟着我们了。”

红色牧马人掉头而去，顾忱有些奇怪，问：“不带你男朋友了？他要吃醋怎么样？”

申扬假装恶狠狠的怒视顾忱片刻，却忍不住笑，笑完又长叹口气，“唉——我终于知道世上还真有这么笨蛋的人。”

“谁呀？”

“你！”申扬伸出一根手指指在顾忱鼻子上，“你真笨！”

“为什么？”顾忱还是不明白。

申扬又叹口气，转过头去哼着歌，再也不理顾忱，顾忱问她几声仍不见回应，也只好莫名其妙开车，直奔自己熟悉的一家餐厅。

午餐时申扬只要了两个热菜和一份水果沙拉，整个中午东扯西拉不知所云，顾忱跟她在一起准保精神高度紧张也丝毫没有食欲，随时准备接受申扬的突然袭击，但今天中午申扬却格外不像申扬，一点没给顾忱难堪，顾忱倒有些不太习惯。埋罢单，两人一顿饭还没花到五百块钱，申扬笑嘻嘻伸手给顾忱，“拿来。”

“什么？”

“还剩下一万四千五百块钱。现金还是转账？”

顾忱笑了，明知她是开玩笑，却还是不知怎么回答。

“你真是笨死了。平时见你油嘴滑舌，为什么一见我就傻了？”

“我哪里知道？只要一见你我就紧张。”顾忱实话实说。

“哼……”申扬眼珠一转，笑道：“我问你个问题，你要认真回答，答对了这钱我就不要了。”

顾忱苦笑，“我还是给你吧。”

“不行！必须说……我问你，你真的不记得昨晚跟我说过什么吗？”

顾忱摇头。

“那我告诉你……”申扬狠狠瞪着顾忱，顾忱不知道她又要搞出什么鬼把戏，耳听得却是一个格外温柔的声音，“你昨晚……一直叫人家的名字……”

“名字？谁呀？”顾忱一愣。

“你……真是不可救药！”申扬脸通红，站起来往外走。顾忱呆了一下，突然反应过来，伸手去拉她，没想到竟一下把申扬拉进自己怀里，此刻餐厅还有客人，申扬满脸娇羞红着脸假装去推开顾忱，双手却好像没有半分力气。

人们开始注意到他们，有人开始笑，更多是善意的。

顾忱的机灵突然回归。笑嘻嘻把嘴凑申扬耳边问道：“不怕你男朋友吃醋吗？”

“去死！笨猪……人家是……骗你的……”申扬红着脸气若游丝。

“骗我什么？”顾忱心里豁然开朗，却仍假装木讷。

申扬又羞又气，恨不得一脚将他踢飞，但关注二人动作的观众越来越多，想走，却又被顾忱嬉皮笑脸扯住，申扬大急，只得咬牙切齿小声说：“那人……不是我男朋友，只是……”

“什么？”顾忱大声问，全场注目。

申扬脸红心跳手软脚麻眼前一黑，险些快晕倒过去，眼看一世英名即将栽在这顿不到五百块钱的饭上，下决心，一跺脚，壮起胆，大声说：“他不是我男朋友，只是个司机，好了吧？！”

旁边有人笑起来。顾忱得意松手，申扬一溜烟从大厅中冲出去，顾忱如同心里灌满了蜜汁，被突如其来的幸福迷得颠三倒四，悠然而出……

第十一章 登 高

第二天，马大帅见申扬和顾忱手牵手亲昵的一同出现在眼前，简直不敢相信自己的眼睛，心想笃寅集团与白石集团的合作真是突飞猛进又深入一层。上午申笃寅打电话来让他这段时间好好管住申扬，此时此刻，马大帅才领会到老板让自己管好申扬的意思。

下午申扬留下与马大帅谈工作，顾忱约老夫子一同前往工地，果然里面已经是平整一块，地勘已经完成，桩基方案也已确定，这两天请顾忱确定下桩基公司后便可进场打桩。合资公司注册事宜已办妥，选定这周五也就是四月十八日上午十点十八分准时举行隆重的挂牌仪式，给各部门和领导们的请柬也已发出，媒体也安排周到。

老夫子说："顾总啊，合资公司挂牌成立后，我的工作就算完成。"

"哪里？合资公司的运营还要靠您多多指导才是。"顾忱忙客气。两人又假意客气一番，商定由老夫子出面去将土地证直接办理到合资公司名下，解决了这件大事，老夫子的土地才算真正交到顾忱手上。老夫子说已经跟国土局一把手做过工作，本着特事特办原则，土地出让金仍延后缴纳，只是为了不太过违规，先要将土地契税缴清后才能办出土地证。顾忱心里默算一下，契税也不是什么大数目，遂点头同意。

现在只剩下最重要一件事，容积率。

老夫子说这件事我上下打探过，很难，只有靠你顾总亲自出马。

顾忱这趟行程最重要的目的就是容积率。容积率的账很清楚：

老夫子用土地跟顾忱合作，翻手已经赚到了一亿三千多万！再加上后期分红，整个项目算下来老夫子吃的是肉，顾忱只是喝了些粥！所以容积率提高势在必得，顾忱最初考虑拿项目时，也是依照提高容积率作为测算基础的。因为顾忱很自信，只要自己出马，一切都能摆平！

项目土地价格是一百一十万元每亩，总共二百三十三亩，土地成本是两亿五千六百三十万。

如果按照容积率为2.0计算，则能建成三十一万平方米。则土地折合成单方成本为八百二十五元，加上建筑费用和其他成本，单价差不多要两千二百元，总投资额为六点八亿。仅仅几个月前市场均价还在两千五百元每平方米，但现在已经涨到几乎三千元，按照这个价格计算，每平方米利润在八百元上下，项目总利润就差不多达到两亿五。这里面百分之六十是顾忱等人的，就是一点五亿，其中顾忱又占百分之五十，就是七千五百万！

但如果按照2.5的容积率计算，则能建成差不多四十万平方米。这样一来，土地成本摊薄到每平方米六百四十元，其他费用变动不大，单价差不多就是两千元，总投资额八个亿。仍按照三千元均价计算，每平方米利润达到一千元，项目总利润就变成四个亿！顾忱的那块蛋糕，就变成了一点二个亿！

小数点后一个小小数字的变动，顾忱一个人的利润整整升高了四千五百万！

由七千五百万到一点二亿的飞跃，对于顾忱而言，绝不仅仅是数字的变更，而是标志着自己从此进入亿元俱乐部，上了上亿资金，距离上十亿甚至是上百亿资金的夙愿，真的不太远了……这才是顾忱一直深深埋藏在心底的“第一城”，这样一个梦想在他脑海里盘踞了很多年，难道多年来不断努力的目标，不就是它吗？为了这样一个美丽的梦想成真，顾忱问过自己愿意放弃什么用作交换，答案是自由、爱情甚至是……生命。因此顾忱知道，在这样一个浮躁的年代，在中国房地产市场这样一个千载难逢的巨大机遇里，自己如果无法实现自己的梦想，一定将抱憾终身。所以，顾忱在前几个月前终于捕捉到这样一个梦寐以求的项目信息时，才会如此执著如此不顾后果的去争取。老夫子的一百万，熊能的一百万，还有为项目花费的资金已经是一个让顾忱心疼的数字，这些钱可都是自己实实在在的积蓄，但顾忱认为值，太值了，房地产市场就有这么大魔力，那些在市场上流传久远成功神话曾经使顾忱落寞，他总觉得那个轻松实现梦想的时代已经距离自己远去了，今天，顾忱才体会到原来机会永远近在眼前，只要你去追寻，去发现，去甘心为它付出心血和一切……

顾忱对自己的要求是，通过这个项目最少让自己拥有一亿五千万的财富，因为上面的数据都是根据住宅价格计算的，实际上，地块拥有的得天独厚的绝佳位置……地处闹市，三面环路，一面沿河，总共超过一点五公里的沿街长度，最少能规划出六万平方米以上的商业面积。在顾忱的规划里，有将近三万平方米的沿街商铺，这些商铺均价至少在六千元以上，另外还有一座三万平方米的商场，商场上，一座二十八层的SOHO公寓式写字楼将填补安沣市没有写字楼的历史，另一座同样二十八层的精装修公寓也将成为安沣市的NO.1！这两栋楼的均价远远高于普通住宅，再依照安沣市房价上升的趋势，保守估算，三年后项目最终利润应在六亿以上。顾忱个人收益接近两亿！顾忱要让第一城成为安沣市中心的绝对地标，成为记载着自己事业传奇的第一城！

为了实现这个目标，顾忱还有许多事要做。

与老夫子分别后，顾忱驱车去别墅，丁铭已经在门口候着。北京的业务一直是由他帮着顾忱打理，顾忱从北京回来，在安沣盯了一个多月工地的丁铭也该回北京了。别墅的外立面焕然一新，附近的道路绿化也修葺一新，顾忱满意的笑了，进入别墅，里面工人正在贴壁纸，地板房门卫生间都已完工。

“辛苦了兄弟，从设计到竣工一个多月完成，真有你的！”顾忱亲热的搂了下丁铭，两人年纪相仿，又一同创业，关系非常亲近。

“只要老大你在安沣赚到钱，就是兄弟我最大的愿望。”顾忱一向待丁铭不薄，这句话丁铭绝对出自肺腑。

顾忱感激的拍下他的肩膀，门外车喇叭响，顾忱赶紧迎出去，刚才电话联系了刘连，刘连说自己正好没事，干脆来别墅找顾忱然后一同吃饭得了。

门外果然是刘连，两人见面分外亲热，刘连回头摆手让司机离去，与顾忱携手进房，连连说有钱人效率就是高，我那个小房子还装了两个多

月呢。

顾忱陪着他去楼上看，上上下下十来个工人正紧张的忙碌，看来不出三四天就能竣工。丁铭说家具设备早已定好，房子一竣工便可安装，另外服务人员也已招聘到位。刘连问："你这里都招什么人？"

"会所自然要找两个服务员、一个清洁工、一个厨工，厨师我请白总帮我找了个粤式名厨，以后安洋粤菜海鲜做得最好的，一定是我这儿。"

两人同时大笑，刘连说："那以后哥哥就不去别的地方了，不过我要天天来，人家可就来不了啦。"

"只要哥哥来就行，别忘了，我这会所就是专门给您设的。"顾忱带着刘连满屋子看，听说卡拉OK桑拿房健身器都是专业设备，更为高兴，上到三层主卧，进入玄关，刘连吃了一惊，"好大的卧室。"

这间主卧连着一间四十平方米的卫生间，顾忱推开卫生间房门，里面是一个豪华的按摩心形双人浴缸，顾忱坏笑道："为了配合这个浴缸，我还专门定制了一张圆形大床，红色的床上还有一张粉红色的幔帐，为了配合这张床，又专门找了位绝色的……"

"哎哟使不得使不得呀！"刘连大笑，"你小子要带坏我了，你嫂子可不愿意……"顾忱看着刘连表情，会心一笑。

两人下楼，正巧楼下有一人带着人正打电话上楼，听他口气应是装修队伍的头儿。两拨人狭路相逢，那人见丁铭忙笑着打招呼，顾忱心里咯噔一沉，这人，不就是晴晴手机照片里那个刀疤脸吗？顾忱对丁铭使个眼色示意他不要介绍，陪着刘连不动声色擦身下楼，走到一层，顾忱心里正琢磨等丁铭下来问清楚，刘连却将顾忱拉到门外，见四下无人，小声问："这装饰队伍是你找的吗？"

"不是啊。"顾忱摇头，"怎么了？"

"刚才这人……就是安洋的……"

"没错，这么个小活儿我总不能去北京找队伍吧？"顾忱笑。

"不是，我问你，你认识他吗？"刘连一脸认真。

难道刘连也知道此人？顾忱摇头说："施工我是委托孙总在当地找的，刚才这人，您莫非认识？"

“唉……”刘连拉顾忱在一旁，声音更低，“这人在安沣大大有名，是个不折不扣的地痞，这小子手下一帮人，专门揽些防水、土方、装修的活儿，你要不给他活儿，他就带人挖路封门打人，什么事都干得出来，在安沣建筑业是个人见人烦的主儿，经常滋事，但这种小地痞公安局也拿他没办法，那些被他胁迫的施工单位也不愿生事惹麻烦，到头来还是打发他得了。我这个主管城建多年的副市长，自然也知道有这么号人。只是你怎么也找来他给你装修？”

顾忱心头豁然开朗，顿时明白是怎么一回事，这一定是倪枫让孙大盛把工程给他的，这个该死的孙大盛，为女人再惹多少麻烦才清醒过来？

“这人叫什么？”

“响当当。”

“什么？”顾忱忍不住笑，“怎么有人叫这名字？”

“真名没人知道，他好像是姓项，去哪儿都自诩是个响当当的老大，于是响当当的外号不胫而走，久而久之，倒成了他大名了。”

丁铭走过来，顾忱低声问他，“这人是谁找来的？”

“是孙总啊。你不是委托他找施工队伍吗？怎么了？”

孙大盛的糗事，顾忱不想让丁铭知道，只是点点头，说没事，只要能确保质量和工期就行。

离开别墅，顾忱和刘连去甲鱼邨。菜，仍是上回那几样，趁等菜工夫，顾忱到底忍不住出门打电话给孙大盛，劈头盖脸一顿怒斥，孙大盛此刻正坐在外企白领的香闺里抱她在腿上往她嘴里喂一块水果，被顾忱扫了兴本来就不高兴，又被顾忱一顿骂，也急了，推开外企白领也大声嚷嚷：“怎么了？不就是一个工程吗？人家倪枫介绍的人又怎么了？有现成人，总比去他妈的大街上找施工队强吧？我看工期也挺快，质量也没听丁铭说有问题，出了事老子兜着还不成？”

一连串反问顶得顾忱倒说不出话来，“你……你不是答应过我……”

“行！老子不该再跟倪枫除了睡觉还有别的关系是不？好，这工程款不就一百万吗？老子掏行不行？”

“孙哥你别生气，他知道这人是谁吗？”顾忱见他又犯了二百五，反倒要安慰他，不料孙大盛大声说：“谁关老子屁事！老子只知道活儿做好对得住你顾忱就成！”“啪”一声将手机挂掉。外企白领从没见过孙大盛发这么大脾气，见他脸色缓和些，摇曳生香贴近孙大盛胸前，娇滴滴道：“干嘛这么凶呀，那个倪枫是谁？”

“倪枫是谁关你屁事？！跟你一样，也是个婊子！”孙大盛不知哪儿来的无名怒火，一把推开她的手，指着她惊恐的眼睛厉声大喝。

打电话去骂孙大盛，反倒被他抢白，顾忱苦笑，呆站片刻，上楼去跟刘连喝酒。菜刚上齐，刘连已经倒满酒，两人先干一杯酒。顾忱从衬衣口袋里随手摸出张卡片放在刘连面前桌上，“一张银行卡，刘哥您收下。”

“这是干嘛？”刘连一怔，“上次你那手表我都不敢搁家里，更何况钱……”

“黄金周快到了，总要带着嫂子孩子出去转转，本来应该是我陪着您，但项目刚开始，我的确走不开，只好麻烦哥自己去了。只是一点路费什么的，您要不收下，就是怪罪兄弟了。”

“看你，老是这么客气……”刘连斜蔑一眼卡，“可这……”

“卡的户主不是咱俩的名字，密码是六个零。您要再跟兄弟客气，可就是不要我这个兄弟了。”

“嘿嘿，那我只好收下了，不过，下回可别再这样啊……里面有多少？”刘连干笑两声，摸起卡小心放进自己手包里。

顾忱低声道：“五十万。”

刘连吃了一惊，轻笑道：“兄弟太破费了。”

“哪里，也就是出去跑跑路买买东西逛逛景点的费用，等到我这项目启动后，兄弟陪你好好玩一大圈。”

“好，一言为定。”两人碰杯，连喝了三杯酒。放下酒杯，刘连问道：“容积率的事，我专门找过规划局一把手打过招呼，他说前些天老夫子也找过他，他给推我身上，嘿嘿，老夫子知道找我也没用，估计还是得依靠你……”两人大笑，刘连伸手拍顾忱肩膀，“还是兄弟你有本事，来这么几个月竟然比我们这些在安沣混了一辈子的人都玩得转，真是外来的和尚会念经啊！

你放心，下面的工作我替你准备好，规划局上上下下几位关键领导，我到时自会指点你去找他们，不过嘛，这些人你就别出面，让老夫子去摆平就是。有哥哥在后面替你罩着，你专心去公关两位老大就是。不过嘛……”刘连眯眼笑，轻轻说：“唐书记和卫市长二位领导可跟我这目光短浅的糟老头子不一样，你就别费心去整些银行卡名表名车美女什么的，千万别拍到马蹄子上去。他们的目的，是真想折腾出政绩来，所以，提高容积率最能打动他们俩的地方，就是提升城市的形象展现新安沣的风采。”

顾忱连连点头称是，起身下楼，去车里取来几张效果图摆在墙角请刘连一一观摩，刘连仔细对比两套方案，高兴的鼓掌，“兄弟真有你的，方案果然远远超出安沣水平，规划局里那帮坐井观天的老人家谁也提不出意见来。再加上你这两套方案分开看都是精品，但一对比，任何人都会毫不犹豫的冲着2.5这套竖起大拇哥。这套方案无论从形象上还是配套上，都完全符合新安沣的未来形象，我相信两位领导一定会采纳这个方案，只要他们首肯了，剩下的事有哥哥在，自然会一马平川，只是……”刘连摸着自己的脸，沉吟片刻，“你需要找准一个时机打动他们，这个时机嘛……就在明天！”

“什么？明天？”顾忱一愣。

刘连一拍大腿，“对了，就是明天，一个难得的好机会，你知道安沣三月初八的登高节吗？”

顾忱茫然摇头。

“每年到这天，正是春光烂漫草长莺飞之际，安沣人习俗登高望远，祈求一年风调雨顺大吉大利。三月初八的登高节已经成为安沣百姓必不可少的一个隆重地方节庆。市政府顺应民意，每到这天都会组织由一位市领导主持的登高活动。而今年的主持人就是卫市长。而明天，正好是农历三月初八！”

“在什么地方？”

“安山的第一峰，‘神仙顶’，明天上午八点，卫市长会带着百十号人，驱车到半山腰的安山度假村，然后沿着台阶步行登山，登到顶峰差不多要两个小时，中午十二点整在山顶举办一个简短的仪式，卫市长发表讲话后，

安沣电视台会在午间新闻时间全程直播，省电视台也会在明晚新闻中播发报道。仪式举行后，一行人重新开始下山，中午在度假村吃饭。”

“到会的都是什么人？”

“政府各部门领导，当地驻军领导，社会各界名流，著名企业家，劳动模范，各行各业先进人物，优秀的学生代表……明天我也参加，对了，怎么没有通知你，按理说你这样的贵客也应该得到邀请才是。”

“我这次来事先没有通知两位领导。”其实，顾忱是没有摸清提高容积率的可行性之前，不便惊动两位领导，但明天，的确是个好机会！

二人面面相觑，刘连突然抓起电话拨出去，“在哪儿？”

听筒里声音很大很响亮，好像是在风声中大声的喊叫，“你好刘市长，有什么吩咐？”

“哈哈，我哪里敢吩咐你这个大秘书？我问你一件事，明天的登高活动，给顾忱顾总发过请柬吗？”

“发过呀，卫市长专门要求的。”里面不假思索回答。

刘连看着顾忱一愣，又问：“发到哪儿去了？”

“顾总的公司不是还没注册吗，我就发给安沣市房地产开发总公司，邀请顾总和劳总两人参加，请柬是专门派人送到公司办公室去的。”

“哦，那我问问，你现在在山上吗？”

“是，我正在山上度假村布置明天会场呢。”

“辛苦了。”挂断卫彬秘书的电话，刘连看着顾忱，突然笑起来，“你下午见老夫子，他难道没说吗？”

两人互相看着，忽然同时一笑，谁也不会相信一向精明过人的老夫子会疏忽到忘记通知顾忱，答案只有一个：老夫子特意“忘记”通知了顾忱，原因也只有一个：安沣当地的关系，老夫子当然不想让顾忱太多介入。

“老夫子啊老夫子，到底是越老越精明，还是越活越昏头，真不明白他是怎么想的？这么大的事情你怎么可以蒙在鼓里？你明天要问他，看他怎么交代？”

“很简单，老夫子一定说：‘哎呀，顾总你看我老糊涂的，这么大的事情竟忘记通知你了，我昨天是记得有什么事没跟你说似的，怪我，怪我，不过嘛，这也就是个登山的力气活，不去也就不去了吧，哈哈哈……'”顾忱学着老夫子的腔调装腔作势一番，逗得刘连哈哈大笑，揶揄老夫子道："也许，老人家是真的年纪大了，没有想起你来。"

"哈哈……"两人大笑，笑完了，又相互看看，"到底打算怎么办？"

"好说。"顾忱悠然的笑，"老夫子不让我去，我就突然出现在他眼前吓他一跳。重要的是，如何利用明天这个机会。"顾忱认真思索，忽然灵光乍现，问："以往这活动有赞助商吗？"

"没有，都是政府埋单……"刘连说到一半看着顾忱，"兄弟你是不是有什么好主意？"

"我要赞助会怎么样？"

"好啊，好啊，真是个好主意！"刘连兴奋地一拍大腿，竟站起来，"其实早有人提过这个建议，但安沣本地企业一向抠抠嗦嗦，钱也花不多，因此一直都是市政府自己掏腰包。"

"多少钱？"

"嗯……布置会场加宴席差不多也就是十来万吧。"

"就这么点儿钱？"顾忱跳起来，"今年我掏了！"

两人兴奋过，却有些失落，刘连道："可再过几个小时就到点了。"

"没关系，只要想做的事，一定可以办到！"顾忱又问："山顶现场和午宴现场是不是有背景墙什么的？"

"对呀。"

"连夜把背景墙换上不就成了？这么好的机会，我一定不容错过。"

"好，你赶紧联系唐书记和卫市长。"

顾忱看表，晚上八点半，还不算太晚，抓起手机先打给唐书记，告诉他自己想赞助明天的登高会，唐书记敏捷地意识到顾忱是想借机宣传项目，连连夸顾忱有商业眼光，到底比当地企业家有魄力，一口应允下来，让他去找卫市长具体商议。顾忱又立即打给卫彬，卫彬听说顾忱有意赞助，也是大为欢迎，只是担心时间过于紧迫，顾忱说没关系，只要卫彬派人对接就行。于是卫彬让秘书立即跟顾忱联系，卫彬与顾忱高兴的聊了一会儿，忽然才反应过来，问："顾总你怎么不早说？"顾忱忙说自己刚刚从北京赶过

来，才得到消息。卫彬说这个老夫子竟没有提前通知你吗？明天我可要好好说说这位老人家！

顾忱与刘连相视一笑，看来老夫子的为人，安沣市早已人人皆知。

过不到两分钟，秘书电话打过来，问卫市长同意顾忱提供十万元赞助，现场布置一切遵从顾忱的意见。顾忱说麻烦你就在度假村等着我，我肯定连夜过去，今晚把宴会厅的背景墙换上，明早凌晨上山，提前在山上换好另一面背景墙就行。

顾忱又立即抓起电话打给丁铭，让他连夜去找家广告公司，立即做一张带有项目效果图的背景墙平面图，并立即安排喷绘，同时另外打出几张大幅的效果图写真展板。丁铭有些为难，说这么晚了去哪儿找广告公司？顾忱大声说："有钱能使鬼推磨，我不管你花多少钱，总之立即想办法去找！"

刘连突然说："我认识一家广告公司老板，这就跟他联系。"

五分钟后，刘连联系的这家广告公司老板立即从家里出门赶往公司。顾忱也通知丁铭赶过去。

安排完一系列事，顾忱才想到一个问题：卫彬既然安排邀请了自己，那申扬自然也应该得到邀请才是。刚想打电话给申扬，她的电话却来了，"喂……跟你说件事，明天一大早咱们要去爬山。"顾忱禁不住乐了，问你怎么才知道？申扬说："晚饭时就知道了，我还奇怪你为什么没跟我说呢。怕你晚饭有事又一直没敢打你电话，现在九点多了，你……忙完了吗？"

顾忱心里一阵温暖，知道申扬一定是想自己了，好容易忍到这么晚才打电话过来，轻轻答道："我陪刘市长吃饭呢，马上回去。"

刘连见顾忱特温柔的说完话，神秘的问："是申小姐吧？她也来了吗？"

顾忱回答说是。刘连拍他一下，立即呼唤结账，转过头说："明明佳人有约，跟我这糟老头子吃什么饭啊？耽误了你的好事，我岂不成罪人了？再说，下回你要真成心找我喝酒，一定要带上弟妹。"

顾忱有些不好意思，说现在只是女朋友而已。

"而已？"刘连瞪大眼睛，大声问："申小姐这样家世又好模样又出众的女孩全世界也找不出一打。你要抓不住这么好的机会娶进门当媳妇儿，真是天字第一号大傻瓜加笨蛋！赶紧埋单送我回去，罪过啊罪过……”

十分钟后，顾忱走进申扬的房间。两人刚刚确立恋爱关系两天，申扬外表豪爽却是感情羞涩内敛的一个女孩，思念了整晚顾忱，真见到他，却手足无措，想得到他的一个拥抱却又害羞。顾忱轻轻揽着她的腰作势去吻她，却被申扬红着脸推开，轻轻笑，“一嘴酒气……”

顾忱拉着她的手两人并肩坐在沙发上，互相倾听到对方越来越激烈的心跳，寂静的房间无声胜有声，看着申扬后颈细微的茸毛，顾忱轻轻将身体贴过去，“我想亲你……”话音未落，申扬笑着跳起来，“我给你泡茶去……”顾忱想抓住她，手机却不合时宜的响起来。丁铭说背景墙平面图快设计好了，顾忱要不要看一眼。顾忱只好打开申扬的笔记本让他发过来。申扬端着泡好的茶坐在顾忱身边，两人一起研究丁铭发来的图片。确定好图片，广告公司立即安排喷绘，最少要两个小时后才能出来，顾忱让广告公司连夜派安装人员随自己一起进山安装。

申扬问顾忱：“你马上要上山吗？”顾忱将赞助的事告诉她，申扬说：“临走时爸爸还夸你特聪明，让我多跟你学些东西，这样的主意我就想不出来。咱们说好了，今年这个机会给你，等到明年我的项目启动后，由我来赞助。”

顾忱笑着点头，又说：“什么我的你的项目，咱们到底是什么关系？总觉着是竞争对手似的。”

“咱们本来应是竞争对手，但你的项目在先，我的项目在后，地理位置又完全不在一个区域，所以嘛……其实也算不上对手吧。”

“反正一山不容二虎，等到明年你的项目开始后，咱们迟早也是竞争关系，我看不如这样……”顾忱微笑道：“咱们互相持股，还是合作，变成一家人得了。”

“谁跟你一家人了，想得怪美！”申扬伸出手去点他额头，却冷不防被顾忱抓住手指，一个饿虎扑食压向自己，一下子将申扬压在沙发上，“你干什么，快起来。”申扬咯咯的笑。“不。”顾忱假意要吻她，申扬吓得双眼紧闭大声尖叫，手上却一点反抗也没有，“我真吻你了……”顾忱小声恐吓，申扬身体哆哆嗦嗦，娇喘吁吁，却悄然又红了脸。顾忱真的轻轻亲了一下

她的脸，就在这一刹那，不知怎的，顾忱心好像被五千度的高温瞬间融化一般，浑身也失去气力，心中一动，竟坐回去，申扬被他深情吻一下，又是紧张又是期待，不知他下一步会怎么做，却半天没等到行动，也睁眼去看，正好看见顾忱也是满脸通红的凝视自己，两人双目相交，所有语言变成眼波交流在一处，清楚的告诉对方“我爱你”。

两人就这样沉静在温柔的空气里，直到丁铭打电话过来说可以出发了才清醒过来。看表，竟然已是深夜十二点半，两人就这么静静的看着对方两个多小时吗？通过这两个小时的眼波交流，两人的关系好像又贴近了些，顾忱这一次认真的去吻了下申扬的脸，申扬特自然的接受，跟着他站起来，说：“我也去。”

“你乖乖睡觉吧，要工作很晚的，我就住度假村了。”

“不，我也去，反正明天也要早起，正好在度假村里多睡会儿。”

顾忱拿她没办法，再加上心里其实也非常想和申扬在一起，立即同意。

几个人分乘两部车上山，车到度假村门口时，已经是深夜一点半。组织工人换上新背景画装好展板已经是凌晨三点多。顾忱开了几个房间，安排了夜宵后让大家赶紧休息，因为明天一大早大家还要背着东西爬两个小时的山路。

顾忱和丁铭一房，丁铭洗过澡立即呼呼睡去。顾忱却翻来覆去睡不着，他想念隔壁房间的申扬，知道申扬也一定睡不着在想着他，两人就这样同时睁大眼睛努力穿破黑暗中的墙壁用温柔的爱注视着对方，恋爱的感觉就这么奇怪，奇怪到人类至今还未发明出任何一个能够完全形容这种感觉的词汇……

农历三月初八。安沣登高盛会。

天刚蒙蒙亮，市民们就三三两两出发了，不方便的人，站在自家楼顶上或附近的高层建筑上，看着一轮初升的太阳或大声或默念出自己的祈福与心愿。有条件的人，会驱车到山上举行这些仪式。安山的清晨刚开始沐浴在春光里，山间的盘旋公路便被上山的车辆惊醒寂静。

此刻，从半山度假村上山的山道上，却已经有一队早起的登山者拾级而上。

八点整，一溜长长的车队在市政府前的广场上集合完毕鱼贯而出……

第二辆车里坐着卫彬。昨晚顾忱的电话让这位在安沣市待了大半辈子的市长大人还处于兴奋状态中，车窗外的城市是那么熟悉那么亲切，城市面貌的不断改善，城市经济起飞的不断加速，让多年来为了安沣一潭死水而郁闷的卫彬终于开始有一种豁然开朗之感。和市里绝大多数干部一样，卫彬为唐书记的到来感到庆幸，如果没有这么一个懂经济敢创新不畏艰难的好书记，如果没有唐书记大刀阔斧般的招商引资工作和省里的支持，如果没有他倡导的以工业立市从而带动旅游经济和城市面貌的齐头并进的循环发展模式，也许，安沣仍停留在两年前那一片灰暗无光中。窗外，建于五六十年代的灰色“火柴盒”逐渐被现代高层建筑所遮盖，曾经一下雨就变成坑洼池塘的主干道变得宽阔通畅，忽如一夜冒出来的大小商业店铺为城市带了更多新的生机与色彩，街角大片的城市公园成为一个城市勃勃生机的最好说明。今年春节后，安沣市的整体经济发展更为迅猛，新增工业投资项目数量大幅增加，由此带动的就业效应和收入增加又将推动城市在未来两三年内驶入大发展的快车道。工业开发区迎来了更多企业，安山迎来了更多游客，城市的大街小巷里迎来了更多周边地区的消费者，城市即将迎来一次质的飞跃！在这样大背景下，房地产开发商将成为城市面貌提升的主力军，能顺利迎接笃寅集团与白石集团两大著名开发企业，更加预示着一个强烈的信号：一个新安沣，一个全新的城市，一个更和谐、更富足、更自信的安沣，即将以全新的形象展现在世人眼前！两大开发企业的进驻无疑将带动更多外地拥有雄厚实力与先进经验的开发企业的跟进，而两大巨头开发的项目，无疑就是城市最靓丽的名片！为了打造这张靓丽的名片，市政府作出了更多努力，也作出了不少牺牲。上月唐书记亲自主持召开专门为两大巨头所开发项目所提供优惠措施的办公会，会议要求尽一切可能满足两企业的合理要求，这些优惠政策，也可以复制移植在今后的招商引资项目中。这一切苦心和牺牲，都是为了一个城市的发展飞跃。今天，唐书记又去省里参加一个招商推介会，一年一度的登高活动由自己主持，卫彬本来就想借这个机会更好提振大家的士气，正好顾忱主动提出赞

助，这件事虽小，但预示着外地高水平开发企业第一次在安沣这块古老大地正式亮相，其影响，足够引发一场全市房地产行业的地震，本地企业更多感觉到来自于强大对手的竞争压力，从而使整个行业寻求主动深刻的自发变革，也只有这样，房地产行业才能在高水平的竞技场上推动城市形象的变革。

路过沣水桥头地块时，卫彬不禁长久凝视着它，明年这个时候，城市中央就要隆起一座新的里程碑。“第一城”，卫彬在心里回味着这个名字，嘴角不禁发出笑意，一个大气的、令人敬畏的名字，作为安沣市城市建设一个新的里程碑，它的确配得上这个名字！

卫彬打电话给顾忱，向顾忱表示了感谢，又问要不要安排顾忱作为本次活动的特约嘉宾发言。顾忱笑道：“卫市长您能给我这次机会我已经是万分感激，但我想还是不要越俎代庖的好。”顾忱知道三月初八登高活动每次只安排一位领导发言，那么多的先进人物和贵宾到场，自己要破了这个先例的话，反而影响不好，因此极力推辞。卫彬当然明白顾忱的好意，心里更加感谢，说：“那好，这两天我做东给你接风，不过你这次回来不跟我打招呼，可要好好罚你两杯酒喽。”

“罚酒就不必了吧，”顾忱笑嘻嘻道：“我倒有个小小请求，待会儿要麻烦市长大人您一下。”

“什么事？”

“现场有几块展板，是项目的规划方案，我想请您揭幕。”

“哈哈……”卫彬大笑，“这么荣幸的事我一定遵命。”

“方案做了两套，我可要您的宝贵意见哟……您确定哪套，我就按哪套开发……”

“言重言重了，顾总啊，我哪儿有这本事，但我保证好好捧顾总你的场。”卫彬爽朗的大笑，丝毫没有意识到自己正一脚踏进顾忱的圈套。

唐书记要求政府一切活动应轻车简从，此次活动也本着这个原则，轿车除司机外不得少于三名乘客，面包车不得空位，卫彬随后一辆奥迪里坐着贾晓阳和刘连及一位市政府常务副秘书长，刘连路上将顾忱赞助活动的事说给贾晓阳，贾晓阳说顾忱这小子果真有一套，总有出人意料之举。常务副秘书长也颔首道："这位顾总的市场能力远远超出咱们当地开发商，这样一条鲶鱼进来，安沣房地产市场从此将风生水起活力大增了。"三人同时大笑起来。

马大帅坐在第六辆车里，一路惦记着申扬这丫头，昨晚本来说好第二天跟自己一起出发，谁知她竟不打招呼就跟着顾忱上了安山。跟顾忱交手败下阵来，马大帅对他始终没好感，觉着顾忱为人狡诈富于心计，申总怎么能放心把女儿交给这种人手中呢？也许，申总让自己管好申扬的意思也正在此。但申扬也是大姑娘了，自己又是下属，怎么说也不合适啊。再说这丫头也不会听自己的呀。一路上马大帅忧心忡忡，甚至猜测昨晚两人会不会已经……

老夫子和董玫坐在后面那辆奔驰中，老夫子心里已想好，如果顾忱知道了此事，大不了对他说自己老糊涂昨天给忘了，今天早上司机叫自己时才是清晨，于是想想这种活动只是爬爬山跟着起哄，顾忱昨天奔波辛苦，这爬山嘛，还是自己代劳吧。顾忱自也没话说。"嘿嘿……"老夫子暗想，"项目毕竟有自己一半，顾忱年轻气盛，安沣市各界尤其是政府部门的关系，还是将他尽量屏蔽在外比较好，毕竟合资公司的控制权，自己是万万不会真正交到顾忱这样一个小毛孩子手里的！"董玫是老夫子临时叫上陪自己的，并不知老夫子心里的小九九，奇怪的问为什么顾忱没来，老夫子笑呵呵道："安沣的民俗，还是要由安沣人自己过啊……"董玫愣了一下，若有所悟，微微笑了……

各怀各的心思，却仍是奔向同一个方向，不多时车队集结在度假村的停车场上。大家下来纷纷聚拢过来打招呼，卫彬为首对大家说一声出发，于是一群人三三两两拾阶而上。卫彬一马当先，几名当地记者簇拥在他前后摄影拍照，属下跟随从们尽量远离他以免抢了领导的镜头，山路本来很窄，于是人流顺着山势自动汇聚宛如一条自上而下的溪流，最上的是卫彬，随后是政府各部门的领导们，再下是外地贵宾，再下是当地名流企业家，尾随在后面的，是那些平凡的却作出不平凡贡献的先进代表们……中国人走到哪儿都不会忘记尊卑贵贱，往往能根据地势形式自发的精准的找到自己应有的定位。但却似乎有意想打破这种准则，于是上面的人亲切的招呼下

面的人上去，下面的人谦虚的推辞，最后的人，在大家的一致热情招呼下坦然自若心安理得的自顾跟随。上山的路，顿时更热闹了……

阳光静静铺满山顶的一片空地。背景墙在一个小时前安装完毕，背景墙前是一个临时搭建的主席台，两旁放着一溜儿展架，只是都用红布遮盖。一大早就有三三两两的登山者好奇的聚拢过来，纷纷议论着今年的登高节好像有点不太一样。顾忱站在主席台上伸了个懒腰，一夜辛苦，熬红了双眼，但顾忱心里，却充溢着如同清晨初升太阳一般的希望。已经能听到一片嘈杂说笑声渐渐近了，“一定是大队人马到了。”申扬吐吐舌头冲顾忱做个鬼脸钻到旁边的树林里，陪着顾忱熬红了眼，又没化妆，申扬不想让人看见自己一脸憔悴。

顾忱仔细倾听着渐行渐近的说笑声和脚步，想象着这是多么大一群人，突然，他有种君临天下等候群臣朝拜的感觉！顾忱知道自己已经走到成功的门前，略一叩指，命运大门就将为自己敞开。自己将成为王者，自己的王！两亿以上利润的憧憬，让顾忱在阳光下顿时有些飘飘然，两个亿，不过是用自己两千万投资换回的，这其中还有一千万是从白崇洗手里预支的利润，如果不算这部分，等于自己是用区区一千万作为启动资金，一路整合资源，朝着两亿元的预期利润大步挺进！整整二十倍的收益率！他想起一句名言：“给我一根棍子，我能撬动地球。”“我做到了！”顾忱心中默默喊了一声，自己用一千万元作为撬棍，竟然成功撬动了一块近十亿的大地球！成功需要什么？超人的胆略、缜密的心思、锐利的眼光、敏捷的速度、善于把握人性的弱点、游刃于复杂关系间的灵活技巧，最重要的一点，是需要找准目标一往无前的精神！“而我，都拥有了。所以，我必须成功！”

卫彬看见顾忱，又看见他身后那块深蓝色的背板，上面几个大字：“安沣市第九届登高节。”下面是唐书记题的几个大字：“登高远望，和谐并进。”再下，在原来“安沣市委，市政府”的落款下面，又添了一排小字：“安沣市第一城置业有限公司。”背景图片在原来的蓝天白云山峦险峰下面，增加了一片高层建筑，这片高层建筑伫立在沣水桥边那一大群灰暗无光低矮老旧的建筑中间，顿时使人对安沣的未来浮想联翩豪情万丈。

卫彬紧握着顾忱的手，笑着点头，“好啊，顾总，真不错！”

身后刘连和贾晓阳不约而同的喊声："好，这建筑太棒了！"

马大帅认真盯着背景墙看，心里悄然叹口气，"自己果然非顾忱对手，怎么就没想到这一招？"

人们纷纷簇拥到主席台前观看背景上那片时尚而雄浑的建筑群，对打破先例的最下面那排小字指点议论，对两边披了红布的神秘的展架更加好奇，不知底下还藏着什么新鲜东西。这一次的登高节，有什么不同吗？

人群里，却有两个人震惊在原地！

老夫子在第四梯队中上得山顶，恍惚看见人群中好像有顾忱的笑脸，不由一愣，转脸望着董玫。正巧董玫也在看他，二人不约而同说："顾忱？"

他怎么会出现在山顶？还出现在所有人前头？老夫子正在狐疑，董玫却猛拉了一下他衣角，"看，劳总，背景墙！"顺她手指方向看过去，老夫子眼前一花，不自觉再摇摇头盯住看，心里猛一沉，怎么？安沣市第一城置业有限公司的名字会出现在上面，更令他惊异的，是昨天刚刚见到的项目鸟瞰图，竟伫立在安沣的最高点！

这是怎么一回事？

老夫子脸色铁青怔怔呆想，身边却有熟人过来拍他肩头，"劳总啊，你好气魄，怎么提前没告诉大家。"

老夫子只得心虚假笑敷衍，一脸尴尬透顶。自己熟识的人问起项目，他总说还是自己的，白石集团嘛……只是自己找来的股东而已，这也是他为什么不想让顾忱介入当地关系圈太深的原因所在。万万没想到的是，顾忱竟会突然祭出这招！

顾忱这一下，无疑是在老夫子脸色狠狠的来了一巴掌！偏偏老夫子却失信在先，面对顾忱使出的狠招，除去苦笑，却毫无应对办法！

董玫看出端倪，她明白，合资公司的两位股东开始较劲了！顾忱明摆着是让老夫子难堪。老夫子却只有打落牙齿往肚里咽，连个屁都放不出！董玫突然感觉到：老夫子，真的老了……

二人大眼瞪小眼发呆，老夫子黯然、落寞、懊恼、气愤的表情全被顾忱看在眼里，心中暗乐着走到老夫子面前，微笑道："劳总，不好意思，昨晚才听说今天的盛会，太晚又不敢打扰您的休息，只好擅自作主临时决定，

好在唐书记和卫市长都很支持，因此连夜更换了背景，刚刚完成想通知您，却已来不及了。”

老夫子恨得牙痒痒，却赶紧伸手去拍顾忱，“顾总啊，都怪我老糊涂竟然把活动的事忘通知你了，昨晚睡得早手机关机，今早起司机敲门我才想起这件事，哈哈，想通知你，再转念一想还是算了，我们安沣这些低俗的民间活动，还是不要去惊扰顾总的休息为好……”

董玫说：“顾总您的创意真好，登高节搞了八届，可我们就是没想到赞助的事……”

“是啊是啊，每年参加市政府安山登高活动的人都是安沣市的精英，自发前来的游客也不下几千人，利用这么好机会宣传项目，真是一个极佳的创意，唉——我真老了，比不得顾总年轻有为啊……”

“哈哈……”两人一同假笑，一个畅快，一个郁闷。顾忱又低声道：“咱们正好利用今天为容积率的事做个铺垫，卫市长……”指指卫彬，老夫子马上推他，“对对，你快去陪好卫市长。”又指着一旁，低声道：“刘副市长身边那个矮胖子就是规划局局长，我已打过招呼，今天再找他通通气。”

见顾忱过来，卫彬和身边一圈人齐声称赞背景上的规划图有水平，早已看过的刘连伸出大拇指对卫彬说：“卫市长，我敢说第一城一定是咱们安沣有史以来最漂亮的建筑。”

“是啊是啊。”贾晓阳附和道：“以前总听外地客商说，咱们安沣城市缺少三种建筑，一缺高档住宅，二缺正规的写字楼，三缺高档公寓。但顾总一来，一下子全有了！”

“第一城果然不愧第一的名字，不但是第一个，恐怕几年之内也不会有对手，这第一的称号嘛，希望能一直保持下去。”卫彬颌首微笑，话锋一转，又说：“不过，我倒希望第二城第三城赶紧出现，而且能超越顾总的第一城，只有这样，安沣才能更多更好的发展啊。”

“还是卫市长高屋建瓴有气魄，第一城如果能迅速被第二城第三城超越，那才是安沣的未来。”刘连道。

“我也希望第一城尽快被更多的建筑超越，”顾忱笑着说，“不过嘛……我希望更多的新建筑，还是我开发的。”

“好！顾总有气魄，欢迎你在安沣安家落户，永远做安沣人！”卫彬大笑。身旁公安局局长接口道：“卫市长，要不要我下山就给顾总转户口到咱们市？”

全体大笑，卫彬说：“转户口的事可要顾总亲自决定了。”

“转，下山就办。”顾忱笑道：“只是陈局长要多给我几个指标，好让我拖家带口把全家人都带来。”

众人大笑，笑声感染着全场气氛，周围登山的市民也越聚越多，记者们纷纷聚集在这群人周围抓拍众位领导贵宾欢畅的笑脸。

刘连突然问道：“顾总啊，你这两栋二十八层大厦可是安沣的最高建筑，你不会只画在图上逗卫市长开心吧？”

“嗯？”卫彬闻听此言，转脸又去看鸟瞰图，“这两栋大厦建成后，一定会是安沣的新城市形象。刘市长你赶紧把顾总的方案批了，他要不建这两栋大厦，你就通知建设局别给他的住宅验收……”

众人更是大笑，规划局局长趁机大声问：“顾总，你这方案好像超出容积率了吧？”

卫彬一愣，“不会吧？”

顾忱等的就是这个时刻，立即点头说：“是，如果依照批准过的容积率，这两栋大厦肯定是没有的。”

大家全都一愣，纷纷看着两幢气势非凡的大厦。

顾忱低声对卫彬耳语，“卫市长，在您发言之前，能不能让我先把项目给大家介绍一下？”

“好。”卫彬微笑道，“需要我做什么，顾总只管吩咐。”

“有劳您揭幕……”顾忱指着左右两排共八张展板。

“原来顾总你是想让卫市长亲自给你卖房子啊。”贾晓阳笑道，“卫市长您可不能白给他宣传。”

笑声中卫彬说道：“今天的活动本就应第一城唱主角，能充当安沣第一城的揭幕人，是我的荣幸嘛……”话音未落，刘连已取过话筒站在台上，大声说：“告诉大家一个坏消息，今天大家都上当了……”

全场愕然。山顶上所有目光集中在刘连身上。

刘连用手指着两排展板，说："北京来的顾总，花了十万块钱给大家买了门票，请大家来爬山看他的第一城来了，还把卫市长也请来给大家做解说员……"山顶一片轰然大笑。顾忱陪着乐呵呵的卫彬走上主席台，先请他揭去左边四张展板。红布揭开，所有人都愣了，就连卫彬也愣在台上。展示出来的，只是一片平淡无奇的高层建筑，外立面虽然也现代感十足，但由于缺少街边两栋高层建筑的点睛，整体效果顿时失色不少。

"这怎么跟背景上的完全不一样啊？"人们纷纷议论。

顾忱说："这是第一套方案。还有第二套，也请卫市长揭幕。"

卫彬过去揭开另外四张，红布滑落之际，全场惊叹。这四张，才与背景的大幅鸟瞰图吻合，第一幅，是总体平面图，只见几十栋高层建筑错落有致排布其中，建筑中一条环形水系与绿色景观相互呼应，水系在绿色中央地带汇聚成一波臂弯，水面旁有一片月牙形的果岭，足足有上万平方米，绿色和水色将楼群呵护其间，宛如一副美丽的风景。顾忱说："第一城的景观是专门请美国最著名的景观设计大师斯蒂文森先生亲自设计，方案设计费高达四百万人民币。"

一片惊呼。马大帅却暗自冷笑一声：哪有什么斯蒂文森大师？

第二幅，是住宅楼群的内景，绿色掩映中，从十六层到二十二层的住宅构成美丽的天际线，建筑外立面色彩主要由白、黑、灰色构成，辅以橘黄、天蓝、酒红色的装饰线条，简洁时尚同时大气非凡，建筑四层以下用黑色石材贴面，中部五层到高层通体用灰色毛石贴面，最上面三层用白色瓷砖贴面，开放式阳台与封闭式阳台凹凸有序，空调机位与阳台外缘用色彩点缀，给建筑赋予了韵律与活力。更为特别的是，所有建筑一层全都挑空，里面布置了绿化和居民的活动空间。顾忱说："第一城一层全部挑空做成园林，真正做到了百分百绿化率。"

一片赞叹声。旁边两人小声对老夫子竖起大拇指："劳总，一定留一套房子给我。"

第三幅，是以沣水桥头为视角的一张立面夜间全景图，也是最符合普通人视角的位置，从这个角度看过去，在夜色的笼罩下，第一城在灯火阑珊中展现出异样的美丽，传达出的气质是如此高贵、神秘、典雅，又引发全场一片赞叹。

贾晓阳点头赞道："第一城就是拿到北京上海也绝对是领先水平，白石集团的水平果然不一般呀。"

第四幅，是商业建筑的特写，只见两栋大厦下的商场门前人潮涌动，一座四层的大型购物广场热闹非凡，地下一层的超市门前更是人头攒动人满为患，大型的地上停车场前停满了各式车辆，商场门前的绿化广场停驻着购物者与游客，沿河是一条步行街，各种名牌专卖店引领着安沣市的时尚生活，咖啡飘香中，引诱着人们去往步行街深处体验美食的乐趣。

"好。"卫彬由衷的点头赞许，"如果图画能变成现实，我相信第一城将成为安沣市新的商业中心和高档居住中心。"

这时台下众人纷纷上来观赏，纷纷议论这两套方案到底哪一个才是真的。卫彬冲顾忱微微一笑，问道："顾总，这两套方案不同处很明显啊。"

"是。"顾忱老实回答，"第一套方案是依照既有容积率做的，但我认为过低，很难达到效果。"

"你说呢？"卫彬转头问刘连，刘连回答："我也认为第二套方案要好得多，也更适宜安沣未来的城市形象，现在的容积率的确太低。"

"北京上海这样的城市中心都是要求容积率不低于多少，第一城今后必将成为安沣新商业中心，容积率过低，的确会影响区域形象，况且，也不符合中心城区节约土地的要求。"贾晓阳补充道。

"嗯，看来大家的意思，都是倾向于第二套方案了？"卫彬意味深长的看了刘连一眼，又问规划局局长，"目前的容积率是怎么回事？"

"目前的容积率是四年前做城市整体规划时确定的，但目前已……不太符合发展的实际需要……"

"不符合发展实际的事就要勇于改进嘛……"卫彬点点头，对顾忱微笑道："顾总今天给我们上了一堂城建的课，今后我们的工作中，一定要听取来自城市建设者们的声音而不要只会闭门造车，关于第一城容积率的事，刘市长，"卫彬转对刘连道："你安排时间召集有关同志研究一下。"

"好的。"刘连点头，看了顾忱一眼，两人目光交流，会意一笑。

顾忱知道自己的方案已经足以折服所有人员，成功的大门，又一次因

为自己的智慧而开放！喧哗声中，音乐声响起，随后主持人上台要求大家安静，宣布现在是十点十八分整，安沣市第九届登高节正式开始，有请卫彬市长讲话。

人们退到台下，周围市民也把山顶围个水泄不通。卫彬讲的什么顾忱全然不知，他心里被成功的喜悦所激荡，直到有人轻拍他肩头，回头，却是马大帅。

“马总？”

“看见扬扬了吗？”马大帅明知故问。

顾忱有些不好意思，说：“她在那边小树林里猫着，说自己没精神，不想见人。”

“这孩子！”马大帅放下心来，犹豫了一下，又小声说：“顾总，你今天的赞助果然收到奇效，明天第一城的名字就会传遍大街小巷，你这十万块钱，比花一百万在电视台做一个月广告还有用啊。”

“惭愧，我也是昨晚灵机一动才想到的，我已经跟扬扬说好，明年赞助留给您了。”

马大帅却淡淡一笑道：“什么东西都是第一次值钱，明年再搞，效果也不会多好了。”

顾忱好意却讨了个没趣，本来就感觉此人阴阳怪气，若不是看在申扬面子上，才懒得理他。台上卫彬正好在说第一城，言语里全是溢美之辞，结合第一城，又开始将安沣市需要更多的第一城和白石集团笃寅集团这样的外来投资商，安沣也将继续不遗余力支持投资者……

马大帅却又凑近耳语道：“顾总，我看你这登高妙招已经见效了。”

“什么登高妙招？”顾忱一愣。

“容积率提高，不正是‘登高’吗？”马大帅诡秘一笑，但脸色却一沉，轻轻说：“顾总，我当你是扬扬的……朋友，有句话，不知当说不当说。”

“您请讲。”

“你应该知道我们在安沣的项目已经推迟了吧。”

“是，申总亲口告诉过我。”

“申总是担心，市场要变天，所以要求我尽快办理土地和前期手续，但实际动作却要有意退后。顾忱，你提高容积率，我担心有两点，第一，是怕你耽误时间，第一城地理位置远比我的项目好，不用担心周边配套和人气，你开工就能卖房，但一定要赶在变天前才行。第二，根据我的调查，安沣的购房者对高层的接受度还是有限，容积率低些的房子，反而更好卖。提高容积率表面是增加利润，但同时也会影响销售。尤其你这是安沣市第一个纯高层项目，第一个吃葡萄的人，风险也会很大。”

“您是担心提高容积率未必是好事？”

“对。假设市场变天，提高容积率反而会提高成本，恐怕更难以应付变故……”

“可市场变天终归是假设。做第一个吃葡萄的人风险固大，但我平生就是喜欢做第一个吃葡萄的人，我取名‘第一城’，就是为此。”

“嘿嘿……”马大帅干笑两声，两人相视一笑，不再说话。台上卫彬正好说到最后一句话，“让我们以热烈的掌声再次向北京白石集团及顾总表示感谢，欢迎更多的贵客来到安沣、爱上安沣！”

掌声雷动。主持人宣布活动结束，大家返回度假村。

这群人散去，周围市民们一拥而上，争相欣赏那四张展板上的效果图，赞叹声此起彼伏，人们纷纷拿出手机拍照……申扬不知从哪里钻出来挽住顾忱胳膊，轻轻说：“你成功了。”

“两个小时内第一城将会轰动全城。”顾忱自信的笑，“咱们下山。”

“不嘛……你等他们都走在前头再陪我下山好吗？”

顾忱本来想去跟着卫彬他们一起下山，听到申扬央求，看到她那张略显憔悴的小脸蛋，心里一软，轻轻挽住她的腰，温柔的点头，“好，咱们一起跟在后面……”

午宴时申扬还是躲进房间，顾忱成为全场瞩目的明星，大家争相结识这位年轻有为的大房地产商，盛赞第一城的宏伟规划，谈笑间满场已经预定出去上百套房子。老夫子沮丧感受着第一城主宰者大权旁落的痛苦，阻塞顾忱的如意算盘，全盘落空。

第十二章　红楼梦中人

安洋晚间新闻中，登高节被作为重点活动加以报道，卫彬讲话全过程反复播放了十几次，他在讲话里提到六次的第一城，迅速成为安洋老百姓口口相传的新名词。而电视画面中不断闪现的第一城的画面，更是在安洋引起极大轰动。

一向平淡如水的安洋市房地产市场突如其来的巨大波澜全因第一城而起，人们对房地产的热情被瞬间点燃，几乎所有人都在热议这一座即将伫立在城市中央的新城。

一时间，无人不知第一城！

顾忱成功了。

有人说，成功的人不仅会做梦，更善于造梦。

顾忱，就是这么一位造梦者。一次倏忽的机会，一刹灵感的火花，区区十万块钱，竟然造出这么一场精彩的梦境。反应是如此强烈，顾忱的自信心达到极点，第一城代表的是全新的一个安洋，更是全新一个顾忱！

然而，当一个人完全沉湎于梦境时，却往往会丧失从梦境中迅速清醒过来的智慧和勇气……

梦境毕竟是虚幻的，梦里的幻彩与激情，怎能抵御窗外的夜寒？

窗外，变天了吗？

有人酣梦不觉，有人，开始从梦中觉醒……

农历三月初九，也就是安洋登高节的第二天，昨晚与老夫子一道代表合资第一城夜宴刘连贾晓阳规划局建设局等相关部门一把手的顾忱，直到上午九时仍沉醉未醒。昨晚，顾忱将容积率一事摆上了台面，上午卫市长的态度大家俱看在眼里，又有刘连的眼色，大家对顾忱的想法均是心知肚明，老夫子作为主人，将在座各位政府官员一一介绍给顾忱，当然，第一个介绍的是刘副市长。然后大家依照安沣规矩一一向顾忱敬酒，顾忱又一一回敬，刚放下酒杯开始夹菜，顾忱想说拜托各位领导……之类的话，话刚出口却被刘连打断，"顾总，咱们酒桌上不谈公事，今天的任务，就是庆祝你上午大获成功。不过嘛，今天有幸认识顾总，作为主管副市长，我在这里也要代表在座各位领导向顾总你这位贵客表个态，第一城作为市里重点招商引资项目，只要是不违反原则的事，只要是对安沣市经济发展和城市形象有益的事，只要是对第一城的开发建设有帮助的事，各级政府部门一定全力支持热情帮助，我保证说到做到！"

"是极是极，刘市长的话就是大家的意思……"大家纷纷点头。规划局局长说："上午卫市长已经就容积率的问题作出指示，我们下去就认真研究……"

刘连打断他，大声说："说好今晚只喝酒不谈事儿的嘛……喝酒喝酒……"端起一杯酒，却仿佛自言自语轻轻说："不合理的事情该调整就调整嘛……"规划局局长心领神会点头。贾晓阳只笑不语，置身于城建圈外冷眼旁观……

桌上从此再没人提及工作，顾忱今天好兴奋，刘连酒兴恰好正浓，二人你来我往，其余人热情参与，不觉中，顾忱竟又一次喝醉了……

醒来时，窗外已是艳阳高照。

六百公里外的北京，却是阴雨连绵。

雨中，各大媒体接力着一个似乎不引人注意的消息：笃寅集团旗下的几个楼盘从即日起降价促销，促销之有力，降价之幅度，引发购房者排队抢购。

如果这个消息不是出自笃寅集团，可能根本没人在意，但北京近十年来最有力度的一次房地产促销活动由一向低调的笃寅始作俑，却引发市场猜测。有人说，这只是一次迎接五一黄金周的一次普通促销活动而已；有人说，这是笃寅为了清理滞销房源，为后期房源涨价进行的铺垫行动；有人说，这是笃寅吃下六十九号地块后资金吃紧而采取的回笼资金行动；还有人说，这是笃寅集团为继续扩大北京市场占有率而采取的竞争策略……

没有人大惊小怪，这则消息并未引发更多的引论，好像是昨天的阳光，被突如其来的春雨迅速洗刷干净。但在笃寅总部，气氛却有些异样……申笃寅上午召集高层闭门开会，隔半小时就进去倒水一次的秘书却从申笃寅凝重的表情上感觉出一丝紧张，到底因为什么，使得一向沉着淡定的申总这么凝重？

头疼。顾忱突然好想申扬，他突然有个出格的想法：如果现在，有申扬躺在自己怀中……顾忱脸有些红，赶忙制止自己胡思乱想，他无法接受自己对这个纯洁女孩有任何不敬的念头，爱，首先是尊敬。顾忱知道自己真的结结实实的爱上了申扬，突然脑海里有闪出申扬曾经问过自己的那句话："如果要你选择，你是要事业，还是感情？""是啊，如果只给我一次机会，我是该要什么呢，事业，还是感情？"顾忱胡思乱想，头又疼了，"这该死的酒……"顾忱闭着眼，将窗外的阳光阻隔，浑浑噩噩中，又睡了过去……

这个时候，白崇洗在发呆。

早上照例一边看秘书每日专门为自己编制的《简报》，一边随心所欲的浏览网页，突然，有则消息跳进他的眼帘……白崇洗认真看完，仰在皮椅上闭着眼睛不知在思考着什么，然后走到落地窗户前看着脚下川流不息的京城，足足站了半个小时一动不动。秘书进来，奇怪白总今天为什么没有喝水，然后悄悄为他倒去已经凉透了的水，又倒满热水刚要悄悄出门，白崇洗却叫住他，"笃寅降价的事，你知道吗？"

"知道……"

"怎么没有摘？"

"这个……"秘书想说自己认为不重要，却看着白崇洗宛如雕塑的背影，没敢多说。

白崇洗继续呆立，秘书静静站在门口不敢有一丝动作，他知道，老板这样做时，一定在做深度思考，上次这样时，好像是在五年前……

整整十分钟，白崇洗不发一言，轻轻摆手。秘书不发一声退出。

白崇洗拿起电话，"申总，中午一起坐坐？"

"好啊，我刚开完会，正想约你。"申笃寅抿了口刚送过来的雨前毛尖，有些苦涩。“来我这儿吃些清茶淡饭？”

“您那儿的神仙饭吃得我能淡出鸟来，还是来我办公室一起洗澡吧。”

“不好。”申笃寅才无法接受两个大男人在同一个浴缸里赤诚相见的模样，想了想，说：“去地块吧，见完面，各吃各的。”

“好。”

两人说的地块，就是六十九号地。

雨已稍歇，地却已湿透。二人的司机很奇怪老板为什么会选择这个时候去那块还没打进去一根桩的地块？到了现场，互相看到对方的车时，更奇怪了，原来有此雅兴的，并不只有自己的老板！

地块里尚未有路，地面泥泞，车是无法进入的。

两人相视一笑，也不说话，竟不顾地面泥泞一同进入大门。看门人和两个司机面面相觑，真搞不懂这些大人物的大脑是怎么长的。满京城没有他们去不了的地方，却偏偏跑到这么一块荒地上见面！

白崇洗丝毫不在意脚上那双一万多的鳄鱼皮鞋，几步下去污泥已经塞满皮面上的孔隙。申笃寅却照旧穿着双十块钱的懒汉布鞋，看着白崇洗脚下微笑：“可惜了。”

白崇洗伫足，故意用皮鞋跺了一下土地，“申总，您说的是鞋，还是地？”

“你说呢？”申笃寅意味深长的说。两人同时大笑。

“进入雨季了，地要湿透的。”白崇洗收住笑。

申笃寅也收住笑，“这，是春天最后一场雨，还是夏天第一场雨？”

“第一场也好，最后一场也罢，京城久旱，雨，是迟早要来的。”

“这么说，白总你能确定？”

“本来不能，待看见您，便能了。”白崇洗拍拍手，笑着说，“这一次您又赶在我前，老白认输了。”

“哈哈。你输，我输，大家便都输了。”

“是啊，输给天不可怕，可怕的是，输给自己。”

两人已经走到地块中央，四周空旷，站在这里，好像站在地球的极点。四环东路在远处横亘，上面的车轰轰驶过，却越发衬得地块中央寂静万分，静得只能听见对方的心跳。

白崇洗又轻跺脚下地，“申总，这地……”

“再坚硬的土地，也禁不起风雨的洗礼。”

“您的意思是……”

“等雨停……”

“好。”

两人不约而同伸出手，轻轻相握，心意互通……

十分钟后，两位老板脚踏泥泞神情坦然出门，各上各车，白崇洗脚下泥泞顿时将那副洁白的原装羔羊毛地毯弄得惨不忍睹，申笃寅，却随手将脚上被泥泞污染的布鞋丢出车门外，双脚踏在一尘不染的地毯上，又从旁边的储物箱里抽出一双新鞋穿在脚上，车内，照常是一尘不染。

顾忱突然被手机铃声惊醒，睁开迷糊双眼接起白崇洗电话。

“你小子怎么睡到这点儿？”白崇洗一听就知道顾忱刚醒。

“昨晚喝多了，请主管副市长和……”

“我问你，现在市场感觉怎么样？”

“好啊，挺好的……”顾忱兴奋的想将昨天的精彩故事讲给他，却被毫不客气打断，“挺好是什么意思？一套房子还没见着就敢说挺好？屁！”顾忱不知白崇洗今天吃了什么枪药，急忙闭住嘴不敢吭声。

白崇洗等了片刻，却听不到顾忱的回答，又说：“别窝在那小山沟里喝酒泡妞，把大脑都泡木了？怎么，不敢回答了？”

顾忱苦笑，“谁泡妞了？”

“谁？他妈的，你顾忱顾大老板现在可是大大出名，北京现在请客都流行不点菜了……”

“此话怎讲？”

“你顾忱和申笃寅唯一心肝宝贝的绯闻已经能当下酒菜了呗，笨！”

顾忱一时反应不过来白崇洗说的是真还是假，又呆住了。

白崇洗切入正题，“明天回来，说说销售的事，别想先收了我的钱就不管我的事！”

“怎么？”

“降价。”

顾忱大吃一惊，“项目卖得不挺好吗？为什么要降价？”

白崇洗犹豫了一下，说：“赶紧回来见面说。”

顾忱苦笑道：“老大，这几天我太忙，真的没时间，容积率要做工作，土地证要办，桩基……”

“容积率？现在还想从容积率上挖油水？别太贪心，我是怎么教你的？安沣项目见好就收，关键是一个快字，你小子要赶紧往前赶进度，也许还来得及。算了，安沣的事我没空管，但北京这边的项目，销售要加快进度。你要回不来，让丁铭找我，我考虑这两天利用五一假期促销，幅度嘛，至少九五折！”

顾忱脑子整个懵了。九五折？现在整个市场谁不是变着法涨价压着房子不卖？白崇洗竟要加快销售速度还要打九五折，莫不是疯了？！“白总，没搞错吧？”

“搞不明白的是你！马上叫丁铭过来找我！”白崇洗不由分说，想挂断电话。顾忱急忙问道：“白总，难道北京市场出问题了？”

“出不出问题现在我也不知道，但拿着伞总比挨雨淋强……”白崇洗停顿了一下，语气变得和缓些，“顾忱啊，别成天窝在安沣，要多用心研究大气候，都是一个林子里的鸟，老天要下雨，谁也没跑！”

白崇洗最后的语气很有些无奈，难道他真是预感到了什么？市场总会几年一轮回，乐极生悲的事，莫非就在今天？怎么可能呢，北京闹哄哄的各家售楼处里拿着钱抢房子的人大多是实实在在的自住性购房者，怎么会说散就散？价格的上升明明是这些强劲有力的硬性需求来推动，天，怎么可能说变就变？白崇洗太谨慎了吧？顾忱打电话给丁铭，丁铭汇报说这段时间项目销售很正常，前天才刚刚又上调了价格，新推出的两个组团一共八十六套房源一个下午就抢光了，其他楼盘的情况也差不多。顾忱放下心来，让丁铭马上带着销售报表去找白崇洗，末了，丁铭突然想起一件事，说：“对了，今天早上看新闻，笃寅集团旗下几个楼盘突然降价。”顾忱一怔，“不会吧？”丁铭嬉笑道：“真的还是假的，你顾总应该最知情啊……”顾忱笑着挂断电话，心里却生出一丝隐约的不安，正想着笃寅集团降价的事，申扬的电话打过来，听说顾忱已经起床，马上说自己过来找他。

顾忱忙起身洗漱，五分钟后申扬敲门。顾忱想起昨晚恍惚中的一幕，刚想问她，申扬却说："爸爸让我回去。"

顾忱一怔，"咱不是刚过来两天吗？"

"是啊，我也说，但爸爸说马上让我跟马总一起返回，一点不容分说。"

原来，就在顾忱与白崇洗通话时，申笃寅给女儿打电话，让她马上返京。申扬奇怪道："我刚刚来两天，这边还有事。"

"有事下回再说，听话。"

"不嘛——"申扬才不愿意和顾忱分开，她拉长音想求爸爸，谁知一向和颜悦色的父亲这次却毫不妥协，语气从来没有过的严厉，"马上回来！"

放下电话申扬想去顾忱房里告诉他这个消息，谁知马大帅却敲门进来，说申笃寅刚打来电话，要他带着申扬立即启程返京，务必下午下班前到达以便参加晚间会议。这个时间，最多够两人吃一顿快餐了，马大帅心知老板一定有要事，于是一边通知司机备车一边来敲申扬房门。

听完申扬叙述，联想起白崇洗的电话，顾忱心里越发不安，心想是不是我也回去一趟探听一下两位大佬的想法，申扬拉着他的手恳求道："要不……你也一起回去……"申扬的目光里满是期待，顾忱也有几分难舍，刚想点头，手机却响，刘连让他中午去甲鱼邨，说有要事相商。顾忱知道一定事关容积率，这个关键时刻自己怎能走开，只好答应说自己马上过去。申扬满心失望，现在连跟顾忱一起吃午饭的机会都没了，顾忱也是满心不舍，两人四目相对，顾忱刚想抓起她的手，门却被马大帅敲响，"扬扬，赶紧走了。"申扬答应一声，低头道："我还要收拾下东西，我……"顾忱忽然心底生出一股勇气，用力将她搂在了怀里，又在她额头上亲吻一下，申扬紧闭双眼，突然也鼓起勇气在他唇上吻了一下，然后推开顾忱转身出门，两颗晶莹的泪珠，落在胸前……

顾忱头一次体验到难舍难分的感觉，呆呆听着申扬的脚步声远去，呆立了很久，才想起动作……

刘连找他果然是容积率的事，刘连说上午他让规划局的几位领导去办公室，专门就第一城容积率的事商议，有卫彬的表态，有刘连的眼色，大家谁都明白该怎么做。调整容积率要经过安沣市规划委员会的批准，刘连是常务副主任，名义上的主任，正是市长卫彬。刘连找来这帮人，只是为了将这件事堂而皇之的摆在桌面上通过正规渠道来解决，合适的理由，合适的程序，合适的人选，所产生的结果，当然似乎也应该是正确的！刘连说："调整容积率的突破口有几个，而且理由都足够充分，第一，第一城是市里重点招商引资项目，市里曾专门下发红头文件要求给予政策倾斜，项目的需要，就是工作的需要，把这个大红帽子扣在头上，谁也找不出反对的理由！第二，四年前编制的安沣市整体规划，是否仍适应未来新安沣的发展要求，不合理的东西需要与时俱进，是多么合情合理的一件事情！第三，安沣市原有的商业中心地处老城区，环境破乱不堪，改造难度极大，所以商业中心也正在日益自发的向东偏移，第一城周边，恰恰是未来城市新商业中心的落脚点，并且此地作为老城区与东部新城区的连接地带，其商业、商务、高档居住功能都需要进一步开发提升，第一城的规划恰恰迎合了这一趋势发展的需求，而容积率的制约，恰恰成为阻滞发展的瓶颈！"

"这三个理由，足够合情合理吧？"刘连微笑，顾忱心领神会道："再好的理由，也全在刘哥掌握中啊。"

刘连毫不客气的点头，"所以，第一城容积率调整，已经上升到安沣市整体城市规划是否合理，未来新安沣的城市格局和功能分布是否能满足和谐发展需要的大事，这么大一件事情，需要上下齐努力，内外一条心，才能够做成，顾总啊……这可不是件小事啊……"

刘连自第一次喝酒后，再没有叫过顾忱一声"顾总"，顾忱敏锐意识到他一定有目的，也马上将兄弟关系暂放一旁，站起来恭恭敬敬端起一杯酒，自己先喝下一杯，倒满，又喝下一杯，再倒满，恭敬道："刘市长，这三杯酒，是我代表第一城敬您的，这件事只有拜托您多多费心才是，有什么要求，您只管吩咐。"

"我哪里有什么吩咐？"刘连一阵大笑，也端起来一杯酒跟顾忱一饮而尽，亲热的拉他坐下，笑着说："兄弟啊，咱们好兄弟还客气什么呢，你的事，就是我的事啊。我年纪大了，恐怕第一城交房的时候，我也下台退休抱孙子了，能趁着这两年给自家弟兄帮点小忙，是兄弟你给我的机会才是，要论吩咐，也是你吩咐我才是。"

“哪里，刘哥言重了。”顾忱起身又要喝酒，又被刘连一把拉到座位上，低声道：“吩咐不敢，要说要求，自然是要求你去做好唐书记和卫市长的工作，有他们的大力支持和关心，再加上这件事的合情合理，我的作用嘛……仅仅是顺水推舟而已……”

刘连还在兜圈子，顾忱单刀直入，“刘哥，再合情合理合法的事，缺少您这根顶梁柱，恐怕也是不成。提高容积率能为第一城带来的经济效益，自然很高，这里面，自然是刘哥您的功劳。”

“嘿嘿……”

“要不，我给您留几套专门为你设计的房子……”

“不行，兄弟你这可是要拉我下水呀，不成，不成！咱们做事，当然要在合情合理合法的前提下，你说，是不是呀？”

刘连的圈子一路兜到爪哇国又兜回来，顾忱情知他有话，只好耐心等待，果然，刘连又扯了一套天南海北，声音突然压低了下来，“对了，我那个堂弟，刘术……你还记得吗？”

顾忱心说废话，买了人家一百万的房子，能不记得吗？看来他这是要找代言人了。

“他让我求你一件事……”

顾忱心里咯噔一下，预感到刘连一定会狮子大张口了。

“他呀，本人不争气，有点钱全都去吃吃喝喝了，这几年也没啥发展，总想着弄块好地，但现在土地都要经过公开竞争，我这个副市长也帮不了什么忙，再说了，我身为副市长，也不能徇私偏向他，是吧？”

“是……”

“他上次见过顾总你，这些天总跟我提起，想再跟你喝次酒交个朋友，我说人家顾总北京安沣两头开发项目日理万机哪儿有时间跟你喝酒啊，这小子说，你在安沣毕竟还不熟，虽然上层有关系，但开发房地产毕竟是一个上下统筹的复杂过程，有个当地朋友协助，自然能锦上添花。我说，屁！你就别自吹自擂自我抬举了，你到底有什么事有求人家顾总，就直接说。这小子干笑两声，说，他，想凑着顾总你这块地，也投资一下。”

“投资？”顾忱一惊。

“对呀，原来，他的想法，是想在第一城项目里入个股，股份嘛，多少随你说，给他个机会就行。我跟他说了，这第一城可是每个开发商都梦寐以求的项目，你即使掏钱入股人家顾总还不一定干呢。他说，哪怕用两千万换一千万的股本都行，只要最后让他……”

“哪里哪里，我哪儿能占朋友这个便宜！”顾忱忙摆手，心里却暗暗叫苦，原来这刘连胃口竟远远超出自己的预计，本来以为用几套房子或至多两三百万好处费打发掉，谁知他竟抬出个刘术来，明拿自己的股份！这么大一项目，股份就算百分之五也是一个巨大的数字！

“这么说顾总你是同意了？”刘连端起一杯酒。

顾忱这才发现今天是鸿门宴。但自己正有求于他，刘连要使坏，容积率一定弄不成，自己小命握在人家手心里，就是想找来项庄舞剑也没这个胆量！顾忱此刻的感觉，就好像是一位脱光了衣服伺候客人的小姐，哪里敢说一个“不”字！

“当然欢迎！”顾忱大口喝下酒，险些呛着，强装笑颜道：“有新投资者加盟自然是好事，但……”话锋一转，道：“刘哥，第一城毕竟不是我个人的项目，白石集团和安沣市房地产公司……”

“嘿嘿，兄弟，你这样就是敷衍我了，大集团底下也不是没有以个人为单位的股份合作制吧？白石集团名义下，恐怕也是老弟你具体操盘吧？”刘连冷笑。

顾忱后脊梁顿时冷汗直冒，看来自己精心编制的剧本，也不是漏洞全无，眼前这老狐狸一定是看出了什么！于是赶紧说：“刘哥，我不是这个意思，但事关重大，我总要跟老夫子孙大盛他们打招呼吧？”

“这事要通过老夫子，我何必找你？”

“这个……”顾忱张口结舌，明知事已至此，只得硬着头皮接下来这个烫手的山芋。正想着怎么应付，刘连却不慌不忙给他支了一招，“依我看，很简单，顾总你在公司占了多少股份？”

“我代表白石集团占百分之六十，这里面还有白总孙总……”

“这个我不管，我的意见，刘术嘛，也不方便出现，还是让他做个影子股东，兄弟你把自己一部分股份让给他，私下签个协议做个担保什么的，不

就得了？”刘连轻描淡写，显然早把这招准备齐全，顾忱毫无回旋余地，只得一口答应。刘连又说：“我当然不能叫兄弟你吃亏，容积率提高后，你个人的收益至少提高上亿吧？”

“没那么多，三四千万吧。”顾忱笑得很心虚，知道刘连是拿容积率增加后的这块大蛋糕下刀！

“哦。”刘连淡淡说，“这样，他也没多少钱，就给你投资一千万，你给他按照一千万的股本金计算，最后该分多少利润，就分多少吧？”

顾忱心知这种方式最终也会生成一笔算不清的账，再说鬼才相信刘术会真掏这一千万，咬咬牙狠狠心道：“干脆这样，我也不用他投资，毕竟很多事情要靠他去辛苦，不如这样，我给他固定回报一千万！”

刘连怪眼一翻，鼻子里哼哼两声，点点头，半阴不阳的说：“这样，兄弟你不太吃亏了吗？”

“应该应该，刘哥您要不给我这个机会，我哪儿有这多出来的三四千万？”

“好！我也保证叫他好好为你服务。”刘连欣慰的拍着顾忱肩膀，“放心，这一千万，花得值啊……”

“值！”顾忱大笑，心想一千万能堵住你的胃口，也算是值了。

“那我叫刘术过来，你们具体签个协议什么的？”

顾忱忙点头答应。

刘连将刘术叫到，吩咐他道：“你不是想在顾总这里参股吗？我今天替你恳求顾总，人家看着我的面子答应下来了，还不感谢顾总？”

刘术起身感谢，顾忱起身推辞，像极了舞台上的演员。

而导演，却在一旁微笑着嘬下一口白酒。

两人约定下午去刘术公司签订一份协议，顾忱以个人名义总共向刘术的公司支付一千万元“咨询服务费”，在项目开盘后支付三百万，项目封顶后支付三百万，项目完全竣工验收后支付剩余四百万。刘术的义务只有一条：“随时根据顾忱的需要提供项目咨询服务”。

四月十八日上午十点十八分，是安沣第一城置业有限公司挂牌仪式选定的吉时。按照刘连的部署，这一天，顾忱应再次提请唐书记关注第一城容积率的问题，然后在第二天，以第一城公司的名义分别向市规划局和市招商局提出修改容积率的正式申请报告，申请报告自然会转呈到刘连与贾晓阳处，刘连拿到申请后，会拿到下周例行的规划例会上听取委员会成员的意见，并将这些意见形成文字后呈送到卫市长处，而此时，贾晓阳拿到的那一份申请报告也会转到卫市长案头，同时，刘连安排规划局提出一份关于提高市中心城区部分地块容积率的报告，刘连对据此组织有关部门研究探讨四年前整体规划的合理性与局部调整的可信性，与此同时，由国土局提出的关于市中心城区鼓励节约用地和鼓励高层建筑建设的报告……有关文件和意见最终会统统提交到唐书记和卫市长面前，正所谓上下一心合力统筹，在如此严密的部署下，在合情合理合法的红帽子下，面对主管领导和各部门几乎一边倒的压力下，拿刘连酒后的话说，两位领导，想不批都不行！

顾忱清楚了刘连的安排，心里更有了底。挂牌仪式是第一城开发主体的正式亮相，其意义，比起登高节更为重要，尤其是在登高节第一城赢得全市瞩目后，这一次的活动，一定会引起更多关注！

所以，顾忱将余下两天的全部心力投入到挂牌仪式的筹办之中。

顾忱不合常理的出招又一次引发议论。挂牌仪式没有选择在合资公司的注册地址：安沣市房地产开发总公司的大楼，也没有选择在任何一家高档酒店，而是选择在沣水桥头的那块空地上！

仪式前三天，深夜，有人看见地块靠近沣水路边聚拢过来众多人员车辆。

仪式前两天，上午上班高峰，上班的人潮惊见一个奇迹：昨天还没有动静的围墙不翼而飞，取代围墙的，是一个用钢管搭建起来高达几十米的巨型钢架！钢架下全是忙碌的工人，正在埋头清理杂草砖石。刚刚被整理过的地块正在被铺上一层绿色的网，远远看去，好像是一片绿地。路边，一长溜卡车来来去去熙熙攘攘，有的运来人员和材料，有的运走清理出来的垃圾……一派热闹非凡。

“第一城在做什么？”全城人热议。

中午，下班的人潮又惊呆了，沿街进深约五十米的土地全被平整干净，园林公司的卡车正在卸载成车的草皮，更令人吃惊的是，那个刚刚伫立起来的钢架旁边，竟然又竖立起来一座更加宏伟的钢架！

等到下午下班时，钢架已经变成三座！所有场地被铺满绿网，沿街进深五十米的地面被铺上翠绿的草皮，哪里还有二十四小时前的模样？

已经有小道消息传开：第一城，要在这块地上举行盛大的挂牌仪式！

第二天上午，草坪上又被布置了些长椅亭台和名贵花木，宛如一个美丽的街心公园，那三座钢架上，又有人在安装幕布之类的东西，人们纷纷猜测这是什么东西，然而，下午大家却全都失望了，三座高耸的钢架被严严实实用红布遮盖起来！钢架下方，又有人在搭建着一个平台。晚间，一块高约两米、面积约两百平方米的高台被搭建成功，高台后又搭起一个高约二十米的背景墙，背景墙也用红布严密的遮盖。晚上聚拢过来的好奇市民们看着台下上百号工人正在紧张的搬运安装音响设备，纷纷窃窃私语，真不知第一城在卖什么关子。有人注意到，路边停着几辆车，两辆宝马一辆奥迪，几个老板模样的人指点说笑，有个平头黑胖子嘿嘿大笑，“妈的，顾忱你小子够牛，两天时间拱出这么大动静！”

现场的人，是顾忱、老夫子和孙大盛。孙大盛刚刚从北京赶过来，一到现场就被顾忱的大手笔雷倒！在现场布置工作到深夜，顾忱与孙大盛却没有回宾馆住，因为，别墅已经可以入住了。

孙大盛大为兴奋，在别墅里上下欣赏，自得地说老子的眼光还可以吧，这个响当当干的活儿不挺好吗？顾忱嗤之以鼻却懒得与他啰嗦，问他今晚住哪儿？孙大盛大大咧咧说：“好久没见倪枫了，待会儿我们去吃夜宵，然后……”顾忱急忙止住他，“别然后，你要把她带来，我真跟你急！”孙大盛也不生气，嘿嘿笑着出门，顾忱不知道，他早让倪枫租了一套崭新装修家电齐全的安乐窝。

偌大一座独栋别墅只有顾忱独自一人，从三层书房的侧窗望出去，恰恰能从别墅的尖顶上看到远处那三座钢架，钢架沉浸在深夜的路灯下，好像一幅安静的梦，顾忱看得有些痴了……

这个晚上顾忱独坐书房很久，却一点不寂寞，因为申扬在北京陪着他，两人在网上聊天到凌晨，申扬说特别想赶紧回安沣来。顾忱问她是想安沣还是想我？申扬给了他一个鬼脸加拳头，却在末尾低低应了一声“嗯，当然是想你了”。申扬说回到公司后爸爸让她参加了高层会议，除集团总部高层外，北京及外地各项目负责人也全部到场，会议认为国内房地产可能随时有调整的可能，指示各部门对市场进行深入研判，在局势尚未明朗前，决定继续加大北京地区楼盘的促销力度，外地项目也做好随时跟进的准备。会后，申笃寅又专门叫申扬与马大帅闭门听取马大帅对安沣市场的判断……“马总怎么说？”顾忱急切想知道。

“马总说，安沣目前尚未有市场调整的迹象，反而由于市场刚刚启动，外地开发商尚未进入，因此，本地开发商开发的那些户型老套配套陈旧外形庸俗的楼盘，一样卖得挺好，短期内市场前景应保持乐观。外地品牌开发商的高品质住宅项目一旦进入，很可能引发整个市场的升级和升温。对了，马总还专门提起你在登高节上的策划，夸你机智敏锐眼光独到。”

顾忱没想到马大帅竟然会在背后夸自己，对他重新生出几分好感。

“爸爸也说你有大将风度，如有机会，一定大有前途，但也说你年轻气盛好高骛远，切忌贪心切勿恋战，在如此前景不明的环境下，一定要迅速出击，控制好资金使用与开发进度的节奏。”

“嗯。”顾忱放下心来，看来还是申笃寅和白崇洗多虑了，智者多虑？顾忱不屑的笑了一下，在中国房地产市场上，智者，往往不如勇者！

两人越聊越兴奋越不忍下线，还是最后申扬考虑到顾忱明天重要活动，强忍着不舍依依告别。回到床上，顾忱却还是无法入眠，干脆走到楼下独自在别墅里巡视，想象着未来几年自己就将在这幢别墅里成就自己的理想，心情，更是难以平复。巡视几遍，顾忱又拿起钥匙走出大门，进入另外一套别墅，这套别墅整个是按照新中式风格装修，布置豪华的同时又多了分含蓄，明天，这座安静的别墅将迎来贵客，这些人，全都将是自己手中的棋子！想象着明天开始的欢愉，顾忱一声冷笑，不禁上楼，二层的卡拉OK厅完全是按照专业歌厅进行装修设计，演唱设备也均是价格不菲的一流品牌，只要推上这扇专门从北京订做的厚重大门，从外面一点也听不见房间里的动静。卡拉OK厅对面也是一扇大门，里面是一个七八平方米的更衣

室，再进入一扇小门，里面豁然开朗，竟然是一间四十多平方米的浴室，多人按摩浴缸旁边是一个桑拿房，桑拿房边上还有一个小门，进去，是一间小小的棋牌室，洗过澡的主客可以在这里玩上几圈麻将，然后……

然后，就是三层，顾忱推开三层主卧大门，又转过玄关，充满感性的幽暗灯光下，居中是一张硕大的圆形床，红色的寝具配着紫色的纱幔鹅黄色的壁纸淡粉色的羊毛地毯和白色的家具，人仿佛踏进一个温柔的甜梦里，充溢着诱惑！用孙大盛的话说，人进到这里面，想不整点啥都觉得对不起自己！但不知为什么，每当进入这间由自己亲自设计的卧室里，顾忱总有种隐隐不安，任何人都能想象这张大床的用意……顾忱摇摇头禁止自己想下去，告诫自己学生时代的清纯早已远离，社会就是这样，谁不是为了生存和成功而暂时将良心与戒律暂放一旁？这张床上所发生的一切，都将成为自己通往成功道路上的一块基石。这就够了，何况，明天为迎接首位贵客而准备的厚礼，已经备好了……

四月十八日上午十点十八分，安沣人见识了一场特别的典礼。

首先，安沣自古以来从没见过如此众多的美女集中在一地：八百八十八名年纪在十六到二十二岁之间身高在一米六五到一米七之间体重不超过五十三公斤容貌俏丽的漂亮女孩身着统一的红色礼服手捧红色气球簇拥在主席台周围，形成一个巨大的红色花瓣！为了准备这八百八十八名美女，安沣各高中大中专院校的女生被细细梳理了一遍，另外还专程从省城请来专业模特队才凑足这个前所未闻的数量。

很多人专程为这场热闹的典礼而请假观看，到了现场，才发现自己的顶头上司也正翘首期待……昨天全市所有报纸均以整版篇幅刊登广告：“第一城明日盛装面世！”当地电视台的广告持续四个小时不间断轰炸，竟然把正在热播的电视剧临时中断，打到电视台抗议的市民无法遏制自己的愤怒，却也同样无法不记住这个轰炸性的名字：第一城！

沣水路严重阻塞，围观的人潮让大桥不负重荷，警方在早上七点半开始设置路障时，竟然发现道路早已被守候的市民堵得水泄不通，而此时，距离仪式开始还有将近三个小时。于是，警方紧急调动了所有能够调动的警力镇守在仪式现场，但即使如此，也没有挡得住窃贼的加盟，据事后报案统计，这一个上午，警方在现场接到四百二十六起报案，共丢失手机三百零四部，钱包一百一十二个，现金两万七千余元，其他财物折合人民币约为五千九百元……

按照计划送花篮的公司根本无法进入现场，只得急忙求助负责现场布置的董玫，董玫带人赶到，顿时倒吸一口凉气，土生土长的她，还从没见过这么热闹的场景。她急打电话给老夫子，老夫子悠悠道："咱的广告铺天盖地，人自然多了。""不是……劳总……有点太多了……"董玫哆哆嗦嗦说。老夫子不信，也赶过去，不料才走到距离现场一公里远的地方汽车就无法继续通行，车两边，全是密密麻麻步行前往现场的人！老夫子惊呆了，急忙通知从仪式现场后面也就是工地里紧急开辟一条通道，如果没有这条临时通道，所有参加仪式庆典的人，包括市委市政府的各位领导，全都无法抵达现场。两百名工人紧急从沿河边那条道路进入工地，临时抢出一条通道直达主席台后面，董玫又赶紧通知警方和市政府临时改道的消息，等到这一切弄停当后，唐书记卫市长一行浩浩荡荡的专车队伍已经绕道沿河开到河边围墙那扇锈迹斑斑的铁门前，此前一小时到达的顾忱孙大盛与老夫子等人一道恭候在刚抢通小道的尽头笑脸相迎，眼见一行车队沿着二十五度坡度晃晃悠悠踟蹰而至……

"好嘛，参加顾总你这第一城典礼还真不容易呀！"唐卿当先下车，握着顾忱手微笑。

"是我们没有事先做好准备……"老夫子插话想解释，唐卿却摆手笑道："没什么，见识到第一城的人气，说明咱们安沣人民对新生事物的好奇心还是非常强烈的，更能体现出百姓对新安沣美好未来的期盼，更能体现出招商引资政策取得的丰硕成功嘛……"

听唐卿轻描淡写就将一场由于严重准备不足导致的混乱局面说成值得骄傲的成绩，孙大盛瞪大眼睛叹为观止，待到唐卿亲切的握着自己手说："孙总好久没见你了"时，不由得打心眼里说出一句心里话，"唐书记，你这几句话，打死我也说不出来……"

"哈哈……"满场大笑，冲去了不安与尴尬，众位领导们鱼贯而出，与

主人们一一握手。卫彬紧握顾忱双手，大声说："第一城果然不愧其名字，尚未现身，就能引发这么强烈的关注，在我印象里，安沣还从没有这样的盛况。顾忱啊，了不起了不起！"

贾晓阳接口道："顾总这都是你的精心策划吧？事先怎么不也不通知我一声，让我从八点半一直足足等了四个小时都没等到电视剧，整整看了一晚上第一城的挂牌通知！算你狠！"

刘连皱着眉笑道："我一早就接到公安局陈局长电话，让我派人赶紧去看看沣水桥，看承重有没有问题。要知道，这座桥可是六十年代建成的旧桥！我亲自赶到现场，不是，是扔下车带人挤到桥头，吓了我一跳！桥上全是人，连桥栏杆上都爬满了人，我当时就吓得一身冷汗，想要是真把桥压塌了，你顾总财大气粗大不了赔点钱，我这主管副市长可就得进监狱……"

唐卿回头笑道："老刘，人家顾总大喜之日，别胡说。"

刘连却哈哈笑着接着说："我于是赶紧叫陈局长派人来疏散人群，对了，陈局长派人去了吧，宋市长？"

"已经派警员守住桥两头拉了警戒，刘市长你放心好了。"主管政法的宋副市长远远答道，"唐书记卫市长，我去前头看一下再……"

看着宋副市长带着人绕过主席台挤进围观的人群里，顾忱对唐书记说："都是我们准备工作仓促……"

"哎——顾总，这都是我们政府部门的服务工作没有做到家，是我们的疏忽才是。"唐卿又转头对卫彬道："看来，此类活动以后要先制定预案啊。"

"是啊，安沣还从没有这种大型活动的组织经验……"卫彬等人边走边说。顾忱陪着大家走到主席台后面专供贵宾歇脚的红地毯上，看表，距离仪式预定时间只有不到五分钟，台上台下的媒体记者们也都做好了准备，警员们站成两列人墙背对主席台，黑压压的攒动人头十眼都望不到边。真是一次有惊无险！顾忱暗中松口气，示意主持人开始。

音乐响起，主持人微笑着走上台，宣布安沣第一城置业有限公司成立庆典即将开始，台上一块石英钟的秒针开始跳动……主持人带头倒数，"十，九，八……"整个城市上空数数声响彻云霄，"一！"话音刚落，突然，主席台后方火光大起，整个工地上空腾起无数大型礼花，按照计划排列在工地里的礼花队在同一时间将礼花射向高空，竟然在蓝天白云下组成“第一城”三个巨大的红字！城市沸腾了，围观市民大声叫好，绝对没想到第一城会以如此精彩的方式亮相。

主持人宣布请领导为公司揭幕。唐卿和顾忱一同走上台，一人站在一边，轻拉一根红绳，主席台后的背景墙无声显现，背景墙上是巨幅的第一城鸟瞰图，背景墙中心嵌着一块铜牌，上面一行黑字：“安沣第一城置业有限公司。”

众人又叫好。主持人又宣布请领导为项目揭幕，卫彬、老夫子、孙大盛走上台，每人分别走到一座钢架下，用力拉手中红绳，钢架顶部的红布瞬间飘落，全场一片惊呼，露出来的，竟然是三座巨大的建筑！原来，这些钢架竟然在一夜之间穿上外衣，变成三座巨大的建筑模型！中间一座，是一幢二十八层现代感强烈全玻璃幕墙外立面的写字楼，右边是一幢二十八层通体纯白色的高级公寓，左边是一幢十八层的高层住宅，这三座巨大的建筑模型伫立在安沣的蓝天白云下，如此美丽，如此自信，所有人被现代建筑的美感惊呆了，红布落下后，竟全场鸦雀无声，人们仿佛看到了一个全新的安沣庄严面世，一种全新的、从未体验过的生活，正向古老的安沣走来……

城市上空掌声雷动，唐卿走上前，激动的说：“看见了吧，耸立在大家面前的，就是未来的安沣，一座全新的充满希望的新安沣！第一城置业有限公司的诞生，说明市委政府提出五年再造一个新安沣战略方向的正确，证明安沣又迎来了更多新鲜的血液与先进的理念，更预示着安沣从此将迎来一个崭新的发展空间，安沣的未来，必定更加美好！”

礼花齐飞，笑声震天，八百八十八名少女手中的红气球腾飞而起，所有人对着这八百八十八个红气球行注目礼，看到它们在空中组成了一个巨大的花瓣，不禁又是全场欢呼。主持人宣布典礼到此结束。

“感谢你，顾总，为安沣市操办了这样一场充满创意与热情的盛典。”唐卿热情与顾忱握手，卫彬也拍着顾忱的肩膀说：“第一城，也将成为所有安沣人的第一城，安沣历史上将迎来一座具有历史意义的新城！”

“顾总，你这三座模型恐怕是费了大工夫吧？”唐卿饶有兴趣看着三幢大厦，“外立面做得很漂亮，拿到北京去，恐怕也是一景。这么美的建筑，可一定要尽快伫立在安沣中心啊……对了，什么时候开工？”

“等下撤去展台售楼处就开工了，如果前期手续顺利的话，两个月后就能正式动工了。”

“好啊，”唐卿留意到顾忱的弦外之音，“前期手续有什么不顺吗？”

“这个……”顾忱欲言又止。

“我们就是觉得容积率太低了，如果按照现有容积率，这三座楼，全都是空中……一张大饼！”孙大盛过来大声说，他本来是想说“空中楼阁”，但说到一半却忘记准确的成语，临时又想起好像还有个形容不可能实现的成语“画饼充饥”，但一时也想不起准确的用法，一急，干脆连成一块，变成“空中一张大饼”！几个人俱是一愣，待反应过来，同时哈哈大笑。

唐卿皱下眉，问道：“现有容积率是多少？”

“才2.0！”孙大盛不知从哪儿摸出一张3A纸大的效果图送到唐卿面前，“看，要是按照目前标准，只能做成这个模样！”

这是顾忱临时想到的主意，那张效果图也在早上才让孙大盛带在身上。孙大盛这一招果然有奇效，唐卿仔细看眼前效果图，又转头看身后鸟瞰图，孙大盛趁机说：“这样一来，两幢二十八层大厦全没了，这么大马路边上矗个十几层小楼，也不好看是不？”他的大嗓门将人们吸引过来，大家一看之下全乐了，纷纷说手里的图哪里比得上鸟瞰图。

唐卿若有所思看看顾忱，又看看孙大盛，再看看围拢过来指指点点的人们，点头道：“顾总，你的意思我懂了，这样吧，咱们下来认真研究。”

“是啊，现在不是说事的时候，咱们去酒店吧。”老夫子接口道，“请领导们去酒店吧。”

按照计划中午由第一城宴请参加活动的贵宾，于是大家走下台，各自驱车前往安沣大酒店，顾忱心里充溢着兴奋，今天到场的嘉宾足足有上百人，有唐书记卫市长到场，全市四大班子众位领导和各部门几乎被第一城一网打尽尽数到场，而全场的焦点就是顾忱，顾忱感觉自己风光无限，端杯敬酒，走到哪一桌都有人亲热的握手恭维，这种感觉，是以前在北京怎能感觉到的？恍惚中，顾忱又寻到陶陶的梦境，不知不觉中，又喝多了……

迷醉中，顾忱梦见自己正坐在已经竣工的第一城楼顶，二十八层大楼作为安沣最高建筑，已经成为安沣的新地标。脚下车来车往，顾忱手里拿着安沣第一城几个大字正往楼顶上贴，地面，无数人在看着自己，特崇拜的眼神，自己轻飘飘的陶醉在暖风中，“两个亿呀，两个亿呀，哈哈……”顾忱开怀大笑……突然，脚下一颤，大地在晃动，“出了什么事？”顾忱一惊蹲在地上，但眼前的安沣市在晃动，剧烈的摇晃使眼前一片模糊，大厦摇摇欲坠，手中的字失手落下，脚下的车辆人影四散奔逃，脚下一块钢筋混凝土的楼板开裂了，脚下是一个黑洞……“啊……”顾忱一声大叫身体急速下坠，睁开眼，眼前却是一张人脸！

“醒醒……”孙大盛嬉皮笑脸正拼命想晃醒顾忱，“天都黑了，你都睡一整下午了。”

顾忱奋力睁开眼睛，才反应过来刚才不过是一梦。“我在哪儿？”

“靠，中午那么多人轮番上阵，你偏偏实诚见酒酒干，要不是我送你回来，你小子早不知道死哪儿去了。”

“我醉了？”顾忱坐起来，自己果然是躺在别墅三层自己的床上，“我中午没乱说什么吧？”

“放心吧，你醉了也跟正常人似的，除了我，没人看出你醉了。”

顾忱放下心，感激的拍拍孙大盛，关键时刻，还是朋友好。

“要是我也醉了，晚上的安排不就全泡汤了吗？嘿嘿，幸亏我机灵，留了清醒……”

“什么安排？”

“靠，你醉得连这都忘了？”

顾忱恍然大悟，一拍脑袋，对了，今天下午安排招聘的人员进驻，服务员和厨师全都正式到位，晚上……宴请刘连！外面天色已暗，顾忱一个激灵跳下床，顿时完全清醒，“糟糕！”

“糟糕什么，有我呢！”孙大盛笑，“我下午都替你安排好了，那边已经布置厨师准备了，刘连中午也喝了不少，估计一时半会儿也到不了，你赶紧去收拾一下，好好伺候这位大爷吧。”

两人下楼去另一套别墅，孙大盛说道："你起的那个什么'觞韵'太过生僻，我看不如就叫'红楼'好。"顾忱白他一眼，道："叫这名字还有谁敢来？"孙大盛笑道："他奶奶的，越是表面风雅的名字，越能掩盖下流，我这大老粗就想不出这么斯文的名字。"

进门，转过玄关便是一个雅致的餐厅，与旁边的客厅用黄香木万字格屏风隔断，八棱形的餐桌也是用紫檀雕成，每个棱面对应着一把高背椅，正冲门坐北朝南的椅背上雕着一个篆体的"贵"字，与"贵"字椅相对的椅子上雕着"富"字，东西向两把椅子上分别雕着"寿"、"喜"二字，其余四张椅子则分别雕刻着梅兰竹菊团。餐厅处光线阴幽，落地窗用深色窗帘遮住，天花板也被刷成黑色，上面镶嵌的十几支小型筒灯宛如黑夜天空里的繁星。与餐厅一屏之隔的客厅则光线明亮，从挑高六米的顶部垂下一盏巨大的云石灯，古朴的木沙发围拢成"品"字，却围着一个极现代的玻璃茶几。背景墙上挂着一幅巨大的临摹《韩熙载夜宴图》。孙大盛一屁股坐下，一旁站立的服务员忙打开电视，又为两人冲茶。

"怎么样？"孙大盛用鼻孔瞅着身穿真丝旗袍的女服务员，"还可以吧？"

顾忱不去理他，而是对服务员客气的说了声谢谢。

服务员倒完水，退到一旁微笑躬身道："顾老板，我叫'梅兰'，是刚来的服务员。"

"你去把所有人叫来。"孙大盛一挥手，梅兰转身离去。

"还有个服务员叫'竹菊'……"

顾忱失笑，险些将一口茶喷出来，"名字是你起的吧？"

"是啊，是不是很文雅，哈哈……"孙大盛得意大笑，"这两个服务员不错吧？要模样有模样，要身材有身材，还都是高中毕业的，她们俩的房间就在你楼下，要寂寞的时候……"孙大盛一脸淫笑，顾忱忙打断他，"其他还有什么人？"

"一个主厨，一个二厨，其实也就是打下手，还有一个保姆，负责两套别墅的卫生……"

正说着几人站到两人面前，孙大盛大模大样给顾忱一一介绍，几人齐声问候，顾忱倒被这阵势弄得有几分尴尬，摆摆手让大家各自工作去。

这个会所按照顾忱意思，完全是用于自己的应酬。房地产项目的开发过程免不了酒宴笙箫，在自己会所，一是省钱，二来更是为了私密。厨师和服务员只为餐宴提供服务，餐宴结束后他们的工作即完成，回去另一套别墅自己的房间休息，两位厨师住一房，其他三人住一房。

孙大盛看了下表，骂道："这个刘连一看就不是什么好东西，平时人模狗样，不知到了这里会怎么样。发起情来估计也跟公狗差不多，妈的，可惜了那张好床！"

刘连到的时候已是晚上八点，孙大盛忍住肚子里咕噜噜骂骂咧咧耐住性子看完焦点访谈，刘连从大门进来，连连说有个会所以晚了不好意思……两人迎上前亲切问候，服务员开始上菜。三人落座，顾忱与孙大盛端杯向会所的第一位贵客敬酒，刘连连说荣幸，三人连干三杯。专程聘请的厨师烧得一手好菜，菜上齐后顾忱指使他们出去，三人在幽静的餐厅里谈笑风生酒兴渐浓……

酒后刘连要走，孙大盛却拉他去楼上唱歌，刘连推辞道五音不全，却禁不住二人盛情进入卡拉OK，刘连奇怪，心想天底下也没有三个大男人一同唱歌的道理，不知这二人到底葫芦里卖得什么药。顾忱为刘连点了首老歌，刘连开口后，孙大盛才明白他的五音不全果然不是谦虚，顾忱悄悄发了一个短信，半分钟后，门被推开，进来一人……

刘连唱了一半，转脸看见此人，竟一时心慌，手中麦克险些失手。原来幽暗的灯光下，竟出现一个身着短款黑色旗袍的美丽女子！刘连见过不少大世面，却头一次看见这样仿佛长在画上的漂亮女孩出现在自己身边。女孩对着大家莞尔一笑，千娇百媚盈盈上前，顾忱介绍说："这位是王总，这位是哈蜜……"

孙大盛把嘴凑到刘连耳边，小声道："这个哈蜜小姐，可是一个著名的……"

刘连想装作一本正经的样子，脸上却全是心猿意马，哈蜜会意一笑，将身体轻轻靠刘连身上，气吐如兰，"王总，我陪您一起唱……"

孙大盛亲自开了瓶洋酒，哈蜜为大家献唱，此时此刻，酒也醉人人更

醉，刘连渐渐放开，恢复了原本颐指气使的原形，顾忱见火候达到，悄悄附耳道："今晚您不妨就住在楼上？"

刘连怔了一下，低声说："我……我还是要回家去的。"

"那……"顾忱一笑，"春宵一刻值千金，我就不打扰刘哥你的雅兴了，我派司机开车在门口等着，不论何时也送您回家。"

"这个……"刘连望一眼哈蜜正在摇曳生姿的臀部，悄悄咽了口口水，"这个不好吧……"

"哈蜜小姐是我专门从北京请来陪您的，无论如何，刘哥要给兄弟个面子好不好……"

"嘿嘿，那就……"刘连拍拍顾忱肩头，"谢谢了。"

顾忱带着孙大盛告辞下楼，穿过寂静的房间关上大门，留给刘连一个私人的空间。锁上大门的一瞬间，顾忱突然有种异样的感觉，自己锁上的，好像是自己生命里的一扇大门，以前的很多东西，将会永远的锁进历史……孙大盛却发出一声叹息，望着二层卡拉OK厅密不透风的窗户，说出一句经典台词："这世道，咋就成了这样！"

孙大盛去了自己的安乐窝，临走时坏笑着拍了顾忱一下，"怎么样？寂寞吗？"

"是啊，寂寞吗？"顾忱突然感觉到一股浓重的惆怅泛起在夜色中，是不是每个人都在做着不该做的事？隔壁的别墅从外表看起来寂静无语，但里面，一定很热闹……顾忱靠在顶层的阳台看着对面的别墅，卧室透出微微灯光，一定是哈蜜带着刘连进了卧室。楼下车灯闪亮又暗淡，孙大盛的司机回来了，老老实实等候在车里……手机响了一下，是申扬问顾忱在做什么？"是啊，我在做什么？"申扬的目光好像在夜里看着自己，应该？还是不应该？原来这样难以回答。

从这天起，刘连变成会所的常客……

顾忱忽然悟出一个道理：在安沣这样的小城市混，只要搞定一个人就行！这个人，无疑就是刘连。顾忱并没有把精力花费在更多人身上，只要牢牢抓住刘连就行。虽然几乎每天都有客人进入会所，其中有唐卿，有卫彬，有贾晓阳，有各级顾忱需要宴请的领导，也有老大了这样的合作伙伴，也有一些是新结交的当地朋友，他们一般都是吃完饭就告辞，有的跟顾忱一起上去洗个澡，偶尔也会唱会儿歌喝点茶什么的，但三楼那张圆形水床，却好像永远是为刘连准备的，他好像也迷上了这张大床，只要有时间就来"放松"，久而久之，几乎成为一种习惯。哈蜜在北京还有"业务"，顾忱只好委托孙大盛又踅摸了几个女孩轮流过来陪他。

钱花在刘连这样一位大人物上，用孙大盛的话，真值了！

有唐书记卫市长对第一城的另眼相看，有刘连这么一位关键大人物罩着，项目运作披荆斩棘。刘连关于容积率的计划全面奏效，市里决定重新制订城市整体规划并成立工作小组，卫彬为工作小组组长，刘连照例为常务副组长。关于第一城容积率问题，市政府办公会议经研究后原则性批准调整，请规划委员会提出具体修改意见。

为提高第一城容积率，安沣市竟然决定重做整个城市的规划！这个决定从小圈子里逐步扩散蔓延开来，各种各样的小道消息也四散波及，为了制止谣言，工作小组利用各类会议渠道媒体解释安沣新规划对未来发展的关键作用及调整的必要性和紧迫性。强有力的宣传工作最终压倒质疑。

牵一发而动全身，第一城做到了！

这一切，都是因为有刘连的推手。在这个过程中，因着一条无形的锁链，将顾忱与刘连二人紧紧的凝结成为密不可分的一体，二人关系越发显得亲密无间。刘连的所有应酬都会带到会所解决，顾忱也会作为主人热情招待刘连带来的与项目有关或无关的客人们，在这个过程中，二人的关系成为公开秘密，安沣的城建圈子里流传一句话："顾忱就是刘连，刘连就是顾忱。"

换句话说：第一城就是刘连，刘连就是第一城。

提高容积率的前景毫无悬念，但毕竟要经过一层一层上下左右的环节，如同投入投注机中的一颗骰子，无论跳上跳下忽左忽右，但最终，是要落进出口的。在等待骰子跳出出口的过程中，顾忱并未闲着，第一城进度飞快。

第一次真正由自己操盘整个项目，工作比顾忱想象中更加繁忙。老夫子改头换面后，忽然发现从前政府部门的朋友们全都一夜间换了嘴脸，绝

对公事公办！老夫子在巨大的落差中逐渐明白了自己身份变迁引发的“后改制效应”，自己彻底不再是那个游刃有余威风八面的半官半商，而是彻彻底底成为一个“个体户”，在官本位的中国，企业需要始终保持对政府的距离与敬畏！老夫子收敛心神，学习重新做人。因此，在老夫子洗心革面痛苦涅　　的过程中，所有的前期手续上下应酬前后打点虚与委蛇均由顾忱独自进行。幸亏有刘连大哥在，一切不在话下！

售楼处自公司挂牌那天起破土，这是一座近两千平方米的一座漂亮钢结构建筑。合资公司与大盛建筑公司签了正式施工合同，将售楼处建设委托孙大盛施工，工程款由合资公司向孙大盛支付。

顾忱又在售楼处现场看见了刀疤脸响当当，孙大盛一定又将工程分包给了小情人，但顾忱想通了，只要能把售楼处按期建好，这些并不重要。

售楼处进展神速，孙大盛只是隔个把礼拜过来一趟。在这个过程中，合资公司的管理人员也都配备齐全，老夫子遵守对孙大盛的承诺，果然将倪枫任命为孙大盛的秘书。面对以前同事的眼神倪枫并不在乎，孙大盛现在已经在她身上花了不少钱，别墅和售楼处两个项目做下来，自己也赚了不少钱，孙大盛还承诺等到项目竣工后给自己一套房子，但孙大盛却不知道，倪枫想要的，绝对不仅仅是这些……

售楼处开工的同时地块上打下了第一根桩。按照常理，确定容积率后才能进行建筑设计，确定设计后才能打桩。但顾忱坚信容积率一定不是问题，毅然决定提前打桩。手续未办便开始施工是违规行为，但有刘连在，这一点中国房地产圈大家都已习以为常的小小擦边球，能算得了什么事呢？

还有一个意外惊喜等着顾忱。为了配合调整规划工作的需要，也为了提高城市形象，市政府发文，决定在全市范围内鼓励高层建筑的建设，与此匹配的，是对高层建筑项目的土地契税减半等一系列优惠政策。仅土地契税减半这一项优惠政策就给顾忱省下近三百万元。这，也是刘连的功劳。

还有一件极为重要的工作：土地证。国土局答应在土地出让金缴清前办理土地证。有了土地证，一切后续手续才能够办理。但是由于涉及容积率调整问题，必须待确定新的容积率后才能办理土地证。但这并不能阻碍顾忱的进度，设计工作已经深入推进，按照顾忱估计，容积率确定之日，也就是项目开工之时。

在这个过程，刘连又给顾忱介绍了一个新朋友：一个当地建筑公司老板。顾忱婉转告诉刘连项目是由孙大盛负责施工，其他人不方便进入。刘连表示理解。顾忱深知刘连沉默的背后一定隐藏着不快，于是专程请孙大盛第二天赶到安沣，以孙大盛名义宴请刘连，晚间，孙大盛私下塞给刘连一张银行卡，说，“俺是大老粗，也想不到什么，这点钱，是我请你去北京旅游的花销。”刘连盛情难却只得收下，从此不再提及施工的茬。

晚间别墅照例又成为刘连独享的人间仙境。孙大盛却没有急于回到倪枫的住处，而是跟着顾忱靠在阳台上发呆，忽然问了一句，“项目还没开始卖，钱，花了不少吧？”是啊，乱七八糟的钱日日如流水般出去，收钱的日子却好像永远没个头，银行里虽然还有六千多万现金，可这点钱到底能坚持多久呢？按照两人之间的约定，项目开工后应按照进度向孙大盛支付工程款，设计费、契税、配套费、管理费用零零碎碎加起来也有千万之多，这区区六千万最多也就够三五个月的费用，虽然刘连拍着胸脯保证售楼处只要一建好就可以让顾忱卖房，可顾忱心里总没底，总感觉前方有个炸弹在等着自己！这种感觉沉淀在心里好久了，今晚跟孙大盛一说，孙大盛也有同感，说咱们这项目怎么比当初我那项目还要风险，表面看一帆风顺，心里却老是觉着没底！顾忱问你那股票赚钱了吗？孙大盛苦笑，还赚钱呢，指数从五千点落到不到三千点了，想起来心里就揪得慌！

月光如水，两人呆看着对面“红楼”，不知想些什么……

第十三章　流　觞

燥热。六月便入了夏。北京的天气比往年这个时候偏高。照这个速度发展下去，不出一百年地球就会变成一个滚烫的火球不适宜人类居住。

但只要人类存在一天，房地产市场，就要继续下去。

北京的各家售楼处早早便开足了空调，却仍无法抵御购房者的热情。笃寅集团和白石集团的促销并未在市场引起跟风，反而成为圈内一致嘲弄的对象。但二人却坚持不懈，趁着大家捂紧房源之际却加快推出房源，所有新推房源一定会在几天内售罄，房源有限，市场却热度无限，一房难求的局面无力改变。各地政府开始出台政策要求严厉打击囤房惜售的开发商，开发商便使用各自伎俩规避政府监管，装模作样推出的稀少房源如同酷热三伏天的几颗雨点，根本无力浇凉炽热。市场于是更加无量空涨，价格与日俱增，人们购房热情愈加高涨。

开发商们在清凉的空调房间里看着售楼处里焦急的人群笑，过了这个夏天，价格又会达到一个新的历史高点，房地产市场上的博弈，购房者从来就没有赢过！

安沣各家项目也如此，人们生怕被房价快车远远抛在后面，纷纷挤破脑袋求房，但巧合的是，市场上所有正在建设的楼盘施工进度突然全面滞缓下来，有些工地甚至放了暑假！找到老夫子央求在第一城为自己留套房子的熟人们踏破门槛，第一城像一块巨大的磁铁吸引着安沣的购买力。

市场给了顾忱一颗定心丸：第一城是不愁卖的，发愁的是，怎样才能卖得慢些？顾忱与孙大盛一个月前的不安似乎烟消云散，孙大盛组织好的施工管理班子整装待发，时刻准备听候老板命令带着大队人马轰隆隆开入安沣。

一切顺利。

一切都在向着超出预期的圆满发展。

按照这个势头发展下去，顾忱自己的利润能达到三个亿！

这个夏天，在顾忱看来犹如甘露般甜美清凉。热，真是一种享受！

传来一个好消息：规划委员会正式批准第一城容积率由2.0调高到2.5！只是连带了一个附加条件，按照增加容积率的幅度补交契税。所有人松了一口气，第一城推进路上最大一块拦路虎被移走了，补交契税只是一个象征性的官样文章，仅仅才一百多万而已！

轻舟已过万重山。冲破激流，终于望到一马平川。顾忱一块石头落了地，遵守承诺请刘连去北京“考察”。他去北京的目的还有一个：很久没见申扬了。自申笃寅与白崇洗在六十九号地见过面后不几日，申笃寅突然决定去国外考察，申扬想留下来去陪顾忱，却被父亲严词拒绝。申笃寅严肃的说，美国已经出现次贷危机，由此引发的全球性金融危机亦有可以波及国内，这趟考察由笃寅集团发起，邀请了多家国内企业老总与政府官员，可谓意义重大，申扬作为集团未来当家人，怎能不顾企业大计只顾儿女情长？父亲一番训导使得申扬定下心神，再说也心知顾忱这段时间忙于前期，自己去找他，反而可能影响他，于是跟随申笃寅一同去了美欧数国游历。这一去，就是一个多月。刚回北京，两人就约好几天后顾忱陪同刘连时见面。

一来冲着顾忱的面子，二来想了解安沣的虚实，白崇洗答应出面接待刘连。申笃寅有项目在安沣，自然也应做东。于是二人相约一起宴请刘连。

乍见白崇洗，顾忱险些失笑。

白崇洗，整个变成了一个和尚！头发理成紧贴头皮近似于光头的那种发型，身穿中式白色短袖对襟衫，黑色宽松绸裤，脚蹬一双黑色布鞋。如果不是白胖高大的身材未变，猛一看，倒以为遇见了申笃寅！

“难道我两月没回来，和尚装成为京城房地产圈的流行服饰吗？”顾忱打趣白崇洗。亲自站在公司大门前迎候刘连的白崇洗嘿嘿一笑，也不理他，拱手让刘连。

一行人走进白崇洗巨大的办公室，刘连不是没见过世面的人，此时也被震了一惊。弧形的落地窗户可以看到大半个京城，只有居于城市上空百

来处的“高人”，脱离了车水马龙人声鼎沸，才能真正欣赏到一个城市的安宁。白崇洗推开门，“刘市长，今天如果不是人多，我就请你洗澡了。”刘连又吃一惊，看着硕大的浴缸说不出话来。

几人寒暄几句，顾忱接了一个电话，说申总已往盘山去了。

此行刘连独身一人，借周末而来。顾忱开车陪他过来，孙大盛在高速入口接上刘连，一起过来白崇洗办公室，马大帅也作为申笃寅的代表前来白崇洗办公室与刘连寒暄，而申笃寅，却独自带着申扬提前启程。

“咱们也走。”白崇洗说，秘书拎上白崇洗的皮包去布置司机。一行人起身往楼下去。白崇洗的宾利为首，顾忱和孙大盛的两部宝马跟着，马大帅的奥迪随后，一行车驶向北郊。

“吃饭还要到郊区吗？”看着车队驶入京昌高速，刘连不解。

白崇洗淡淡说：“申笃寅外号申大仙，神仙吃不了人间的乌烟瘴气，请客，自然要去神仙的地方。”

脱离城市的高楼大厦，车辆绝尘飞驰，整整跑了一个半小时，窗外已是山峦叠翠。道路渐渐抬高，竟是向着山上而去。顾忱独自驾车，奇怪申笃寅怎么能找到这样一处连自己都没听说过的幽静地方。

车停在一处绿荫环抱的窄小停车场，顾忱眼前晃过一个熟悉的影子，心情一阵激动，那是申扬的红色牧马人！

奇怪的是，却没见申笃寅的车！

一个跳跃的身影从大门后冲出来跳到顾忱面前，满脸绯红，正是苦苦等待多时的申扬。两人四目相对，一时间竟不知说些什么。

“小申你们想做什么就做好了，我们不怕打扰。”孙大盛哈哈大笑对着申扬吐舌头，申扬瞪他一眼，却大方上去挽住顾忱的胳膊，顾忱不由自主轻轻揽住了她的腰。

申笃寅从门后也迎出来。顾忱再一次大跌眼镜，一向穿着白衣布鞋的他，此刻竟穿着一身休闲：头戴一个迷彩遮阳帽，纯棉户外短袖T 恤，五分工装裤，脚上一双沙滩鞋，手里拿着刚从脸上摘下的运动墨镜，微笑握手道：“我先到，和闺女去爬山了。”

申扬悄悄说：“爸爸今天是坐我车来，还说以后会经常陪我去爬山……”

顾忱看看申笃寅，又看看白崇洗，不由也笑，这两人，都跟换了个人似的！

“盘山”，其实不是山名，而是这座酒店的名字。

能把酒店开在这里的人，一定不是普通老板。能来这里喝酒吃饭的人，也一定非普通客人。进入大门，里面是一个庭院，庭院依山势而建，依山势成形，上下左右都不成规矩，但看上去却分外赏心悦目，没有规矩，倒成了这里规矩。

白崇洗大赞声“好”，问申笃寅怎么能找到这样雅致的好地方？

申笃寅却淡淡道：“我没本事找到，只好自己开了一家。”

众人一愣，才反应过来，全都吃惊的笑了，这地方竟然是申笃寅苦于找不到心仪的宴请之地而特意投资修建的。申笃寅带着大家里外参观一番，酒店不大，也就约莫五百平方米。围墙一圈是一湾循环的流水，流水汇聚到中间，形成一汪清可见底的碧波，水中锦鲤游离，荷叶簇拥。小桥流水假山亭阁应有尽有，却看不见人，哪里有一丝酒店的模样？

孙大盛有些奇怪，大声问：“这哪里像是酒店？明明就是山里一个没人看管的公园。”

申笃寅微笑道：“来这儿的，都是事先预订好的，因此门前不用设人迎客。再说，来此处的都是雅客，我怕服务员打扰客人的清静，客人只要不招呼，一律不得出来。但，随时有人跟随着客人。”说完，申笃寅轻轻拍下巴掌，立即有个身穿纯白中式服装的小伙子不知从何处微笑着冒出来，“申总，您吩咐？”

“不用，只是为了让孙总知道有人。”

小伙子躬身一笑，又隐没在翠绿中。那一丛翠竹依然如故，跟从来不曾有人出没似的。

“真是来无影去无踪！”孙大盛咧嘴大笑，“申总，你大变活人呢！”

刘连也看得目瞪口呆，不由竖起大拇指称赞。

白崇洗也颇为意外，赞道：“这地方如果能洗澡，就更好了。”

申笃寅笑道：“可惜我这地方只能吃饭，想洗澡的话，只好请白总在这山泉中将就一下了。要真在这里弄个什么洗浴中心，反倒是破坏了山里环

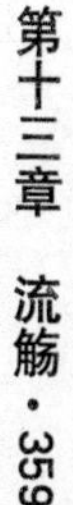

境，玷污了清泉。”

“那吃饭呢？刷锅洗碗什么的，不照样会污染泉水吗？”孙大盛不解。

“不会。这里每天只接待两桌客人，所有菜肴不用过油，使用过的餐具也会送到山下去清洁，不必担心污染。”

孙大盛咂舌，“这么麻烦，那肯定贵吧？”

“不贵。丰俭由人，最低有十块钱的菜，最高也有十万元的席，吃多吃少无所谓，只要来的是雅客就行。”申笃寅淡淡说着，迈步上到一个台阶，原来在一片绿丛后，还别有洞天。出现在大家眼前的是几间精致的雅舍，雅舍后面就是后山墙，墙上通着个小门，申笃寅指着门说：“这门，就是通向山上的路，我刚才爬山，就是从这里上去。”

几间房，门上分别挂着匾额，左边一个“咏觞”，中间一个“流觞”，最里面一个，是“养修”。

顾忱不禁问道：“这几个名字，都跟《兰亭序》有关吗？”

申笃寅回头赞许微笑，“是啊。前两个是吃饭喝酒的地方，最后一个，是我个人的休息室，不对外开放。”

大家先去休息室参观，室内寂静空廖，四白落地，只有一桌一椅一榻一几，另外除去墙上挂着一幅《兰亭序》外，一无装饰。

孙大盛哈哈大笑，“这地方也能休息？给我五百万一夜我也不来！”

申笃寅微微一笑，揶揄道：“给我五百万，我也不敢请孙总来。”

孙大盛一怔，终于反应过来，反问道：“申总，您取笑我呢？”

“不敢。”申笃寅再不答话，对刘连和白崇洗道：“我来这儿，也就是发呆，不愿意被人惊扰，所以没有准备待客的椅子，还是移步出去吧。”

几人进入“流觞”，孙大盛忍不住“咦”了一声，里面竟然就是山坡！一条溪水从墙外的高处流出，在一片山间原生的坡地上弯弯曲曲折折回回构成一条曲折迂回的水流，水流又从门边一个小孔流去。大家怎么也想不到房间里竟会是山地，山地里，还有一条活水！

顾忱却意外的大叫：“这就是流觞了！”

申笃寅点头，“这道曲水原本就有，我就依照原样因势就势，附庸一下古人。”

大家啧啧称奇。见曲水旁各自隔着一张软榻，榻前有一张矮案，案上有碗筷勺碟。每张案相隔距离不同，零星点缀在曲水的各个弯处。

“这张床垫是让人坐还是躺的？”孙大盛看着软榻不敢下脚。

“没事，每张软榻只用一次，客人直接坐在上面就餐，如果喝多了，还可以直接倒下休息。”

众人又是笑声，申笃寅请刘连居中坐下，自己与白崇洗左右相陪，顾忱坐在申笃寅下首，申扬挨着他坐最外边，孙大盛坐在白崇洗的下首。各人带来的司机秘书，一律去了隔壁“咏觞”。

顾忱见水流从高而下蜿蜒流转，不禁好奇心起，问道：“咱们喝酒，也是将酒杯曲流而下吗？”

申笃寅大笑，“咱们倒不必应景，能在曲水弯流中就餐饮酒，已经是今天的雅致了。”

白崇洗忽然摇头晃脑清吟，“仰观宇宙之大，俯察品类之盛。所以游目骋怀，足以极视听之娱，信可乐也。”

申笃寅鼓掌大笑，“白总果然是雅人。”

白崇洗笑道：“申总请大家流觞曲水，一定有深意。”

“怎讲？”

“房地产市场就好像是这曲折流水，飘荡其上的酒杯就是财富，每个人在水边，好像都能等到机会。但机会却是飘忽不定难以把握，酒杯漂到谁人面前难以预测更难以左右，因此有人痛饮到醉，有人却一辈子等不到饮酒的机会。所以说，机会是公平的，又是不公平的。”

“对。”申笃寅鼓掌。

孙大盛却目瞪口呆，心想这是什么狗屁不通的逻辑！

刘连想了一想，微微点头。

顾忱却紧缩眉头，若有所悟。

白崇洗抿一口清茶，缓缓道：“所以，不必强求机会的公平，而是要学会善待机会，凡事勿去强求，流觞如期而至自可畅饮，流觞不至，也应乐得自在，享受观觞漂流的乐趣。”

“白总，”刘连问道：“难道就不能去争取机会吗？”

申笃寅道："机会若能把握，便不再是机会。"

孙大盛又是目瞪口呆，大脑跟着两人逻辑转了几圈戛然停顿，再转下去，只怕就要短路。

这时，服务员将酒菜呈上，原料都极简单，无非青菜鲜鱼之类，但每样菜都做得极为精致和入味，每样菜都用小盘摆到各人案上，客人每吃完一样就收走一样。酒，是清冽的特供竹酒，每杯价值百元。白崇洗大声赞道："我本来以为申总的神仙饭不好吃，没想到这么简单的东西也能做得这么入味，一点不次于高档酒楼里的山珍海味燕鲍翅参，申总的品味不同凡响，老白又一次心服口服了！"

申笃寅道："其实追溯源头，世上所有食物都是同一种元素构成，味道不同，只是表象而已。入口的，不是味道，而是各人心境与品味。"

顾忱心中一动，抬头看着申笃寅，却见申笃寅正微笑看着自己，继续说："所以，世上诸表象，只是内心的投射映现，欲望与诸多烦恼，无不因己而生。财富与声誉，富贵与贫穷，其实，都是一样东西。顾忱，"申笃寅突然叫顾忱的名字，"拿你来说，你现在一定羡慕我与白总，其实，我们只是你内心嗔念欲望的产物，等到你真有一日成为我们，你会发现，你和我们，你和我，我和白总，白总和你，其实，一样没有什么区别。"

"哈，"孙大盛忽然怪叫一声，"申总，什么你你你我我我你你我我我我你你，你这哪里是请我们喝酒，明明是在讲禅！"

刘连微笑道："孙总不爱听，我却听懂了，申总果然非同凡人。"

申笃寅说声谢谢，又微笑面对刘连，"刘市长，欲望是债，债越多，心越沉。债了了，心，便也轻了。"

刘连微微一怔，"这么说，申总是觉得我欲望多了？"

"非也，欲望这东西，刘市长有，我有，大家都有，多与少无所谓，最关键，在于自己能承受多少。"

刘连若有所悟，站起身端酒敬申笃寅，"申总一语惊醒梦中人。"

刘连说罢仰头干杯，顾忱却看到申笃寅看着刘连不易察觉的轻摇下头，脸上表情很古怪，然后又看着自己道："顾忱，你知道我这'盘山'的意思吗？"

顾忱摇头。

“喝酒，你喝下一杯酒我告诉你。”申笃寅微笑。

申扬悄悄凑到顾忱耳边笑道：“他今天兴致大发，看来要给你上课了！”

见顾忱喝下酒，申笃寅道：“其实，盘山的意思再简单不过，想要登山，是直着往上爬还是走盘山路轻松？”

“走盘山路。”

“是。但如果没路呢？”

“我……”顾忱看着申笃寅，“只好登山。”

申笃寅摇头，“换作是我，一定先修路。”

“这样太慢。”

“真的慢吗？我们假设有一百个人一起上山，我相信会有九十九个选择登山，因为他们认为这样更快。但只有一个人去开路。他开了路再去走上去。等到他一路破路上到山顶，会发现也许会有一两个人也登山成功。但另外九十几个人呢？全都在半路摔死了！选择登山的，成功率只有百分之几，而修路的成功概率，却是百分之百！”

“我听懂了。”顾忱道：“但也有可能，等到修路之人上山后，山上的果实已经被登山人占据。”

申笃寅淡淡笑，白崇洸说：“我也是那几个不容易活下来的人之一，但，如果让我重新选择的话，我一定选择修路。”

顾忱又想起流觞话题，问道：“白总刚才说机会是公平的，又是不公平的，此话怎讲？”

白崇洸白他一眼，道：“孺子不可教也。试想，这曲水就是房地产市场，一杯酒代表机会，机会从上游而下，每人都有机会等到它到面前，这样情况下，机会当然是均等的。但如果已经有人喝了，最后才抓到它的人，喝的，必定是前人的口水唾沫。口水也无妨，还毕竟有些酒味。怕就怕，酒在游历过程中产生变化，日积月累演变异化，到了最后一人手中，变成了毒酒。这便是机会的不公平了。”

申笃寅抚掌而笑，“房地产市场上，机会便是财富，但经过历年耕耘，财富自然越来越少，想抓到机会的人却越来越多，争来争去，相持不下，尔

虞我诈，你死我活，到头来，酒，不毒，也毒了。”

不毒，也毒了！顾忱低头回味这句话。过去几个月的一幕一幕在心头翻滚呼啸而过，自己抓住的机会，会是一杯毒酒吗？

白崇洗突然正色说：“近来我也总在反思，每一次把握的机会，会变成一杯毒酒吗？”

申笃寅突然也严肃道：“毒酒，可能说来就来。”

“怕个鸟！”孙大盛突然连干三杯酒，大叫一声过瘾，又道：“反正今天有这么好的酒这么好的菜，老子今晚喝成神仙醉死也不枉过了，谁还管他明天什么毒酒毒牛奶！”

大家同时笑。是夜谈笑风生，虽无丝竹管弦之盛，亦足以痛哉！

第十四章　毒　酒

申笃寅说的毒酒，说来就来。

如同盛夏里一场突如其来的暴雨，说下就下。

用申笃寅的话，突如其来的暴雨，必要经过长期酝酿积累，一个“突”字背后，却是一个“变”字，是经历久远的积累演变。

但这场暴雨，却不曾料到来得这么快，这么猛！

申笃寅本已从高层得到消息，但却守口如瓶，流觞之夜没有一个人看出他有什么不同。

白崇冼也早已隐约得知消息，流觞之夜与申笃寅一唱一和后，从申笃寅的言辞里，对自己的判断确信无疑。

那夜，大家畅饮而散，顾忱却在夜半被瓢泼暴雨惊醒，隐约感觉不妙。

次日，媒体突然播发了一条惊人的消息：国家几部委联合下文，宣布规范土地出让管理。其中明确一条：开发商必须缴清土地出让金后才可办理土地证。

这条规定无疑扼住了第一城继续推进的咽喉！顾忱急忙给老夫子打电话，老夫子也正准备打给他。两人焦急商议的结果，就是顾忱赶紧返回，设法解决这个险关。顾忱去宾馆找刘连，刘连也早接到通知，哪还有心情继续留在北京“考察”，当下决定立即返回。

临走时顾忱与白崇冼通电话，白崇冼让顾忱考虑停滞第一城的开发速度。顾忱心里却苦笑：自己哪里敢停？山雨欲来，动作越慢越有可能淋雨，倒不如奋力前冲，只要赶到风雨降临前回笼资金，才是自己的唯一生路！白崇冼明白他的无奈，不再多说，只是提醒顾忱小心行事，另外白石集团下属项目继续加强促销攻势。顾忱问他市场真的会如此悲观吗？白崇冼摇

头说人算不如天算，自己和申笃寅这样有伞的人心中不慌，顾忱属于没伞的人，只好快步向前也许还有希望，回头，绝不是岸。

顾忱打电话向申扬告别，却关机。后来才知道，此时申笃寅正在召集集团高层商议决策，与会人员手机一律关机。

离开北京前，顾忱特意带着刘连经过几家售楼处，却发现市场好像并未受到什么影响，凡是有房子卖的项目依旧熙熙攘攘。顾忱稍稍松口气，心想只要市场不变，有刘连在，前期手续，就永远不是问题。

刘连在车上拿着打印出来的文件认真研究，突然笑出声来，对顾忱道："顾总，你不必急，文件说从今年五月一号起执行。"

"五月一号已经过去，第一城土地款没交，自然应按照文件执行呀？"顾忱不解。

"嘿嘿，你不懂。"刘连一笑，"公文，就是一种文字游戏。文件上只是说从五月一号起执行，但并未说是指五月一号后出让的土地还是以前出让的土地。"

"这……有什么区别吗？"顾忱还是不解。

"区别大了！我可以这样认为：五月一号以后出让的土地才执行文件，而此前出让的土地，则不必执行。"

"这……文件的意思……"

"文件的意思每个人都明白，但我的这种理解似乎也很有道理，对不对？"刘连狡诈的笑，"中央的文件到了地方，总会存在一些理解上的偏差和歧义，出了问题，自然还需要另外一份文件加以补充明确。"

"就像是对法律条文的司法解释！"顾忱喜出望外。

"是。你的机会，就在另一份文件弥补这个漏洞之前的这段时间。根据我的经验，这期间最少有一个月的时间。"

"我明白了。"

"按照计划这几天应发给你土地证，文件一发，估计国土局不敢继续办理，一定会推给我，你让老夫子继续去催他们，待问题推到我这儿，我自会解决。但……"刘连沉吟道："也许需要平衡一下。"

"平衡？"

“这也是政治艺术。就像同意提高容积率，但同时需要补交契税一样，是一种平抑是非的平衡手段。现在中央文件明确未缴清出让金不得办理土地证，我如果完全不依照文件行事，恐怕也说不过去。所以，我既要严格执行文件，又要帮助你解决问题。”

顾忱还是听不懂。

“我同意给你办土地证，严格说来是不允许的。所以，我会把这个问题带到会上集体决议，有我在，自然会通过，但必然也有人心里不平衡，为了保持平衡，我就必须局部牺牲你的利益来换取这种平衡。”

顾忱整个听傻了，却又好像听懂一些。

“我的意思，是你交多少钱，我就给你办多少土地证，这部分土地款是缴清的，文件并没有规定必须是整块地缴清出让金。这样，既能保证你不受影响，也算是符合了政策。”

顾忱终于明白了他的意思，按照原本计划，项目是分为三期开发，头两期是住宅，第三期是商业和办公部分。依照刘连的意思，只要第一期土地证办理下来，就能顺利开启一期项目，然后用一期的回笼资金缴清二期土地款，这样一来，对开发进度没有影响，也算是严格执行了国家政策。想通这一点，顾忱不由对这种政治艺术肃然起敬。

“但……”顾忱想起一个问题，“按照计划一期土地至少要开一百亩，但老夫子才交了四千万，还要交两千万才行。”

刘连斜眯着眼笑，“这我就搞不懂了，虽然你跟老夫子之间约定是由他出地钱，但现在他拿不出这钱或者是不愿意掏钱，但为了项目进度，先由你垫上也不算为过吧，顾总你财大气粗，区区两千万对你，应该不是一个大数目吧？”

顾忱顿时语塞。

刘连似乎有意揶揄，“我是老城建，房地产的潜规则我也明白，一千万做一个亿事也是正常，这些我不管，你只要做十亿的项目，我就拿你当十亿的老板，至于你到底有多少家底，跟我没关系。我要说的是，现在情况紧急，你若硬要与老夫子较真，浪费了时间，也就是错过了机会，这机会一旦错过了，落到你手里的，可就真是一杯毒酒了！顾总，要当

机立断啊……”

中午时分申扬打来电话，听说顾忱已走很是不舍，又告诉他上午集团开会，申笃寅指示全国各地在建在售项目要全力加快进度，未开工项目一律停顿，万人瞩目的六十九号地也明确暂停开发。对于安沣的四块地，指示严格遵守与市政府的协议，全额一次性缴清土地出让金。会后，申笃寅还专门让申扬转告顾忱能停则停，停不了的话，则要快速推进，切勿贪心恋战。

下午顾忱去公司见老夫子商量对策。老夫子早晨的紧张语气一扫而光，笑着说已经看过文件，其中有个破绽。所说竟然与刘连一模一样。顾忱不由得感叹老夫子在对政策把握上到底比自己略胜一筹。老夫子说：“我上午拿着文件去找国土局局长，想让他按照原来计划办理土地证，但他不敢做主，又推给了刘连，我想，唯一的突破口，还在他身上。”

顾忱不便将刘连的意思透露，却问道：“如果刘市长也不敢放水，坚持要缴清出让金呢？”

“这个嘛……嘿嘿，我的实力顾总你也知道，要我现在拿出上亿资金，根本就是不可能的。还是你去找刘市长做做工作……”

“如果他让咱们分批办证呢？”

老夫子沉吟道：“我要是他，也不敢开这么大口子。分批办证的事我也考虑过，不过嘛……我实在是没钱，你知道的，三月份公司也刚拍下块地，土地款也还没交，虽然改制后包袱甩给了国家，但公司上下百十号人每月工资就是一大笔钱，此外另外两个项目早已售罄，利润偏低，工程款也没付清……”老夫子开始叫苦连连。

顾忱打断他，“第一期土地只需要补交两千万，这点钱总能拿出来吧？好歹交上这些钱，我才好意思去找刘连通融。”

“这个……”老夫子苦笑，“顾总你非要让我交，依我看，项目嘛……就只好拖一拖再说了……”

顾忱暗骂，这老狐狸竟然又以项目要挟自己！但总不能自己又垫进去两千万吧。这六千万，可是准备用于支付工程款的啊！

老夫子察言观色，道：“两千万对于我有些难，但对于顾总您嘛……应该不会太难。现在市场形势大好，办好土地证，项目立即可以启动，一边开工建设一边销售回笼资金，资金压力不会太大。话说回来，即使资金紧张，有土地证在手，也可以去银行融资啊……”

顾忱心中一动，对啊，办好土地证，再用土地去贷款，不也是一个好主意吗？但让自己代老夫子掏两千万，还是心有不甘。

老夫子微微一笑，道：“不如这样，顾总你就算再帮我一次，我嘛，也想法凑凑，咱们一家拿出一千万怎么样？”

能让老夫子吐出来一千万顾忱已感万幸，当下同意。两人商定立即以合资公司名义向国土局打报告申请如期办理土地证，同时附上那份有唐书记卫市长签署批示的“尚方宝剑”。这份文件立即到了刘连案头，刘连等到几天后召开的工作例会上“征求”大家意见，国土局领导自然早被顾忱与老夫子私下做足了“工作”，表态说有两位领导指示特事特办全力支持的意见在，原则上应该同意企业的要求。刘连摆了摆手，严肃的说：“不妥。虽然第一城是市里重点扶持的项目，但绝对不能与国家政策相抵触，否则，政策就失去应有的效力与严肃性，但企业的要求也有一定合理性，而且国土局事先也同意发放土地证，作为政府部门，也不能失去信誉。这样，我的意见，是必须严格执行国家政策，按照文件要求，他们交了多少出让金，就给他们办多少土地证！”

皆大欢喜，谁也说不出所以然。于是会议一致通过刘副市长的意见，大家在会议纪要上签字。

当天晚上，刘连带着国土局局长到会所接受第一城公司的感谢盛宴。第二天，第一城补足第一期一百亩土地的土地款，如愿拿到了一百亩土地证。

仅仅过了半个月，国家几部委联合发文，对土地出让程序作出补充规定，要求必须全额付清整宗土地出让金后方可办理土地证，此规定包括所有在五月一号前出让的土地！

顾忱，打了一个漂亮的时间差！

顾忱知恩图报，又将一笔“感谢费”打入到那张卡上！

国家出台的土地政策拉开对房地产市场宏观调控的序幕，但并未对炽热的市场产生降温作用，形势依然一片红火。第一城的售楼处进度飞速，顾

忱开始策划一个大型的落成典礼，作为第一城展开销售的第一战！

同时，顾忱开始接触银行，当地几家银行一把手纷纷在刘连的介绍下成为会所的座上宾，初步同意第一城前期手续齐备后予以贷款支持。

正当顾忱感觉一路顺风顺水时，第二杯毒酒降临了！

售楼处落成典礼的前夜，央行突然下发文件，要求加强房地产信贷管理，文件明确严控房地产项目贷款，提高购房首付比例，提高住房贷款利率。

对于顾忱意味着从银行贷款基本已落空。

顾忱不怕，因为有足够好的市场支撑着自己。只要市场好，五千多万资金足够支持项目的正常运转。

与售楼处落成同一天，大盛建筑公司的大队人马浩浩荡荡开进现场，配合售楼处落成庆典搞了一个盛大的开工典礼。

安沣市再一次沸腾，重现挂牌仪式当天盛况。仪式宣布结束后警方在售楼处大门前组成三层人墙，宣布每次只能接受两百名看房者入内，每批看房时间不超过十分钟，并且不接受任何咨询！即使这样，拥挤不堪的人流一直持续到半夜十一点，新装的玻璃大门被挤垮，户型模型全数挤烂，共有五十多位民警因拥挤受伤，现场捡到遗留的鞋子共一百九十九只！第一城售楼处的热闹一直持续到半个月后，每天人声鼎沸伴着后面工地日日夜夜毫不停歇的混凝土的浇铸声，成为这个夏天安沣市民最深刻的记忆。

在这个热闹异常的夏天，所有前期手续办完了。唯一等候施工进度达到正负零后开始销售，预售许可证也正在刘连的斡旋下进入“状态”。

这个期间还有件事不可不提，那就是倪枫成为第一城的销售经理。她去找到孙大盛提出要求，顾忱当然嗤之以鼻，出乎顾忱意料的是，倪枫第二天竟然亲自找到他，倪枫暗示，如果不能如愿，那么……嘿嘿……要知道，孙大盛可是个把不住门的大嘴，比如什么什么宝马车啊什么什么小平房啊什么什么白石集团股东啊……嘿嘿……

那一刻，顾忱特想亲手掐死这个曾经给自己印象良好的女孩，真想不到这个外表漂亮单纯的女孩竟有着如此心机与狠毒手段！倪枫却平静若水说自己保证这是最后一次提要求，销售经理是拿提成的，做完第一城自己差不多能拿到一百多万的提成，到时候顾忱就是想让她留下她也不会答应。倪枫说，这个世界机会很少，人却很多，如果自己抓不住这次机会，就永远不会有第二次机会了。自己用年轻貌美的身体跟孙大盛睡觉，自己放下尊严腆着脸皮毫无廉耻死乞白赖是为了什么，不就为了给自己一次机会吗？“我相信你也是！顾总！”倪枫就这样坦然直视着顾忱双眼。这一刻顾忱突然在她眼里看到自己，是啊，自己所做的一切，难道与她有什么本质不同吗？顾忱也静静看着她的眼睛，点点头，“成交！”

顾忱点头同意的时候在想，倪枫，是不是也在得到机会的同时，喝下了一杯毒酒？

按照与孙大盛的协议，工程款是预付给他的。开工之日起就先预付给他两千万，施工出了正负零，第二期工程款两千万又要支付了，账上七千万现在只剩下三千多万，如果再给他，就只剩下一千多万。银行贷款又没戏了，虽然销售在即，但顾忱还是有些紧张，找孙大盛商量是不是能等到销售开始后再结算，孙大盛却寸步不让，“不行！北京工地也吃紧，甲方近来好像资金也紧张，工程款一直拖，上次给我两千万还不够我支付北京那边的费用。这边钢筋水泥的款子也必须付了，这两千万少一分都不行！”顾忱无奈，于是账上真的只剩下一千多万。

好在，销售近在咫尺了。

有刘连协助，顺利拿到了第一批房源的预售证，这意味着真的可以收钱了！顾忱长嘘一口气，就在这时，第三杯毒酒却突如其来：国家再次出台严令：严查在未获得预售证前销售房子，同时不得提前办理预售证，高层建筑必须在结构达到三分之二以上后才能办理。按照这条规定，意味着后面的销售必须等到大楼盖到十一层以上才可以进行，可账上加上第一批房子回笼的资金也远远满足不了建到十一层的工程款，无奈，顾忱又找孙大盛商量，孙大盛也无计可施，只好提出一个不得已的办法，停滞进度，减小施工面积，将原先十几栋楼缩减到六栋。

于是，第一城的施工进度突然缓了下来。

更让顾忱心力交瘁的事情发生了：销售，并没有预期的好！曾经热闹的人山人海忽然不见了，曾经口头许诺要订房的人忽然说要等一等，登记

的购房者很多，但真是要他们交订金时，却踯躅不决。

这是怎么了？难道曾经的万众瞩目只是海市蜃楼？顾忱不明白是怎么一回事。这时，北京上海等地的楼市虽然已经有些降温，但还不至于这么快到安沣吧？

开盘第一天有四百多客户来看房，却只卖出去了十套。按照顾忱原来的预计，第一批一百多套房源应该在一天内抢光才是啊！顾忱忽然想起白崇洗曾经告诉自己的话：安沣这样的小城市，对高层的接受度有障碍。

老夫子道出其中玄机：在安沣，大家都对高层建筑抱有兴趣与好感，但好感并不代表他们会出手，第一城名头虽响，但安沣市民的保守思想却积累了上千年，尤其是在安沣历史没有高层住宅的情况下，他们都在等着别人先买房，自己宁肯等，也不愿意做第一拨吃螃蟹的人！

老夫子说，要是维持从前容积率不变，多盖些多层，也许现在多层已经卖光了，项目有了人气，后面的高层也会卖得不错。但现在大家都在观望，你等我，我等你，搞得大家都在互相看着，迟迟不出手。

靠！顾忱心里骂了一句粗话，心想你为什么不早说！？

“我原本想告诉你，但……”老夫子沉吟片刻，“我的想法毕竟也没有经过检验，容积率提高对大家都有利，我也不便阻拦，相信有顾总你的实力在，销售即使不畅，问题也不会太大，毕竟，只是个时间问题嘛……”

老夫子轻描淡写，顾忱却心里大叫：我有实力？我的全部实力，也只有账上那可怜的一千万！

顾忱终于感觉到形势的紧迫。购房者对高层的认识不足，于是在观望等待。老夫子以为可以依靠顾忱，所以高枕无忧。被夹在中间心急如焚的，只有顾忱。他再一次找孙大盛想对策，孙大盛脸却更绿，“老子有啥办法可想？股票跌到两千多点了，老子彻底被套，我能怎么办？销售不行是你的事，谁让你当初煽呼我投资第一城的？”

顾忱真的有点懵了。销售不畅，是市场给自己的又一杯毒酒！此时安沣的房地产市场并未冷却，拿着钱抢房的人虽少了些，但房子仍旧不愁卖，房价依旧在涨，周边几处顾忱一向看不起的小楼盘已经涨到三千二三一平方米还很抢手，只有第一城沿街伫立在市中心那六栋已经长到十几层高的大楼，似乎一夜间从万民仰望的明星，变成了一位失魂落魄的失意者。

市场，到底是怎么了？

顾忧给自己找出几个症结：

第一，叫好不叫座。安沣不比北京，购房者虽然对第一城情有独钟心有所念，但毕竟民风保守，对于从来没在安沣出现过的高层建筑，谁也不敢用自己半辈子积蓄去“冒险”，市场信心的建立，绝非一朝一夕之功。顾忧简单的将北京经验复制到安沣，却忽略了市场心理巨大的影响力。

第二，因福得祸。按照原本2.0容积率，可以建成部分安沣市民喜闻乐见踊跃购买的多层住宅，多层卖好了，项目有了人气，后面的高层自然也好卖，更重要的是，多层建设周期短所需资金也少，销售速度却快，这样能够迅速回笼资金，从而形成良性循环。但顾忧却一心追逐高额利润，多出来的面积，却恰恰成为影响项目的“祸根”。这其中归根结底，是一个“贪”字。

第三，顾忧没钱。如果资金充足，销售滞缓并不能影响到施工进度，加之市场对高层建筑的熟悉和信心培育，未来销售也不是问题。但偏偏顾忧没钱，融资又受阻，没有水源的第一城，便成了空中楼阁，成为悬浮在安沣高空中的一座危城！以一求十的房地产开发公式，原本被顾忧以为能玩弄于股掌之中，到头来，被玩弄的，却是顾忧自己！

第四，市场变局。顾忧终于明白市场到底是变了。他不由得佩服两位大佬级人物的先知先觉。北京市场的降温并不明显，是因为北京的“傻帽儿”太多有钱人也太多，退潮一波，自然还会有一波冲上来，短时间内根本看不出影响。但安沣不同，大城市的风波传导过来，顿时使得本来购买力有限的本地购房者噤若寒蝉小心翼翼，即使出手，也会买那些已经竣工的现房或那些知根知底的项目，对于安沣购房者来说，他们在意的并不是涨跌，而是“放心”。对于盛世空前却只建了一半的第一城，他们可以喜欢，可以赞叹，可以等待，但，绝对不敢掏钱。这也是中国中小城市的一个典型购房心态。只可惜，顾忧刚刚明白这个道理。

顾忧终于明白第一城症结所在，但，却苦无良药。

秋风乍起时，六栋楼已经建到十五六层，快封顶了。预售证也拿到，但

销售却依然没有起色，其实，确切的说，是更糟！因为，此时北京上海等一线城市的市场温度明显开始跟着气温走低，售楼处盛况不再，开发商们有人撕下遮羞布开始降价促销了，虽然这些促销降价犹抱琵琶半遮面，但至少说明开发商们开始意识到一场危机的迫近。开始笑的，是申笃寅和白崇洗，经过几个月坚持促销，下属项目已经处理得差不多，新开项目统统停顿，六十九号地的出让金一次性缴齐，公司账户里还有一笔令其他房地产商分外眼红的巨额存款。在绝大多数房地产商开始为过冬发愁时，他们却开始安心冬眠。待明年春天雪化时，当田野上的中小开发商饿殍遍野时，他们手中的资金，又将开始一轮新的征伐。

笑到最后的，永远是少数人。

顾忱曾有幸搭上两位大佬的船，却终于因自信和贪婪沦为少数人。

当第一场秋风降临到安沣时，第一城账上只剩下最后的一千万。

市场越来越冷，开发商们依然卖力的拉着房价，但好像人们已经开始学会冷静。北京传来的消息也越来越令顾忱惶恐，白崇洗旗下项目剩余不到百分之十的房源开始集体打折甩卖，计划春节前全部清盘。申笃寅也一样。市场这时才反应过来，众口一词将两位大佬的超级觉察力捧成神仙一般。虽然房价还在咬紧牙关上升，但售楼处的到访者却消失得无影无踪。有项目推出买房送装修，马上有项目便推出买房送宝马，立马又有项目推出买房送终身工作……终于有一天北京整体房价开始下降，人们突然发现，一向红红火火的开发建筑工地好像安静了不少，很多工地停工了，有人听说某某开发商卷钱跑了，某某集团零价格转让了，某某著名大房地产商，从自己早已封顶的大厦顶层纵身跳了下去……

孙大盛在北京的甲方也是开发商，以前明明封顶的楼故意压着不卖，现在想卖了，却发现竟然一套也卖不出去！以前是孙大盛对甲赔着笑脸，现在却是甲方对孙大盛赔着笑脸。孙大盛手里没钱，心情更糟，每天用鼻孔恶狠狠瞪人骂人的机会更多。越骂，却发现自己手下的人也越来越不听话，好几个月没发工资和支付分包款材料款了，还有几个月就要过年，孙大盛知道再这样下去，这个年一定会出问题！更为糟糕的是，一直报以期望的第一城竟交出了这么一份糟糕的业绩。还有特别糟糕的，孙大盛年初投入股市的四亿五，现在只剩下不到一个亿！孙大盛开始回到小平房办公，每天的工作就是瞪着墙壁咬牙切齿，对身边的女人们似乎也没了兴趣，一天晴晴在他面前骚首弄姿，却不料被孙大盛一巴掌扇了过去，晴晴懵了，等到清醒过来鼻涕一把眼泪一把的把桌上电话抓起来扔向孙大盛，孙大盛机警的闪过，也一下子被晴晴前所未有的抗争所震惊，等到反应过来，晴晴已经哭喊着跑远。晚上孙大盛去外企白领小窝过夜，外企白领却拿出一摞发票给他报销，还说这个月的钱……孙大盛一阵郁闷，抓起发票劈头盖脸砸外企白领那张高素质的精致脸蛋上，“报销？再提一个钱字老子削你！”小白领惊恐万状缩在墙角开始呜咽，孙大盛心里郁闷无处发泄，一脚踹翻茶几出门，车在五环上游荡半圈，心头火越来越大，抓起手机打给顾忱，“你小子给我听好了，我现在日子很难过，老子不管你想什么招，这月给老子回钱，要不把股份还给我！”没等顾忱回过神，孙大盛已挂掉电话。那一夜孙大盛想找到人臭揍一顿，忽然想起下午晴晴那劈头盖脸一幕，心头恶火升起，吩咐司机去晴晴住处，令孙大盛五雷轰顶的是，晴晴却已然人间蒸发，房间里连一件衣服都没有剩下，只有客厅墙面上一行用口红写的大字：“孙大盛，你等着！”孙大盛呆了半晌，突然感觉不妙，立即打电话给会计，问晴晴下午去过没？会计说晴晴下午拿着一张孙大盛签过字的借款条借走了十万块现金！孙大盛目瞪口呆，大骂你为啥给她？会计哆嗦着说……以前……一直是这样啊……原来孙大盛每当用钱时就会让晴晴去拿着自己签字的借款单去财务领钱，这一次，她一定是早有预谋，模仿了自己的签名！孙大盛将手机朝着那行红字砸过去，手机“啪”一声在墙面上碎成一片花花绿绿的电子元件！

顾忱明白自己必须自救。孙大盛投了四千万占百分之四十，自己两千万却占百分之五十，第一城再这么疲软下去，以孙大盛为人，一定会逼宫！

销售不畅，又不敢降价，因为房地产市场上越降价越死。他闭门思过，冥思苦想，终于想出一个主意。

第二天，第一城发布通知：第一条，高层当做多层卖，六层以下终生免收电梯费；第二条，从即日起，第一城均价以每天一块钱速度上涨，并承诺绝不降价，凡购房者只要满一年以上就可以无理由退房，第一城按当

时价格向购房者全额退还房款。

这等于是如果一个购房者一年后退房，就可以得到百分之十以上的回报。这么好的事？可能吗？

安沣人的视线又一次聚集在第一城。

为了配合这个活动，顾忱安排工人加快进度，沿街那六栋楼日夜施工感觉特别红火，工地夜夜机器轰鸣车水马龙。此外还增加了一项新活动，凡在活动期间购房者还同时享受到全家三口港澳六日游的大礼包。港澳游对于安沣的普通市民来说还是有一定吸引力的，有人开始禁不住诱惑交了钱，结果不到十天就踏上了从省城飞往香港的飞机。

安沣再次轰动，售楼处人明显增多，成交量猛增，一个月卖了一百多套房子，回笼资金三千多万。暂时缓和了资金危机。

但顾忱知道，这种做法无疑是饮鸩止渴，通过这种方式出售的所有房子，都将是自己给自己埋下的定时炸弹。并且，这种销售方式很明显存在非法集资的嫌疑，已经有人开始提出质疑，甚至有人开始举报，但顾忱已经顾不得那么多，人到绝境时，只能全力一搏。顾忱只想通过这种危险的方式帮助自己过冬。他却不知道，冬天，才刚刚开始……

一场从西伯利亚呼啸而来的寒流席卷了大半个中国。今年的冬天早早的到来，一场大雪伴随着寒流到达安沣，树木还没有褪去叶子就被大雪覆盖，树木于是不负重荷纷纷被折断压倒，气温骤降，路面结冰，水管冻裂，公路阻断，工地停工，人车踟蹰，一片惨冻景象。

这个时候，申笃寅却突访安沣。

申笃寅乘飞机抵达省城，顾忱亲自开车去接申笃寅申扬马大帅三人。

访问安沣的目的申扬早在电话里告诉顾忱：申笃寅决定出手，启动安沣项目，而且是四地同时启动。

顾忱大为惊讶，一向沉稳低调的申笃寅，怎么会选择在如此低迷的时机启动项目？面对顾忱疑问，申笃寅缓缓道来：国内房地产市场的低迷，并非说明没有购买力，而是说明现有价格虚高以后超过购买力。通过这段时间观察，申笃寅认为市场的购买力并未流失，只是在等待着一个合适的价格。作为执国内房地产业牛耳的笃寅集团，应该顺应民意，开启房地产合理利润的新时代。

拿安沣来说，申笃寅认为目前三千元以上的价格远远超出了当地消费水平，按照他的测算，应该在两千元上下才是合理的。所以，申笃寅计划将安沣地块作为自己的试验田，磨炼集团开发低成本低利润项目的能力与经验。

“两千元？”顾忱大惊，“怎么可能？”

“怎么不可能？”申笃寅反问道：“四块地容积率为1.5，平均楼面地价为五百元，所有成本加起来不会超过一千七百元。”

“每平方米只有不到三百块钱利润！利润率还不到百分之十五？”顾忱大呼。

“难道不行吗？这个利润率已经比很多行业要高了。”申笃寅平静的说：“小伙子，中国房地产市场的饕餮时代已经过去，开发商合理的利润，老百姓买得起的房子，才是拯救房地产市场的根本策略。看不到未来的人，才会在今天跌倒。”

申笃寅此次前来计划向市政府拿出自己的一揽子合作方案：

第一，一次性启动四块地项目，但要求市政府在各类税费上给予最优惠政策，降低开发成本。

第二，承诺以国内领先的规划水平建造高品质住宅，并以平均两千元价格向市民出售，此价格在整个开发期间每年最多上调百分之八。

第三，考虑到地处主要位于相对偏远配套滞后的新区，笃寅集团与政府各投入一亿元对新区基础设施进行改造升级。

第四，笃寅投资十亿元在新区开办写字楼、酒店、学校、医院、商场超市、公共交通等配套设施，同时市政府各单位搬迁到新区，如建设费用紧张，由笃寅集团向施工单位提供资金。

第五，政府将新区所有开发用地的一级开发权给予笃寅集团，并承诺在同等条件下优先给予笃寅土地使用权。

顾忱咂舌，申笃寅的计划，总投资额不会少于三十个亿。简直是在建设一座新城！

申笃寅道：“这个方案表面看去，四块地平均利润还不到百分之十，但

风物长宜放眼量，我这样做推动了安沣整体发展，会得到各级政府的大力支持，使得笃寅集团在城市发展中尽占先机，此外优惠的房价和完善的配套使老百姓得到实惠，新区成熟后，当地商业配套设施带来的长期利润将提供稳定的回报，此外随着新区不断成熟完善，土地不断增值，笃寅集团获得的长远利益，绝对不止这百分之十！利民利己利社会的事，才是笃寅未来发展的希望所在。”

“所以，做事要立意长远，要站对角度，要胸怀宽广，才能稳立于不败之地。”申笃寅话锋一转，“小顾，第一城项目做得不轻松吧？”

顾忱老实点头。

“你的情况我也了解些许，市场不好，资金紧张，这个时候，更要勇于放下包袱轻装而行。”

“是，容积率的事我犯了贪念。”

申笃寅大笑，“做事没有贪心便往往做不好，但凡事要有度。你的情况白总告诉过我，年轻人要善于把握机会，但机会把握不当，机会，往往变成毒酒，小顾……成功，需要好的心态才行哟……”

顾忱明白申笃寅已从白崇洗嘴里得知自己的底细，脸上一红，低头不语。

申笃寅望着窗外厚厚积雪，仿佛自言自语，“市场好的时候，好比这厚厚积雪，能够掩盖一切，但雪化时，终究是要显出原形的……”

晚上，申扬在独处时告诉顾忱，父亲有意收购顾忱在第一城的股份，让自己转问他是否同意。顾忱情知申笃寅这是想帮自己，心里虽然感激，却还是拒绝。申扬说：“爸爸知道你一定会拒绝，让我告诉你，你可以在任何时候接受都不晚。”顾忱并不是单纯为了面子而拒绝，而是心中还抱有希望，他相信自己的智慧能够让自己渡过难关，每想起当初自己跟孙大盛站在大楼顶上绝望无助的往事，他心中就重新点燃希望，那样的绝境都挺过来了，还有什么困难能打倒自己？

顾忱还想搏一把。第二天，他召集销售部会议，宣布加大促销力度，给予销售部百分之三的折扣点，销售人员可与购房者在折扣基础上进行议价，节余出来的折扣作为销售人员个人奖金。倪枫又提出一个建议，年底客户手里现金充足，对全款付款应该给予更大优惠。顾忱立即同意全款购房者另外优惠两个点。此外，还推出凡在春节前购房者一律赠送全家三口海南双飞六日游活动。

促销策略有效激发了销售员和购房者的热情，再加上一期六栋楼已经封顶，顾忱又搞了一个热热闹闹的封顶仪式，使市场人气大增，原本观望的购房者也决定出手，有些无意购房的人也觉着把钱搁第一城一年后就能得到百分之十的回报，而且还能白去旅游一趟！这种便宜不占白不占。于是冒着风雪前来看房买房的人络绎不绝，每天都能卖出一二十套房子，照这个势头下去，春节前，顾忱完全有能力支付工程款，只要渡过年底前的资金困局，待到积雪消融时，第一城显出的，一定是蓬勃生机！

顾忱自信没有任何困难可以打倒自己，虽然与此同时不断有坏消息传来：国内房地产市场正式进入寒冬，一线城市房价开始呈现下降趋势，更糟糕的是，销售率比夏天时整整下降了一半，更多的开发商选择了停工或消失。白石集团几乎没有什么可卖的，剩下百十套尾房令白崇洗格外轻松，此时，他正在加勒比海钓鱼。

还有一个坏消息来自申笃寅，即使顾忱早有准备，还是明显感觉到来自这条消息的强烈冲击：申笃寅抵达安沣第三天，突然传出一个惊人的消息，笃寅集团准备投资三十亿与安沣市政府合作推进新城建设，未来两到三年内，新城将粗具规模。四个项目计划于明年春天同日破土，均价两千元！

两千元，如此惊人的价格顿然使安沣房价倒退回洪荒年代，人们为之咂舌，也使安沣人真正见识到什么才是真正的大手笔！什么才是真正的大开发商！始料不及的是，人们开始拿第一城与笃寅的项目比较，一比之下，第一城人气急转直下，安沣毕竟是一个小城，相距不到十公里，第一城超过三千五的均价，跟笃寅两千元的价格相比，顿时溃不成军！

第一城一天上涨一块钱的价格策略终于轰然倒下，价格由三千五直落到两千八，对于此前的购房者，一方面全额退补了差价，另一方面仍承诺给予一年最少百分之十的回报。顾忱倚仗第一城得天独厚的地理优势和商业气氛，相距十公里外的新区项目怎能跟自己抗衡？这个期间申笃寅到第

一城参观，得知顾忱降价的决定，夸顾忱很有魄力，但同时又说如果你开盘时就直接打出这个价格，恐怕现在的销售早已势如破竹。但随着明年自己项目的启动和新区配套的逐步完备，安沣毕竟是个小城，相距十公里，价格相差八百元，第一城并不能有力抗击笃寅的冲击。顾忱反问申笃寅第一城的定价应该在多少钱？申笃寅肯定的说：“两千五，如果是我，一定两千五均价！这才是安沣百姓乐于接受的合理价格。”这一刻顾忱有些懊恼，他明白申笃寅是对的，如果容积率不去提高的话，如果价格真的定在两千五百元的话，安沣房地产市场现在已是第一城一统天下的日子，何惧寒雪？

申笃寅道：“房地产市场之所以出现困局，是因为房价超出了市场的接受能力，开发商多年积累的贪欲注定造成自己的困境，以前是购房者挤成一团开发商们哈哈笑着在台下看喜剧，现在正好倒过来，观众们安坐在台下，看到的，却是开发商们的一幕幕悲剧。”

但顾忱仍然自信第一城绝对不会成为悲剧。他手里还有筹码，住宅销售不利，但不要忘记第一城的优势是地段。六栋楼下面的门面房是提供给市场的一道美味，未来商业中心的诱惑力极其巨大，这些门面房吸引了不少投资客注意，每平方米不到五千元的价格更是让他们喜出望外踊跃掏钱，商业房的火爆给了顾忱十足信心，就凭这些商业房的销售收入，也足以弥补住宅不畅带来的影响。

顾忱辛苦与市场进行搏斗时，一杯真正的毒酒，却在他最想象不到的时候来临了……

商业房在一周内售罄，给第一城换回来近三千万元的销售额，加上账上现有的两千多万，一共是五千万。而年前，只要有六千五百万就能按照合同支付给孙大盛。而孙大盛，也正等着这笔钱过年。从甲方手里挤点钱出来比挤奶还难，材料款还好说，但几个工地上千口子要过年要回家要给亲娘老子媳妇儿带回一年的辛苦钱，绝对是一件能要人命的大事。顾忱保证春节前一定给自己拿回来六千五百万，孙大盛总算稍稍放下点心，这点钱只能够摆平材料商和施工队的围追堵截，让自己能安心过个清净年，至于股票，屁！孙大盛连想都不敢去想了，这万恶的股市，这千刀万剐的经纪人，老子赔进去的，可是整整四个亿呀！

晴晴消失后，孙大盛倒庆幸只用十万块钱就摆脱了这个贱女人，迅速把她抛在脑后。可晴晴，怎么能忘掉孙大盛呢？

一个寒冷的早晨，一位市民突然在自己的自行车篓里发现一张粗糙的黑白的复印传单，一行醒目的标题：“揭秘第一城‘大老板’的真相！”

底下两行小字：“告诉大家一个真相，打着北京白石集团旗号的第一城，其实名不副实。它的真正老板，是一个包工头和一个房地产经纪人！他们打着白石集团旗号招摇撞骗开发第一城，现在他们的资金链已经断了，买到第一城的人，一定会后悔！”还有几张照片，第一张是孙大盛坐在自己破旧办公室里的照片，第二张是孙大盛低矮平房的外景，墙上挂着一块牌子：“北京大盛建筑工程有限公司”，旁边是他那辆宝马车；第三张是站在顾忱公司大门外拍的照片，很明显，谁都能看出来这不是一家大公司，更不是白石集团；第四张竟然是孙大盛光着身体坐在一个女人身上的照片，孙大盛呈正面，很显然，摄影师，就是他身下这位女士！第五张更绝，竟然是孙大盛和倪枫在一起的裸照，这好像是孙大盛用自己的手机对准两人拍的！旁边一行小字注释：“这个女人，就是孙大盛到安沣后勾搭上的贱女人，名叫倪枫，现在在第一城售楼处当销售经理。”

这样的传单差不多覆盖了几个小区，消息迅速传到顾忱耳中，正在为今天售楼处人流骤然增多而感到高兴的他眼前一黑，险些背过气去。正在奇怪为什么今天这么多人对着自己指指点点饶有兴趣的倪枫，被一个亲信销售员悄悄塞给自己一张从今天看房“客户”手里拿到的传单，当看到自己裸体紧贴在孙大盛黝黑肥肉上时的姿势，倪枫顿时停止呼吸，五秒钟后，销售员听到她嘴里发出一声尖叫，然后所有销售员和看房人看见一个捧着脸的身影一路跌跌撞撞呜咽着尖叫着飞奔出售楼处大门……

远在六百公里外的孙大盛刚挂断倪枫的哭诉电话，就收到顾忱传真过来的传单，看着那张自己用手机拍下来的自己和倪枫的艳照，孙大盛倒吸一口凉气，晴晴这贱人竟不知何时从自己手机里拷走了照片，这些艳照，还有很多！

“一共散发了多少？”孙大盛气喘匀后，问顾忱。

“三个小区，大概有百十张。”

“能不能报警？”

“报警？”顾忱冷笑，“你想让更多人知道吗？我已经派人去小区里挨楼洞收集了，五十块钱一张回收！”

“那婊子到底要做什么？”孙大盛恶狠狠磨牙。

“做什么？”顾忱长叹气，“她要就为臭你，早散发全城了，选择在三个规模不大的小区，只是为了威胁你。放心，不出一会儿，她该找你了。”

“老子等她！”孙大盛眼睛里凶光一闪，将电话狠狠砸在桌上。

出了这事，第一城的来客数量骤然上升。前来的人中，三分之一是想看看艳照门的女主角到底长啥样，因为照片里只有一个模糊的侧面——当时孙大盛自拍时，倪枫稍稍转过些头去。这些人得知事发后女主角狂奔出门从此不归后，一致惋惜自己来迟了。三分之一人是听说此消息后抱着好奇心态来第一城一看究竟的。另三分之一，却是来要求退房的！

销售员们有气无力的接待着“客户”，第一城的销售经理成为艳照门的女主角一炮走红，谁也感到没面子，面对退房客户的质疑，要面子的销售员无法忍受，一上午便有三人提出辞职。顾忱一一亲自挽留了他们，本来这些事应该由董玫出面解决，但事发后董玫也失踪了。顾忱知道，她一定在老夫子那里。

顾忱在大门内贴了一张澄清公告，声明传单上的内容纯属造谣，第一城已经向警方报案追查散布谣言者，请大家勿要听信，第一城仍将按计划开发建设。至于艳照事件为个人私事，男主人公是施工单位人员，并非第一城股东，因此与第一城无关。

刚布置完这些，老夫子带着董玫来了，两人脸色俱很难看。

“顾忱。”老夫子头一次直呼其名，“此事造成的影响，你要负完全责任。”

顾忱有些恼，“现在不是咱们自己吵架的时候，而是共同对外消除影响的时候。出了事我也很意外，但我要声明两点，一、关于白石集团的事，我会让白石集团发表声明予以澄清；二、孙大盛的事，与我无关。再说，倪枫也是劳总你亲自派来的，你应该去找她才是。”

听顾忱说完，本想兴师问罪的老夫子倒也说不出什么，只是让顾忱负责请白石集团尽快出个书面声明，消除市场对第一城真实背景的疑虑。至于艳照门，老夫子说，这种事虽属于个人私事，但倪枫毕竟现在的身份是第一城的销售经理，就由第一城宣布将她予以辞退，割断对第一城的声誉影响。

顾忱一一同意。老夫子又要求销售工作即日起由董玫亲自负责，顾忱明知老夫子是想利用事件挤占自己的控制力，但因自己引起的事，怎么能不退让呢？于是两人商量请董玫立即宣布辞退倪枫的消息，尽快使销售工作回到正常轨道。

把老夫子打发走，顾忱给白崇洗打电话，白崇洗却一口回绝了顾忱的请求，说咱们有言在先，我只是为了祝你一臂之力让你使用白石集团的名义，但仅仅是名义而已，不会落在任何纸面上。这件事我不但不能帮你澄清，而且我要先告诉你，如果事态得不到控制，如果发生任何可能有损于白石集团的事情，我会发表声明宣布第一城的确跟我白崇洗没关系，所有一切后果，你要自己兜着！

白崇洗态度很坚决，根本不由顾忱分说。

放下电话，顾忱知道白崇洗是对的，任何时候，白崇洗都不会拿出白石集团替自己背黑锅。第一城的事情，必须靠自己来解决。所幸这件事影响有限，只要不动声色冷处理，施工进度正常，市场对第一城的疑虑自然会慢慢消散。

但，顾忱还是过于乐观。他忽然发现自己在安沣没有朋友了。以往熟稔的刘连贾晓阳等人突然间陌生起来，除去正常的公事公办，几乎连多余话都不想和顾忱说一句。顾忱知道这个时候自己和孙大盛的真实身份一定已经在安沣的小圈子里成为谈资，贾晓阳是把自己引进来的人，刘连更是自己的铁哥们，这个时候，他们俩身上的压力一定格外大，唯恐与自己再扯上什么关联，至于顾忱的身份是真是假，已经并不重要，重要的是，顾忱给身边的朋友们，带来了危险。

顾忱忽然间好寂寞。要不是每天有申扬用电话和网络陪着自己，落寞到极点的顾忱，恨不得离开安沣回到北京。为什么人只有到失意时，才会发现有一个避风港湾是多么重要。

还有一个月就要过年。持续晴天使积雪不见踪影，只是气温逐渐走低越发寒冷。传单事件过去一个多月了，并没有发生更多的事情，顾忱以白崇洗出国无法联系为由搪塞过去老夫子，老夫子也明白有时候不说话更好，也不再催促顾忱。每过去一天，记忆就似乎被遗忘一层，一个月后，似乎一切都过去了，如同那场风雪到了现在，哪里还有它的一点影子呢?

事件后第三天，孙大盛突然悄悄来了一趟。顾忱问他晴晴是否已经摆平。孙大盛神秘的说正在处理，让顾忱放心，以后绝对不会发生相同事件了。顾忱放下心来，按照施工合同将工程款支付给孙大盛，下个月到春节前，只要再向他支付一千五百万就算渡过了第一城最难的时候。

支付给孙大盛工程款后，账上已经没什么钱，面对春节前一千五百万的压力，唯一的渠道只有销售。倪枫再没有露过面，董玫配合顾忱，努力推进销售，春节前一段时间一向是安沣卖房的旺季，顾忱把全部希望都寄托在这一个月了。好在经过宏观调控的影响、申笃寅项目的影响、传单事件的影响后，安沣市场依旧沿着一条自己的轨迹运行，第一城的销售又开始回暖，平均每天两套房子的成绩，已经开始让顾忱放松了许多。他知道，只有沿着这条轨迹下去，这个春节的资金难关，必将顺利渡过，至于明年，顾忱想，能活过今年，就能活过明年。不知从何起，这句话似乎成为中国房地产商们的口头禅，从天堂急跌到凡尘在他们看来犹如地狱的日子里，能活下去，能活到春暖花开时，便似乎成为他们共同的祈愿。

经过这几个月的洗礼磨砺，顾忱早没有了已经过去的那个春天的自信与激情，两个亿的梦想虽然还映在脑子里，但悄然间顾忱的目标已经降低，没有两个亿，一个亿也成，或者，五千万，甚至，只要能收回自己投下去那两千万，未尝也不是一件值得庆幸的事。顾忱感觉自己像坐上了一趟过山车，在经过高点时那动人心魄的一刻后，唯一的愿望，只剩下能平安的停下来落在地面。

但，顾忱很快明白，一个从一开始就朝向不该去方向而去的过山车，平安落地，是多么的妄幻和不切实际。

孙大盛被抓的消息是顾忱在账面数字重新上升到五百万这天得到的。

一个参与赴京抓捕行动的警员悄悄问一名在第一城买过房子的同事：

一个姓孙的建筑老板是不是就是第一城的施工方？买过房子的警员曾托建设局一个亲戚找到老夫子要了内部价，于是把这个消息又告诉了建设局的亲戚。这人又问到老夫子。老夫子吃了一惊，立即联想到会不会跟上个月的传单事件有什么瓜葛。于是老夫子找到顾忱，转告了他这个消息。

顾忱却不信。昨天下午孙大盛还打电话催过自己钱，还说春节请顾忱和申扬出去转一圈散散心，怎么可能就出事呢？

顾忱忙给孙大盛打电话，却关机。问他司机，说老板昨晚指挥工人围堵了甲方售楼处不放一个人出入，倒是有两个派出所的警员来找，但孙大盛笑嘻嘻说工人是自发的，跟自己有啥关系。于是最后甲方老板只好从外赶过来请孙大盛喝酒，在酒桌上答应给钱，喝完酒完后去唱歌，把孙大盛送回家时已经是半夜一点多，孙大盛专门交代第二天等自己电话再去接他。

放下电话，顾忱笑着说："果然又是谣传，孙大盛一定是睡懒觉呢。"

但下午，一定更为惊人的消息传到顾忱耳中：孙大盛已经被安沣警方押回来了，有人看见他戴着手铐！再问司机，司机的手机也关机。顾忱感觉不妙，立即托人打探，终于在深夜得到了确切消息，被警方押回的，正是孙大盛！罪名是：雇凶杀人！

顾忱五雷轰顶一般呆住了。事情原委水落石出……

晴晴给孙大盛打电话，说，你马上给我一百万，否则我继续散发传单。

孙大盛立即答应，说，好，但这两天手紧，你等我两天。

晴晴说，呸！鬼才信你，限你十二个小时内把钱打我卡上。

孙大盛说，行，但北京这边工地的确没钱，你是知道的，要钱，只有第一城，我必须过去一趟，一手交钱，一手交照片。

晴晴说，我不信你，你肯定又要什么鬼花样。

孙大盛说，那这样，我先给你卡上打十万，明天等我赶到安沣要款后给你剩下的钱。每月这个时候拨工程款，你是知道的。

晴晴说，好，再信你一次，不过不许耍花样。

孙大盛给倪枫打电话，说，让你那个表哥再出马，修理下晴晴。倪枫正在家里蒙着被子哭，已经这样不吃不睡哭了一整天，晴晴这一手，害得自己丢了工作不说，更重要的是，将自己掌握的内幕提前公布了出去，以

后自己就没有筹码要挟孙大盛和顾忱了，换句话说，自己在第一城的好日子即将到头了，晴晴提前结束了自己本来美好的未来！倪枫对晴晴自然恨之入骨，听孙大盛说要修理她，立即结束哭泣投入复仇计划。

第二天，晴晴果然发现自己卡上多出十万，欣喜之下催孙大盛继续给钱。孙大盛求她，说自己现在资金紧张，能不能少些。两人讨价还价，最后商定再给晴晴五十万元，这事算完。孙大盛还价，说明他有给钱的诚意，感觉自己妙计得逞的晴晴顿时放松警惕。

当天晚上孙大盛到了安沣，第二天去公司。仍留了个心眼的晴晴一大早就躲在售楼处对面那个咖啡馆二楼侦查着对面动静，果然见孙大盛进去。等了一个多小时孙大盛出来，手里还拎着一个塑料袋。晴晴知道这是他的习惯，孙大盛拿现金总会用塑料袋，晴晴隔着玻璃盯着那袋钱看，口水不觉落入咖啡杯！

孙大盛坐进车里，片刻，晴晴手机响了。孙大盛问她在哪里。晴晴说就在你对面。电话里孙大盛冷笑一声，说我就知道！你下来。晴晴也冷笑一声，说我才不上你当，你自己上来！

于是孙大盛拎着钱独自上来，当面把钱交给晴晴。晴晴数过钱，却愣住，原来，里面装的是二十万。晴晴问还有三十万呢？孙大盛说我也信不过你，先把照片给我再说。晴晴扔给他一个 U 盘，说都在里面，手机里的都删除了。孙大盛拿过她的手机认真查看，果然没有发现什么。于是孙大盛又让她写一个字条，说收到了孙大盛人民币多少多少元整，从此二人再无关系，如果再出现任何关于孙大盛或第一城的揭露性或侮辱性文字或照片，一律为晴晴所为，晴晴负担相应的所有法律责任。

晴晴按照孙大盛意思写完字条，却不签字，冷笑道：“我签完字，你要不给钱怎么办？”

“那好，你签过字我叫人送过来。”

“想得美！先给钱，后签字。”晴晴得意地拍着那沓现金。

孙大盛认真看着晴晴，忽然笑了一下，缓缓说：“我要给完你钱你不签字怎么办？”

“这个好说。”晴晴出了一个主意，“我先当你面签好字，但要注明‘撕毁无效'，然后你拿钱来，这个过程中只要有意外我就撕毁字条。”

“高明。”孙大盛点头，“我终于明白原来一直都是你在玩儿我。”

于是晴晴签好字，孙大盛叫人送钱，其实钱就在车里，一分钟后剩余三十万现金就放在了晴晴桌子上。孙大盛拿到字条后走人，晴晴眼睁睁看着他走远，兴奋得扔一张大钞给服务员后跑下楼去。

这时，车里的孙大盛正在笑。用几十万块钱堵住晴晴的嘴，真值！但心中这口恶气却不能不出！钱他孙大盛有的是，但被女人这样耍得头不是头脸不是脸却是第一遭。孙大盛早安排好计策，想认真收拾一下晴晴……

晴晴出了咖啡馆大门，阳光灿烂的日子真好，她决定去市里最好的一家酒楼好好慰劳下自己，不，还是先去银行把钱存上再说，晴晴伸手招呼停在门前的出租车，大声说：“前面左拐的农业银行。”

“好。”司机答应着，汽车开过去，在十字路口拐到左边。晴晴紧紧捧着钱心潮澎湃，计算着如何过一个幸福的新年，旅游？购物？还是风光无限的回趟老家？正想着，却发现不对，车怎么开进距离银行不远的一条窄巷了？刚要开口问，司机却说：“对不起，走错了，我调头。”心情大好的晴晴冲他笑了一下，温柔的说：“没关系，帅哥……”车停了，忽然，晴晴身边门被拉开，一个黑影用力挤了进来，等到晴晴发现不对已经晚了，眼前一个黑影闪过，然后便是一片漆黑！

上车的是响当当，他用一记响当当的右钩拳将晴晴直接打昏过去。等到晴晴醒来时，已经发现自己在一间破旧的平房里，周身一丝不挂，一个人正用相机对着自己猛按快门，晴晴就是被闪光灯惊醒的。晴晴心知不好，脑子却转了无数遭，这一定是孙大盛安排好的计谋，他难道会杀了自己灭口？不会，晴晴安慰自己，要灭口早灭了，再说孙大盛拿到自己亲笔字条没了后顾之忧，也没有必要灭口，看来他最多是找人臭臭自己，拍个裸照臭扁一顿强奸什么的，反正没有性命之忧，想到这儿晴晴高兴过来，索性伸展姿势让那人拍得更好些。晴晴一主动，正在拍照的响当当愣了，想不到世上还有这么贱而风骚的女人。

响当当把相机拿离自己面部的时候，晴晴才看清是他，头脑立即清醒，这才想到自己那来之不易的五十万巨款，顿时哭出声来，“我的钱……”她

想好了，只要钱没了，她立即报案，然后死活缠住孙大盛臭他，直到他再次服软为止！

响当当冷笑，把一沓钱拿起来在她眼前晃晃，“钱，待会儿还给你。”

“好啊，只要给我钱，让我干啥都行。”晴晴顿时放松下来，嫣然一笑，“你是跟倪枫一起的吧？”

响当当却愣了，绝对没想到晴晴曾经跟踪孙大盛偷拍到自己的照片而认识自己。站在隔壁小房里观察晴晴的倪枫也愣了，想不到晴晴竟然认出了响当当。既然认出来了，便没必要再遮掩，倪枫一不做二不休，反正趁着这个机会揍她一顿以解心头之气，一跺脚便走出来。晴晴骤见出来一人，也愣了。两个女人你看我我看你，晴晴忽然有些慌乱，她不怕男人，就怕倪枫这样的女人！

倪枫冷静的看着她，一笑，道：“放心，我不要你的钱，也不要你的命，我只是想给你上上课，让你以后别像疯狗一样乱咬人。”

“你想怎么样？”

“想用一种警察也不会管的办法教训你。”话音未落，倪枫突然一个健步跳上晴晴的裸体，用尽全力在她脸上厮打。她早想好了，只要不弄死弄伤弄毁容，打晴晴个鼻青脸肿头发脱落总不是大问题吧？晴晴没料到她说打就打，脸上顿时挨了几记粉拳，待反应过来嘴角已出血。倪枫这样一出手，晴晴倒知道她不敢把自己怎样，于是胆子一大干脆也对打起来，两个女人如同几辈子的仇人般相见眼红手牙脚头同时并用，幽暗的平房顿时蓬荜生辉血花四溅撕扯声叫骂声不绝于耳，到底是晴晴技高一筹，竟然用力把倪枫死死摁在身下，一把抓住她的头发，一把用力挖向她的脸，只怕这一抓下去倪枫就要破相！响当当观战良久，此刻终于不得不出手，一脚踢向晴晴的肩膀。不料倪枫正巧反手也抓住晴晴头发往下撕扯，晴晴不由自主头一侧，结果响当当一脚响当当的正踹她的太阳穴！

晴晴连哼都没哼一声翻身落地，倪枫跳起来用力踹她，“叫你贱，叫你贱！”连踹几十脚，响当当突然感觉不对头，拉住倪枫弯腰去看晴晴。倪枫不解气，指着晴晴大骂：“装死呢？快起来！”

响当当把身子蹲下去，突然把嘴贴向晴晴的嘴，倪枫看呆了，以为响当当突然之间动情竟去亲这贱人！刚要开口，却见响当当惊恐的双眼扭转过来，“她……死……了……”

这就是后来警方得知的晴晴之死的全过程。惊慌之下，倪枫要打电话告诉孙大盛，却被响当当一把拦住，说：“多一个人知道多一分风险，咱们索性把她处理掉跑得远远，神不知鬼不觉。”于是两人租辆车由响当当开着，将晴晴尸体设法运到安山一个水库系上石头抛了进去，带着所有钱远赴他乡。

后面的事情就简单了：晴晴的尸体很快被发现。恰好有目击者看到了那辆抛尸用的可疑车辆，警方顺藤摸瓜，没用俩礼拜就把已经躲在云南曲靖的一对野鸳鸯抓捕归案。再后来，两人异口同声把杀死晴晴的主使推给孙大盛……

这就是晴晴抛尸杀人案的整个过程。孙大盛并不知情，离开安沣后打倪枫电话多次却一直关机，随后便忘记这件事。安沣警方当晚登门时，他正酩酊躺在床上，直到被带到警车里才酒醒，冲警察骂骂咧咧道：“靠！不就是堵了老张的售楼处吗？多大事儿似的！”说罢大模大样又睡过去。警察不理他，一路开回安沣，抵达安沣市恰好天亮，孙大盛睁开懵懵懂懂的双眼，眼前的景物竟好像已在六百公里外！

孙大盛进了公安局才知道晴晴已经死了。大叫冤枉，说我只是让他们臭扁她一顿，根本没一点杀心。审讯人员冷笑道：“那为什么他俩异口同声都说你是主谋，那五十万块钱，就是你给他们的辛苦费！雇凶杀人，人证物证俱在，你还有什么好讲的？”孙大盛愣了一下，皱一下眉头，眼睛转了两转，想开口，嘴角却哆嗦了两下，猛的咧开大嘴，“哇……”

孙大盛被捕的消息不胫而走，第一城的工地马上炸了窝，刚刚被警方请去讯问回来的顾忱一回办公室便被大盛公司几个工头带着人围了个水泄不通，纷纷要求提前结算工程款。顾忱一拍桌子，厉声道：“谁也别嚷嚷，孙总虽然不在，但工程款一分钱不会拖欠，现在还没有到付款的时间。”一个工头冷笑道：“是还没到付款时间，可工人们等着拿钱回家过年，老板出了事，他们已经坐不住了，军心不稳，甲方提前支付些工费，也不是什么过分要求吧？”另一工头说：“顾总您别瞒我们，第一城的资金情况大家心

里都有数，以前是孙总罩着，大家放心，可现在他不在了，您这儿资金出了问题，大家找谁去？”另一工头说：“我说句不该说的，顾总，现在安沣到处流传说孙总进去了，下一个就该是顾总您了……嘿嘿，我知道这是谣言，但谣言往往会要命的，第一城的房子卖不动，大家跟着全遭殃，您现在把民工的工钱先给结一部分，我提前放他们回去过年，也是替您着想不是，万一年头给不了钱他们闹起来，嘿嘿……我们也没办法。”

众口一词，反正是逼着顾忱给钱，这两天外面风言风语更甚，几天没卖出一套房子了，万一工地再停工闹事，第一城可就真坠入深渊了。看来提前给他们钱稳定军心，另一边继续稳定市场信心，才是唯一的选择。顾忱心里重重叹口气，说：“好，下午来领钱。”

以前支付工程款都由顾忱在孙大盛拿来的支付单上签字，至于孙大盛再怎么往下分配，顾忱从来不管。到现在工地群龙无首，顾忱只能按照几个工队一一发放劳务费。发钱时，顾忱才知道大盛公司整个就是一个杂乱无章的游击队，第一城一期工程分别由四个工队承担施工任务，每个工队施工面积内的材料费和人工费都是由他们自己负担，孙大盛按照各自工程量和事先约定向他们支付款项。这时四个工头纷纷拿来了一大堆单据，总额竟达三千多万。顾忱吓了一跳，逐一审核过，说：“按照合同年前最多支付一千五百万，这你们是知道的。这三千万里大多是材料款，是明年才支付的。所以我只能按照合同给你们支付一千五百万，而且这钱必须作为人工费，不得支付材料款。”众人没办法，只好同意。于是顾忱按照工程量逐一将五百万分配给他们。各人心满意足的道谢，说孙总不在了，以后顾总您就是我们的头儿了，我们跟着您走。顾忱苦笑，说我可没这个本事，孙总公司应该还有副总什么的接手吧？他们一致笑，说我们全只对孙总本人，就算来个什么鸟副总，我们也不认！

打发走这帮人，账面重归于零，一千万是民工们辛苦一年的工钱，是必保的，顾忱只好全力以赴推进销售。但自从孙大盛被抓后，第一城的销售几乎完全停顿下来，顾忱及时作出解释，再加上工地提前领到钱后，重新忙碌起来，眼看着这场不小的风波又一次被挺过去，终于有人开始买房子，顾忱长嘘一口气，再过半个月就该到工地放假的时候，一千万也应该问题不大，想起肯定要在没有暖气的小房里熬过春节的孙大盛，有一个平平安安的年过，顾忱感到自己幸福极了。

但是，第二天，警方却又一次找到顾忱，说请他带路去别墅。顾忱不明白是怎么回事，带警察去了那两栋别墅，警察直接去了“红楼”，几个人熟门熟路般直接上到三楼卧室，上下查看搜索，竟在顾忱眼皮底下拽出一个暗藏在床头墙顶筒灯后的摄像头！摄像头连着一根电线通往顶层平台，警察又在平台一个角落找到一个视频服务器，视频服务器连着网线和电源……

顾忱整个傻了！面对警察的提问，除去茫然摇头，还是茫然摇头。

这套视频监视系统是倪枫让响当当在装修时安装的。孙大盛被带回后，死活不承认是自己主使，警方再次提审倪枫和响当当，两人急于脱身，便想起将功补过坦白从宽一招，主动将这个摄像头交代出来。响当当说，这个摄像头记录下来大量高官的腐败场景，也算是自己立了一功！

警方去响当当的住处，果然在电脑里找到大量视频，全是红楼摄像头拍下来的镜头，倪枫和响当当对这些视频基本未作剪裁，总共有一百多段，每一段都是两个人在床上颠三倒四的场景，女主角大概前后有五六人，男主角却只有一个：刘连！

刘连的珍贵视频立即惊动了唐书记甚至省领导，于是本该由刘连主持的年终城建工作会议却临时换了主持。顾忱这时才明白，为什么自从孙大盛出事后他一直没有联系上刘连。

刘连出事的消息迅速传播开来，虽然没有确切情况，但几乎所有人毫不犹豫的指向一个方向：第一城。

就在警方搜出摄像头后第三天，顾忱也失踪了。城市里到处流传着第一城老板以美色金钱行贿刘连的故事，人们猜测顾忱也是被有关部门请进去配合调查的，人们还传说刘连的家里发现大量财物，其中几张银行卡怀疑跟第一城有关，正在对它的情况进行追踪，此外，在顾忱办公室还发现了一份私下签订的协议，协议的另一方是一家当地房地产公司，而这家公司的法人代表，就是刘连的堂弟。

又过了几天，顾忱回到了第一城。他没有对任何人讲起过这一周发生在自己身上的故事，大家唯一知道的，是顾忱返回第一城时，却发现，第一城，已经不再是原来的第一城。

售楼处大厅里已经没有人影，销售部全体提前放假，老夫子只派了两个保安守卫着大门。其实，这时售楼处里面已经没有什么东西值得守护，因为连续一星期的喧嚣，售楼处里已经没有一件完整的物品。

顾忱后来才知道发生了什么——

顾忱失踪后第一天，售楼处里突然人又多了起来，不过全都是老客户，来这儿的原有也只有一个：退房！

大家质问道第一城的老板都被抓起来了，项目肯定变成烂尾楼，当然要退房。董玫向大家解释公司没有问题，项目也没有问题，但这个时候还会有谁听她的解释？群情激奋下，老夫子带着公司大队人马赶到现场，宣布从即日起接管合资公司的所有业务，老夫子让大家放心，说第一城一定会继续建设。

老夫子正壮志激昂时，有组织的民工们却又将售楼处围成铁桶，连里面要求退房的客户也被包围其中。民工齐声高喊还我血汗钱！吼声震天，吸引过来更多围观市民，逐渐围拢成为第三层人潮阻塞了交通，第一城再次成为这个冬天安沣市最为壮观的记忆。警方疏通劝导，好容易将围观人群从马路中间驱散，售楼处里演变成一场武戏：老夫子苦口婆心劝慰，怎奈整个安沣人没人不知道第一城是北京开发商投资的，见北京方踪影全无，只剩下这个一向信誉寡淡的老夫子夸夸其谈信誓旦旦，顾虑迅速化为疑虑，疑虑又迅速化为焦虑，再加上聚在售楼处里的客户出不去，外面的工人又进不来，两拨人相互呼应互为作用，渐渐众人情绪升温，不可收拾，也不知是谁先无意间蹭掉了一个摆放在前台上的花瓶，一声脆响点燃了炽热空气，“对，砸他妈的！”人群里不知谁又高呼一声，更多人随之雄起，大家奋力向前挤，“啪”一声规划模型上的玻璃被挤得粉碎，一人顺手抓起第一城那座雄伟的二十八层大厦朝老夫子等人扔过去，老夫子吓得脸色惨白恍惚间不见踪影，董玫等人也倏然消失在人海中，群情激奋，好事者肆意打砸，附和着高声怒骂，不堪者无力退出，一时间售楼处内鸡飞狗跳乱成一团，外面工人见里面大乱，也跟着起哄往里冲，三米多高的钢化玻璃大门砸在人潮中晃晃悠悠坚持了五分钟才砰然落地，警察赶到，却无力突入，一个半小时后总算将人们劝离，一群警车中紧急赶到一辆救护车，几个部下从前台下钻出来又抬出老夫子，只见老夫子脸色苍白右手紧紧抓在心口，已然心脏病发作……

得知第一城闹事的消息，第二天，更多的购房者和观战者前来，连夜用竹胶板封堵住的大门再次被激动的人群冲破，售楼处二次惨遭涂炭，现场一片狼藉，惨不忍睹，人群打出“还我幸福”、“严惩白石集团”等横幅，工人也被再次组织起来排成一列一公里的人墙，打出“春节了民工要过年！”的白色条幅，唐书记紧急召开办公会，商讨应付第一城乱局之对策，市政府委派一名副市长赶到现场亲自劝解，贾晓阳按照会议要求急忙联系白崇洗，白崇洗答应道：“好，我马上发出一份书面公告以正视听。”二十分钟后，一份盖有白石集团大印的传真发到安沣市政府，贾晓阳拿到传真一看，险些晕倒！传真上清清楚楚写着：“白石集团与安沣第一城置业有限公司及第一城项目未有任何正式关系，对第一城所发生一切纠纷及影响不负担任何经济及法律责任，并有权对使用白石集团名义并对白石集团声誉造成不利影响者，追究其法律责任！”

贾晓阳懵了，急忙给白崇洗打电话，白崇洗淡淡说：“贾市长，你可以认真看看合同，第一城从头到尾任何书面文件中，何时出现过白石集团的名字？”

“可……您可是作为白石集团代表参加了……”

“我是代表白石集团在第一城的合作签约现场上讲了话，但你应认真去看一下我的发言稿，哪儿有一个字说过第一城跟白石集团有经济关系？”

“可……顾忱明明是白石集团的股东啊？”

“我说过吗？”白崇洗笑，“好像我从来没有亲口说过吧？”

放下电话，贾晓阳欲哭无泪，是啊，整个前前后后都是顾忱在说话，他说的每句话都在引导着自己往一个错误的方向走，这场荒诞大戏里，顾忱一人充当了制片、编剧、导演、演员甚至还有剧务，而自己呢，贾晓阳苦笑，“我整个就是一个被剧情痴迷的观众，等到电影结束了，才醒悟过来自己一直津津有味看到的，竟然只是一部从来就没有版权的地下盗版片！”

得到白石集团这么一个回复，唐书记卫市长全震惊了，原来，安沣市上上下下前前后后竟被一个并非白石集团的人打着白石集团的旗号给玩得风生水起！

责任，在谁？

没有一个人能回答这个问题，因为，细细品味，这场闹剧里的每个人好像都没错！也好像都错了！

但，是对，是错，还有什么用呢？

第一城的事情，还需要第一城自己来解决。但老夫子至今仍躺在医院里，合资公司无一人敢于出头，纷纷说自己根本不知情，无奈，唐卿只好指示如果顾忱没有大的问题，有关部门应尽快结束对他的调查，让他回到公司处理善后事宜。

两个保安都认识顾忱，却对他的到来视而不见。顾忱苦笑一下，迈步进入凄惨的大厅，钢化玻璃的碎块在脚下咯吱作响，曾经依托着自己梦想的第一城，就要以这样的惨剧收场吗？

顾忱欲哭无泪，茫然走到自己挂着“董事长”铭牌的办公室，推开虚掩的大门，寒风从破碎的窗户上席卷进入室内，桌上有几双触目惊心的脚印，墙面被用从隔壁会议室拿来的油性笔写着“骗子顾忱”四个鲜红大字，真皮沙发也不知被什么划出几道口子，原本放在一角的笔记本电脑不翼而飞，只剩下一团凌乱的网线电源线被遗忘在原来电脑的位置，顾忱看着残缺玻璃上的自己，笑了一下，叹了口气，弯腰扶起倒下的皮椅坐上去，脸上忽然有些热，又有些凉，顾忱下意识伸手去摸，却是泪……

曾经拥有的美丽

只剩下悲伤记忆

光阴飞快的老去

没人能记得它的美丽

窗底下有人反反复复唱着这支歌，连续不停的哼唱了三十几遍，等到顾忱都能熟背的时候，脸上的泪水，已经凝固成冰。

顾忱走到窗前，窗外是已经凝固了的工地。唱歌的，是一个留守的民工。乍看见出现在窗前的顾忱，这人愣了，表情像看见希望，又像见了鬼！

这人哼唱这首歌时，一直在顾忱的窗下靠着一个煤炉取暖，顾忱的窗外是工地的宿舍区，但中间隔着一条道路，宿舍的一个后门开在这条路上，原先，民工是不允许出现在这条路上的，这人，怎么会出现在这里？

顾忱看着他，强笑了一下，“你在这里，做什么？”

“烤火，老板……嘿嘿……您……回来了？”那人咧嘴笑，“这煤球不好，烟气太重，我先拿出来，等到烟气少了些，再拿回屋去。”

“你……还没回家？”

“嘿嘿……工头跑了，王阳说，第一城这么大，总不会一夜倒了，总会有人出来主事儿，所以……我们就一直等着。”

“王阳？”

“我们队长，”那人犹豫的看着顾忱，“要不……我去叫他？”

王阳是一个四十上下的精壮汉子，从他嘴里，顾忱得到了更多情况。

白石集团的声明立即在安沣市引发地震，人们心目中的第一城轰然倒下，原本还抱有一丝希望的人们也彻底绝望，已经成为第一城准业主的三百八十三位客户又一次冲击售楼处，这一次大量游手好闲之徒也随之而来，人潮呼啸着席卷上下，冲进一切可以进入的房间，拿走一切可以拿走的物品，毁坏一切拿不走的东西，愤怒的人们集结起来走到市政府，要求由市政府出面挽回损失。唐卿书记亲自接待了业主代表，表示一定尽快帮助大家解决问题。人群散去。

工地里也炸了窝，辛苦了大半年，工人们竟然发现原来根本还不知自己到底在给谁卖命，自己的老板进去了，甲方老板看来也是进去了，甲方又找不出一个出面的人，建设局一个领导代表市政府前来工地，告诉大家政府部门正在努力协调解决问题，请大家相信政府耐心等待。不管怎么说，一时半会儿肯定是拿不到钱了，工头们自认倒霉，各自商量对策，好一些的自掏腰包先兑现了些工钱放民工回去过年，没钱的工头给在第一层的工头们做工作讲道理打白条许愿，好说歹说，让大家也散去了。大多数民工散去，工地于是变成寂静一片。

“那你呢？为什么不走？”顾忱问王阳。

王阳叹口气，接着说下去。

王阳只是安沣底下一个山村的农民，出来几年跟着干了一两个工程。同村一个本家说拿到一个好工程，让他组织一帮兄弟来干，于是王阳兴冲冲联系到一帮人，总共六十多个来到第一城。他那朋友接的工程是防水保温，跟着主体工程走，活儿不重，工钱给的也不低，大家都由衷感到高兴。可没想到干了多半年，王力却跑了……

“王力又是谁？”

“就是我那个本家。他也是半路出家，其实什么都不懂，只是他有个亲戚，听说在安沣特有本事，白道黑道都熟，他接下了所有防水保温的活儿……”

“这个亲戚叫什么？”

“叫……”王阳笑了，“听说是叫什么响当当。”

顾忱明白了。原来，又是倪枫攒着孙大盛要工程，但这么大的主体工程响当当那帮乌合之众怎么做得了？于是孙大盛在倪枫的激情抚慰中，将防水保温给了她。按理说这活儿也都是各个工队自行分包，但孙大盛硬是把响当当塞了进去，强行与各家队伍签订了施工合同。

但响当当不懂防水保温，于是找来一个干过的亲戚，即是王力。

王力其实也只带着两个人干过一个两百平方米的平房房顶防水，但有这么好一机会当然不容错过，兴冲冲接下工程，又连忙找来同村本家王阳，让他找人干活儿。

一群乌合之众就这样进入号称要打造建筑精品的第一城建筑工地并煞有介事的干起来。响当当跟四家工队有分包合同，王力跟响当当之间也签了份劳务合同，到了王阳这里，王立又跟他签了一份劳务合同。但后来第一城事发，各家工队全散了，就在这时，王力失踪了！

到处都没有他的消息，这帮人干了大半年一分钱还没拿过，就等过年了，现在头儿没了，怎么了得？王阳急忙回到村子里去打探，却发现他家早已人去楼空不知去向。工人们急了，将王阳团团围住，说要找不到王力，就只好让王阳还钱。王阳老实，拿出以前跟兄弟们签的协议又一一补充道：

如果找不到王力，这钱由自己负责解决。

王阳想，自己带人干活是合理合法的，王力不管在不在，这钱都应该有人给。于是他拿着跟王力签的协议去找各家工头，工头们此刻正在布置放假，谁还有心思理他？再说合同都是跟响当当签的，响当当进去了，王力也失踪，王阳除去一份跟王力手写的劳务协议，无法证明他跟响当当有什么关系。

王阳傻了，回到工棚一说，群情激奋，大家围住他，说我们不管，反正大家是跟着你出来的，你就是死，也得把大家血汗钱给要回来！

王阳没办法，去找第一城置业公司的工程部，工程部早已人去楼空，但工程部人员是由安沣市房地产开发总公司派出的，于是王阳辗转找到总公司，却被告之说合资公司是独立法人，控股方又是北京投资方，跟他们没关系。王阳急了，跟他们下跪，说兄弟们实在没办法了，求求你们指引一条明路。总公司人见他可怜，说，去找政府吧，他们只要认，谁都得听政府的。

王阳心花怒放，心想我怎么就这么笨，没有想到政府呢？

于是按照指导跑到建设局建筑业管理处，那里的人看了协议，说你这协议不规范，不是标准文本，我们不受理。王阳又急了，说那我该怎么办？那人说你这属于不规范用工，应该去找劳动部门。

第二天，王阳又去找劳动局，在劳动局大楼里上上下下转了几十个圈，又等了几个小时，终于等到有人回答说，你没有签正式劳动合同，我们不能受理。工头的行为属于卷钱逃跑，你可以去公安部门报警。

第三天，公安局说，工头跑掉属于经济纠纷，公安局无法受理，鉴于你这样情况，建议去属地派出所，请他们协调。

派出所回答最干脆，这是劳动部门的事，跟我们有什么关系？

王阳像一条在暖流里充满希望游荡着的鱼，满心以为能到达目的地，却不料想绕了半个地球又回到原点。这一次劳动局有些不耐烦，说早跟你说了我们不能受理，你是听我们的，还是听派出所的？

王阳老实回答，你们不都是政府吗？我谁都得听！

劳动局无奈摇头，抓起电话打了一通，又放下电话，说，好，你现在

去建设局劳务办，他们专管建筑业劳务纠纷。

王阳满心欢喜，又找过去，劳务办的工作人员很热情，很亲切，听说是第一城的工人，专门由一个副主任亲自接待他，王阳想，终于见到笑脸了，真的有希望了。副主任很认真的听王阳叙述完，亲切的说，真难为你了。

话音未落，王阳眼泪下来，抓住副主任温暖的双手不知该说些什么才合适。

副主任轻轻抽去双手，和蔼的说，但是，你这种情况的确比较特殊，你看，工头跑掉确实超过建设局的管理范畴，应该找公安部门，你与王力签订的劳务协议也确实该由劳动部门确认，建筑业的劳务用工问题也确实应由我这个部门协调处理，但现在一个难题是，工头跑了，谁来认你这份协议？

“不知道。”王阳瞪着一双无辜的泪眼，“我要是知道，就不这么跑了。”

“是啊，你这种情况的产生，说明我们的法制还不规范，建筑业的用工还有很大的改进空间，部门间职能的划分需要明晰……”副主任不耐其烦的说了好些王阳听不太明白的道理，听到最后，王阳听到，“这样吧，我们要下班了，明天上午我一定帮你想个解决办法。”

当晚，王阳回到工棚，被两个喝醉了酒的年轻民工摁在床上踹了几脚，幸亏几个年纪大些的民工拉开他们，王阳躲在自己床上，睁大了眼睛盼着天亮。

天终于亮了，王阳第一个踏进劳务办的大门，却被告知副主任感冒了，上午不来。王阳有些沮丧，心想自己运气怎么就这么差，于是就在建设局大门口整整坐了一上午，忍着肚子饿一直等到下午四点半，副主任终于亲切的出现，一见面就拉着王阳的手说，哎哟，实在对不起，我上午高烧到三十七度半，都烧糊涂了，险些把你忘记。

政府高烧都还惦记着自己这点小事，王阳感动极了，说都怪我给您添麻烦了。

“没关系没关系，设立我们这个部门，就是为广大建筑工人撑腰做主的嘛……”副主任将他带到自己办公室，坐下后又打了一通电话，放下电话长嘘了一口气，微笑道：“终于找到了，像你这种情况，只有去建筑业举报中心。”

“这又是一个什么样的部门？”王阳有些发呆。

副主任和颜悦色的告诉王阳，建筑业举报中心，就是专门处理那些其他部门无法处理无法解决只能重叠相互扯皮的事情的一个特殊部门。“我问过了，你这种情况是非常普遍的，你去找他们，准行！”

副主任送王阳到办公室门口，语重心长的说，路漫漫其修远兮，小伙子，再耐心些……

举报中心就在劳务办楼下，是建设局唯一一个门对着大街上开的部门，王阳去推门，半天没人应答，这时建设局的门卫走过来，说，下班了，推什么推？

王阳第二天一大早守候在门口，看到跟自己穿着打扮差不多的一群人也蹲在门口，大家互相咧嘴笑，笑容里充满了希望。

蹲了一会儿不见动静，眼尖的人忽然看见门上贴着一张小纸条，“开会，请稍等。”人们渐渐散去，有经验的人说：“政府开会，至少半天，开完会吃饭，吃饭时要喝酒，喝酒后要休息，这一休息，下午就没准了。”

王阳身上已经只剩下两块钱，忍着饿坚持蹲到下午三点时，现场只剩下他独自一人，这时，终于有人来了。

“后来呢？”顾忱问。

“他们认真听完我的说明，认真的记录下来，又认真对我说，他们会尽快联系第一城的甲方和施工单位查明情况，让我回来等回复。我等了两天没动静，又去，他们说现在联系不上甲方和施工单位，让我再等等。可……”说到这儿，王阳眼泪又下来，“我真等不下去了，昨晚，十来个工人打我，把我打得……”王阳撩起自己的衣服，后背上布满印痕，手臂上也被什么深深割开，“他们说，再过十天就过年了，要不回来钱，杀我全家……老天有眼，终于等到您回来了，举报中心的人找过您了吗？”王阳憧憬的看着顾忱，跟看着上帝差不多。

顾忱还没回答，办公室已经被人围满，各家工头虽然已撤离，却还留了些人手看场子，得到顾忱回来的消息，立即如同三个月没吃饱的饿狼般

围拢过来，笑嘻嘻恭敬的围住顾忱问候，却仿若无意间将顾忱堵在中间。

顾忱心里长叹一声，却只有微笑面对。各人将手中的付款单据递给顾忱过目，不过不少，总共正好一千万。顾忱微笑道："你们这是早计算好的吧？"

"是啊，四位老板一起商量了一下，都觉得这样情况下，就别给您添麻烦了，于是将各家应支付的工程款预先给您分配好，您只需按照我们提供的数据分别支付就行。这些单据，都是老板们签过字的，只等您签字了。"

另一人笑嘻嘻说："我们就知道您很快会回来，又担心您回来后找不到财务，于是每天派人'陪着'公司财务经理，您只要签好字，我们自会去找他领钱。"

顾忱苦笑，"你们不知道账上已经没钱了吗？"

"知道，我们还为这事专门去找过劳总，他说，顾总您是有实力的大股东，合资公司账上虽然没钱，但您只要打个电话，从北京总部调些来就行了。"另一人插嘴笑道："外面那些乱七八杂说您没钱的谣言，我们才不信呢。"

"是啊，是啊，嘿嘿……"一片言不由衷的干笑。

顾忱心里明白，他们才不管自己到底有钱没钱，反正要不给个说法，自己绝对别想再走出这个房间。事已至此，打肿脸充胖子已无必要，顾忱再也不想把自己包装成财大气粗的大佬，但第一城的难关，终将是要挺过去的，他不服输，一定还有机会，现在剩下的唯一机会，就是第一城的所有参与者齐心合力，共度难关。想到这儿，顾忱站起来，客气的对大家说："各位，想必你们也知道咱们第一城正面临难关。"

"是啊，是啊……"一片唏嘘。

"第一城真要倒下，咱们谁也跑不了，你们说是吗？"

"是啊，是啊。"一个年纪大的人点头道："顾总，实话实说吧，我们也知道你现在有难处，我们要硬逼你，万一第一城真的彻底倒下，我们也跟着倒霉。"

"是啊是啊。"

"可，顾总，我们的难处也明摆着，我们这几支队伍都跟着孙总多年，他出事后，大家顿时没了主心骨，军心不稳啊，孙总在其他工地也欠了不少钱，我们也只好去直接找甲方，可那些甲方看我们怎么能跟孙总比呢？所以到头来，我们也只好厚着脸皮求您，一来您是孙总好朋友，孙总又是第一城的股东，多多少少还有些希望。我们这一千万可全是兄弟们辛苦大半年的苦力钱，材料费可没算进入。前些天项目闹事，几位老板迫不得已设法筹了些钱另外打了些白条打发大家回家，可不干的人也不少，您瞧，现在宿舍里也有不少人硬是不走，就是因为心里还有个盼头，想着您总会回来的。"

这时，窗外小路上出现了百十双渴望的眼神，这些都是不甘心空手回家的民工，他们的眼神却是期盼，顾忱越是心酸。

"顾总求您了，多多少少给些钱吧。好歹再给些让大家安心回去过个年，过完年，我们一准回来，先不说钱的事，一定把工程干好。第一城虽说出了些乱子，可都是因为大家对项目没信心，现在您没事了，那些顾客也不会再要求退房，这边大家一起努力把工程进度加快，大家看到第一城没事了，该买房的，也还会买，一来二去，项目，不就活了吗？"

这句话打动了顾忱，是啊，只要还有一点希望，就要把第一城救活啊。顾忱暗下决心，说："这样吧，我的确没什么钱了，能给大家多少就是多少，怎么样？"

"行。"众口一词，"只要您尽力，我们也没啥说的。"

"好。"顾忱抓起电话打给丁铭，问北京方面的情况，丁铭说自第一城开始运作后，白崇洗就没再给公司支付佣金，销售情况又不好，周期拉长成本升高，随着白石集团房源的不断减少，现在公司的业务也基本停顿下来，公司账上的资金，除去支付节前工资外，也就不到一百万。丁铭关切的问："头儿，你没事吧？"

"没事。"顾忱道："按照原计划把大家工资奖金发完，然后把剩下的钱马上打过来到合资公司账上。另外，你立即找人把我北京那套房子抵押出去贷点款，不，卖掉，我等着钱用。"

丁铭犹豫了一下，说："头儿，真到了非卖房子不可吗？"

顾忱叹口气，没说话。丁铭沉默了一会儿，又说："我马上去张罗钱，

另外，公司里应该有我三十多万的工资和股份，这次就先不要了，我自己也还有些存款，不多，一百来万吧，一并给你汇过去……”

丁铭的声音在听筒里很清晰，周围要账的人听得清清楚楚，全都沉默的低下头去，顾忱热泪盈眶，心里说声“好兄弟”，一时说不出话来。

顾忱心里盘算，北京自己的房子一百八十平方米，按照目前不景气的二手房行情，最多也就能卖二百五六十万，公司和丁铭的钱有二百万，另外自己的宝马车，也应该能卖五六十万，这样下来，差不多就是五百多万，正好够支付一半欠款。顾忱把自己的决定告诉大家，那年长人道：“顾总，真难为你了，电话大家也都听见了，我们要再提什么要求，就是我们的不对了。你放心，拿了这钱大家心里有了底，明年一定会把工程干好，我在这里代兄弟们谢谢你了！”说完冲顾忱鞠一躬，其他人也跟着感谢，纷纷表示明年好好干，一定要让第一城重新振作起来。

顾忱又指着王阳问他们，“这人你们认识吗？”

众人摇头。王阳着急的说：“我是做防水的。”

“做防水那小子不是他，好像也姓王，活儿做得特差，要不是孙总，我们老板早让他出去了。”

“对，那小子不地道的很，听说上个月卷钱跑了。”

“卷钱？”顾忱和王阳同时问，“他不是说没拿到钱吗？”

“怎么能？一共给了他二十来万呢。”

“对呀，我家也给了……”剩下三家七嘴八舌同时说，最后大家一对总数，各家合计给了他五十四万，正好是该给民工的工钱！

事情清楚了，四家工头念着孙大盛面子，不但没有拖延和克扣王力的工钱，反倒一分不差的提前给了他，结果，他却卷走这些血汗钱跑了！

王阳脸色苍白，诺诺道：“那……还有好些材料款，他不要了吗？”

“材料款肯定是响当当顶着，王力只管人工费，响当当出事后，他肯定怕材料商找他，再加上起了贪心，于是卷钱跑了。”大家乱哄哄说，“这小子真不地道！”

等于是说，现在已经没人拖欠王阳等工人的工钱，拿到工钱的王力，已经跑了！大家除了同情，又能怎样呢？王阳额头冷汗直冒，再也说不出一句话来，顾忱让大家回去等通知领钱，大家千恩万谢出去，办公室里只剩下王阳呆若木鸡。顾忱于心不忍，却也没办法帮他，拍拍他肩膀，出了门去。

沿着河边走向自己的别墅，顾忱心里越来越不是滋味，心想王阳该怎么办呢？工头卷钱跑掉，难道结果只能由无辜的工人承担吗？“算了。”顾忱苦笑一下，自己的事还没摆平，哪儿有心思理他人死活？

红楼暂时被有关部门查封，自己那栋别墅的院里停着宝马车，宝马旁，却还停着辆红色双门牧马人。申扬在车里等着顾忱。

“你一出来我就得到消息，但售楼处里人很多，我想，你总要回家的，于是到这里等你。”申扬莞尔一笑，习惯性挽住顾忱胳膊，好像一切都不曾发生。

顾忱有些无地自容，轻轻抽回手臂，低头说：“我错了。”

“没什么。”申扬灿烂一笑，“爸爸让我告诉你，一切都会过去，他年轻时也犯了很多错。”

“我用女色贿赂刘连……”

申扬却堵住顾忱的口，温柔的说：“我知道后当然生气了，都想永远不理你了。可后来想想，也明白你的无奈，既然爱了，就要学会原谅。”

“爱？”一个简单的字轰击在顾忱心头，“我还配得到爱吗？”顾忱突然紧紧搂住申扬，两行眼泪终于不可抑制的沾湿申扬的头发，申扬也哭了，两人紧紧相拥着，好久，申扬笑着从口袋里摸出一张纸，塞顾忱手里，“给，你要还的哦。”

原来是刘术与顾忱签的购房合同。申扬说，顾忱失踪后她就赶过来找他，却看到刘术派人围住别墅，说第一城眼看烂尾了，以房换房的协议无法执行，要顾忱马上交房款。于是申扬用自己一点私房钱给了他。申扬娇滴滴抱着顾忱脖子说：“这可都是瞒着爸爸的，人家好容易才攒了这么点私房钱，都给你了，你一定要还的。”

顾忱感动极了，无言以对。

“还有什么事需要帮忙吗？”申扬问。

顾忱摇头，“基本摆平了。”

“爸爸说，只要工程别停，退房人就会重新燃起希望，第一城就不会死。他还说，你如果需要帮助，随时找他……我这次来这儿等你，他一句话都没问。”

顾忱想起申笃寅曾经的提醒，心里的懊悔，无以言表。

第二天，丁铭找朋友用顾忱的房子进行抵押贷了二百万，公司剩下资金一百一十万，丁铭自己的工资股份和存款一共凑了一百四十万，一共是四百五十万。另外还有个人说好七十万要顾忱的宝马，但需要看车，此刻正带了钱在路上过来，如果没有问题，下午就将车开回北京，过户手续随后再办。这样，总共五百二十万元，除去支付工程款后的剩余二十万元，正好用于支付合资公司员工工资。

顾忱提醒自己不要倒下，第一城，一定要站起来。

此刻的顾忱，被变故祛除了内心骄浮而一片坦然。第二天和申扬一起走入售楼处大厅时，一点没有被人们的目光吓倒。

第一城老板现身的消息昨天迅速传遍安沣，一大早，许多人便赶来，老客户来了，剩下未走的民工来了，合资公司的员工也过来，面对顾忱，不再群情激奋，也无人再推波助澜，只是窃窃私语的盯着顾忱看。

顾忱走到人群中间，挺直了腰板大声说：“我回来，是要告诉大家一个事实：第一城，的确不是白石集团的项目……”

人群嗡嗡一片。

“但是，我负责任地告诉大家，第一城，不会倒下，今天，我会向施工单位支付协商好的工程款，过年后施工进度将保持正常，绝不会出现烂尾！第二件事，为了维护消费者利益，顺应市场变化，我决定，将第一城的均价下降到两千五百元，在此之前购房的客户，我们将在十二个月内向您返还差价，凡参加返利活动的客户，我们也将在到期后予以兑现。”顾忱诚恳的眼神打动了很多人，曾经的质疑与激愤随着顾忱挚诚的语言开始消散。

“最后，我向所有因第一城而受到伤害的朋友、客户、员工致以诚挚的歉意。”顾忱深深鞠躬。沉默片刻后，人群响起掌声，有人说：“顾总你要早出现，大家就不会这样冲动了。”

“是啊，我们担心的是老板失踪血本无归，现在有人出头，就不怕了，是不是？”

“是……”大厅轰然作响，许多人说：“房子，就不退了吧。”

这时，申扬却站出来，大声说：“我现在代表北京笃寅集团宣布，假设第一城出现严重问题，笃寅集团将接手第一城的开发，绝不会让购房者利益受到损害。”

“看，这就是笃寅集团的大小姐……”人们看着申扬窃窃私语，申扬的话，彻底吹去笼罩在大家心头的最后顾虑。

送走大厅的人，顾忱对仍站在大厅里的公司员工宣布今天给大家发工资，这时，有一个员工却站了出来，说：“顾总，有您在大家就安心了，第一城重新站起来，也是我们的责任，我的工资就先不领了，把钱留下来，重新装修售楼处吧。”

“对，我的也不要了。”大家纷纷点头，“让第一城重新获得生机吧。”

顾忱哽咽了，深深再鞠一躬……

大家散开，开始分头打扫整理大厅和办公室，顾忱走到自己办公室，却呆住了，王阳，竟仍然站在昨天站立的地方，如同雕塑。见顾忱来，王阳恢复活力，流着泪说：“顾总，我一夜都没回去，我若回去，即使大家不打死我，我也活不下去了，求求您帮我想个办法。”

顾忱摇头道：“不是我不想帮你，而是于情于理我已不欠你。工程款我已经给了施工队，他们也给了王力，至于王力卷钱跑掉，是你们自己的事。这件事，我看你还是通过政府渠道解决。”

王阳呆了一下，想说什么，却没有开口。顾忱说：“马上过年，你不要在我这儿浪费时间，赶快去找有关部门吧。我倒可以帮你作证。”

王阳道声谢，沉默出门去。看着他佝偻的背影，顾忱沉默了许久……

由于顾忱的回归，第一城重新焕发了活力，合资公司的员工大多为本地招募或由老夫子派出，与顾忱之间常有畏惧陌生感。现在顾忱头顶大房地产商的光环去掉，反而使众人对他多了份了解与亲近，顾忱也放下架子，带着大家投入到修复售楼处工作中，连申扬也卷起袖子帮忙，才两天，除去损坏而无法修复的外，售楼处已经重现往常景象。时值年末，更多常年

在外的人回家过年，也会带着家人一起来看房，第一城基本恢复了往日的人气，到了第三天，终于又有一套房成交，第一城似乎又向着良性方向发展。

就在这一天，顾忱却接到建设局通知，让他去举报中心。

原来，这三天王阳又往几个部门轮番跑了一圈，得到的结果竟然相同，最后举报中心出面将他的情况向上汇报，根据领导要求，通知第一城的负责人前来。举报中心说：根据王阳反映的情况和提交的证据，大盛建筑公司未与王阳等工人签订正式劳务合同，王力与响当当签订的分包协议也未按照正规文本填写并备案，同时，王阳所带队伍也没有正规的劳务资格，所签劳务协议的非法的，所有这一切，说明甲方违反了国家有关规定，甲方对此也是有责任的。

顾忱大喊冤，说即使甲方有责任，但毕竟已经一分不少的支付过工程款，工人拿不到钱是因为工头逃跑，跟甲方有什么关系？

举报中心说，工头逃跑正是因为甲方的施工管理存在违规操作，出了问题，当然应由甲方负责。

顾忱不服，说即使甲方有责任，也应先向公安机关报警追寻工头下落，等抓到他把事实弄清楚再说，王力不出现，仅凭工人的一面之词，怎能断定事实真相？再说，项目开工大半年了，建设局作为管理部门，早又去做什么了？

于是两下针锋相对，举报中心想把问题推给甲方，顾忱坚决不服，最后不欢而散，顾忱拂袖而去。

顾忱感觉冤，自己于情于理没错，凭什么再一次负担早已全额付清的工程款？申扬知道了这件事，悄悄给父亲打电话，又将申笃寅的意见转达给顾忱，申笃寅说：第一城之所以出现前一阶段的问题，就是因为出现问题没有得到很好处理，工人的几十万工资对项目而言不算什么，但对于他们，却是辛苦一年唯一的希望，是大事。作为甲方，还是应当主动面对，对工人们面对面加以劝慰疏导，并尽量帮助他们解决些问题。

“解决？”顾忱赌气道：“申总这是让我掏钱安抚他们了。但我自己尚处难关，凭什么再去安抚他们？我就不信不理他们真会有事！”

顾忱坚决不同意向王阳支付工费，没有顾忱的配合，建设局也无能为力。王阳终于看出自己已经进入绝地：自己手中虽然有跟王力签的协议，但并不能证明王力没有向工人们支付工资，但王力偏偏跑掉不知所踪，公安局却又说属于经济纠纷不受理，甲方却振振有辞说已经付过款，而跟着自己出来卖命的兄弟们嗷嗷待哺愤怒绝望……王阳这样一个再普通不过的农民，还能想出什么办法呢？

他无言的回到工棚，半数以上工人围拢过来愤怒地推搡指责他，被逼到墙角的王阳又挨了一顿臭揍，再没人敢替他说话，因为所有人都是处于对王阳的信任而来的，现在钱要不回来，除去逼王阳，这些再普通不过的农民，还能怎样呢？

王阳缩在地上听凭大家的打骂与口水，听凭自己的头发被愤怒的手成片抓掉，听凭酒瓶在头顶炸开鲜血顺着额头模糊视线，却还是一声不吭。

工人们打骂累了，也都住手，蹲在地上沉默。

沉默，是最大的绝望。

有人开始抽泣，更多人沉默的流泪，大家想着，该怎样回去面对亲人的期盼呢？那样一个荒僻的山村，一千块钱足够全家人兴奋一整年，现在这一切美好的期待全都落了空！叫人怎么能不绝望呢？

王阳头上脸上的血凝固成了痂，却在大家的注视下缓缓站起来，摇晃着走到自己床边，又从自己枕头里悄悄摸出一个东西，那是一百块钱，是王阳为自己悄悄留下的唯一一点钱财。

他沉默的走出门，有人想站起来追他，却被人拉住，“管他娘的呢？死吧，死了才好！”

走出门，冷风里王阳的眼泪终于流了下来，为什么所有人都没有错，难道错的是自己？

顾忱眼前总飘忽着王阳那绝望至极的目光，说实话，他知道王阳没说谎，要换在半年前，自己可能会毫不犹豫先给工人们些钱，然后再设法去寻找王力的下落，即使王力找不到，作为存在管理问题的甲方，也有责任弥补自己管理的过失。但，目前自顾不暇的顾忱，哪里还有心去帮助王阳？已经把自己所有财产全都垫进项目的自己，现在唯一的财产就是这两座别

墅和北京那辆心爱的牧马人，就算有心，也无力再去管他们的“闲事”啊。

但毕竟心里不好受，申扬知道他需要思考，悄悄缩在一层看电视，顾忱独自在三层的阳台上沉思……忽然，顾忱好像看到夜幕里出现一个黑影无声进入花园又走到楼下，那身影有些踉跄，再看时，黑影已经消失在一层大门的雨棚下面。

会是谁？出了这么多事，顾忱如同惊弓之鸟，突然反应过来申扬在下面，如果这人敲门……顾忱惊出一身冷汗，飞快跑下楼，然而，申扬已经发出一声惊叫，顾忱寒毛倒竖三步并作两步冲到大门前，申扬正一脸惶恐的呆站在门前，门外，倒着一个人！

顾忱强忍浓烈的酒气弯腰查看，这人竟是一头血痂的王阳。顾忱稍稍放下心来，心想这人怎么醉成这样，又跑到我这里？申扬却打了个寒战，说：“我觉得有些不对，他会不会是想不开……”

顾忱一惊，才看到王阳脸部剧烈的抽搐，手捧着肚子痛苦的缩成一团，心叫一声不好，扶起王阳，王阳手中紧攥的酒瓶咣当落地，借着灯光顾忱看见剩下不到五分之一的白酒里漂浮着一些黄灰色的粉末……

总算抢救及时，王阳没有死，接到顾忱报警后赶到医院的警察说，王阳是在酒中放了剧毒的老鼠药，但由于他酒量不大，喝了半瓶酒就呕吐出来，再加上救治及时，算是捡回一条命。

留给医院五千块钱押金，顾忱和申扬回到家里已经是后半夜三点多，顾忱愤怒的说：“我又不欠他什么，他想死就算了，怎么还跑我家来死？”

申扬却说：“你怎么能这样想？他这样寻死也是因为第一城啊！我还以为你会想法解决他的问题呢！”

“解决？”顾忱冷笑，“我倒巴不得他死！”

“你……”申扬睁大眼睛看着他，“你真这样想？”

“对！”顾忱大声说：“他真死了，我也清净了，他要没法过年也学王力滚出去……”

“够了！”顾忱第一次听见申扬的怒吼，再看申扬，已是双目含泪，“你怎么能这样狠心呢？顾忱，你不择手段绞尽脑汁拿下第一城，又费尽心思不惜道德投机取巧，我曾以为你是出于事业心的无奈之举，也原谅过你。我以为你明白了自己错在哪里，但我错了！王阳的问题首先是你的施工管理存在严重问题，现在问题出现了，你却又借口种种理由将这些可怜的民工推向绝路……”

“我没有，我给过钱了！”顾忱大喊。

“给过钱并不能等同于良心的安宁，王阳的问题并非出于给钱与否，而是在于你不敢承受自己的错误！”

“哼，他……”顾忱理屈词穷，“他也可能是装死……”

申扬不再说话，沉默的看着顾忱，眼泪终于不可抑制的滚落，很长时间，她才开口，“你错了，顾忱，我也错了，因为我爱上的竟然是一个不敢担当的男人，我还以为王阳的自杀能使你真正醒悟，却没想到，我看到的，是一个陌生的你，而这陌生的你，也许才是真正的你……”申扬哽咽着说不下去，看了顾忱一眼，飞快的跑出门。顾忱愣在当地，等清醒过来追出去，那辆红色牧马人却已经飞快消失在夜色中……

那一夜顾忱通宵未眠，反复问自己一句话：我错了吗？我究竟错在哪儿？难道我真的全错了？夸大实力借力白石集团利用政府招商引资的急迫是我的错？工于心计游刃于老夫子熊能之间以国有资产换取合作机会是我的错？贪得无厌费尽心思提高容积率是我的错？利欲诱惑刘连突破规范大打政策擦边球是我的错？巧于策划精心包装推进销售也是我的错？这一连串的错误将自己逼到绝境，绝境逢生之时偏偏又被王阳这帮工人搅得心烦意乱，自己明明给过钱不想再做冤大头坚持不向王阳妥协难道又错了吗？

是我一个人的错？还是所有人的错？

或者，干脆谁都没错？

这一夜，顾忱头痛欲裂，心如刀绞。

第二天一早，顾忱去医院，想和王阳认真沟通一下，希望能找到一个妥善的解决办法，申扬是对的，缘于自身的错误，一定要由自己担当。

但是，王阳却没在医院。医生告诉顾忱王阳一大早就被发现不见了！

他会去哪儿？一种不祥之感袭击心上。顾忱赶忙打车去工地，那群工人见顾忱进来，全愣了半天才有人想起说话。

顾忱将昨晚的事告诉他们，大家全傻了，忽然一个人“啪”给自己狠狠一耳光，哭着说：“都是俺们逼他太急了，其实他有啥错？”

旁边一个年长者说：“是啊，逼他，就等于是逼自己啊。”

顾忱心中一动，恍如醍醐灌顶般恍然大悟，找到了答案，逼他，不也是在逼自己吗？他要找到王阳，自己的错误，应该由自己担当！

可是没人知道王阳去了哪里。

工人们分成十几路人马分别去找王阳，顾忱回到办公室刚想坐下来，突然手机响了，一个紧张的声音让顾忱五雷轰顶，“你是第一城的顾总吧？我是建设局举报中心，你们有工人自焚了……”

昨晚，王阳用最后一百块钱买了一个塑料油桶，又灌满汽油，然后用剩下的钱买了一小包老鼠药和一瓶白酒，他将老鼠药倒进酒中，准备把自己灌醉后再浇上汽油点着。王阳无法解释发生在自己身上的事究竟是谁错了，如果是王力错了，那为什么没有政府部门来追究呢？如果是政府错了，可政府为什么会错呢？如果说是甲方的错，可人家顾总也把钱给过了自然也没错啊。最后的结果只有一个：自己错了！“我错了吗？人家都没错吗？”王阳喝一口酒，看一眼脚边汽油桶，问自己一声。他不甘心就这样死，死，也要弄个明白！他酒量不大，才喝半瓶竟喝醉了，恍惚间还是想去找个明白人问个明白，于是神志迷糊的不知怎么竟走到顾忱的楼下，他潜意识里还是想找顾忱再请求他的帮助，自己是给第一城打工的，有了难，当然要找第一城的大老板求助啊。这就是普通农民工潜意识里最基本的思维方式。

今天早上清醒过来，王阳发现自己已经躺在医院里，胃里跟火烧火燎似的疼，他从护士嘴里搞清楚昨晚经过，心想：难道昨晚想死也是错的？要不咋没死成呢？不行，必须死，要不这个问题一直会把自己弄疯的。

对于实在弄不明白的事，最好就是一死了之。

于是王阳拖着虚弱的身体扶着墙溜出医院，一路跌跌撞撞到沣水桥下取走仍然在地上的油桶。胃里烧得难受，他真想赶紧将汽油浇到头上，一点，哈哈，一切都结束了。

一摸口袋，王阳却笑了，“老天，你咋这样耍弄可怜人哪！”王阳叹口气，竟然忘记拿打火机了。想死，必须要有火。自己身上已经没有一分钱，所以这最后的工具，只能向人借了。王阳想来想去，突然想到一个好地方，那里，也许还有跟自己一样境遇的倒霉蛋，要是自己的死能帮帮他们，也算不白死了。王阳想通这个道理，拎着油桶往桥上走。

半小时后，安沣市建设局举报中心过来一个踉跄的汉子，双手捧着肚子，肚子被一件破旧绿色军大衣裹着，圆滚滚如八个月的孕妇。这汉子便是王阳。

王阳走过蹲在地上的几个民工，有人喊他，“哎——排队，里面有人。”

王阳回头咧嘴冲他笑笑，“兄弟，有火儿吗？”

没人理他，王阳只好继续走，后面有人骂，王阳想，待会儿，你们就会感谢我的。

里面一眼就能看出谁是民工，谁是政府。

因为政府穿着衣服打着领带双手捧着一杯热茶。民工是一个年轻人，说他没精神也挺精神，说他邋遢其实也不太邋遢，反正一看就知道准是个民工。年轻民工正一脸憧憬的看着政府，政府低着头，在纸上记着什么，听见门帘响抬头看见王阳，政府说：“排队。”

王阳微笑点头，却对民工说：“兄弟，有火儿吗？”

年轻民工点点头，从怀里摸出根烟。皱巴巴的，一定是揣了很久。

王阳笑，“是火儿，不是烟。”

这个过程政府一直在用劲瞪着他，快过年了，大家要买年货，办公室只剩自己一个人，外面却还有一堆民工，要都像这人这样不守规矩，是会影响到自己的午餐的。但一分钟后，他的脸色变了，因为他看见王阳试了一下打火机，冲年轻民工笑了一下表示感谢，右手火苗始终着着，左手却像变魔术般从怀里拎出一个白色透明的小塑料油桶，油桶的盖子已经被王阳刚才进门时从怀里拧开，所以当两人刚刚闻到汽油味时，一桶汽油已经浇在王阳脑袋顶上！

其实说汽油倒在王阳头上是不确切的，因为汽油从桶里刚冒出来，便被火苗引着了，所以确切说应该是两个人眼睁睁看到一团火苗变成一根火柱，这根火柱像蛇一样，立即围着王阳的身体到处吐着信子……

王阳被送到医院时浑身上下冒着热气，一缕一缕白烟从衣服的各个破

洞和裂开了口的皮肤里冒出来，很像火山即将喷发时的样子。

是那个年轻民工救了王阳一命。火蛇刚围住王阳时，他便脱下身上的破旧军大衣冲上去盖在王阳头上，紧接着一个侧滚翻将王阳压在地上，这时政府反应过来，大声跳起来，说："哎哟要不要紧要不要紧？"

火苗从军大衣里钻出来，将年轻民工的衣袖也点着，他顾不得自己，双手猛拍打着王阳的身体，这时王阳却在声嘶力竭的呐喊，确切说，是在笑。身上的高温掩盖住胃里的剧痛，他满意极了，痛快极了，不想在烈火中永生，只想在烈火中告别这个让自己弄不明白对错的世界。

顾忱赶到医院时对王阳的抢救还在进行。医院正好就在建设局隔壁，年轻民工背着王阳往隔壁跑时，政府跟着边跑边问王阳是哪个单位的，王阳痛快的大喊"第一城啊第一城啊……"等着排队的民工也都跟着跑到医院手忙脚乱帮着年轻民工把王阳交到医生手里，这时他们还没整明白这个人咋借火借着把自己给点着了，直到后来才听说王阳是被自己用汽油点着的。这绝对是安泮历史上的一件大事，很快记者跑来了，建设局一个副局长也赶了过来，带着的随从里面恰好有一个就是接待过王阳的那个亲切的副主任，民工们围在一旁从他们的嘴里知道了前因后果，因此等到听到走廊里有人喊一声"建设局的同志在哪里我是第一城的"的时候，呼啦一下子全围了上去……

顾忱冲进抢救室的门前刚喊了一声，立马被一群民工围了起来，"你有本事有钱就了不起呀……""工头跑了甲方就没责任吗？"十几个人七嘴八舌大声冲顾忱喊，这时记者也跑过来咔嚓咔嚓拍了一大通照片，紧接着建设局领导挤进来，严肃的问顾忱，"你是第一城的负责人吗？"

"是。"

语气更加严肃，"这件事已经很久了，你们为什么迟迟不予解决？"

顾忱无言以对。

"这件事情，后果是很严重的，影响是很恶劣的，教训是深刻的，必须严肃处理！"副局长严厉的摆了下手，记者正好抓拍到这个镜头。

顾忱跟着副局长回到建设局，建设局的一把手也赶到，这时老夫子董玫熊能等一干第一城公司的领导全被通知到场，在会议室里顾忱当着众人面详细诉说事情经过，最后建设局局长严肃宣布，“这件事情，主要在于第一城置业有限公司工程发包混乱，对施工单位缺乏有效管理监督，施工单位既没有考察劳务队伍的资质，又没有签订规范的劳务合同，导致了这场悲剧的发生。现在要做的事情，是努力挽救自焚民工的生命，及时挽回社会影响，认真查明事件的深入情况，对第一城公司的处理意见随后作出，即日起第一城公司停止一切经营与施工活动！”

回到医院时，王阳已经被推进病房，建设局派了一名工作人员守护着他，隔着玻璃，顾忱可以看到王阳赤裸着被固定在病床上，从头到脚到处都是烧伤的痕迹，除去没有烧伤的皮肤是正常色外，其余部分有的是黑色焦皮，有的是鲜红血肉……王阳还在痛苦的嘶喊，这喊声撕心裂肺，一声声犹如尖利的子弹穿射入顾忱的胸膛，“我错了，到底还是我错了……啊——”

第二天，安沣市各大报纸全在显眼位置刊登出一则新闻：《第一城民工欠薪自焚，第一城停业等候处理》。紧接着，这则消息迅速传播到国内各大媒体，安沣又一次出名了，省建设厅专门派出工作小组前往安沣调查情况，唐书记亲自批示必须对相关单位进行严肃处理，对于王力卷款逃跑一案，责成有关部门另行处理。随后市建设局下发处理意见：第一城公司停工整顿三个月，对第一城施工招标程序进行彻底清查，对不符合规定的必须进行彻底整改，责令第一城公司立即支付欠薪民工的工资。

就在处理意见下发的当天，顾忱，却又失踪了……

尾声

顾忱完成了一次痛彻心扉的回归。

本来应该给自己带来幸福的第一城，怎么会演变成为一场灾难呢？这场灾难突如其来，迅速放大，与之相关的人无不被牵连进去。安沣市的声誉由于第一城事件受到严重影响，唐卿卫彬贾晓阳等一心发展安沣的领导们自然也受到牵连而影响到前途；自己倾家荡产，白崇洗声誉受损，孙大盛身陷囹圄，刘连身败名裂，晴晴被杀身亡，倪枫锒铛入狱，就连王阳这个最普通的民工也被逼上绝路，还有那么多为第一城付出辛勤汗水的建设者和那么多充满幸福渴望的购房者……如果不是自己，这一切，还会发生吗？贪婪好像一个魔鬼，将所有人的幸福吞噬，顾忱无法从巨大的自责中脱身，王阳自焚事件的第二天一早，顾忱便挤上了前往北京的拥挤不堪的过路车，临近春节，火车里挤满了回家的人，卧铺自然是买不上的，硬座车厢里满是人，顾忱直挺挺站在过道上整整一夜，谁也不会看出来这是一个拥有一个价值近十亿房地产项目的老板。

顾忱再次返回安沣市，已经是第三天，依然是挤上硬座车厢而归。所不同的是，这次他带回来整整一百万。那辆心爱的牧马人卖了三十多万，开着它去花乡旧机动车市场前，顾忱开车去了趟笃寅集团楼下，申扬在上面吗？她是否已经知道王阳自焚的消息？顾忱呆呆望着申扬办公室的窗口，现在唯一能知道的答案，就是自己已经失去了她，失去了自己的爱情。

“如果要你选择，你会选择事业，还是爱情？”申扬的话语犹在耳畔，顾忱现在终于知道该怎么回答了。

“我会选择爱情，因为一个不懂得爱的人，怎么配得上完美的事业呢？”顾忱靠在座椅上痴痴看着那扇窗户，泪流满面……

答案，有时候是不是来得太晚一些。

剩下的钱是顾忱东挪西凑得来的，除去要给工人们的工资，王阳的医疗费至少也要三四十万。顾忱还准备回去把两栋别墅卖了，这样，就能用卖房的钱给王阳作一些补偿了。

明天就是春节，车票已经比较好买，但顾忱舍不得坐卧铺回去，想起那些每天生活费不到十块钱的民工们，曾经那个豪情万丈梦想着得到上亿财富的商人已经消失了吗？此刻，他返回在本该返回的路上……

当顾忱把一百万元现金带到病房时，所有人惊呆了。六十个民工每天都来陪着王阳，陪着他一起疼，一起笑，一起痛骂王力，一起感谢政府。王阳的脸部严重烧伤，所以他笑的时候往往会疼得龇牙咧嘴，跟哭没什么两样。但他还是笑，真心实意的笑。

大家于是也笑，笑容背后，却真的在哭。

看到顾忱进来，所有人不吭声，王阳却努力想探起身打招呼。“顾……”王阳艰难的开口，他的上嘴唇也严重烧伤，医生说他这辈子注定口齿不清了。

顾忱取出五十四万元现金放在他枕头边，小声说：“王阳，是我错了。”

王阳有些吃惊，眼泪从眼角流了出来，这是重伤后大家第一次看见他流眼泪……

剩下的钱顾忱拿给那个年长的民工，让他作为王阳的医疗费，如果有剩余，就作为王阳的营养费，如果不足，就给顾忱打电话。顾忱还说，明年开工后，他会找一家有正规资质的队伍做第一城的防水保温，王阳带来的人全都编入那支队伍，至于王阳嘛，顾忱说，会给他准备一份不会失业的工作。

临走时，人群里有人说：“顾总，你是好人。”

顾忱回头，所有人都在点头。

顾忱郑重的看着他们，看着这些朴素的知足的脸，说：“我会的，做个好人。”再转过身时，顾忱又一次泪流满面。

出了病房门，门外有两个表情严肃的人拦住他，“你是顾忱吗？”

“是。”顾忱知道他们是谁，刘连的银行卡名表和那份一千万的协议，顾忱无法摆脱干系。

“跟我们走。”

天空很晴朗，春节，已经有春的感觉。

空气很新鲜，远方的山峦好像就在眼前，顾忱吃惊的想，来了这么久，竟第一次注意到安沣的空气和山峦是如此清新迷人。远方连绵的安山山脉构成一条美丽的天际线，局部封顶的第一城伫立在蓝天白云下，如此美丽，那曾经是一个不太遥远的梦，一个被寄予了过多期望的梦，不太现实，却曾经真实。

顾忱不知道，今天早晨笃寅集团发表声明，将接受第一城的全部资产，绝对不让购房者的利益受到任何损失。

台阶下，还有一辆红色的双门版牧马人。

一双目光，依然深情……

初稿　2008 年 12 月 2 日　海岸三十公里处

二稿　2009 年 1 月 29 日　正月初四暖阳下